普通高等教育土建学科专业"十二五"规划教材
高职高专系列教材

市政工程概论（第五版）

王云江　主编
夏　冰　主审

中国建筑工业出版社

图书在版编目(CIP)数据

市政工程概论 / 王云江主编. -- 5 版. -- 北京：中国建筑工业出版社, 2025.6. -- (普通高等教育土建学科专业"十二五"规划教材)(高职高专系列教材).
ISBN 978-7-112-31086-9

Ⅰ. TU99

中国国家版本馆 CIP 数据核字第 2025WL4745 号

本书根据高等职业教育市政工程技术专业、工程造价专业、监理专业"市政工程概论"课程的教学大纲编写。全书由道路工程篇、桥梁工程篇、排水工程篇、城市轨道交通工程篇 4 部分组成，内容包括：城市道路构造与识图、道路工程施工；桥梁构造与识图、桥梁工程施工；排水管道构造与识图、排水管道工程施工；城市轨道交通构造、城市轨道交通工程施工。

本书可作为市政工程技术专业、工程造价专业和监理专业教材使用，也可供市政施工企业岗位培训和工程技术人员参考使用。

为便于教学，作者制作了与教材配套的 PPT 课件，如有需求，可扫码下载。

教材PPT

* * *

责任编辑：王美玲
责任校对：芦欣甜

普通高等教育土建学科专业"十二五"规划教材
高职高专系列教材
市政工程概论（第五版）
王云江　主编
夏　冰　主审

*

中国建筑工业出版社出版、发行（北京海淀三里河路 9 号）
各地新华书店、建筑书店经销
北京红光制版公司制版
北京云浩印刷有限责任公司印刷

*

开本：787 毫米×1092 毫米　1/16　印张：19　字数：456 千字
2025 年 6 月第五版　　2025 年 6 月第一次印刷
定价：50.00 元（赠教师课件）
ISBN 978-7-112-31086-9
（44582）

版权所有　翻印必究
如有内容及印装质量问题，请与本社读者服务中心联系
电话：(010) 58337283　　QQ：2885381756
（地址：北京海淀三里河路 9 号中国建筑工业出版社 604 室　邮政编码：100037）

第 五 版 前 言

本教材第四版出版发行后沿用已五年，印刷了 7 次。为了更好地适应教学需要，对原教材中有关不实用、操作性不强及内容过时部分加以摒弃，有必要对第四版教材进行修改和增删。现重新编写本教材的第五版。

本教材是市政工程技术专业、工程造价专业、监理等专业的专业教材之一，通过该课程学习，熟悉道路、桥梁、排水、城市轨道交通有关构造知识；了解道路、桥梁、排水、城市轨道交通施工工艺和主要施工方法；掌握识读道路、桥梁、排水施工图，为学生学习市政工程计量与计价及市政工程监理课程打下良好基础。

第五版教材在第四版内容的基础上删除及增加了以下内容：第1篇道路工程删除了路面基层的工业废渣基层、水泥混凝土路面与结构图、石灰工业废渣稳定碎石基层（三渣）施工、水泥混凝土路面施工等内容，增加了雨水支管与雨水口的施工；第2篇桥梁工程删除了桥梁工程施工准备工作部分内容、人工挖孔灌注桩等；第3篇排水工程增加了城市新型排水体制。

在编写中加强了教材内容的针对性、实用性和可操作性，教材在内容上、形式上、使用上更贴近实际。

本书由王云江修订，夏冰高级工程师主审。

虽经再次修订，限于编写水平，书中不妥之处，敬请读者指正。

2025.6

第 四 版 前 言

本书第三版出版发行后沿用至今已四年，为了更好地适应教学需要和丰富教材内涵，同时对原教材中有关不实用和操作性不强的技术加以摒弃，有必要对第三版教材进行修改和充实，现重新编写这本教材的第四版。

本教材是市政工程技术专业、工程造价专业、工程监理等专业的专业教材之一，通过该课程学习，熟悉道路、桥梁、排水、城市轨道交通有关构造知识；了解道路、桥梁、排水、城市轨道交通施工工艺和主要施工方法；掌握识读道路、桥梁、排水施工图，为学生学习市政工程计量与计价及市政工程监理课程打下良好基础。

第四版教材在第三版内容的基础上删除了以下内容：每篇概论中的某些内容及将每篇中的概论部分内容调整到各篇构造与识图中；第1篇道路工程中的路基土的分类及性质等内容；第2篇桥梁工程中高架桥图；第3篇排水工程中排水管道系统的布置形式、排水管道材料中的陶土管与排水渠道等内容。增加了第4篇城市轨道交通工程中地铁区间盾构隧道施工与高架轨道交通施工。

在编写中加强了教材内容的针对性、实用性和可操作性，教材在内容上、形式上、使用上更贴近实际。

本书由王云江主编，戴军、李丹丹副主编，史文杰教授级高级工程师主审。编写具体分工为：浙江建设职业技术学院刘江编写第1篇第1章（1.1～1.7），杭州市水务控股集团有限公司赵庆礼编写第1篇第1章（1.8）、第3篇第5章（5.5），新湖地产集团有限公司李丹丹编写第1篇第2章，浙江建设职业技术学院王云江编写第2篇，江苏建设职业技术学院白建国编写第3篇第5章（5.1～5.4）、第6章，杭州萧宏建设环境集团有限公司魏飞编写第4篇第7章，杭州市建设工程质量安全监督总站戴军编写第4篇第8章。全书由王云江统稿。

虽经再次修订，限于编写水平，书中不妥之处，敬请读者指正。

2019.8.1

第 三 版 前 言

本书第二版出版发行后沿用至今已四年，为了更好地适应教学需要和丰富教材内涵，同时对原教材中有关不实用和操作性不强的技术加以摒弃，有必要对第二版教材进行修改和充实，现重新编写这本教材的第三版。

第三版教材增加第四篇城市轨道交通工程内容。城市轨道交通以其运量大、速度快、污染少、能耗小、占地省、安全与环保等优点受到青睐，在中国已成为通行及市区出行的主要交通手段，是现代化城市中的"绿色交通"。当前，我国轨道交通的建设方兴未艾，随着国民经济及城市建设的飞速发展，城市轨道交通正迎来前所未有的建设高潮，社会亟需城市轨道交通建设这一方面的建设人才。针对这一现状，为满足社会需求，高职高专院校市政工程技术专业，工程造价专业，市政监理专业是以培养社会主义现代化建设需要，学生有必要学习轨道交通工程的构造和施工知识。

在编写中加强了教材内容的针对性、实用性和可操作性，教材在内容上、形式上、使用上更贴近实际。

本书由王云江主编，郑少午、白建国、刘永飞副主编，史文杰主审。编写具体分工为：杭州市路桥有限公司刘永飞编写第1篇第3章，浙江建设职业技术学院刘江编写第1篇第1、2章（2.1～2.6），杭州市水务控股集团有限公司赵庆礼编写第1篇第2章（2.7）、第3篇第7、8章（8.5），浙江建设职业技术学院王云江编写第2篇，徐州建设职业技术学院白建国编写第3篇第8章（8.1～8.4）、9章，杭州市建设工程质量安全监督总站郑少午编写第4篇。全书由王云江统稿。

虽经再次修订，限于编者的水平，书中不妥之处，敬请读者指正。

2015.6

第 二 版 前 言

第一版《市政工程概论》教材发行后沿用至今已使用 4 年,印刷了 5 次。原教材中有关陈旧、落后的技术有必要摒弃,新材料、新工艺、新技术、新设备、新规范内容需及时补充。为了进一步丰富教材内容,有必要写这本教材。

第二版教材修订在第一版基础上,根据国家行业标准《城镇道路工程施工与质量验收规范》CJJ 1—2008 国家行业标准、《城市桥梁工程施工与质量验收规范》CJJ 2—2008、国家标准《给水排水管道工程施工及验收规范》GB 50268—2008 以基础性、就业性、时效性、系统性为要求,进行改写整合。

在编写中加强了教材内容的针对性、实用性和可操作性,充分体现适应职业岗位需求为目标,以"应用"为主旨和特征构建课程体系。对强制性条文,必须严格执行,全书均用黑体字表示。

本教材是工程造价专业、监理专业的专业教材之一,通过该课程学习,熟悉道路、桥梁、排水有关构造知识;了解道路、桥梁、排水施工工艺和主要施工方法;掌握识读道路、桥梁、排水施工图,为工程造价专业学生学习后续增强市政工程计量与计价及监理专业学生学习后续课程市政监理打下良好基础。

本教材由王云江主编,白建国、赵国良副主编,史文杰主审。编写的具体分工为:第一篇第一、二章(一~第六节)由刘江编写,第一篇第二章(第七节)、第三章由赵国良编写,第二篇由王云江编写,第三篇第七章由金帅编写,第三篇第八、九章由白建国编写。全书由王云江统稿。

虽经修订,限于编者的水平,书中不妥之处,恳请读者指正。

第 一 版 前 言

本教材是工程造价专业的专业教材之一。教材编写的依据是该课程的教学大纲；国家现行的有关规范、规程、技术标准。

本教材在编写过程中充分考虑到高等职业技术教育的教学特点，力求满足该专业毕业生的基本要求和业务范围的需要，侧重于学生工程素质能力的培养。教材编写摒弃了市政工程建设陈旧、过时的教学内容，吸纳了常用先进的施工方法。在内容选取、章节编排和文字阐述上力求做到：基本理论简明扼要、深入浅出、以必须够用为度；注意理论联系实际，重点突出道路、桥梁、排水管道工程的构造和实用的施工技术；以便于工程造价专业的学生编制市政工程造价。

本教材按 64 学时编写，共分三篇九章，主要内容为城市道路的组成、城市道路的构造和城市道路施工；桥梁的组成、桥梁的构造和桥梁施工；市政排水管道的组成、市政排水管道的构造和市政排水管道的施工；道路、桥梁、排水工程图的识读。

本教材由王云江主编，白建国、杨小平副主编，史文杰主审。编写的具体分工为：第一篇第一、二章（一～六节）由刘江编写，第一篇第二章（第七节）、第三章由杨小平编写，第二篇由王云江编写，第三篇第七章由黄允洪编写，第三篇第八、九章由白建国编写。全书由王云江统稿。

在本教材的编写过程中，参考并引用了有关院校编写的教材、专著和生产科研单位的技术文献资料，并得到了全国土建学科高等职业教育教学指导委员会、中国建筑工业出版社及编者所在单位的指导和大力支持，在此一并致以诚挚的感谢。

限于时间仓促和编者的水平，书中不妥之处，恳请广大读者指正。

目 录

第1篇 道 路 工 程

第1章 城市道路构造与识图 ... 1
1.1 城市道路的性质、作用、组成与分类 ... 1
1.2 城市道路宽度与车道布置 ... 3
1.3 城市道路横断面形式、横坡与路拱 ... 3
1.4 城市道路平面构造 ... 5
1.5 城市道路纵断面构造 ... 6
1.6 城市道路的交叉 ... 6
1.7 路基路面构造 ... 7
1.8 道路工程图识读 ... 13

第2章 道路工程施工 ... 22
2.1 道路施工准备工作 ... 22
2.2 路基施工 ... 24
2.3 基层施工 ... 32
2.4 面层施工 ... 35
2.5 道路附属工程施工 ... 39
2.6 道路雨、冬期施工要求 ... 46
2.7 道路施工机械设备 ... 47

第2篇 桥 梁 工 程

第3章 桥梁构造与识图 ... 53
3.1 桥梁的作用、组成与分类 ... 53
3.2 简支板桥和简支梁桥的构造 ... 56
3.3 连续梁桥构造 ... 62
3.4 拱桥构造 ... 69
3.5 斜拉桥构造 ... 73
3.6 悬索桥构造 ... 76
3.7 桥面系构造 ... 78
3.8 桥梁墩台构造 ... 82
3.9 桥梁支座构造 ... 88
3.10 桥梁工程图识读 ... 90

第4章　桥梁工程施工 ·· 100
　4.1　桥梁施工准备工作 ·· 100
　4.2　桥梁基础施工 ··· 101
　4.3　桥梁墩台施工 ··· 112
　4.4　钢筋混凝土桥施工 ·· 116
　4.5　预应力混凝土桥施工 ··· 138
　4.6　其他体系桥梁施工 ·· 149
　4.7　桥面及附属工程施工 ··· 162

第3篇　排　水　工　程

第5章　排水管道构造与识图 ··· 167
　5.1　排水工程的作用和组成 ·· 167
　5.2　排水管道材料 ··· 170
　5.3　排水管道的构造 ··· 171
　5.4　排水管道系统上的附属构筑物 ··· 174
　5.5　排水管道工程图识读 ··· 177

第6章　排水管道工程施工 ··· 183
　6.1　排水施工准备工作 ·· 183
　6.2　排水管道开槽施工 ·· 184
　6.3　排水管道不开槽施工 ··· 217

第4篇　城市轨道交通工程

第7章　城市轨道交通构造 ··· 233
　7.1　城市轨道交通的特点、分类与组成 ·· 233
　7.2　地铁车站分类、组成与结构形式 ·· 235
　7.3　地铁轨道结构及部件 ··· 243

第8章　城市轨道交通工程施工 ·· 250
　8.1　地铁车站施工 ··· 250
　8.2　地铁区间隧道施工 ·· 258
　8.3　高架轨道交通施工 ·· 283

参考文献 ··· 291

第1篇 道路工程

第1章 城市道路构造与识图

1.1 城市道路的性质、作用、组成与分类

1.1.1 城市道路的性质

城市道路是城市中组织生产、提供生活所必需的车辆、行人交通往来的道路；是连接城市各个组成部分：包括市中心、工业区、生活居住区、对外交通枢纽以及文化教育、风景浏览、体育活动场所等，并与郊区公路相贯通的交通纽带。

1.1.2 城市道路的作用

城市道路是组织城市交通运输的基础。城市道路是城市的主要基础设施之一，是市区范围内人工建筑的交通路线，主要作用在于安全、迅速、舒适地通行车辆和行人，为城市工业生产与居民生活服务。

同时，城市道路也是布置城市公用事业地上、地下管线设施以及街道绿化、组织沿街建筑和划分街坊的基础，并为城市公用设施提供容纳空间。城市道路用地是在城市总体规划中所确定的道路规划红线之间的用地部分，是道路规划红线与城市建筑用地、生产用地以及其他用地的分界控制线。因此，城市道路是城市市政设施的重要组成部分。

1.1.3 城市道路的组成

城市道路由车行道、人行道、平侧石及附属设施四个主要部分组成。

1. 车行道

车行道即道路的行车部分，主要供各种车辆行驶，分快车道（机动车道）、慢车道（非机动车道）。车道的宽度根据通行车辆的多少及车速而定，一般每条机动车道宽度在 3.5~3.75m，每条非机动车道宽度在 2~2.5m，一条道路的车行道可由一条或数条机动车道和数条非机动车道组成。

2. 人行道

人行道是供行人步行交通所用，人行道的宽度取决于行人交通的数量。人行道每条步行带宽度在 0.75~1m，由数条步行带组成，一般宽度为 4~5m，但在车站、剧场、商业网点等行人集散地段的人行道，考虑行人的滞留、自行车停放等因素，应适当加宽。为了保证行人交通的安全，人行道与车行道应有所分隔，一般高出车行道 15~17cm。

3. 平侧石

平侧石位于车行道与人行道的分界位置，它也是路面排水设施的一个组成部分，同时又起着保护道路面层结构边缘部分的作用。

侧石与平石共同构成路面排水边沟，侧石与平石的线形确定了车行道的线形，平石的平面宽度属车行道范围。

4. 附属设施

（1）交通基础设施

交通广场、停车场、公共汽车停靠站台、出租车上下客站、加油站等。

（2）排水设施

包括为路面排水的雨水进水井口、检查井、雨水沟管、连接管、污水管的各种检查井等。

（3）交通隔离设施

包括用于交通分离的分车岛、分隔带、隔离墩、护栏和用于导流交通和车辆回旋的交通岛和回车岛等。

（4）绿化

行道树、林荫带、绿篱、花坛、街心花园的绿化，为保护绿化设置的隔离设施。

（5）地面上杆线和地下管网

雨污水管道、给水管道、电力电缆、燃气等地下管网和电话、电力、热力、照明、公共交通等架空杆线及测量标志等。

（6）交通安全设施

路名牌、交通标志牌、标线、交通信号灯、电子信号显示设备、交通岛、护栏等。

（7）其他

邮筒、电话亭、清洁箱、公共厕所、行人座椅等。

1.1.4 城市道路的分类

城市道路的功能是综合性的，按照城市道路在道路系统中的地位、交通功能以及沿街建筑物的服务功能等来划分城市道路。目前一般将其划分为快速路（一般为汽车专用路）、主干路（指全市性干道）、次干路（指地区性或分区干道）、支路（指居住区道路与连通路）。

1. 快速路

快速路系为较高车速、较长距离而设置的道路。快速路对向车道之间应设中间带以分隔对向交通，当有自行车通行时，应加设两侧带。快速路的进出口应采取全控制或部分控制，快速路与高速公路、快速路、主干路相交时，都必须采用立体交叉，与交通量很小的次干路相交时，可近期采用平面交叉，但应为将来建立体交叉留有余地，与支路不能直接相交，在过路行人较集中地点应设置人行天桥或地道。

2. 主干路

主干路是构成道路网的骨架，是连接城市各主要分区的交通干道。以交通功能为主时，宜采用机动车与非机动车分流形式，一般均为三幅路或四幅路，主干路的两侧不宜设置吸引大量车流、人流的公共建筑物的进出口。

3. 次干路

次干路是城市的交通干路，与主干路组合成道路网，起集散交通的作用，兼有服务功能。次干路辅助主干路构成城市完整的道路系统，沟通支路与主干路之间的交通联系，因此起广泛连接城市各部分与集散交通的作用。

4. 支路

支路是联系次干路之间的道路，个别情况下亦可沟通主干路、次干路。支路是用作居住区内部的主要道路，也可用作居住区及街坊外围的道路，为次干路与街坊路的连接线，主要作用为供区域内部交通使用，除满足工业、商业、文教等区域特点的使用要求外，尚应满足群众的使用要求，在支路上很少有过境车辆交通。

1.2 城市道路宽度与车道布置

城市道路的总宽度即道路规划红线之间的宽度，也称路幅宽度，它是道路用地范围，是车行道、人行道、绿化带、分车带及预留地等所需宽度的总和。

1.2.1 机动车道宽度的确定

机动车每条车道宽度，一般应以 3.75～4.00m 为宜。大中城市新建的主干路，宜采用八车道（双向），次干道则采用六车道（双向）；小城市的主干路可采用六车道（双向），次干道采用四车道为宜，可为交通发展留些余地。

城市道路建设的经验：四车道采用 15～16m，六车道 23～24m，八车道 30～32m。

1.2.2 非机动车道宽度的确定

非机动车每条车道宽度一般为 1.0～2.5m。自行车为 1.0m，三轮车、板车为 2～2.5m。

根据我国各城市多年来的设计实践，非机动车道的基本宽度可采用3.5m（或4.0m）、5.5m（或6.0m）、7.5m（或8.0m）。

1.2.3 人行道宽度的确定

人行道的主要功能是满足行人步行交通的需要，还要供植树、地上杆柱、埋设地下管线之用。因此，人行道总宽度既要考虑地上步行交通、种行道树、立电线杆，还要考虑地下埋设工程管线所需用的宽度。大中城市在主次干路上总宽度一般不少于6m；小城市也不宜少于4m。

1.2.4 分车带宽度与长度

分车带是分隔车行道的，有时设在路中心，分隔两个不同方向行驶的车辆；有时设在机动车道和非机动车道之间，分隔两种不同的车行道。分车带最小宽度不宜小于1.0m。绿化分车带最小宽度不宜小于1.5m。如果在分车带上考虑设置公共交通车辆停车站台时，其宽度不宜小于2.0m。分段长度越长越好，最短不少于80m，以利行车安全。

1.3 城市道路横断面形式、横坡与路拱

1.3.1 道路横断面的形式

沿着道路宽度方向，垂直于道路中心线所作的剖面，称为道路横断面。

城市道路横断面由车行道、人行道和绿带等部分组成。根据道路功能和红线宽度的不同，有以下几种基本形式（图1-1）。

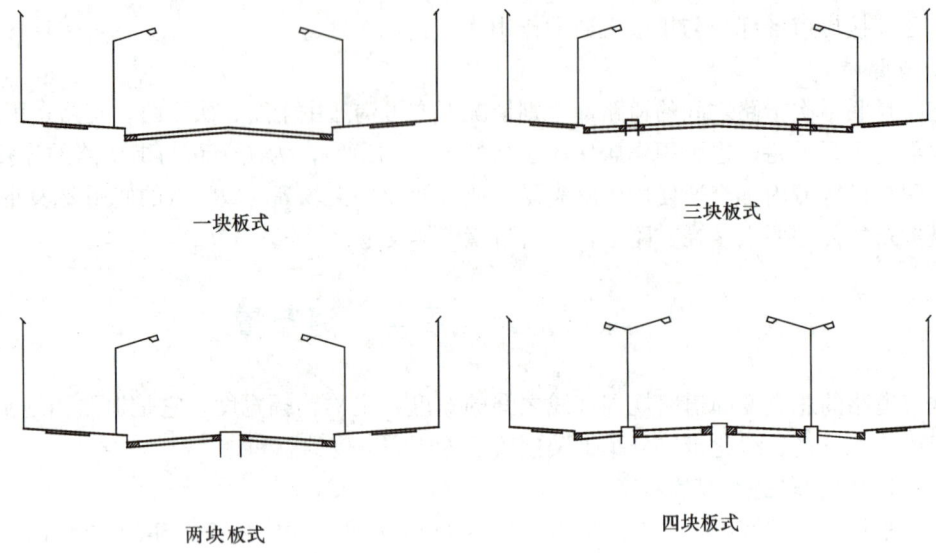

图 1-1　道路横断面形式

（1）单幅路　双向机动车与非机动车混行，车行道不设分车带，机动车在中间，非机动车在两侧，按靠右侧规则行驶，这种横断面形式称为单幅路，又称为一块板断面。

（2）双幅路　利用分车带分隔对向车流，将车行道一分为二，每侧机动车与非机动车混行，称为双幅路，又称为两块板断面。

（3）三幅路　用两条分车带分隔机动车与非机动车，将车行道一分为三，机动车道双向行驶，两侧非机动车道车辆为单向行驶，称为三幅路，又称为三块板断面。

（4）四幅路　利用三条分车带，使上、下行的机动车与非机动车全部隔开，各车道均为单向行驶，称为四幅路，又称为四块板断面，是最理想的道路横断面布置形式。

1.3.2　城市道路的横坡及路拱

为了使人行道、车行道与绿带上的雨水通畅地流入街沟，必须使它们都具有一定的横坡和路拱。

车行道一般都采用双向坡面，由路中线向两边倾斜，形成路拱。

人行道横坡通常都采用直线形向侧石方向倾斜。

1. 道路横坡

人行道、车行道、绿带，在道路横向单位长度内升高或降低的数值，称为横坡度。常以"‰"或小数值表示。

横坡的大小主要取决于路面材料与道路纵坡度。

从行车安全角度看，车行道横坡应尽可能小，但从路面排水来要求，横坡就应做得大些。所以，决定路拱横坡度时应综合考虑，合理解决这一矛盾，选用合适的路拱横坡。

2. 路拱的形式

路拱的基本形式有抛物线形、直线形和折线形三种。

抛物线形路拱为沥青路面所常用。路拱上各点横坡度是逐渐变化的，比较圆顺，形式美观，且越到路的两旁横坡越大，对排除雨水十分有利。其缺点是车行道中部过于平缓，易使车辆集中在路中行驶，从而造成中间部分的路面损坏较快。

直线形路拱多用于刚性路面。这种路拱施工简单，但对行车颇为不便，多用于车行道较窄和单向排水的路面。

折线形路拱包括单折线形及多折线形两种。折线形路拱直线段较短，路面施工易摊压平顺，其缺点是在转折处有尖峰凸出，不利于行车。

1.4 城市道路平面构造

1.4.1 平曲线、超高及加宽

由于受地形、地物、地质条件和建筑物布局的限制，常需要恰当地调整、改变路线的方向。这些使路线在平面上方向发生转折的点，称为路线转向的折点。转向的直线之间，为适应行车的要求，总是用曲线段来连接，就成为道路上的平曲线。道路上的平曲线一般采用圆曲线（图1-2）。

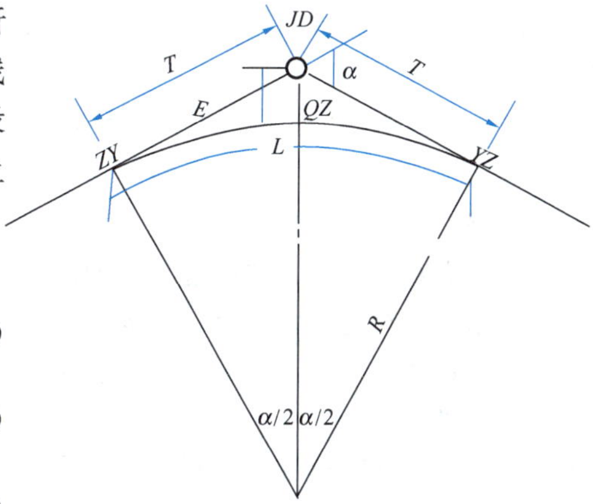

圆曲线几何要素关系如下：

$$T = R \cdot \tan \frac{\alpha}{2} \quad (1-1)$$

$$L = \frac{\pi}{180} \alpha R = 0.01745 \alpha R \quad (1-2)$$

$$E = R \left(\sec \frac{\alpha}{2} - 1 \right) \quad (1-3)$$

$$D = 2T - L \quad (1-4)$$

图 1-2 圆曲线要素示意图

式中 T——切线长，m；
L——曲线长，m；
E——外距，m；
D——切曲差（或校正值），m；
R——圆曲线半径，m；
α——转角（°）。

当曲线受地形、地物限制，选用不设超高的平曲线不适宜时，就需要设置超高。超高即由双向坡外侧抬高变为单向坡。

为了使道路从直线段的双坡横断面转变到曲线段具有超高的单坡倾斜横断面，需要有一个逐渐变化的过渡段，称为超高缓和段。

汽车在平曲线上行驶时，各个车轮行驶的轨迹是不相同的。靠曲线内侧的后轮行驶的曲线半径最小，而靠曲线外侧的前轮所行驶的半径最大，因此，汽车在曲线路段上行驶时所占有的行车部分要比直线段大。为了保证汽车在转弯中不侵占相邻车道，曲线路段的车行道就需要加宽。

1.4.2 道路平面图

道路平面图的内容：一是道路的平面位置；二是在道路建筑红线之间的平面布置（包

括车行道、人行道、分车带、绿化带、停车站、停车场等），以及沿道路两侧一定范围内的地形、地物与道路的相互关系。

道路平面图的比例，在城市道路上一般采用1∶500，在公路上采用1∶2000～1∶1000。

平面图应画明下列内容：

（1）工程范围；

（2）原有地物情况（包括地上、地下构筑物）；

（3）起讫点及里程桩号；

（4）设计道路的中线、边线、弯道及其组成部分；

（5）设计道路各组成部分的尺寸；

（6）检查井、雨水井的布置和水流方向；雨水口的位置；

（7）其他（如道路沿线工厂、学校等门口斜坡要求，公用事业配合的位置以及附近水准点标志的位置，指北针、文字说明、接图线等）。

1.5　城市道路纵断面构造

城市道路纵断面，是指沿道路中心线所作的竖向剖面。

道路工程纵断面图，一般应包括下列内容：道路中线的地面线、纵坡设计线、竖曲线及其组成要素、道路起点和终点、主要道路交叉点，以及其他特征点和各中线桩的标高及施工填挖高度，此外尚需注明桥涵位置、结构类型、孔径和沿线土层地质剖面柱状图，以及地下水位、洪水位线、水准点位置与高程等。

为了使道路平面与纵断面线形相互关系明确，在纵断面图的下方，尚可绘出道路平面简要示意图。

纵断面图的比例尺，一般采用水平方向为1∶1000～1∶500、垂直方向为1∶100～1∶50的较大比例尺，对地形平坦的路段，竖直方向还可放大。

在纵断面图上表示原地面起伏的标高线称为地面线，地面线上各点的标高称为地面标高（或称黑色标高）。

表示道路中线纵坡设计的标高线称为设计线，它一般多指路面设计线，设计线上各点的标高，称为设计标高（或称红色标高）。

设计线上各点的标高与原地面线上各对应点标高（即高程）之差，称为施工高度或填挖高度。设计线高于地面线的需填土；低于地面线的需挖土；与地面线重合处可不填不挖。

在城市道路上，一般均以道路车道中心线的纵断面线形作为基本纵断面。当道路横断面为两块板或设有专用的自行车道时，则应分别定出各个不同车道中心线的纵断面。

1.6　城市道路的交叉

城市中道路与道路（或与铁路）相交的部位称为城市道路的交叉口。交叉口的设置有利于城市道路上车行交通和人行交通的组织和转换，但也会使行车速度下降、通行能力降低，因此需要合理设置。

根据各相交道路在交叉点的标高情况，城市道路的交叉可以分为两种基本类型：平面交叉和立体交叉。

1.6.1　平面交叉

平面交叉，系指各相交道路中心线在同一高程相交的道口。

常见的平面交叉口形式有：十字形、X字形、T字形、Y字形、错位交叉和复合交叉等。

进出交叉口的车辆，由于行驶方向不同，车辆与车辆相交的方式亦不相同。当行车方向互相交叉时可能产生碰撞的地点称为冲突点。当车辆从不同方向驶向同一方向或成锐角相交时可能产生挤撞的地点称为交汇点。设置交叉口时应尽量设法减少冲突点和交汇点，尤其应减少或消灭对交通影响最大的冲突点。

1.6.2　立体交叉

立体交叉，是指交叉道路在不同标高相交时的道口。特点是各相交道路上的车流互不干扰，可以各自保持原有的行车速度通过交叉口，既能保证行车安全，也可有效地提高道路通行能力。

立体交叉的主要组成部分包括：跨路桥，匝道，外环和内环，入口和出口，加速车道，减速车道，引道等。

根据立体交叉结构物形式不同，可分为隧道式和跨路桥式两种。

根据相交道路上行驶的车辆是否能相互转换，立体交叉又可分为分离式和互通式两种。

在互通式立交中，根据交叉口的立交完善程度和几何形式不同，又可分为部分互通式、完全互通式和定向式三种。

部分互通式立交常见的有：菱形立交，两层十字形立交，三层十字形立交和部分苜蓿叶式立交等。

完全互通式立交每一个方向都采用立体交叉，是立交的基本形式。常见的有：喇叭形立交，梨形立交，苜蓿叶式立交，环形立交等。

定向式立交是指每条匝道都从一指定的路口直接连接另一指定路口，不通向其他的道路。

1.7　路基路面构造

1.7.1　路基路面的作用与基本要求

路基是路面的基础，一般由自然土层所构成。为了保证各类车辆在路上的行驶安全与通畅，要求路基具有足够的密实度、强度和稳定性，从而能为路面的强度和平整度提供有力可靠的支承。

有了坚实牢固的路基，才能保证路面、路肩的稳固，才不致在车辆行驶荷载作用和自然因素影响下，发生松软、变形、沉陷、坍塌，所以路基也是整个道路的基础。

路面是专指为各类车辆，在规定车速、载重下，安全、平稳、通畅行驶的部分。它是用坚固、稳定的材料直接铺筑在路基上的结构物。路面应具有充分的强度、刚度、耐久性、稳定性和平整度，并保持足够的表面粗糙度、少尘或无尘。

1.7.2 路基的强度和稳定性

路基品质的好坏，主要取决于它的强度和稳定性。

路基的强度是指车辆行驶荷载反复作用下，对通过路面结构层传布下来的车轮压力及相应产生的竖直变形的抵抗能力。一般要求路基应承受这种压力而不产生超过容许限度的变形，从而给路面强度和平整度以足够支持。

路基的稳定性是指在外界自然因素变动作用的影响下，路基强度能保持相对稳定，从而在最不利地质、水文与气候条件下，仍能保持一定强度，使由行车荷载引起的路基变形不超过容许限度的能力。

而路基的最小填土高度，是指路基顶面边缘距原自然地面的最小高度。为利于排水，干燥路基最小填土高度：砂性土为 0.3~0.5m；黏性土为 0.4~0.7m；粉性土为 0.5~0.8m。

1.7.3 路面结构层

行车荷载和自然因素对路面的影响，随深度的增加而逐渐减弱。因此，对路面材料的强度、抗变形能力和稳定性的要求也随深度的增加而逐渐降低。通常按照各个层位功能的不同，划分为三个层次，即面层、基层和垫层。

1. 面层

面层是直接同行车和大气接触的表面层次，它承受较大的行车荷载的竖向力、水平力和冲击力的作用，同时还受到降水的浸蚀和气温变化的影响。因此，同其他层次相比，面层应具备较高的结构强度、抗变形能力、较好的水稳定性和温度稳定性，而且应当耐磨、不透水；其表面还应有良好的抗滑性和平整度。

修筑面层所用的材料主要有：水泥混凝土、沥青混凝土、沥青碎（砾）石混合料、砂砾或碎石掺土或不掺土的混合料以及块料等。

2. 基层

基层是路面结构中的承重层，基层主要承受由面层传来的车辆荷载的竖向力，并扩散到下面的垫层和土基中去。基层应具有足够的强度和刚度，并具有良好的扩散应力的能力。基层遭受大气因素的影响虽然比面层小，但是仍然有可能经受地下水和通过面层渗入雨水的浸湿，所以基层结构应具有足够的水稳定性。基层表面虽不直接供车辆行驶，但仍然要求有较好的平整度，这是保证面层平整性的基本条件。

修筑基层的材料主要有各种结合料（如石灰、水泥或沥青等）稳定土或稳定碎（砾）石、贫水泥混凝土、天然砂砾、各种碎石或砾石、片石、块石或圆石，各种工业废料（如煤渣、粉煤灰、矿渣、石灰渣等）和土、砂、石所组成的混合料等。

3. 垫层

垫层介于土基与基层之间，它一方面的功能是改善土基的湿度和温度状态，以保证面层和基层的强度、刚度和稳定性不受土基水温状况变化所造成的不良影响。另一方面的功能是将基层传下的车辆荷载应力加以扩散，以减小土基产生的应力和变形。同时也能阻止路基土挤入基层中，影响基层结构的性能。

修筑垫层的材料，强度要求不一定高，但水稳定性和隔温性能要好。常用的垫层材料分为两类，一类是由松散粒料，如砂、砾石、炉渣等组成的透水性垫层；另一类是用水泥或石灰稳定土等修筑的稳定类垫层。

1.7.4 路面的等级与分类

1. 路面等级划分

通常按路面面层的使用品质、材料组成类型以及结构强度和稳定性，将路面分为四个等级，见表1-1。

路面面层类型及其所适用的公路等级　　　表1-1

路面等级	面层类型	所适用的公路等级
高　级	水泥混凝土、沥青混凝土、厂拌沥青碎石、整齐石块或条石	高速、一级、二级
次高级	沥青贯入碎（砾）石、路拌沥青碎（砾）石、沥青表面处治、半整齐石块	二级、三级
中　级	泥结或级配碎（砾）石、水结碎石、不整齐石块、其他粒料	三级、四级
低　级	各种粒料或当地材料改善土，如炉渣土、砾石土和砂砾土等	四级

2. 路面分类

路面类型一般按面层所用的材料划分，如水泥混凝土路面、沥青路面、砂石路面等。从路面结构的力学特性，路面划分为柔性路面、刚性路面和半刚性路面三类。

柔性路面主要包括各种未经处理的粒料基层和各类沥青面层、碎（砾）石面层或块石面层组成的路面结构。

刚性路面主要指用水泥混凝土作面层或基层的路面结构。

用水泥、石灰等无机结合料处治的土或碎（砾）石及含有水硬性结合料的工业废渣修筑的基层，称为半刚性基层。这种基层和铺筑在它上面的沥青面层统称为半刚性路面。

1.7.5 路面基层

1. 级配碎（砾）石基层

级配碎（砾）石是以大小不同的碎（砾）石等材料，按一定的比例配合，逐级填充空隙，并借黏土结合而成。

级配路面的结构形式可采用单层或双层，单层结构多用于近期交通量很小和土基较稳定的路段上。面层的最小压实厚度不得小于5cm，直接铺在砂层上的厚度不应小于12cm。当超过12cm时，应分两层施工，下层厚度为总厚的60%，上层为总厚的40%。

基层和面层的作用不同，对材料的要求也有所不同。作为直接行驶车辆的面层，组成的级配材料可用稍细的颗粒，黏土的塑性指数可取15以上，在缺少黏性土地区也可采用不低于10的塑性指数材料。作为承重和扩散轮压应力作用的基层，应考虑提高强度和水稳定性，所以组成的级配材料可用粗一些的颗粒，土的含量和塑性指数以低一些为宜，一般塑性指数可采用10～15。

2. 水泥稳定砂砾碎石基层

在天然砂砾中，掺入水泥和水，经拌合、压实及养护而成的基层，称为水泥稳定砂砾基层。

要求组成材料中砂砾应符合一定的级配标准，水泥应选用终凝时间较长的，宜在6h以上。经济水泥掺用剂量一般为5%左右，最佳含水量为6%左右（重型击实），水宜采用饮用水。

用天然砂砾级配做成的基层，抗剪能力低，对荷载分布的能力也差，故易引起面层损坏，但由于掺入水泥由级配型变成整体型，稳定性和强度均有较大提高，因此适宜于各种气候环境和水文地质条件，还具有抗干缩、抗温缩能力，可减轻横向裂缝的产生，可用在高等级道路上。

1.7.6 沥青混凝土路面

1. 特点

柔性路面是由具有黏性、弹塑性的结合料和颗粒矿料组成的路面，这种路面的特点是在荷载作用下所产生的弯沉变形较大，抗弯强度很小，主要依靠抗压、抗剪强度来抵抗车辆荷载作用。

沥青混凝土路面是一种常见的柔性路面形式。

沥青混凝土是由不同大小颗粒的石料（包括卵石）、石屑（砂）、石粉等，以沥青材料作为结合料，按合理的配合比，经工厂或工地加热拌制而成的混合料，这种混合料送到现场铺筑而成的路面称为沥青混凝土路面。

沥青混凝土路面具有高强度和较大的抵抗自然因素的能力，适应现代高速交通，能承受每昼夜3000辆以上的交通量，使用寿命一般可达15～20年。

2. 分类

沥青混凝土路面的分类，按摊铺层数可分为一层式和二层式两种。在二层式中，下层主要是用以增大面层的强度，并用以整平基层以及保证面层与基层之间有良好的结合性，避免滑动。

沥青混凝土按所用石料的最大粒径尺寸可分为：粗粒式（最大粒径尺寸35mm），中粒式（大粒径尺寸25mm），细粒式（大粒径尺寸15mm），沥青砂（大粒径尺寸5mm）。

按混合料铺筑时的混合料温度而分，有热拌热铺和热拌冷铺两种。

3. 技术指标

加工拌合成的沥青混凝土，应该具有足够的强度、稳定性与耐久性。沥青混凝土路面施工前必须进行混合料组合设计，常见技术指标有：击实次数、稳定度、流值、孔隙率、沥青饱和度、残留稳定度等。

1.7.7 侧平石与人行道

1. 侧平石

侧平石是设置在路面边缘的界石，可分为侧石、平石、平缘石三种。侧石又叫立缘石，一般高出车行道边缘15cm。侧石是设在路面边缘的界石，也称为道牙或缘石，它是人行道、绿化带、安全带（岛）与车行道分界线的构筑物，起保障行人、车辆交通安全和保证路面边缘齐整的作用。侧石对人行道、绿化带起支撑作用。所以侧石必须有足够的强度，施工时要埋设牢固，线形高低整齐。侧石可用混凝土预制或用花岗石凿制，目前城市侧石以混凝土预制为主，规格如图1-3所示。

平石是铺筑在路面与立缘石（侧石）之间的平缘石，采用混凝土预制，起标定路面范围、整齐路容、保护路面边缘的作用。当道路采用两侧明沟排水时，设平石时有利于排水，也方便施工中的碾压作业。其规格如图1-4所示。

沥青混凝土路面，平石常与侧石联合设置在路面边缘，平石铺在沥青路面与侧石之间，形成锯齿形街沟。水泥混凝土路面边缘仅设置侧石，同样也起到街沟的作用。

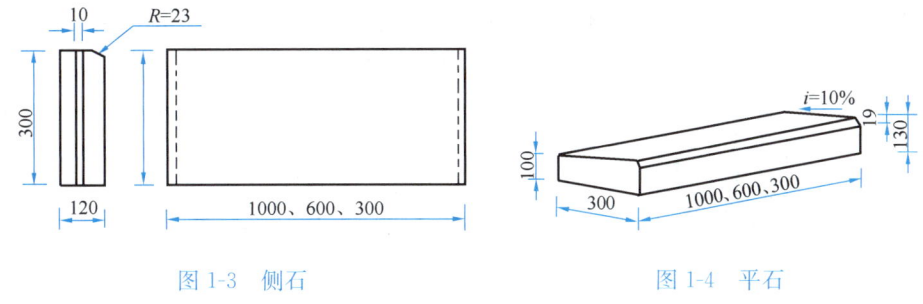

图 1-3 侧石　　　　　图 1-4 平石

2. 人行道

（1）一般人行道

人行道设在城市道路的两侧，是城市居民出行必经之道。它起到人车分流的作用，使步行者安全舒适，盲人步行安全方便。

人行道由路基、基层与面层组成。人行道路基常为压实土路基，人行道常用的基层有：碎石基层、石灰稳定砂砾基层、水泥稳定砂砾基层、石灰粉煤灰三渣基层等。其要求与车行道大致相同。

人行道按面层材料分，有料石铺砌人行道、混凝土预制块铺砌人行道、沥青混合料铺筑人行道。目前以混凝土预制块铺砌人行道使用较为普遍，通常在基层上用黄砂、水泥砂浆或石屑作为整平层，再铺砌面层。

人行道具有以下特点：

1）结构层较薄，地面障碍物较多，不易机械化施工。

2）没有进一步压密实的条件。

3）有较多的公用事业专用设施、检查井及绿化。

4）有些地段易受屋檐水及落水管水冲刷。

5）单向排水，横坡一般为2%～3%。

混凝土预制人行道板常用规格：

1）压纹道板。单色 25cm×25cm×5cm 或 25cm×25cm×6cm；彩色 25cm×25cm×5cm 或 25cm×25cm×6cm，花纹各异，色彩各异。

2）大板。基本都为单色，规格有 40cm×40cm×7.5cm 或 40cm×40cm×10cm；49cm×49cm×10cm；50cm×50cm×10cm。

（2）人行道无障碍通道

按照以人为本构建和谐社会的理念，城市市区道路建设及改造时应符合乘轮椅者、拄盲杖者及使用助行器者的通行与使用要求，建设行进盲道、提示盲道和缘石坡道等无障碍设施，如图1-5所示。

具体要求如下：

1）人行道在交叉路口、街坊路口、单位入口、居住区入口、人行横道等处应设置缘石坡道，缘石坡道可根据道路两头条件采用单面坡缘石坡道、三面坡缘石坡道、扇面式缘石坡道、全宽式缘石坡道。单面坡缘石坡道和扇面式缘石坡道如图1-6与图1-7所示。

2）三面坡缘石坡道正面及侧面坡度不应大于1∶12，其他形式的缘石坡道的坡度均不应大于1∶20；三面坡缘石坡道的正面坡道下口宽度不应小于1.2m，扇面式缘石坡道下口宽度不应小于1.5m，其他形式的缘石坡道下口宽度不应小于1.2m；缘石坡道下口高出车行道的地面不得大于2cm；缘石坡道应与人行横道对齐。

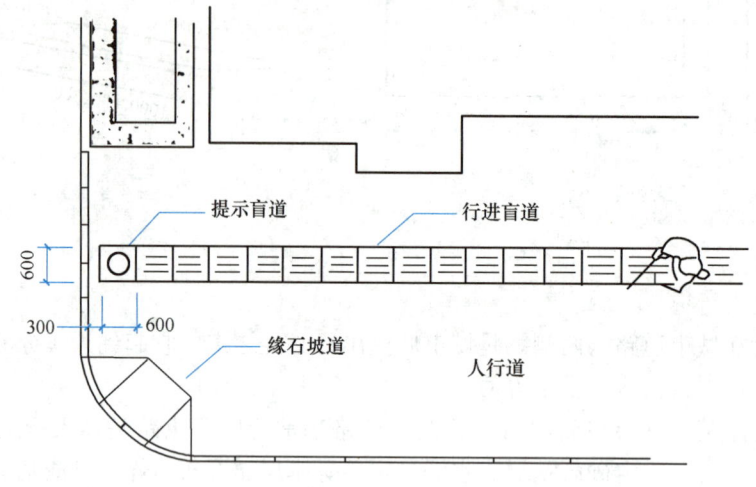

图1-5 行进盲道、提示盲道和缘石坡道（三面坡）

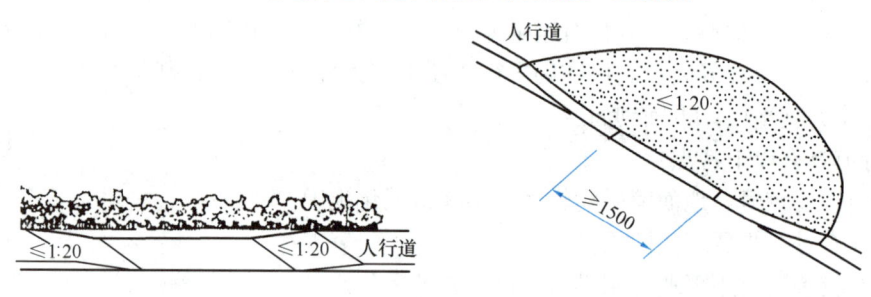

图1-6 单面坡缘石坡道　　　　图1-7 扇面式缘石坡道

3）人行道宽度在3m（含）以上的必须设置行进盲道、提示盲道和缘石坡道。3m（含）以下人行道，应根据道路实际情况建设、改造无障碍设施。

①人行道上有树池、城市家具（路边凳椅、邮筒、垃圾桶之类）等，而且人行道供市民行走实际使用的路幅不足1.2m的，不宜设置行进盲道（行进盲道与两侧的围墙、花台、绿地带间应确保有0.25~0.50m的间距），需在距人行横道入口0.25~0.50m处设提示盲道和缘石坡道。

②人行道供市民行走实际使用的路幅在1.2m以上（减去树池等障碍物的路幅），需按要求设置道路无障碍设施，其中包括盲道、缘石坡道等。

4）行进盲道触感条规格要求：面宽25mm，底宽35mm，高度5mm，中心距62~75mm；触感圆点规格要求：表面直径25mm，底面直径35mm，圆点高度5mm，圆点与圆点之间的中心距50mm。盲道应与人行道铺面颜色形成对比，并应与周边景观相协调，宜采用黄色，如图1-8与图1-9所示。

5）人行道外侧有围墙、花台或绿地带，行进盲道宜设在距围墙、花台或绿地带0.25~0.50m处；人行道内侧有树池，行进盲道可设在距树池0.25~0.50m处。

6）盲道的宽度应根据人行道的宽度而选择低限或高限，人行道宽度在3.0~6.0m，盲道的宽度宜为0.40~0.60m。人行道呈弧线形路线时，行进盲道宜与人行道走向一致。

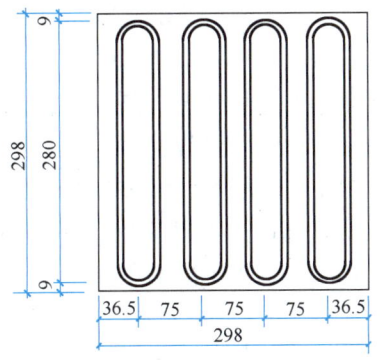 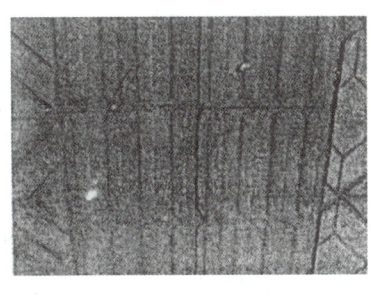

图 1-8　盲道触感条规格尺寸与实物图

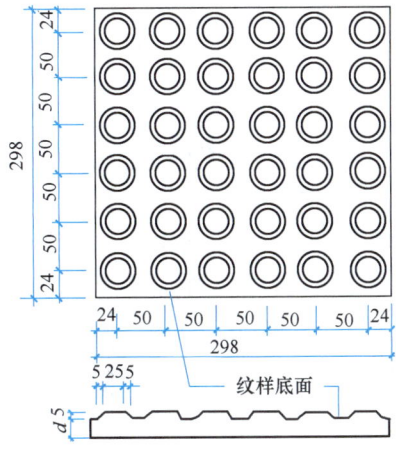 

图 1-9　盲道触感圆点规格尺寸与实物图

7）行进盲道的起点和终点处应设提示盲道，其长度应大于行进盲道的宽度，提示盲道的宽度宜为 0.30～0.60m。行进盲道在转弯处应设提示盲道，其长度大于行进盲道的宽度。

8）距人行横道入口、广场入口、无障碍公厕入口、公用电话亭入口、公交车站入口、人行天桥入口、人行地道入口和政府办公楼、银行、大型商场、大型超市、星级宾馆、体育场馆、纪念馆、博物馆等公共建筑入口 0.25～0.50m 处应设提示盲道，提示盲道的长度与各入口的宽度应相对应。

9）在公交站牌一侧应设提示盲道，其长度宜为 4.00～6.00m，提示盲道的宽度为 0.30～0.60m，提示盲道距路边应为 0.25～0.50m。

10）在车道之间的分隔带设公交车站的，由人行道通往分隔带的公交车站，设宽度不应小于 1.50m、坡度不应大于 1∶12 的绿石街道。

1.8　道路工程图识读

城市道路主要由机动车道、非机动车道、人行道、绿化带、分隔带、交叉口及其他各种交通设施组成。城市道路工程图主要包括道路工程平面图、纵断面图、横断面图、路面结构图及路拱详图等。

1.8.1 道路工程平面图

道路平面图表示道路的走向、平面线形、两侧地形地物情况、路幅布置、路线定位等内容。道路平面设计部分内容包括道路红线、道路中心线、里程桩号、道路坐标定位、道路平曲线的几何要素、道路路幅分幅线等内容（图1-10）。道路红线规定道路的用地界线，用双点画线表示；里程桩号反映道路各段长度和总长度，如K1+580，即距路线起点为1580m；道路定位一般采用坐标定位；道路分幅线分别表示机动车道、非机动车道、人行道、绿化隔离带等内容。

道路圆曲线的几何要素的表示，如图1-2所示，JD点表示路线转点，α角为路线转向的折角（它是沿路线前进方向向左或向右偏转的角度），R为圆曲线半径，T为切线长，L为曲线长，E为外矢距，ZY为"直圆点"，QZ为"曲中点"，YZ为"圆直点"。

道路平面图的识读可按以下过程进行：道路平面图中的常用图例和符号见表1-2、道路工程常用图例见表1-3。

道路平面图中的常用图例和符号（部分） 表1-2

名称	图例	名称	图例	名称	图例	名称	符号
浆砌块石		房屋	 独立 成片	用材料	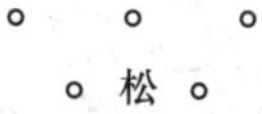 松	转角点	JD
						半径	R
水准点	 BM编号/高程	高压电线		围墙	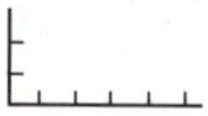	切线长度	T
						曲线长度	L
导线点	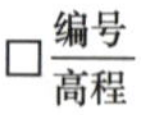 编号/高程	低压电线		堤		缓和曲线长度	L
						外距	E
转角点	 JD编号	通信线		路堑	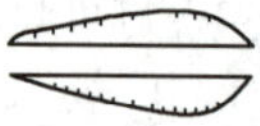	偏角	α
						曲线起点	ZY
铁路		水田	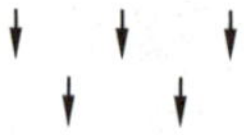	坟地	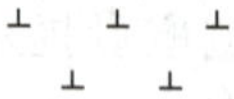	第一缓和曲线起点	ZH
公路		旱地	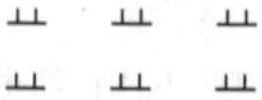			第一缓和曲线终点	HY
大车道		菜地	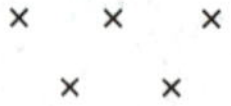	变压器		第二缓和曲线起点	YH
						第二缓和曲线终点	HZ

道路工程常用图例（部分）　　　　表 1-3

项目	序号	名称	图例	项目	序号	名称	图例
平面	1	涵洞		纵断	12	箱涵	
	2	通道			13	管涵	
	3	分离式立交 a. 主线上跨 b. 主线下穿			14	盖板涵	
	4	桥梁（大、中桥梁按实际长度绘）			15	拱涵	
	5	互通式立交 （按采用形式绘）			16	箱形通道	
	6	隧道			17	桥梁	
	7	养护机构			18	分离式立交 a. 主线上跨 b. 主线下穿	
	8	管理机构					
	9	防护网			19	互通式立交 a. 主线上跨 b. 主线下空	
	10	防护栏					
	11	隔离墩					

(1) 了解地形地物情况：根据平面图图例及等高线的特点，了解图样反映的地形地物状况、地面各控制点高程、构筑物的位置、道路周围建筑的情况以及性质、已知水准点的位置及编号、坐标网参数或地形点方位等。

(2) 阅读道路设计情况：依次阅读道路中心线、规划红线、机动车道、非机动车道、人行道、分隔带、交叉路口及道路中曲线设置情况等。

(3) 了解道路方位及走向，路线控制点坐标、里程桩号等。

(4) 根据道路用地范围了解原有建筑物及构筑物的拆除范围以及拟拆除部分的性质、数量，所占农田的性质及数量等。

(5) 查出图中所标注水准点位置及编号，根据其编号查出该水准点的绝对高程，以备日后在施工过程中进行道路高程控制。

(6) 结合路线纵断面图掌握道路的填挖工程量。

1.8.2 道路工程纵断面图

道路工程纵断面图主要反映道路沿纵向（即道路中心线前进方向）的设计高程变化、道路设计坡长和坡度、原地面标高、地质情况、填挖方情况、平曲线要素、竖曲线等，如图 1-11 所示，图中水平方向表示道路长度，垂直方向表示高程，一般垂直方向的比例按水平方向比例放大 10 倍，这样图上的图线坡度比实际坡度要大，看上去较为明显。图中粗实线表示路面设计高程线，反映道路中心高程；不规则细折线表示沿道路中心线的原地面线，根据中心桩号的地面高程连接而成，与设计路面线结合反映道路大的填挖情况。设计路面纵坡变化处两相邻坡度之差的绝对值超过一定数值时，需在变坡点处设置凸或凹形竖曲线。图中为凸形竖曲线，符号处注明竖曲线各要素（曲线半径 R、切线长 T、外矢距 E）。

图 1-11 中纵断表主要表示内容如下：

(1) 坡度及距离。是指设计高程线的纵向坡度和其水平距离。表中对角线表示坡度方向，由下至上表示上坡，由上至下表示下坡，坡度表示在对角线上方，距离在对角线下方。

(2) 路面标高。注明各里程桩号的路面中心设计高程，单位为米。

(3) 路基标高。为路面设计标高减去路面结构层厚度。

(4) 原地面标高。根据测量结果填写各里程桩号处路面中心的原地面高程，单位为米。

(5) 填挖情况。反映设计路面标高与原地面标高之间的高差。

(6) 里程桩号。按比例标注里程桩号、构筑物位置桩号及路线控制点桩号等。

(7) 直线与曲线。表示该路段的平面线形，通常画出道路中心线示意图：如"——"表示直线段，"⌐⌐"表示右偏转的平曲线，"⌐⌐"表示左偏转的平曲线，并注明平曲线几何要素。

道路工程纵断面图的识读可按以下过程进行。

(1) 找到图样的纵、横比例并读懂道路沿线的高程变化，对照资料表了解道路的确切高程。

(2) 识读竖曲线起止点对应的里程桩号，图样中竖曲线的符号与竖曲线本身长短对应读懂图样中注明的各几何要素。

(3) 确定路线中的构筑物，识读其图例、编号、所在位置桩号等。

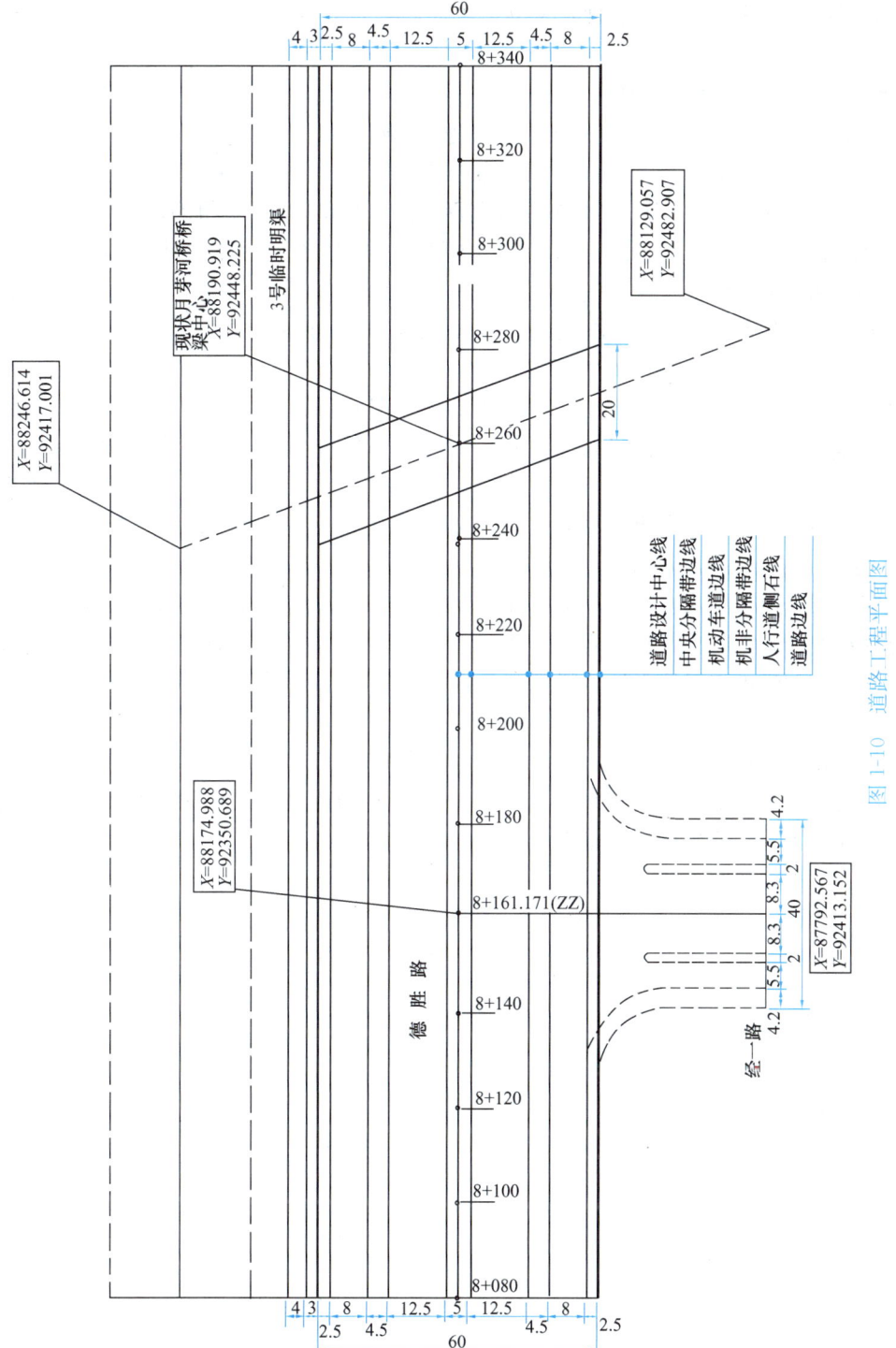

图1-10 道路工程平面图

(4) 找出沿线设置的已知水准点，并根据编号查出已知高程；根据里程桩号、路面设计标高和原地面标高，识读道路路线的填挖情况。

(5) 根据资料表中的坡度、坡长及平曲线示意图及相关数据，读懂路线线形的空间变化情况。

1.8.3 道路工程横断面图

道路工程横断面图是指沿道路中心线垂直方向的断面图，一般采用1∶100或1∶200的比例，表示各组成部分的位置、宽度、横坡及照明等情况，反映机动车道、非机动车道、人行道、分隔带、绿化带等部分的横向布置及路面横向坡度情况。根据机动车道和非机动车道的布置形式不同，道路横断面布置形式有：单幅路(一块板)、双幅路(两块板)、三幅路(三块板)、四幅路(四块板)。图1-12中所示断面为四幅路(四块板)布置形式。用机非分隔带分离机动车道和非机动车道，再用中央分隔带分隔机动车道，机非分离、分向行驶。

1.8.4 道路路面结构图及路拱详图

路面是用各种筑路材料铺筑在路基上直接承受车辆荷载作用的层状结构物。道路路面结构按路面的力学特性及工作状态，分为柔性路面（沥青混凝土路面等）和刚性路面（水泥混凝土路面等）。路面结构分为面层、基层、底基层、垫层等。结构图中需注明每层结构的厚度、性质、标准等内容，并标注必要的尺寸（如路缘石尺寸）、坡向等。

1. 沥青混凝土路面结构图

沥青面层可由单层或双层或三层沥青混合料组成。选择沥青面层各层级配时，至少有一层是密级配沥青混凝土，防止雨水下渗。图1-13所示机动车道面层由三层沥青混合料组成，非机动车道由双层沥青混合料组成，其中最上层均为密级配沥青混凝土。

2. 路拱

路拱根据路面宽度、路面类型、横坡度等，选用不同方次的抛物线形、直线接不同方次的抛物线形与折线形等路拱曲线形式。图1-13所示为改进二次抛物线路拱形式。路拱大样图中应标出纵、横坐标，供施工放样使用。

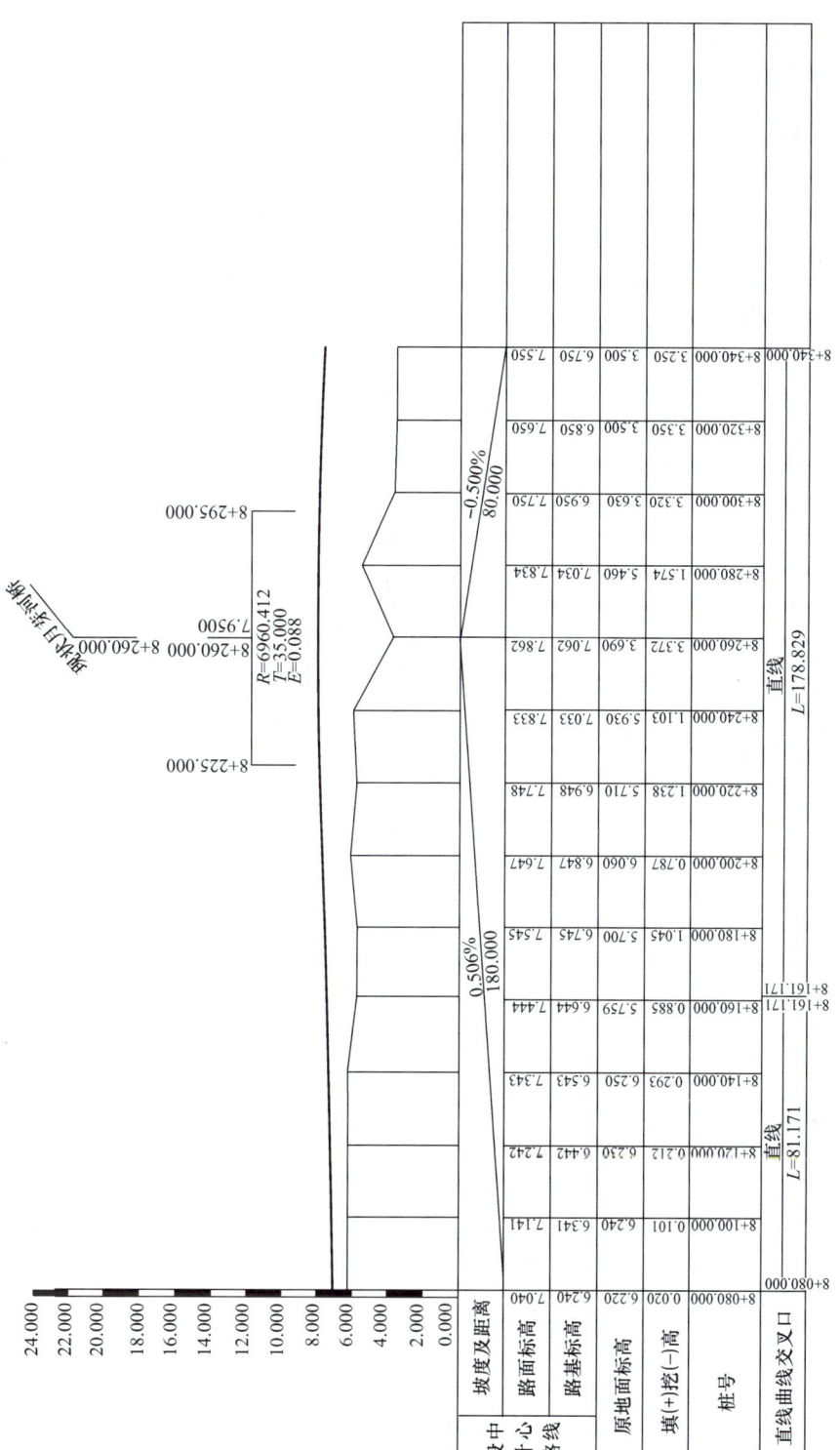

图 1-11 道路工程纵断面

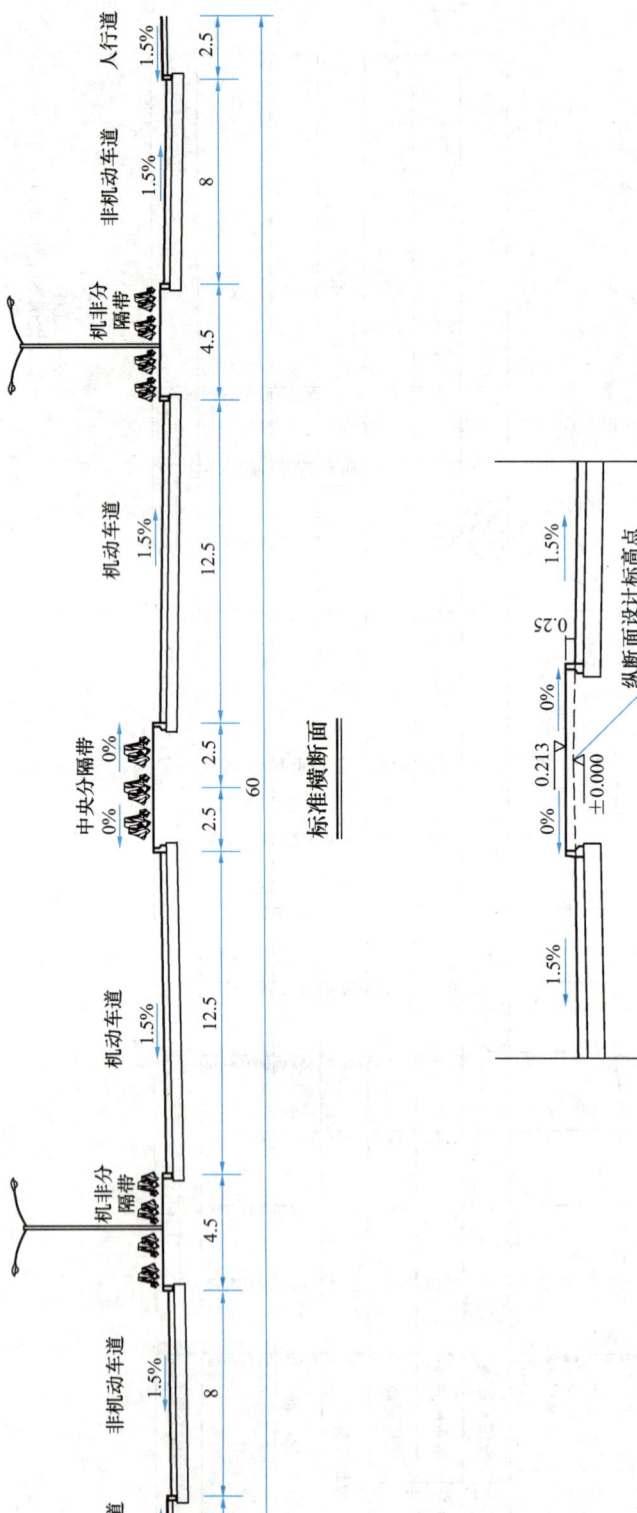

图 1-12 道路工程标准横断面

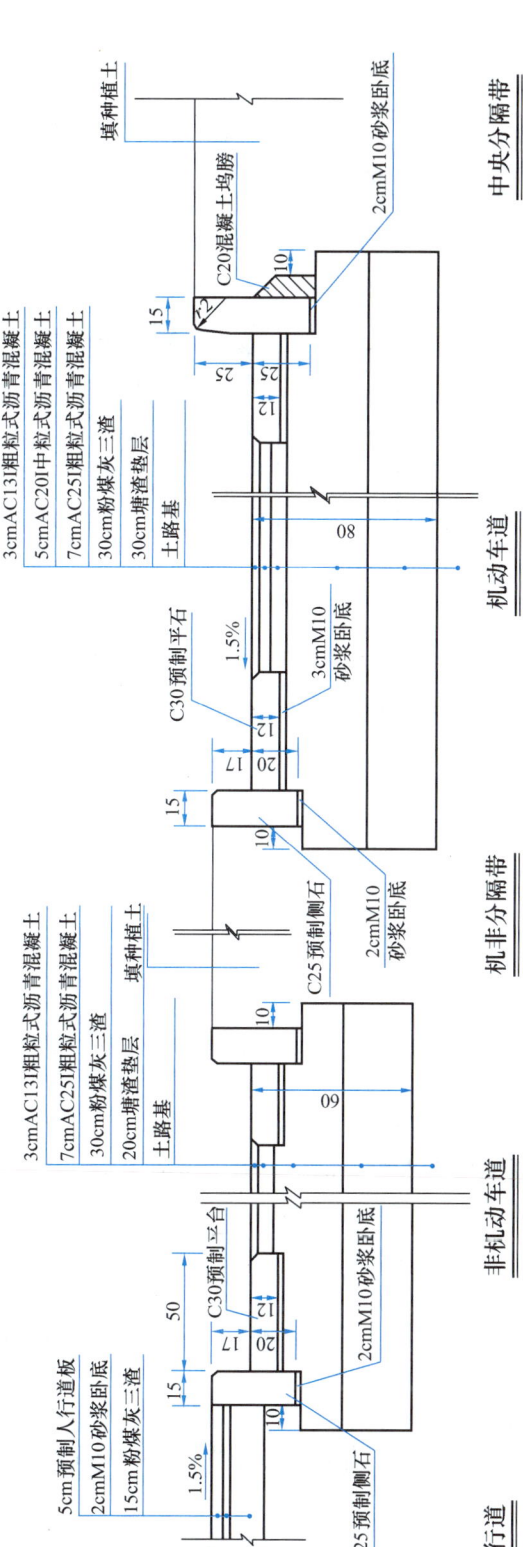
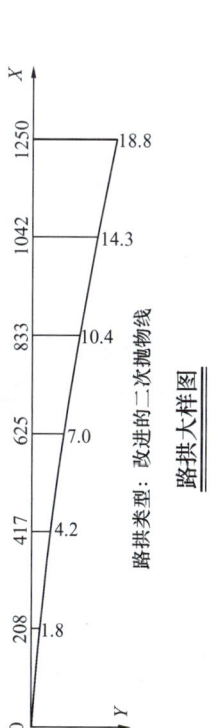

图1-13 沥青混凝土路面结构图

第 2 章 道路工程施工

道路工程施工程序如图 2-1 所示。

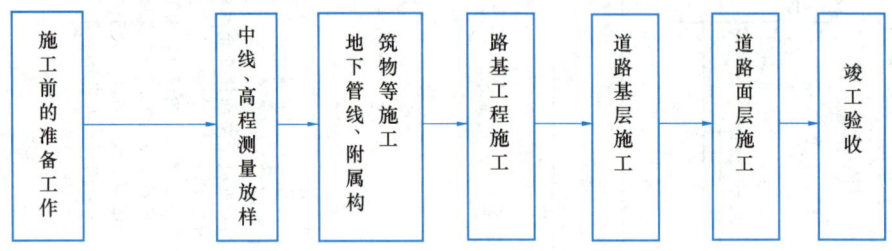

图 2-1 道路工程施工程序

2.1 道路施工准备工作

2.1.1 组织准备
1. 组建施工组织机构（项目经理部）
2. 组建专业施工队伍
（1）选择施工班组
（2）劳动力的调配

2.1.2 物资准备
（1）材料：制订材料分期分批供应计划。各类原材料、成品、半成品，必须经过选择和检验。
（2）机具：配备足够的施工机具，分期分批进场备用。
（3）劳保生活用品：重视安全生产，配备足够的安全、消防、劳保生活用品。

2.1.3 技术准备
1. 图纸会审、技术交底
2. 调查研究、收集资料
（1）有关拟建工程的设计资料：技术设计资料和设计意图；测量记录和水准点位置；原有各种地下管线位置等。
（2）各项自然条件的资料：气象资料和水文地质资料等。
（3）当地施工条件资料：当地材料价格及供应情况；当地机具设备的供应情况；当地劳动力的组织形式、技术水平；交通运输情况及能力等资料。
3. 编制施工组织设计
施工组织设计由工程概况、施工方案、施工进度计划、劳动力安排计划、材料机具供应计划、施工现场平面布置图、质量计划、安全措施、文明施工和环境保护措施等内容组成。

(1) 工程特点

1) 路基、路面工程要用许多材料混合加工，因此道路的施工必须和采掘、加工与储存这些材料的基地工作密切联系。组织道路施工，也应考虑混合料拌合站的情况，包括拌合站的规模、位置等。

2) 在设计道路施工进度时必须考虑道路施工的特殊要求。例如，沥青类路面不宜在气温过低时施工，这就需安排在温度相对适宜的时期内施工。

3) 道路施工的工序较多，合理安排工序间的衔接是关键。垫层、基层、面层以及隔离带、路缘石等工序的安排，在确保养护期要求的条件下，应按照自下而上，先附属后主体进行。

(2) 道路施工组织设计的编制程序

1) 根据设计路面的类型，进行现场勘察与选择，确定材料供应范围及加工方法。

2) 选择施工方法和施工工序。

3) 计算工程量。

4) 编制流水作业图，布置任务，组织工作班组。

5) 编制工程进度计划。

6) 编制人、料、机供应计划。

4. 编制施工预算

2.1.4 现场准备

1. 开工前的准备

(1) 线路复测、查桩、认桩。

(2) 组织施工材料及机具进场。

(3) 做好季节性的施工准备。

(4) 如遇旧路改造，需拆迁，要以人为本，依据政策、法规办事。

(5) 根据施工现况，在不影响道路、管道施工以及水、电、热供应方便的地区较宽处搭建施工管理用临时设施（或租借现房）。

(6) 合理建好施工便线，做好导行交通方案，注意施工和交通安全。

(7) 为了保证工程用水、电和生活用水、电的需要，还要修建临时的给水、用电设施。

(8) 做好现场"六通一平"（强电通、弱电通、给水通、排水通、暖气通、蒸汽通和场地平整）。

(9) 施工中必须建立安全技术交底制度，并对作业人员进行相关的安全技术教育与培训。作业前主管施工技术人员必须向作业人员进行详尽的安全技术交底，并形成文件。

2. 季节施工准备

(1) 冬期施工的准备工作。

(2) 雨期施工的准备工作。

(3) 高温季节要做好降温防暑工作。

2.1.5 测量放样

核对路线中线、控制点、转角点、水准点、三角点、基线等是否准确无误；重点地段的路基横断面是否合理；做好设计、勘测的交桩、交线工作；恢复道路中线，补钉转角桩、路两边外边桩；恢复道路中线标高等。

2.1.6 外部协作准备

签订工程合同，填报开工报告，申报施工许可证，申请接电接水，召开水、电、燃气、交通等管线配合协调会议。

2.1.7 其他准备工作

施工前必须储备正常施工用的水泥、砂石料，备齐道路施工一般机具与工具。还必须对机械设备、测量仪器、基准线或模板、机具工具及各种试验仪器等进行全面的检查、调试、校核、标定、维修和保养。

2.2 路基施工

2.2.1 路基施工程序

1. 施工测量

从道路路线勘察到正式动工要隔一段时期，标桩难以保存完整，所以在开工前要进行施工测量。施工测量内容：一是中线的复测和固定；二是路线高程复测与水准点的增设。

路基放样在原地面上标定出路基边缘、路堤坡脚及路堑堑顶、边沟等具体位置，根据横断面设计的具体尺寸，标定中线桩的填挖高度，并将横断面上的特征点位置在实地定出来，便于施工。

2. 修建小型构筑物与埋设地下管线

小型构筑物（小桥、涵洞、挡土坪、盲沟等）和地下管线是城市道路路基中必不可少的部分。小型构筑物可与路基（土方）同时进行施工，但地下管线必须遵循"先地下后地上""先深后浅"的原则先完成，以利于路基工程不受干扰地全线展开。修筑排除地面水和地下水的设施，为土、石方工程施工创造条件。

3. 路基（土、石方）工程

该项工程是整个路基工程的主体工程，包括开挖路堑、填筑路堤、整平路基、压实路基、修整边坡、修整路肩、修建排水沟渠及防护加固工程等。

4. 质量检查与验收

路基工程竣工质量检查与验收应按竣工验收规范要求进行。

2.2.2 路基施工方法

1. 填筑路堤

原地面标高低于设计路基标高时，需要填筑土方——填方路基。

为了保证路堤的强度和稳定性，在填筑路堤时，要处理好基底，保证必需的压实度及正确选择填筑方案。

（1）基本要求

1）用透水性良好的材料（如碎石、卵石、砾石、粗砂等）填筑路堤时，可不受含水量限制，但应分层填筑压实。用透水性不良及不透水的土填筑路堤时，需使其含水量接近最佳含水量时方可进行压实。路基填料粒径应符合有关规定。

2）路基填土不得使用腐殖土、生活垃圾土、淤泥、冻土块和盐渍土。填土内不得含有草、树根等杂物，粒径超过 10cm 的土块应打碎。

3）排除原地面积水，清除树根、杂草、淤泥等，妥善处理坟坑、井穴。

4）填方段内应事先找平，当地面坡度陡于 1：5 时，需修成台阶形式，每级台阶宽度不得小于 1.0m。

5）填方高度内的管涵顶面填土 50cm 以上方能用压路机碾压。

6）根据测量中心线桩和下坡脚桩，分层填土、压实。填土到最后一层时，应按设计断面、高程控制土方厚度，并及时碾压调整。

（2）基底的处理

1）密实稳定的土质基底

当地面的横坡度不陡于 1：10，且路堤高度超过 0.5m 时，基底可不做处理，路堤高度低于 0.5m 的地段，应将原地面草皮等杂物清除。地面横坡度为 1：50～1：10 需铲除地面草皮、杂物、积水和淤泥。当地面横坡度陡于 1：5 时，在清除草皮杂物后，还应将原地面挖成台阶，台阶宽度不小于 1m，高度为 0.2～0.3m，台阶顶面做成向内倾斜 2%～4% 的斜坡。若为砂质土斜坡，则不宜挖台阶，仅需把土层翻松即可。

2）覆盖层不厚的倾斜岩石基底

当地面横坡度为 1：5～1：2.5 时，需挖除覆盖层，并将基岩挖成台阶。当地面横坡度陡于 1：2.5 时，应进行个别设计，特殊处理，如设置护脚或护墙。

3）耕地或松土基底

当地面横坡度缓于 1：5 时，若松土厚度不大，需将原地面夯压密实再填土；若松土厚度较大，应将松土翻挖至紧密层，再分层填筑夯实。对于水田、池塘或洼地需先采取将基底疏干、铲除淤泥、换土等措施，将基底加固后再行填筑。

（3）填料选择

为保证路堤的强度和稳定性，应尽可能选择当地稳定性良好的土石作填料。

（4）填料压实

填料压实是保证路堤填筑质量的关键，必须充分重视，有关压实的理论与要求，将在后面叙述。

（5）填筑方法

1）分层填筑法

分层填筑法又可分为水平分层填筑和纵向分层填筑两种。

水平分层填筑是按照横断面全宽分成水平层次，逐层向上填筑。如原地面不平，应由最低处分层填起，每填一层经过压实后再填下一层，如图 2-2 所示。

纵向分层填筑是指在原地面纵坡大于 12% 的地段，可采用纵向分层法施工，沿纵坡分层，逐层压密实。

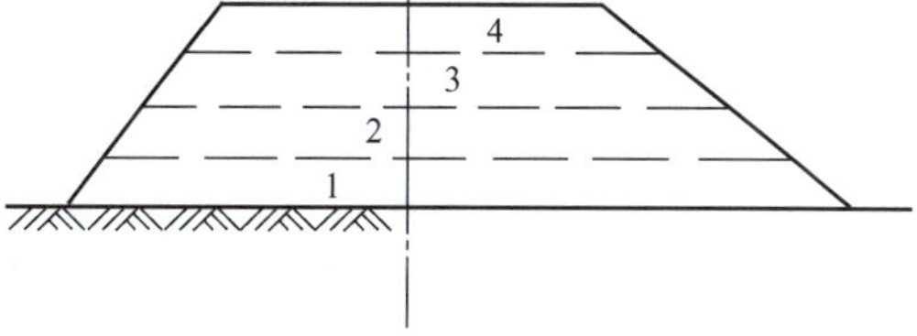

图 2-2 水平分层填筑法

2）挖台阶填筑法

当地面横坡度陡于 1：5 时，原地面应挖成台阶（台阶宽度不小于 1m），并用小型夯实机加以夯实。填筑应由最低一层台阶填起，然后逐台向上填筑，分层夯实。

（6）不同土质混合填筑规则

1）不同性质的土填筑路堤时，应分层填筑，分层压实，层数应尽量减少，每层总厚度不应大于 0.5m。填筑路床顶最后一层时，压实后的厚度应不小于 0.1m。不得混杂乱填，以免形成水囊或滑动面。

2）透水性较小的土（黏性土）填筑路堤下层时，其顶面应做成 4% 的双向横坡，以保证来自上层透水性大的填土层的水分及时排出。

3）每种填料的松铺厚度应通过试验确定。

4）土质路基应适当增加宽度（以每侧各增加 0.25m 为宜），保证全断面的压实质量，保证每一填筑层压实后的宽度不小于设计宽度。

5）填方分几个作业段施工时，接头部分如不能交替填筑，则先填路段应按 1∶1 坡度分层留台阶；如能交替填筑，则应分层相互交替搭接，搭接长度不小于 2m。

6）凡不因潮湿及冻融而变化其体积的优良土应填在上层，强度（变形模量）较小的土应填在下层。用不同土质填筑路堤的正确与错误方案如图 2-3 所示。

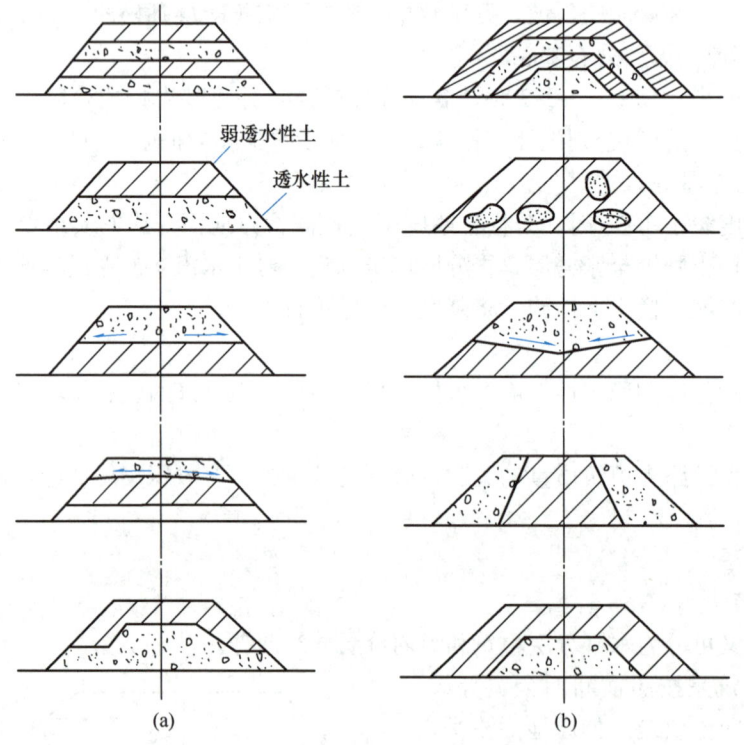

图 2-3　路堤分层填筑法
(a) 正确方案；(b) 错误方案

（7）桥头及涵洞填土

为保证桥头路堤稳定，防止产生不均匀沉陷，应选择透水性好的砂性土填筑。桥台后面填土应与锥坡填土同时进行，轻型桥台填土应在桥两端同时进行。涵洞两侧应水平分层对称地向上填筑，分层夯实，每层的松铺厚度不得超过 20cm。

（8）地下排水等管道填土

严禁带水覆土，大于10cm的石料等硬块应剔除，大的泥块应打碎。若管道敷设后，需立即铺设高等级路面，则在管道两侧及管顶以上50cm范围内，均匀回填粗砂，洒水振实拍平，其干重度不应小于16kN/m³。管顶50cm以上直至路面基层底范围内，应采用砾石与原状土间隔回填，并分层夯实。对全原土回填，管道两侧胸腔部位密实度应达到轻型击实度不小于90%，管顶以上50cm以内密实度应不小于85%，管顶以上50cm至地面密实度应达到98%。

2. 路堑开挖

(1) 路堑开挖方式

1) 横挖法

横挖法是指按路堑整个横断面从其两端或一端进行挖掘的方法，适用于短而深的路堑，如图2-4所示。掘进时逐段成形向前推进，运土由反方向送出。

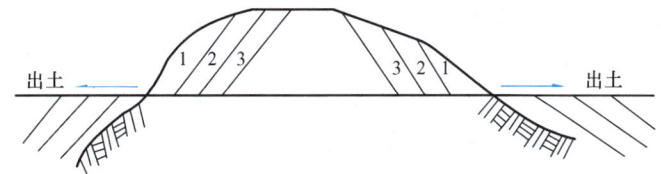

图2-4 横挖法

为了增加工作面，加台阶高度视工作便利与安全而定，一般为1.5～2.0m。挖掘时上层在前，下层随后，下层施工面上应留有上层操作的出土和排水通道，如图2-5所示。

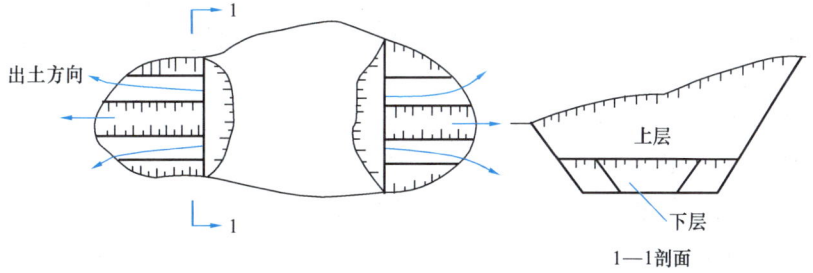

图2-5 横挖法工作面

2) 纵挖法

纵挖法可分为分层纵挖法和通道纵挖法。

分层纵挖法沿路堑分为宽度及深度都不大的纵向层次挖掘，如图2-6所示。挖掘工作可用各式铲运机。在短距离及大坡度时，可用推土机；在较长较宽的路堑，可用铲运机，并配备运土机具进行工作。

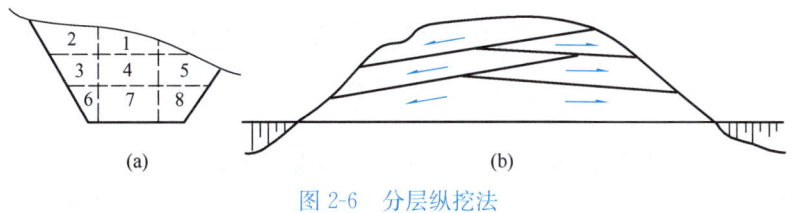

图2-6 分层纵挖法

通道纵挖法是先沿路堑纵向挖一通道，然后开挖两旁，如路堑较深可分几次进行，用此法挖路堑，可采用人力或机械挖掘，如图2-7所示。

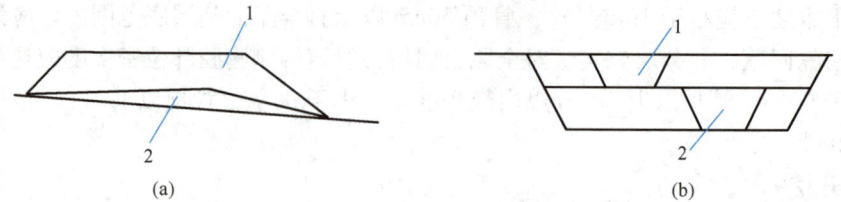

图 2-7　通道纵挖法
(a) 第一次通道；(b) 第二次通道

3) 混合式开挖法

对于特别深而长的路堑，土方量很大，为扩大施工操作面和加速施工，可采用上述两种方法的混合开挖。即先顺路堑挖通道，然后沿横向坡面挖掘，以增加开挖坡面。

挖方地段有含水层时，在挖掘该层土前，应设置好排水系统。若挖方路基位于含水较多以致翻浆的土上时，则应换以透水性良好的土，其厚度应不小于0.8~1.0m，为换土所挖的凹槽底面应适当整平，并设纵向盲沟以利排水。

(2) 路堑开挖应注意的问题

1) 必须根据测量中线和边桩开挖，一般每侧要比路面凸出300~500mm。

2) 挖方段不得超挖。

3) 不论采用何种方法开挖，均应保证开挖过程中及竣工后能顺利排水。

4) 路堑开挖需考虑土层分布及利用，如利用挖方填筑路堤时，应按不同的土层分层挖掘，以满足路堤填筑的要求。

5) 路堑挖出的土方，除应尽量用作填方外，余土应有计划地弃置，以不妨碍路基排水和路堑边坡稳定为原则，并尽可能用于改地造田，美化环境。

6) 若挖方路基位于含水较多易导致翻浆的土层上（如粉性土），应换以透水性良好的土，其厚度应不小于0.8~1.0m。

7) 注意边坡稳定，及时设置必要的支挡工程。

3. 路基施工排水

(1) 路基排水目的和要求

根据水源的不同，城市道路排水分为地面排水和地下排水两大类。

路基排水的目的，就是将路基范围内的土基湿度降低到一定的限度以内，保持路基常年处于干燥状态，确保路基、路面具有足够的强度与稳定性。

(2) 一般规定

1) 施工前，应根据工程地质、水文、气象资料，施工工期和现场环境，编制排水与降水方案。在施工期间排水设施应及时维修清理，保证排水通畅。

2) 施工排水与降水应保证路基土天然结构不受扰动，保证附近建筑物和构筑物的安全。

3) 施工排水与降水设施应防、排、疏结合，不得破坏原有地面排水系统，并与现况地面排水系统及道路工程永久排水系统［包括路面排水、路基防护、地基处理以及特殊路基地区（段）的其他处治措施等〕相互协调，形成完善的排水系统。

4）排水困难地段，可采取降低地下水位、设置隔离层等措施，使路基处于干燥、中湿状态。

5）施工场地的临时性排水设施，应尽可能与永久性排水设施相结合。各类排水设施的设计应满足使用功能要求，结构安全可靠，便于施工、检查和养护维修。

(3) 地表排水设备

常用的路基地表排水设备，包括边沟、截水沟、排水沟、跌水与急流槽等，必要时还有渡槽、倒虹吸及集水池等。各类地表排水设施的断面尺寸应满足设计排水流量的要求，沟顶应高出沟内设计水面0.2m以上。

1）边沟

边沟设置多与路中线平行，用以汇集和排除路基范围内和流向路基的少量地面水。

边沟修筑时应线形美观，直线顺直、曲线圆滑，无突然转弯等现象；纵坡顺势，排水通畅。边沟纵坡较大时可采用浆砌片石、栽砌卵石、水泥混凝土预制块防护等进行加固。

边沟紧靠路基，通常不允许其他排水沟渠的水流引入，亦不能与其他人工沟渠合并使用。

2）截水沟

当路堑边坡上侧流向路基的地表径流流量较大，或者路堤上侧倾向路基的地面坡度大于1∶2时，应在路堑或路堤上方设置截水沟，以拦截流向路基的地面径流水。截水沟应设置在路堑边坡顶5m以上或路堤坡脚2m以外，结合地形和地质条件尽量顺着等高线布设，并与绝大多数地面水流方向垂直，以提高截水效能和缩短沟的长度。截水沟水流不应引入边沟，当必须引入时，应增大边沟横断面，并进行防护。

3）排水沟

由边坡出水口、路面拦水堤或开口式缘石泄水口通过路堤边坡上的急流槽排放到坡脚的水流，应汇集到路堤坡脚外1～2m处的排水沟内，再排到自然水体中。排水沟应具有合适的纵坡，以保证水流畅通，且不致流速太大而产生冲刷，亦不可流速太小而形成淤积。一般情况下，坡度可取0.5%～1.0%，不小于0.3%，亦不宜大于3%。

4）跌水与急流槽

跌水与急流槽是路基地面排水沟渠的特殊形式，用于陡坡地段，沟底纵坡可达45°。由于纵坡陡、水流速度快、冲刷力大，要求跌水与急流槽的结构必须稳固耐久，通常应采用浆砌块石或水泥混凝土预制块砌筑，浆砌块石或水泥混凝土预制块的底厚为0.2～0.4m，施工时做成粗糙面；壁厚0.3～0.4m，底宽至少为0.25m，并具有相应的防护加固措施。

4. 路基压实

(1) 路基压实的意义

路基压实是为了提高路基土体的密实程度，降低填土的透水性，防止水分积聚和浸蚀，避免土基软化及因冻胀而引起不均匀的变形，并为减薄路面提供条件。路基的压实是提高路基强度与稳定性的根本措施之一。实践表明，土基的充分压实是提高路基路面质量最经济有效的技术措施之一。

(2) 影响压实的因素

影响路基压实效果的主要因素有土的含水量、碾压层厚度、压实机械的类型和功能、碾压遍数和地基的强度。

1) 含水量对压实的影响

土在一定的压实功作用下，只有在最佳含水量时，才能压实到最大密实度。

2) 土质对压实的影响

试验表明：

① 土中粉粒和黏粒含量越多，土的塑性指数越大，土的最佳含水量就越大，同时其最大干密度越小。因此，一般砂性土的最佳含水量小于黏性土的最佳含水量，而最大干密度则大于黏性土的最大干密度。

② 砂质粉土和粉质黏土的压实性能较好，而黏性土的压实性能较差。

3) 压实功对压实的影响

在施工中，如果土的含水量低于最佳含水量，加水又有困难时，可采用增加压实功能的办法来提高其密实度，即采用重碾或增加碾压次数。严格控制最佳含水量，要比增加压实功能收效大得多。

4) 压实机具、施工方法对压实度的影响

压实工具不同，压力传播的有效深度也不同。夯击式机具压实传播最深，振动式压路机次之，碾压式压路机最浅。同一种机具的作用深度，在压实过程中不断变化，土体松软时压力传播较深，随着碾压次数增加，上部土层逐渐密实，土的强度相应提高，其作用深度也就逐渐减小。当压实机具的质量不很大时，荷载作用时间越长，土的密实度越高，但密实度的增长速度随时间而减小。当机具过重，以致超过土的强度极限时，会引起土体的破坏，荷载越重，破坏时间越短。此外，碾压速度越高，压实效果越差。

(3) 含水量与强度、水稳定性的关系

①含水量是影响压实效果的决定性因素；②在最佳含水量时，最容易获得最佳压实效果；③压实到最大密实度的土体水稳定性最好。

(4) 土基压实施工

1) 土基压实标准

压实的唯一目的是使土基接近最大干密度标准，因此干密度是土基压实的重要标准，也是唯一指标。

为了便于检查和控制压实质量，土基的压实标准常用压实度来表示。所谓压实度是指土压实后的干密度与该土的标准最大干密度之比，用百分率表示。按照标准击实试验法，土在最佳含水量时得到的干密度就是它的标准最大干密度。压实度用式(2-1)计算：

$$k = \frac{\rho_d}{\rho_o} \times 100\% \tag{2-1}$$

式中 k——压实度，%；

ρ_d——压实土的干密度，g/cm³；

ρ_o——压实土的标准最大干密度，g/cm³。

压实施工需首先确定压实度。正确选定压实度 k 值，关系到土基受力状态，路基路面设计要求、施工条件，必须兼顾需要与可能，讲究实效与经济。

2) 压实机具选择

土基压实机具的类型较多，常用的压实机具可分为静力碾压式、夯击式和振动式三大类。静力碾压式包括光面碾（普通两轮或三轮压路机）、羊足碾和气胎碾等几种。夯击机具中有夯锤、夯板、风动夯及蛙式夯机等。振动机械有振动器、振动压路机等。此外，运土工具中的汽车、拖拉机等亦可用于路基压实。

一般情况下，对于砂性土，以振动式机具压实效果最好，夯击式次之，碾压式较差；对于黏性土，则以碾压式和夯击式较好，而振动式较差甚至无效。此外，压实机具的单位应力不应超过土的强度极限，否则会立即引起土基破坏。一般土的含水量小、土层厚、压实度要求高，应选择重型机具，反之可选择轻型机具。工作面较大时可采用碾压机具，较窄时宜采用夯实机具。

3) 压实的基本原则

① 压实的基本原则

压实工作应遵循"先轻后重、先慢后快、先边后中、先低后高、轮迹重叠"的原则。

A. 先轻后重：压实机具应先轻后重，以适应逐渐增长的土基强度。最后碾压不应小于 12t 级压路机。

B. 先慢后快：碾压速度应先慢后快，以免松土被机械推走。

C. 先边后中：压实机具的工作路线，应先两侧后中间，以便形成路拱，再从中间向两边顺次碾压。

D. 先低后高：在弯道部分设有超高时，由低的一侧边缘向高的一侧边缘碾压，以便形成单向超高横坡。

E. 轮迹重叠：前后两次轮迹（或夯击）需重叠 15～20cm。压实时应特别注意均匀，否则可能引起不均匀沉陷。

② 压实程序

路基压实作业一般按初压、复压和终压三个步骤进行。

A. 初压

初压是指对铺筑层进行的最初 1～2 遍的碾压作业。初压的目的是使铺筑层表层形成较稳定平整的承重层，以利压路机以较大的作用力进行进一步的压实作业。

一般采用重型履带式拖拉机或羊足碾进行路基的初压，也可用中型静压式压路机或振动式压路机以静力碾压方式进行初压作业。

初压时，碾压速度应不超过 1.5～2km/h。初压后，需要对铺筑层进行整平。

B. 复压

复压是指继初压后的 8～10 遍的碾压。复压的目的是使铺筑层达到规定的压实度，它是压实的主要作业阶段。

复压碾压速度应逐渐增大。静压光轮压路机取 2～3km/h，轮胎式压路机为 3～4km/h，振动压路机为 3～6km/h。

复压作业中，应随时测定压实度，以便做到既达到压实度标准，又不过度碾压。

C. 终压

终压是指继复压之后，对每一铺筑层竣工前所进行的 1～2 遍的碾压。终压的目的是使压实层表面密实平整。一般分层修筑路基时，只在最后一层实施终压作业。

终压作业，可采用中型静力式压路机或振动压路机以静力碾压方式进行碾压，碾压速度可适当高于复压时的速度。

采用振动压路机或羊足碾压路机进行分层压实时，由于表层会产生松散层（约10cm），在压实过程中，可将该厚度算作下一铺筑层之内进行压实，这样就可不进行终压压实。

③含水量与密实度的目测

目测土层含水量时，可用手使劲捏土，如果能成团而不松散，轻敲后土又能散开，此时土的含水量大致符合要求；如果土捏成团敲不散，表明土太潮湿。目测土层的密实度，可注意观测压实后的轮迹，如轮迹已不明显，或下沉量微小，表明土层已基本密实；如轮迹还较明显或下沉量较大，则应继续压实。遇有土层表面松散，推挤时开裂或有回弹现象，应放慢碾压速度；对于有严重松散的还宜洒水润湿或减轻碾压质量；对于有回弹现象（称为弹簧土）的，要翻挖土层，晒干再压或换土或掺拌石灰重新压实；对过干土均匀加水。

④土方路基施工

A. 挖土时应自上向下分层开挖，严禁掏洞开挖。作业中断或作业后，开挖面应做成稳定边坡。

B. 机械开挖作业时，必须避开构筑物、管线，在距管道边 1m 范围内应采用人工开挖；在距直埋缆线 2m 范围内必须采用人工开挖。

C. 严禁挖掘机等机械在电力架空线路下作业。需在其一侧作业时，竖向及水平安全距离应符合规定。

⑤压实质量检查

土质路基施工前，采用重型击实试验方法测定拟用土料的最佳含水量和最大干密度。压实中经常检查土的含水量，均应控制该种土最佳含水量的±2%以内压实，并视需要采取相应措施。压实后，实测压实密度和含水量，求得压实度，与规定的压实度对照，如未满足要求，应采取措施提高。

2.3 基 层 施 工

2.3.1 级配碎石基层（底基层）施工

路面下管道施工全部完毕，并验收合格，基底填方全部或局部完成，并且路基高程、宽度及压实度、平整度、弯沉测检结果满足设计及规范要求，并经监理认可，路基工程检查合格，检验资料齐全后，碎石基层方可开工。

1. 准备工作

（1）准备下承层

基层的下承层是底基层及其以下部分，底基层的下承层可能是土基，也可能包括垫层。下承层的表面应平整、坚实、具有规定的路拱，没有任何松散的材料和软弱地点。下承层的平整度和压实度应符合规范的规定。土基不论是路堤或路堑，必须用12~15t 三轮压路机或等效的碾压机械进行碾压（压3~4遍）。在碾压过程中，如发现土过干，表层松散，应适当洒水；如土过湿，发生"弹簧"现象，应采用挖开晾晒、换土、掺石灰或粒料等措施进行处理。

(2) 施工放样

在下承层上恢复中线，直线段每 15～20m 设一桩，平曲线段每 10～15m 设一桩，并在两侧路边缘的 0.3～0.5m 设指示桩。进行水平测量，在两侧指示桩上用红漆标出基层或地基层边缘的设计高程。

(3) 计算材料用量

根据各路段路基层或底基层的宽度、厚度及预定的干压实密度并按确定的配合比计算各段需要的干骨料数量，对于级配碎石，分别计算未筛分碎石和石屑的数量。

2. 拌合

在中心站（厂拌）用多种机械集中拌合级配碎石混合料前，应反复调试拌合设备，使混合料的颗粒组成和含水量均达到规定要求。计量准确，拌合均匀，没有粗细颗粒离析现象。

3. 运输

拌合料采用大吨位自卸汽车运至施工现场，运输车辆数量应与摊铺能力相适应。尽可能避免因缺少拌合料而造成摊铺机停顿及运输车辆大量滞留的现象。减少中途停车和颠簸，确保混合料不产生离析，卸车时应避免撞击摊铺机。

4. 摊铺

摊铺可用沥青混凝土摊铺机、水泥混凝土摊铺机或稳定土摊铺机，摊铺时应注意消除粗细骨料离析现象。机动车道碎石基层采用 12t 自动找平的摊铺机全幅均匀将材料铺设在预定的宽度上，表面力求平整，并符合设计要求。非机动车道采用小型摊铺机铺设。事先应通过试验路段确定骨料的摊铺系数并确定摊铺厚度，一般人工摊铺混合料时，其松铺系数为 1.40～1.50，摊铺机摊铺混合料为 1.25～1.35。

5. 碾压

当混凝土的含水量等于或略大于最佳含水量时，立即用 12t 以上三轮压路机（每层压实厚度不应超过 15～18cm）、振动压路机或重型轮胎压路机（每层压实厚度最大不应超过 20cm）进行碾压。直线段由两侧路肩开始向路中心碾压。碾压时，后轮应重叠 1/2 轮宽；后轮必须超过两段的接缝处。后轮压完路面全宽时，即为一遍。一般需碾压 6～8 遍。压路机的碾压速度，头两遍应采用 1.5～1.7km/h 为宜，之后用 2.0～2.5km/h。路面的两侧应多压 2～3 遍。严禁压路机在已完成的或正在碾压的路程上调头和急刹车。

6. 接缝处理

(1) 横向接缝

用摊铺机铺混合料时，靠近摊铺机当天未压实的混合料，可与第二天摊铺的混合料一起碾压，但应注意此部分混合料的含水量。必要时，应人工补洒水，使其含水量达到规定的要求。

(2) 纵向接缝

应避免产生纵向接缝。如摊铺机的摊铺宽度不够，必须分两幅摊铺时，宜采用两台摊铺机一前一后相隔 5～8m 同步向前摊铺混合料。在仅有一台摊铺机的情况下，可先在一条摊铺带上摊铺一定长度后，再开到另一条摊铺带上摊铺，然后一起进行碾压。在不能避免纵向接缝的情况下，纵缝必须垂直相接，不应斜接。

7. 养护

碎石基层铺设后，要对成品进行保护，严禁车辆通行。

2.3.2 水泥稳定碎石基层施工

水泥稳定碎石基层宜采用厂拌料，汽车分运至施工现场摊铺，应着重抓好混合料的搅拌、摊铺、碾压这三个主要环节。

1. 准备工作

对原材料进行抽样试验，合格后方可用于施工，提前进行混合料的配合比试验。配合比应准确，使其7d浸水抗压强度达到3～5MPa（城市主干路、快速路基层）或2.5～3MPa（城市一般道路基层）。水泥剂量不宜超过6%，水泥稳定碎石基层用厂拌料从加水拌合到碾压终了的延迟时间不应超过2h。为此，应选用初凝时间3h以上和终凝时间6h以上的水泥，宜采用42.5级和32.5级的普通硅酸盐水泥、矿渣硅酸盐水泥等。

摊铺前应测量放样，将设计标高测设在控制钢丝上，并调整松铺厚度（松铺系数由试验路段确定，一般为1.2～1.4），将垫层表面杂物整形处理，清除表面杂物、脏物，洒水湿润。

宜在春末和夏季组织施工，施工最低气温为5℃。

2. 拌合

拌合前应测量骨料的含水量，加水量应由所用碎石的实际含水量和试验室所确定的混合料最佳含水量等具体情况确定，拌合好的混合料含水量应处于最佳含水量1%～2%的误差范围。拌合要均匀，计量要准确，拌合好的混合料应颜色一致，无成团结块及离析现象。

3. 运输

气温较高且路途较远时则应覆盖，且运输时间一般在30min以内。

4. 摊铺

摊铺可采用沥青混凝土摊铺机、水泥混凝土摊铺机或稳定土摊铺机。混合料摊铺时采用1台摊铺机一次性半幅全宽摊铺。

摊铺机作业时，一要控制好行驶的匀速性；二要安排专人清扫摊铺机行走轨道，做到匀、平、快；三要严格控制好平整度、高程等，避免出现离析现象。

5. 整形

混合料摊铺均匀后必须进行整形，使表面具有规定的路拱，并用两轮压路机碾压1～2遍，使骨料的表面平整和密实。

6. 碾压

水泥稳定碎石平整后应立即在全宽范围内进行碾压，混合料应在等于或略大于最佳含水量（1%～2%）时碾压。厚度不超过15cm时，选用12～15t三轮压路机碾压，厚度超过20cm时，可选用18～20t三轮压路机和振动压路机碾压，碾压时先轻型后重型。含水量合适时，碾压不得少于6遍。碾压时应由两侧向路中心，由曲线内侧向外侧进行碾压。严禁用薄层贴补法进行找平。

7. 养护

水泥稳定碎石经碾压后，必须保湿养护不少于7d，可以用帆布、粗麻袋、稻草或农用地膜湿润养护，防止忽干忽湿。养护期应封闭交通，施工车辆可慢速（＜30km/h）通行。

2.4 面层施工

2.4.1 沥青混凝土路面施工

沥青混凝土路面施工程序如图2-8所示。

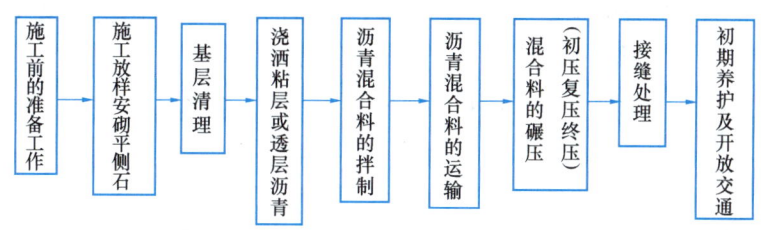

图2-8 沥青混凝土路面施工程序

1. 施工准备

（1）原材料质量检查

沥青、矿料施工材料的质量应符合有关的技术要求。施工材料经试验合格后选用。

（2）备料

沥青分品种、分强度密闭储存。各种矿料分别堆放，矿料等填料不得受潮。

（3）施工机械的选型和配套

根据工程量大小、工期要求、施工现场条件、工程质量要求，施工机械应互相匹配。

（4）试验路铺筑

重要的沥青混凝土路面在大面积施工前应铺筑试验段，试验段的长度通常在100～200m以上。热拌沥青混合料路面的试验路铺筑主要分试拌、试铺两个阶段，取得相应的参数。

（5）基层准备和放样

面层铺筑前，应对基层或旧路面的厚度、密实度、平整度、路拱等进行检查。基层或旧路面若有坎坷不平、松散、坑槽等现象出现时，必须在面层铺筑之前整修完毕，并清扫干净。在基层上恢复中线并放出边线，用水准仪放出面层的设计高程。

2. 沥青混合料的拌合

沥青混合料必须在沥青拌合厂（场、站）采用拌合机拌合。拌合机拌合沥青混合料时，先将矿料粗配、烘干、加热、筛分、精确计量，然后加入矿粉和热沥青，最后强制拌合成沥青混合料。若拌合设备在拌合过程中骨料烘干与加热为连续进行，而加入矿料和沥青后的拌合为间歇（周期）式进行，则这种拌合设备为间歇式拌合机。若矿料烘干加热与沥青混合料拌合均为连续进行，则该拌合设备为连续式拌合机。

间歇式拌合机拌合质量较好，而连续式拌合机拌合速度较高。当路面材料多来源、多处供应或质量不稳定时，不得用连续式拌合机拌合。城市主干路、快速路的沥青混凝土宜采用间歇式拌合机拌合。它具有自动配件系统，可自动打印拌料的拌合量、拌合温度、拌合时间参数。

拌合时应根据生产配合比进行配料，严格控制各种材料的用量和拌合温度，确保沥青混合料的拌合质量。沥青混合料的拌合时间以混合料拌合均匀、矿料颗粒全部被沥青均匀裹满为度，拌制的沥青混合料应均匀一致，无花白料、无结团成块或严重粗细料分离现象。

3. 沥青混合料的运输

（1）沥青混合料宜开展绿色运输，合理选择运输工具和线路，改进内燃机技术和使用清洁能源，防止运输过程中的泄漏，减少环境污染，实现节能减排的目标。

（2）为防止沥青混合料粘结运料车车厢板，装料前应喷洒一薄层隔离剂或防粘结剂。运输中沥青混合料上宜用篷布覆盖保温，防雨和防污染。

（3）运料车进入摊铺现场时，轮胎上不得沾有泥土等可能污染路面的脏物，沥青混合料不符合施工温度要求或结团成块或已遭雨淋，不得使用。

4. 洒布透层沥青与粘层沥青

（1）为使沥青面层与非沥青基层结合良好，在基层上浇筑透层沥青，透层沥青应在面层浇筑前4～8h喷洒。对粒料类的基层洒布，城市快速路、主干路应采用沥青洒布车喷洒。透层沥青宜紧接在基层施工结束表面稍干后浇洒。

（2）为加强路面沥青层与沥青层之间、沥青层与水泥混凝土之间的粘结而洒布沥青材料薄层。双层式或三层式热拌热铺沥青混合料路面在铺筑上一层前，旧沥青路面加铺沥青层，水泥混凝土路面上铺筑沥青面层或新铺的沥青结合料接缝的路缘石、雨水井、检查井等构筑物的侧面，均应浇洒粘层沥青。粘层沥青宜用沥青洒布车喷洒。

5. 沥青混合料的摊铺

摊铺沥青混合料前应进行标高及平面控制等施工测量工作和按要求在下承层上浇洒透层、粘层或铺筑下封层。对城市主干路、快速路宜采用两台（含）以上摊铺机成梯队作业，进行联合摊铺。相邻两幅之间宜重叠5～10cm，前后摊铺机宜相距10～30cm，且保持混合料合格温度。沥青混凝土混合料松铺系数机械摊铺1.15～1.35，人工摊铺1.25～1.50。摊铺沥青混合料必须缓慢、均匀、连续不间断，不得随意变换摊铺速度或中途停顿。摊铺速度宜为2～6m/min。

控制沥青混合料的摊铺温度是确保摊铺质量的关键之一。高速公路和一级公路的施工气温低于10℃，其他等级公路施工气温低于5℃时，不宜摊铺热拌沥青混合料。必须摊铺时，应提高沥青混合料拌合温度，并符合规定的低温摊铺要求。

6. 沥青混合料的压实

压实的目的是提高沥青混合料的密实度，从而提高沥青路面的强度、高温抗车辙能力及抗疲劳特性等路用性能，是形成高质量沥青混凝土路面的又一关键工序。

（1）碾压程序

压实分初压、复压、终压三个阶段。

1）初压

初压是整平和增加沥青混合料的初始密实，起稳定作用。正常施工时碾压温度为110～140℃，低温施工碾压温度为120～150℃，一般初压温度在130～140℃。初压用6～8t双轮压路机，以1.5～2.0km/h的速度先碾压2遍，使混合料得以初步稳定。压路机碾压应从外侧的中心碾压，相邻碾压带应重叠1/3～1/2轮宽。

2）复压

复压是碾压过程最重要的阶段，复压应连续进行。碾压段长度宜为60～80m。开始复压温度应在100℃左右，复压是使混合料密实、稳定、成型。复压采用重型轮胎压路机或振动压路机，不宜少于4～6遍，通过复压达到规定的压实度。

3）终压

终压是消除压实中产生的轮迹，使表面平整度达到要求值，碾压终了温度应不低于65～80℃。终压可用轮胎压路机或停振的振动压路机，不宜少于2遍，碾压至无明显轮迹为止。

(2) 碾压原则

1）碾压过程中碾压轮应保持清洁，可对钢轮涂刷隔离剂或防粘剂，严禁刷柴油。

2）严格控制喷水量，保持高温，梯形重叠，分段碾压。

3）由路外侧（低侧）向中央分隔带（中心）碾压。

4）碾压带重叠1/3～1/2轮宽。

5）压路机不得在未碾压成型并冷却的路面上急刹车、转向调头或停车。

6）不得在成型路面上停放机械设备或车辆，不得散落矿料、油料等杂物。

7）压路机应以慢而均匀的速度进行碾压，其碾压速度应符合有关规定。

7. 接缝处理

整幅摊铺无纵向接缝，只要处理好横向接缝，就能保证沥青面层的平整度。摊铺梯队作业时的纵缝应采用热接缝，上下层的纵缝应错开15cm以上。上面层的纵缝宜安排在车道线上。相邻两幅及上下层的横接缝应错开1m以上。表面层接缝应采用直槎，以下各层可采用斜接槎。接缝应粘结紧密，压实充分，连接平顺。

8. 开放交通

碾压完后，应检查表面是否平整密实、稳定，表面是否粗细一致，有无裂缝，接缝是否齐平。热拌沥青混合料路面应待摊铺层自然降温至表面温度低于50℃后，方可开放交通。

2.4.2 排水沥青路面

排水沥青路面主要特点是其孔隙率比较高（一般在20%左右），故又称多孔性路面，而且这种高孔隙率具有良好的吸声特性，故也称为低噪声路面。

由于雨水能通过路面孔隙从路面内部排走，使路面表面不致产生很厚的水膜，减轻或避免了高速行车所产生的溅水和喷雾，增强路面的抗滑能力，提高道路的交通安全性。因此这种路面结构被广泛应用于降雨量大且集中的地区修建高速公路和城市快速路。

排水沥青路面一般包括以下几个结构层：排水沥青混合料上面层、乳化沥青粘层、密级配沥青混凝土中间层、密级配沥青混凝土下面层、半刚性基层及底基层。

(1) 排水沥青路面结构组合设计原则

1）适应行车荷载作用的要求。

2）适应各种自然因素作用的要求。

3）适应排水沥青路面结构层的特点。

排水沥青路面的典型路面结构如

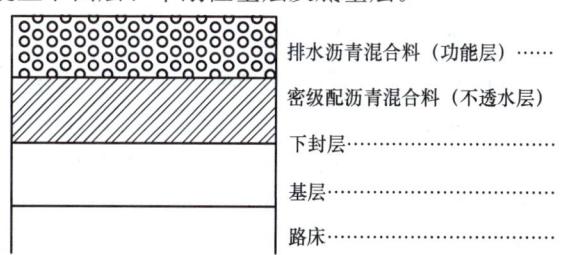

图2-9 排水沥青路面的典型路面结构图

图 2-9 所示。

(2) 横向排水设施

在纵横向坡度大的坡道或长坡道铺设时，必须对纵断方向的排水能力作充分的计算。必要时在坡道中设置横断方向的排水设施作为路面的溢水对策。在凹形纵坡最低点也有可能出现超越路面排水能力而使雨水聚集溢出的现象，此时也应设置横断方向的排水设施，将路面的水及时引入路肩部位的排水构造物中，以避免路面积水。

常见的横向排水设施有：横向盲沟、排水沟、排水管等，如图 2-10 所示。

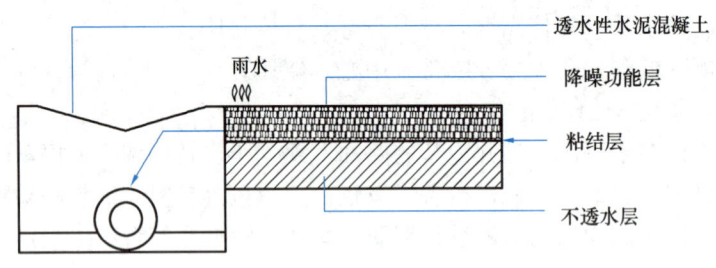

图 2-10 横向排水设施

(3) 排水沥青混合料施工

排水沥青路面的施工可按一般沥青混凝土路面施工进行，但由于排水沥青混合料容易产生沥青流淌与温度下降的问题，因此在施工中还有些特殊要求和关键技术需要控制。

1) 施工机械的选择与要求

排水沥青路面的施工机械包括拌合设备、摊铺设备、压实设备和乳化沥青洒布设备。施工机械的选择应该相互适应，比如选择的拌合设备的拌合速度和拌合量应与摊铺、压实机械相适应。

2) 排水沥青混合料的拌制

拌制排水沥青混合料和普通沥青混合料大致相同，但生产中必须注意以下两点：

①排水沥青混合料应在最适当的"温度管理"和"品质管理"之下进行；

②纤维稳定剂的添加应迅速，添加时间应适宜。

3) 排水沥青混合料的运输与摊铺

排水沥青混合料的运输要使用经清扫的车辆，必须注意防止混合料发生物性变化。

排水沥青混合料的摊铺原则上使用沥青摊铺机按确定的厚度进行作业，其摊铺与沥青混合料的摊铺作业一样，但由于排水沥青混合料温度下降比普通沥青混合料快，因此应尽可能地提高摊铺速度，并应保持摊铺作用的连续性。

4) 排水沥青混合料的压实

排水沥青混合料在摊铺后应立即按所定的压实度实施压实作业。

排水沥青混合料的压实一般要经过初压、复压和终压三个阶段完成。初压一般选择 10~12t 的钢轮压路机，压实温度控制在 140~160℃；复压选择 6~10t 的钢轮压路机，压实温度控制在 135~150℃；终压选择 6~10t 的钢轮压路机，压实温度控制在 70~90℃。

5) 接缝与渐变过渡段的施工

在接缝处施工时，需对接缝处清扫处理后进行加温处理，并将摊铺的排水沥青混合料压实，使之相互密接。

渐变过渡段的施工要注意防止排水沥青混合料的分散。

2.5　道路附属工程施工

2.5.1　侧平石施工

侧平石施工一般以预制安砌为主，施工程序为：施工放样—挖槽—排砌侧石—排砌平石—侧平石灌缝—养护。

1. 施工放样

（1）根据道路中心线，量出路面边界，进行边线放样，定出边桩。

（2）根据路面设计纵坡与侧石纵坡相平行的原则，定出侧石标高与侧石平面位置。

2. 挖槽

根据设计定出槽底标高进行开槽。按边桩标高拉线，以线为准，向外挖槽，宽度比侧石厚度宽5cm，靠近路面一侧尽量和线拉齐，挖槽深度比埋置深度深1~2cm，槽底要整平。

3. 排砌侧石

平侧石的垫层可铺2cm的1∶3水泥砂浆（或混合砂浆），每块侧石间要平、齐、紧、直，缝宽1cm。侧石高低不一致的调整：高的可在顶面垫以木条（或橡皮锤）夯击使之下沉，低的用撬棍将其撬高，并在下面垫以混凝土或砂浆。人行道的缺口斜坡的侧石，一般比平石高出2~3cm，两端接头应做成斜坡。直线段用100cm长侧石。曲线半径大于15m，一般用60cm长的侧石。曲线半径小于15m或圆角部分等，用60cm或30cm的侧石。

4. 排砌平石

平石根据设计的侧石高差，标出平石的顶面及底面线。平石和侧石应错缝对中相接，平石间缝宽1cm，与侧石间的缝隙不大于1cm，平石与路面必须顺直，安装应牢固，顶面平整。沥青路面应先排砌侧平石，后铺筑路面。

5. 侧平石灌缝

灌缝用水泥砂浆抗压强度应大于10MPa。灌缝必须饱满，灌缝后要整齐勾缝，平石勾缝以平缝为宜，侧石勾缝为凹缝。接缝要进行3d以上的湿润养护。

6. 养护

侧平石灌缝表面已有相当硬度（手按无痕）时，可用湿麻袋或湿草袋覆盖，湿润养护不得少于3d。

2.5.2　人行道施工

1. 预制块人行道施工

人行道以预制板铺砌为主，施工程序为：施工放样—基层摊铺碾压—垫层施工—预制块人行道铺砌—扫填砌缝—养护。

（1）施工放样

根据设计标高和宽度，定出边桩和边线，在桩上画出面层标高，桩距直线段

1根/10m，曲线段加密。人行道中线或边线上，每隔5m安设一块预制板，作为控制点，以掌握高程和方向。

侧石顶面作为人行道外侧标高控制点，根据设计宽度和坡度，算出横向高差值，测设出内侧控制点。树穴位置根据设计测设。

(2) 基层摊铺碾压

按设计铺基层，基层以采用刚性或半刚性为宜，采用小型机械压实整平，基层的摊铺碾压可参阅道路基层施工。

(3) 垫层施工

在基层上铺筑水泥砂浆或1:3的水泥石灰砂浆，垫层铺筑面应比铺装面宽5～10cm。施工垫层用细粒料拍实刮平，控制厚度，垫层应超前面层1m以上，不得随铺随砌。

(4) 预制块人行道铺砌

根据设计放出人行道面标高，通过排线先铺砌几条单块符合设计标高的预制板作为标准，通常采用人工挂线铺砌。方砖铺装要轻摆放平，用橡皮锤或木锤敲实，不得损伤边角，垫层如不平，应拿起预制板，重新用砂浆找齐平，严禁向板底塞填砂浆或碎砖屑等。缸砖在铺筑前应浸水2～3h，然后阴干，方可使用。全面铺砌时还应随时用3m直尺纵、横、斜角量所铺面的平整度。靠侧石边线的预制板宜高出侧石顶5mm，以利人行道横向排水。相邻板块紧贴，表面平整，线条挺直，图案拼装正确。

(5) 扫填砌缝

铺砌好方砖后应检查平整度，纵横向均无误后，用砂掺水泥（1:10体积比）拌合均匀的混合料将预制板缝灌满，并在砖面略洒水，使灰砂混合料下沉，然后再灌满混合砂料补足缝隙。如铺砌缸砖用素水泥灌缝，灌缝后应清洗干净，保持砖面清洁。

(6) 养护

铺砌的预制板人行道洒水养护不得少于3d，保持缝隙湿润。养护期间严禁行人、车辆的走动和碰撞。

2. 现浇水泥混凝土或沥青混凝土人行道施工

现浇水泥混凝土人行道的施工程序和方法与水泥混凝土路面的施工基本相同，但表面必须在面层收水抹面后，分块压线、滚花。压线、滚花必须整齐、清晰。

现浇沥青混凝土人行道的施工程序和方法亦与沥青混凝土路面的施工基本相同。

2.5.3 挡土墙施工

1. 重力式挡土墙的施工

(1) 材料要求

1) 石料材料

石料强度必须符合设计要求，应采用结构密实、石质均匀、不易风化、无裂缝的硬质石料。当在一月份平均气温低于-10℃的地区，所用石料和混凝土等材料，均需通过冻融试验，其砂浆强度等级不低于M5.0。

2) 砌筑砂浆

①砂浆强度等级应符合设计要求。必须具有良好的和易性。

②当采用水泥石灰砂浆时，所用石灰除应符合技术标准外，还应成分纯正，煅烧均匀透彻，一般宜熟化成消石灰粉使用，其中活性CaO和MgO的含量应符合规定要求。

③砂浆配合比需通过试验确定，当更换砂浆的组成材料时，其配合比应重新试验确定。

④水泥、砂、石材等材料均应符合规范规定要求。

(2) 重力式挡土墙的砌筑

挡土墙砌筑前应精确测定挡土墙基座主轴线和起讫点，并查看与两端边坡衔接是否适顺。砌筑时必须两面立杆挂线或样板挂线，外面线应顺直整齐，逐层收坡，内面线可大致适顺，以保证砌体各部尺寸符合设计要求，在砌筑过程中应经常校正线杆。浆砌石底面应卧浆铺筑，立缝填浆补实，不得有空隙和立缝贯通现象。砌筑工作中断时，可将砌好的石层孔隙用砂浆填满，再砌筑时，砌体表面要仔细清扫干净，洒水湿润。工作段的分段位置宜在伸缩缝和沉降缝处，各段水平缝应一致，分段砌筑时，相邻段高差不宜超过 1.2m，砌筑砌体外坡时，浆缝需留出 1～2cm 深的缝槽，以便砂浆勾缝，其强度等级应比砂浆提高一倍，隐蔽面的砌缝可随砌随填平，不另勾缝。

1) 浆砌片石

①片石宜分层砌筑，以 2～3 层石块组成一工作层，每工作层的水平缝大致齐平，竖缝应错开，不能贯通。

②外圈定位行列和转角石选择形状较方正、尺寸相对较大的片石，并长短相间、丁顺交错地与里层砌块咬接成一体，下层石块也应交错排列，避免竖缝重合，砌缝宽度一般不应大于 4cm。

③较大的砌块应用于下层，石块宽面朝下，石块之间均要有砂浆隔开，不得直接接触，竖缝较宽时可在砂浆中塞以碎石，但不得在砌块下面用小石子支垫。

④砌体中的石块应大小搭配，相互错叠，咬接密实并备有各种小石块，作挤浆填缝之用，挤浆时可用小锤将小石块轻轻敲入缝隙中。

⑤砌片石墙必须设置拉结石，并应均匀分布，相互错开，一般每 $0.7m^2$ 墙面至少设置 1 块。

2) 浆砌块石

①用作镶面的块石，表面四周应加修整，尾部略微缩小，易于安砌。丁石长度不短于顺石长度的 1.5 倍。

②块石应平砌，要根据墙高进行层次配料，每层石料高度做到基本齐平。外圈定位行列和镶面石应一丁一顺排列，丁石深入墙心不小于 25cm，灰浆缝宽 2～3cm，上下层竖缝错开距离不小于 10cm。

3) 料石砌筑

①每层镶面料石均应事先按规定缝宽要求配好石料，再用铺浆法顺序砌筑和随砌随填立缝，并应先砌角石。

②当一层镶面石砌筑完毕后，方可砌填心石，其高度与镶面石齐平。如用水泥混凝土填心，可先砌 2～3 层镶面石后再浇筑混凝土。

③每层料石均应采用一丁一顺砌法，砌缝宽度为 1.0～1.5cm，缝宽应均匀。相邻两层立缝应错开不小于 10cm，在丁石的上层和下层不得有立缝。

4) 墙顶

墙顶宜用粗料石或现浇混凝土做成顶帽，厚 30cm，路肩墙顶面宜以大块石砌筑，用

M5.0 以上砂浆勾缝和抹平顶面，厚 2cm，并均应在墙顶外缘线留 10cm 的幅沿。

5）基础

①基础的各部尺寸、形状、埋置深度均按设计要求进行施工。当基础土方开挖后，验槽时若发现地质与设计情况有出入时，应按实际情况考虑调整设计。

②在松软地层或坡积层地段开挖时，基坑不宜全段贯通，而应采用跳槽办法开挖以防上部失稳。当基底土质为碎石土、砂砾土、砂性土、黏性土等，将其整平夯实。基础开挖大多采用明挖。

③当遇有基底软弱或土质不良地段时，可按以下方法分别进行处理：

A. 当地基软弱，地形平坦，墙身又超过一定高度时，为减少地基压应力，增加抗倾覆稳定，可在墙趾处伸出一个台阶，以拓宽基础。如地基压应力超过地基承载力过多时，为避免台阶过多，可采用钢筋混凝土底板。

B. 如地层为淤泥质土、杂质土等，可采用砂砾、碎石、矿渣灰土等材料换填夯实或采用砂桩、石灰桩、碎石桩、挤淤法、土工织物及粉体喷搅等方法分别予以处理。

C. 基坑开挖大小，需满足基础施工的要求。渗水土的基坑要根据基坑排水设施（包括排水沟、集水坑、网管）和基础模板等大小而定。一般基坑底面宽度应比设计尺寸各边增宽 0.5～1.0m，以免影响施工，基坑开挖坡度按地质、深度、水位等具体情况而定。

D. 任何土质基坑挖至标高后不得长时间暴露、扰动或浸泡而削弱其承载能力。一般土质基坑挖至接近标高时，保留 10～20cm 的厚度，在基础施工前以人工突击挖除。基底应尽量避免超挖，如有超挖或松动，应回填砂石料并夯实。基坑开挖完成后，应放线复验，确认其位置无误并经监理签认后，方可进行基础施工。基坑抽水应保证砌体砂浆不受水流冲刷。当基础完成，砌筑砂浆强度达到回填要求后，立即回填，以小型机械进行分层压实，并在表层稍留向外斜坡，以免积水浸泡基础底。

6）排水设施

挡土墙的排水设施通常由地面排水和墙身排水两部分组成。

地面排水可设置地面排水沟，引排地面水。夯实回填土顶面和地面松土，防止雨水和地面水下渗，必要时可加设铺砌。对路堑挡土墙墙趾前的边沟应予以铺砌加固，以防止边沟水渗入基础。

墙身排水主要是为了迅速排除墙后积水。浆砌挡土墙应根据渗水量在墙身的适当高度处布设泄水孔。泄水孔尺寸可视水量大小分别采用 5cm×10cm、10cm×10cm、15cm×20cm 方孔，或直径 5～10cm 的圆孔。泄水孔间距一般为 2～3m，由下向上交错设置，最下排泄水孔的底部应高出地面或排水沟底 0.3m。

7）墙背材料

①需待砌体砂浆强度达到 70% 以上时，方可回填墙背材料，并应优先选择渗水性较好的砂砾土填筑。如采用砂砾土有困难而不得不采用不透水土时，必须做好砂砾反滤层，并与砌体同步进行。浸水挡土墙背全部用水稳定性和透水性较好的材料填筑。

②墙背回填要均匀摊铺平整，并设不小于 3% 的横坡逐层夯实，不允许向着墙背斜坡填筑，严禁使用膨胀性土和高塑性土。每层压实厚度不宜超过 20cm，碾压机具和填料性质应进行压实试验，确定填料分层厚度及碾压遍数，以便正确地指导施工。

③压实时应注意勿使墙身受较大的冲击影响，邻近墙背 1.0m 范围内，应采用小型压

实机具碾压。小型压实机械有蛙式打夯机、内燃打夯机、手扶式振动压路机、振动平板夯等。

2. 混凝土挡土墙施工

(1) 基础施工

1) 基础处理与重力式挡土墙相同,软基础可采用桩基或加固结剂等加固措施。

2) 混凝土底板可以在基础上直接立模,钢筋混凝土底板则需先浇垫层,在垫层上放线、扎钢筋、立模。基础模板的反撑,不宜直接落在土基上,应加垫木。钢筋混凝土施工时,应注意钢筋的保护层厚度。墙体的钢筋应安装到位,并且有可靠的固定措施。混凝土的施工缝应尽量避免设置在基础与墙体的分界面。

3) 墙体模板可使用木模以及整体模板,或滑模和翻模。

①基本要求:挡土墙分段施工,相邻段应错开。

②整体模板技术:由面板、筋肋和支撑件构成,面板常用胶合板、竹胶板或木板;筋肋可用木条、型钢或冲压件。挡土墙对模板接缝要求不是很高,可不用拼接件而直接安装,安装时从转角处开始,注意控制对角线和模板坡度。整体模板一般用于专用支撑,有时可用临时支撑,也可用对拉螺栓来平衡混凝土侧压力。为了方便拆模,模板表面应涂刷隔离剂,拆模在混凝土成型24h以后,不能太迟,以免增加拆模的难度。混凝土挡土墙的排水、渗水、接缝处理与重力式挡土墙相同。

(2) 墙体钢筋及混凝土施工

1) 墙体钢筋安装应在立模前施工。安装模板特别是扶壁式挡土墙,钢筋不易校正其位置偏差,因此钢筋安装绑扎必须控制到位,一般控制方法是搭架支撑,控制钢筋在顶端的准确位置,拉紧固定。

2) 墙体混凝土:钢筋混凝土挡土墙截面较小,混凝土下仓要有漏斗、溜槽等辅助措施。另外,挡土墙应分层浇筑,分层振捣,每层厚度以 30cm 为宜,浇筑控制在 1~1.5m/h;混凝土挡土墙属大体积混凝土,宜用低热量、收缩小的矿渣类水泥,必要时还可在混凝土中抛入块卵石、石块,石块距模板、钢筋及预埋件净距均不小于 4~6cm,混凝土的养护方法及要求与其他结构相同。

3. 加筋土挡土墙施工

加筋土挡土墙施工包括基础开挖、基底处理、基础浇筑、构件准备、面板安装、筋带布设、填料摊铺及压实、封闭压顶附属构件安装。

(1) 基础施工

基底处理措施同其他挡土墙一样,常用钢筋混凝土条形基础,要求顶面水平整齐。

(2) 控制放线

加筋土挡土墙墙面垂直平面随现场条件做成直线或曲线。第一层面板安装准确,以后每层只需用垂线控制。其另一个控制内容是面板的接缝线条。

(3) 施工程序

施工时应注意事项如下:

1) 面板安装以外缘定线,每块面板的放置应从上而下垂直就位,为防止相邻面板错位,可采用螺栓夹木或斜撑固定面板一并干砌,接缝不做处理,可用砂浆或软土进行调整。

2) 面板的施工缝和沉降缝设在一起，且填料应在后一项工程施工前放入。

3) 筋带铺设应与面板的安装同步，进行铺设的底料应平整密实。

4) 钢筋不得弯曲，接头（插销连接）和防锈（镀锌）处理应符合标准规定，钢带或面板间钢筋连接，可采用焊接、拉环或螺栓连接，且在连接处应浇筑混凝土保护。

5) 聚丙烯土工带、塑钢带应穿过面板的预留孔或拉环折回与另端对齐或绑扎在钢筋中间与面板连接，筋带本身连接也采取绑扎方式。

6) 面板安装、筋带铺设和埋地排水管完成到位并检查验收合格后，用准备充足的合格填料进行填料施工。

7) 运土机具不得在未覆盖填料的筋带上行驶，且要离面板1.5m以上，填料可用机械或手工摊铺，应厚度均匀，表面平整，并有不小于3%的向外倾斜横坡。机械摊铺方向应与筋带垂直，不得直接在筋带上行驶，距面板1.5m范围内只能采用人工摊铺。

8) 填料采用机械碾压，禁止使用羊足碾，不得在填料上急转弯和急刹车，以免破坏筋带，碾压前应确定最佳含水量的碾压标准。碾压过程中应随时检测填料的含水量和密实度。

9) 加筋土的排水管反滤层及沉降缝等设施应同时施工，排水设施施工中应注意水流通道，不得有碍水流或积水等。

10) 错层施工应有明确停顿，一层完工后再进行第二层施工。

2.5.4 隔离墩、护栏施工

1. 隔离墩

(1) 隔离墩宜由有资质的生产厂供货。现场预制时宜采用钢模板，拼装严密、牢固，混凝土拆模时的强度不得低于设计强度的75%。

(2) 隔离墩吊装时，其强度应符合设计规定，设计无规定时不得低于设计强度的75%。

(3) 安装必须稳固，坐浆饱满；当采用焊接连接时，焊缝应符合设计要求。隔离墩安装允许偏差见表2-1。

隔离墩安装允许偏差　　　表2-1

项目	允许偏差(mm)	检验频率 范围	检验频率 点数	检验方法
直顺度	≤5	每20m	1	用20m线和钢尺量
平面偏位	≤4	每20m	1	用经纬仪和钢尺量测
预埋件位置	≤5	每件	2	用经纬仪和钢尺量测（发生时）
断面尺寸	±5	每20m	1	用钢尺量
相邻高差	≤3	抽查20%	1	用钢板尺和钢尺量
缝宽	±3	每20m	1	用钢尺量

2. 隔离栅

(1) 隔离网、隔离栅板应由有资质的工厂加工，其材质、规格形式及防腐处理均应符合设计要求。

（2）固定隔离栅的混凝土柱宜采用预制件。金属柱和连接件规格、尺寸、材质应符合设计规定，并应做防腐处理。

（3）隔离栅立柱应与基础连接牢固，位置应准确。

（4）立柱基础混凝土强度达到设计强度的75%后，方可安装隔离栅板（网）片。隔离网、隔离栅板应与立柱连接牢固，框架、网面平整，无明显凹凸现象。

3. 护栏

（1）护栏应由有资质的工厂加工。护栏的材质、规格形式及防腐处理应符合设计要求。加工件表面不得有剥落、气泡、裂纹、疤痕、擦伤等缺陷。

（2）护栏立柱应埋置于坚实的土基内，埋设位置应准确，深度应符合设计规定。

（3）护栏的栏板、波形梁应与道路竖曲线相协调。

（4）护栏的波形梁的起、讫点和道口处应按设计要求进行端头处理。

2.5.5 雨水支管与雨水口施工

1. 雨水口用料要求

（1）快速路、主次干道、支路上的雨水口应使用承载能力D级400kN及以上等级铸铁水箅盖，街巷雨水口可使用承载能力C级250kN及以上等级钢纤维混凝土水箅盖。

（2）机动车道及非机动车道雨水口宜采用现浇混凝土雨水口、预制成品雨水口。其他部位可采用砖砌式雨水口。

2. 施工要点

（1）雨水支管应与雨水口配合施工。

（2）雨水支管、雨水口基底应坚实，现浇混凝土基础应振捣密实，强度符合设计要求。

（3）砌筑雨水口应符合下列要求：

① 雨水口管端面应露出井内壁，其露出长度不应大于2cm。

② 雨水口井壁，应表面平整，砌筑砂浆应饱满，勾缝应平顺。

③ 雨水管穿井墙处，管顶应砌砖券。

④ 井底应采用水泥砂浆抹出雨水口泛水坡。

（4）雨水支管敷设应直顺，不应错口、反坡、凹兜。检查井、雨水口内的外露管端面应完好，不应将断管端置入雨水口。

（5）雨水支管与雨水口四周回填应密实。处于道路基层内的雨水支管应做360°混凝土包封，且在包封混凝土达到设计强度75%前不得放行交通。

（6）雨水口不得设置在人行道慢坡、绿化带岛头、出入口等位置。

2.5.6 检查井处理施工

（1）车行道上的检查井井盖宜采用承载能力D级400kN及以上等级的可调式防沉降检查井盖，井盖可插入井座深度宜为150mm。

（2）检查井井室周边应做好防沉降处理，可在道路结构层以下设置钢筋混凝土承载板。

（3）井盖座的底标高应根据路面厚度、井盖可调高度确定，对于沥青混合料下、中面层需临时开放交通的，应综合考虑临时开放交通、完工状况的井盖可调范围。

（4）井盖座应采用高强度灌浆料灌注固定，井盖闭合方面与车行方向一致。

(5) 井盖应与路面浑然一体，表面平整。

2.6 道路雨、冬期施工要求

2.6.1 道路雨期施工要求

1. 雨期施工准备

(1) 以预防为主，掌握天气预报和施工主动权，做好防雨准备。

(2) 工期安排紧凑，抓紧非雨期的施工，集中力量打歼灭战。

(3) 做好排水系统，防排结合。

(4) 准备好防雨物资，如篷布、雨篷等。

(5) 加强巡逻检查，发现积水、挡水处，及时疏通；道路工程如有损坏，应及时修复。

2. 路基

路基土方宜避开主汛期施工。有计划地集中力量，组织快速施工，分段开挖，切忌全面开挖或战线过长。挖方地段要留好横坡，做好截水沟。坚持当天挖完、填完、压完，不留后患。因雨翻浆地段，坚决换料重做。路基填土施工，应按2%～4%以上的横坡整平压实，以防积水。

3. 基层

宜避开主汛期施工。摊铺段不宜过长，并应当时摊铺、当时碾压成活。应坚持拌多少、铺多少、压多少、完成多少。下雨来不及完成时，也要碾压1～2遍，防止雨水渗透。

水泥稳定碎石基层雨期施工应防止水泥和混合料淋雨。降雨时应停止施工，已摊铺的应尽快碾压密实。

4. 面层

(1) 沥青混凝土面层不允许下雨时或下层潮湿时施工。雨期应缩短施工长度，加强工地现场与沥青拌合厂联系，应做到及时摊铺、及时完成碾压。沥青混合料运输应有防雨措施。

(2) 水泥混凝土路面施工时，搅拌站要支撑遮雨篷，工作现场要支撑简易、轻便工作罩棚，以便下雨时继续完成。应多测砂石骨料的含水率，保证拌制混凝土时加水量的准确性，严格掌握配合比。雨天运输混凝土时，车辆必须采取防雨措施。雨期作业工序要紧密衔接，应及时浇筑、振动、抹面、养护。浇捣现场预备简易的塑料防雨布，并应采用覆盖等措施保护尚未硬化的混凝土面层。

2.6.2 道路冬期施工要求

1. 冬期施工准备

(1) 当施工现场环境日平均气温连续5d稳定低于5℃，或最低气温低于－3℃时应视为进入冬期施工。

(2) 在冬期施工中，既要防冻，又要快速，以保证质量。

(3) 科学合理安排施工部署，尽量将土方和土基项目安排在上冻前完成。

(4) 做好防冻覆盖和挡风、加热、保温工具等物资及措施准备。

2. 路基

施工严禁掏洞取土。路基土方开挖宜每日开挖至规定深度，并及时采取防冻措施。当开挖至路床时，必须当日碾压成活，成活面亦应采取防冻措施。填方土层宜用未冻、易透水、符合规定的土。气温低于5℃时，每层虚铺厚度应较常温施工规定厚度小20%～25%。

昼夜平均气温连续10d以上低于−3℃时为冬期。填土后立即铺筑高级路面或次高级路面的路基，严禁用冻土填筑。路床顶以下1m范围内，不得用冻土填筑。填筑路基的冻土含量不得超过30%，冻土块粒不得大于5cm。冻土必须与好土拌匀，严禁集中使用。

3. 基层

颗粒基层和稳定类基层冬期施工可适当加一定浓度的盐水，以降低冰点。半刚性基层应在日最低气温5℃以上施工，并应在第一次冰冻（−3～−5℃）到来之前1～1.5个月完成。严格控制施工作业面，保证当日摊铺段当日碾压成活。碾压成型后，要保持干燥。

4. 面层

沥青混合料面层不得在雨、雪天气及环境最高温度低于5℃时施工。粘层、透层、封层、城市快速路、主干路的沥青混合料面层严禁冬期施工。次干路及其以下道路在施工温度低于5℃时，应停止施工。当风力在6级及以上时，沥青混合料不应施工。冬期施工时，适当提高拌合混凝土出厂温度，但不超过175℃。运输中应覆盖保温，应达到摊铺和碾压的最低温度要求。下承层表面应干燥、清洁、无冰、雪、霜等。施工中做好充分准备，采取"快卸、快铺、快平"和"及时碾压、及时成型"的方针。

2.7 道路施工机械设备

2.7.1 常用土方机械

常用的土方工程机械有：推土机、挖掘机、装载机、铲运机、平地机、松土机及各种压实机械。

1. 推土机

推土机可以纵向运土或横向推土，对半填半挖路段施工尤为合适，主要用于短距离推运土层、开挖路堑、填筑路堤、平整场地、填埋沟槽、局部碾压、给铲运机助铲和预松土、配合挖掘机修整工作面以及其他辅助作业。其机动性能大，动作灵活，生产效率高，能在较小的作业面上独立工作，适用于各类土质及松软场地作业，不易陷机，因此，在工程中得到广泛应用。

2. 挖掘机（单斗挖土机）

挖掘机是土石方施工工程中的主要机械设备之一，可进行挖掘土，主要用于路堑的开挖、高填土和大中型桥梁的基础工程，一般要与其他运输工具配合施工，尤其适合于工期较长、工程量比较大的土方集中工程。其挖土效率高，产量大。

单斗挖土机在沟槽开挖施工中应用广泛。分为正向铲、反向铲、拉铲和抓铲（合瓣铲），如图2-11所示。行走装置有履带式和轮胎式两种。

（1）正向铲挖土机适用于开挖停机面以上的一至三类土，机械功率较大，挖土斗容量

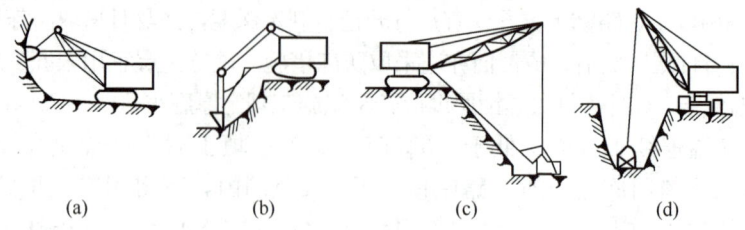

图 2-11　单斗挖土机
(a) 正向铲；(b) 反向铲；(c) 拉铲；(d) 抓铲

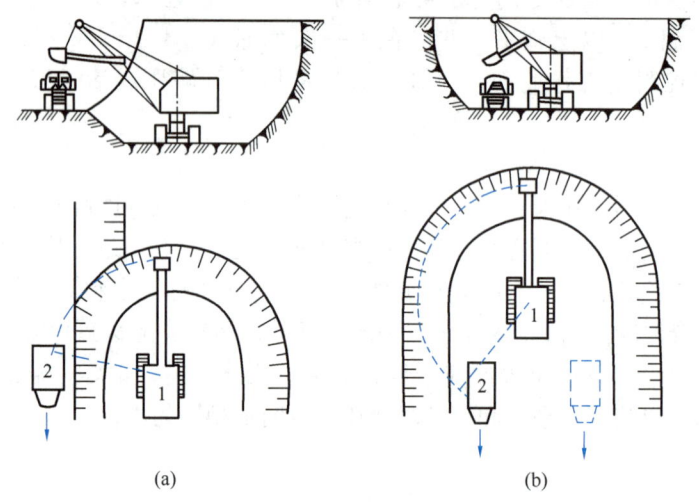

图 2-12　正向铲挖土机开挖方式
(a) 侧向卸土；(b) 后方卸土
1—正向铲挖土机；2—自卸汽车

大，一般与自卸汽车配合完成整个挖运任务。可用于开挖深度大于 2.0m 的大型基坑及土丘。其特点是：开挖时土斗前进向上，强制切土，挖掘力大，生产率高。

正向铲的挖土和卸土方式，应根据挖土机的开挖路线与运输工具的相对位置确定，一般有正向挖土、侧向卸土和正向挖土、后方卸土两种方式，如图 2-12 所示。其中侧向卸土，动臂回转角度小，运输工具行驶方便，生产率高，应用较广。当沟槽和基坑的宽度较小，而深度又较大时，才采用后方卸土方式。

在沟槽的开挖施工中，如采用正向铲挖土机，施工前需开挖进出口坡道，使挖土机位于地面以下，否则无法施工。

(2) 反向铲挖土机适用于开挖停机面以下的土方，施工时不需设置进出口坡道，其机身和装土都在地面上操作，受地下水的影响较小，广泛应用于沟槽的开挖，尤其适用于开挖地下水位较高或泥泞的土方，其外形如图 2-13 所示。

反向铲挖土机的开挖方式有沟端开挖和沟侧开挖两种，如图 2-14 所示。后者挖土的宽度与深度小于前者，但弃土距沟边较远。

沟端开挖是指挖土机停在沟槽一端，向后倒退挖土，汽车可在两侧装土，此法应用较广。

沟侧开挖是指挖土机沿沟槽一侧直线移动挖土。此法能将土弃于距沟槽边较远处，可供回填使用。但由于挖土机移动方向与挖土方向相垂直，所以稳定性较差，开挖深度和宽度较小，也不能很好地控制边坡。

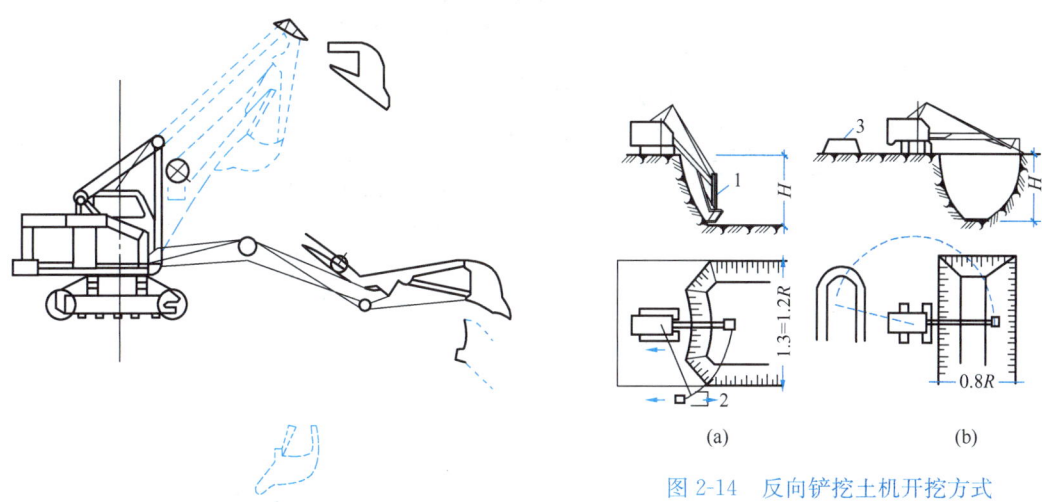

图 2-13　反向铲挖土机的外形示意

图 2-14　反向铲挖土机开挖方式
（a）沟端开挖；（b）沟侧开挖
1—反向铲挖土机；2—自卸汽车；3—弃土堆

拉铲挖土机和抓铲挖土机在市政管道工程施工中使用较少，本书不作介绍。

3. 装载机

装载机是一种用途十分广泛的工程机械，它兼有推土机和挖掘机两者的工作性能，可进行铲掘、装运、整平、装载和牵引等多种作业。其适应性强，作业效率高，操纵简便。装载机与运输车辆配合，可达到比较理想的铲土运输工作效率。图 2-15 所示为轮胎式和履带式装载机简图。

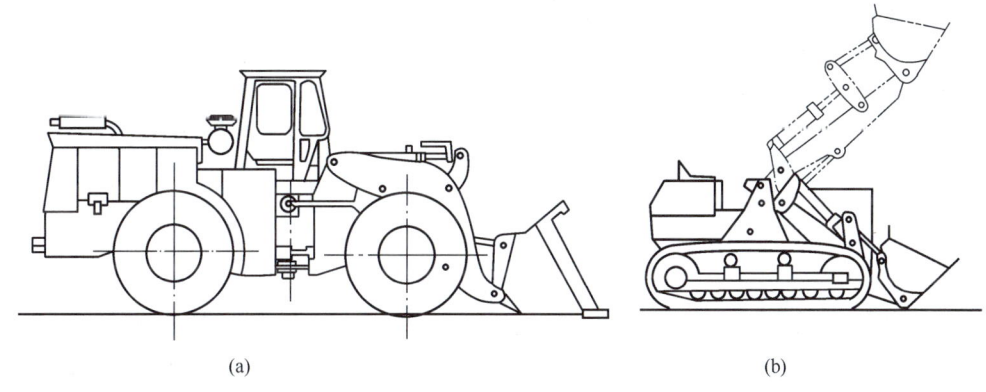

图 2-15　轮胎式和履带式装载机简图
（a）轮胎式装载机；（b）履带式装载机

4. 铲运机

铲运机可以进行自挖、自装、自运、自卸各个工序,并兼有铺平压实的作用。它在路基施工中,可以填筑路堤、开挖路堑、填挖和整平场地。铲运机的类型如图2-16所示。

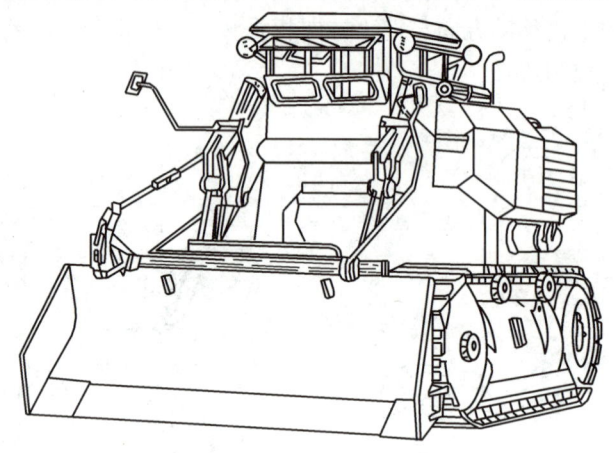

图 2-16 履带式铲运机

5. 平地机

平地机是一种装有以铲土刮刀为主,配有其他多种辅助作业装置进行土的切削、刮送和整平作业的工程机械。它可以进行砂砾石路面、路基路面的整形和维修,表层土或草皮的剥离、控沟、修刮边坡等整平作业,还可以完成材料的混合、回填、推移、摊平作业。其效能高、作业精度好、用途广泛。

常用的土方机械适用范围见表2-2。

常用土方机械的适用范围表　　　　　　　表 2-2

机械名称	适用的作业项目		
	施工准备工作	基本土方作业	施工辅助作业
推土机	1. 修筑临时道路 2. 推倒树木,拔除树根 3. 铲除草皮 4. 清除积雪 5. 清理建筑碎屑 6. 推缓陡坡地形 7. 翻挖回填井、坟、陷穴	1. 高度3m以内的路堤和路堑土方工程 2. 运距10~80m以内的土方挖运与铺填及压实 3. 傍山坡的半填半挖路基土方	1. 路基缺口土方的回填 2. 路基面粗平 3. 取土坑及弃土堆平整工作 4. 配合铲运机作助铲顶推动力 5. 斜坡上推挖台阶
拖式铲运机	铲除草皮	运距60~700m以内的土方挖运、铺填及碾压作业(填挖高度不限)	1. 路基面及场地粗平 2. 取土坑及弃土堆整理工作
自动平地机	1. 铲除草皮 2. 清理积雪 3. 疏松土壤	1. 修筑0.75m以下的路堤及0.6m以下的路堑土方 2. 傍山坡半填半挖路基土方	1. 开挖排水沟及山坡截水沟 2. 平整场地及路基 3. 修刮边坡

续表

机械名称	适用的作业项目		
	施工准备工作	基本土方作业	施工辅助作业
正铲拖斗挖土机		1. 半径为7m以内的土挖掘及卸弃 2. 用倾卸车配合作500~1000m以上的土方远运	1. 开挖沟槽及基坑 2. 水下捞土（以上用反铲、拉铲或蛤蚌式挖土机）

2.7.2 压实机械

常用的压实机械有：光轮压路机、振动压路机和轮胎压路机。

1. 光轮压路机

光轮压路机是靠光面滚轮自重的静压力来进行压实作业的，其压实深度不大，可用于路基、路面和其他各种大面积回填土的压实施工（图2-17）。

图2-17 光轮压路机　　　　图2-18 振动压路机

2. 振动压路机

振动压路机（图2-18）是利用机械高频率的振动，使被压材料的颗粒发生共振，从而使颗粒间产生相对位移，其摩擦力会减小，使材料颗粒相互挤紧，土层即被压实。它与静力土压路机相比，压实效果提高1~2倍，动力节省1/3，材料消耗节约1/2，且压实厚度大、适应性强，而且可以根据需要调成不振、弱振和强振，但不宜压实黏性土，操作人员易产生疲劳。

3. 轮胎压路机

轮胎压路机（图2-19）是一种由多个特制的光面充气轮胎组成的特种车辆。由于胶轮的弹性所产生的揉压作用，使轮胎压路机压实的料层均匀而密实。在使用中，为了克服轮胎质量轻的缺点而提高压实效果，可通过增减机架上的配重来调节机重，并且轮胎的气压也可

图2-19 轮胎压路机

调节。

轮胎压路机可用于压实各种黏性和非黏性土，对砂石和土混合料的压实更有明显的效果。

2.7.3 路面工程机械

沥青混凝土摊铺机是专门用于摊铺沥青混凝土路面的施工机械，可一次完成摊铺、捣压和熨平三道工序，与自卸汽车和压路机配合作业，可完成铺设沥青混凝土路面的全部工程。摊铺机有轮胎式、履带式、复合式和有接料斗的四种。

图 2-20 轮胎式沥青混凝土摊铺机

（1）轮胎式沥青混凝土摊铺机(图 2-20)：自行速度较高，机动性好，构造简单，应用较为广泛。

（2）履带式沥青混凝土摊铺机(图 2-21)：特点是牵引力大，可在较软的路基上进行作业，且由于履带的滤波作用，使其对路基不平度的敏感性不大。缺点是行驶速度低，机动性差，制造成本较高。

（3）复合式沥青混凝土摊铺机：综合应用了前两种形式的特点，工作时用履带行走，运输时用轮胎，一般用于小型摊铺机，便于转移工作地点。

（4）有接料斗的沥青混凝土摊铺机（图 2-22）：可借助于刮板输送器和倾翻料斗来对工作机构进行供料，特点是易于调节混合料的称量，但结构复杂。

图 2-21 履带式沥青混凝土摊铺机

图 2-22 有接料斗的沥青混凝土摊铺机

第 2 篇　桥　梁　工　程

第 3 章　桥梁构造与识图

3.1　桥梁的作用、组成与分类

3.1.1　桥梁的作用

在城市道路、乡村道路建设中，为了跨越各种障碍（如河流线路等），必须修建各种类型的桥梁，桥梁是交通线中的重要组成部分。现代快速路上迂回交叉的立交桥、新兴城市中不断涌现的雄伟壮观的城市桥梁常常成为大中城市的标志与骄傲。

3.1.2　桥梁的组成

桥梁一般由桥跨结构、墩台和基础组成（图 3-1、图 3-2）。

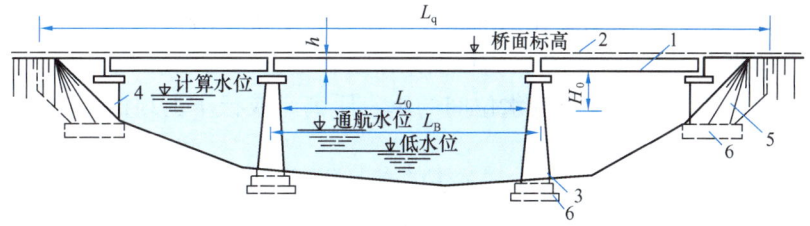

图 3-1　梁桥的基本组成部分

1—主梁；2—桥面；3—桥墩；4—桥台；5—锥形护坡；6—基础

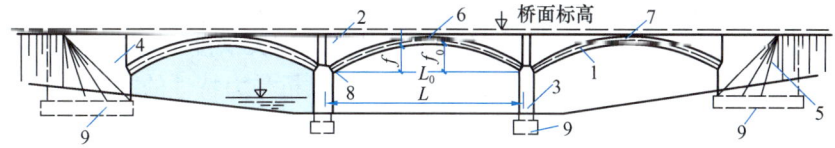

图 3-2　拱桥的基本组成部分

1—拱券；2—拱上结构；3—桥墩；4—桥台；
5—锥形护坡；6—拱轴线；7—拱顶；8—拱脚；9—基础

（1）桥跨结构（也称为上部结构），包括承重结构和桥面系，是在线路遇到障碍（如河流、山谷或城市道路等）而中断时，跨越这类障碍的主要承重结构，也是承受自重、行人和车辆等荷载的主要构件。该承重部分因桥型不同而各有名称，梁式桥的承重部分为主

53

梁，拱桥的承重部分是拱券，桁架桥的承重部分是桁架。桥面系通常由桥面铺装、防水和排水设施、人行道、栏杆、侧缘石、灯柱及伸缩缝等构成。

（2）桥墩、桥台（统称下部结构），是支承桥跨结构并将恒载和车辆活荷载传至地基的构筑物。桥台设在桥梁两端，桥墩则在两桥台之间。桥墩的作用是支承桥跨结构；而桥台除了起支承桥跨结构的作用外，还要与路堤衔接，并防止路堤滑塌。为保护桥台和路堤填土，桥台两侧常做一些防护和导流工程。

（3）墩台基础，是使桥上全部荷载传至地基的底部奠基的结构部分。基础工程是在整个桥梁工程施工中比较困难的部位，而且常常需要在水中施工，因而遇到的问题也很复杂。

桥跨上部结构与桥墩、桥台之间一般设有支座，桥跨结构的荷载通过支座传递给桥墩、桥台，支座还要保证桥跨结构能产生一定的变位。

与桥梁设计有关的主要名称和尺寸有：

计算跨径 L——梁桥为桥跨结构两支承点之间的距离；拱桥为两拱脚截面形心点间的水平距离，即拱轴线两端点之间的水平距离。

净跨径 L_0——一般为设计洪水位时相邻两个桥墩（台）的净距离。通常为梁桥支承处内边缘之间的净距离；拱桥两拱脚截面最低点间的水平距离也称为净跨径。

标准跨径 L_b——梁桥为相邻桥墩中线之间的距离，或桥墩中线至桥台台背前缘之间的距离；对于拱桥则是指净跨径。

桥梁全长 L_q——简称全长，是桥梁两端两个桥台两侧墙或八字墙后端点之间的距离；对于无桥台的桥梁为桥面系行车道的全长。

多孔跨径总长 L_d——梁桥为多孔标准跨径的总和；拱桥为两岸桥台内拱脚截面最低点（起拱线）间的距离；其他形式桥梁为桥面系车道长度。

桥梁高度 H——行车道顶面至低水位间的垂直距离，或行车道顶面至桥下路线的路面顶面的垂直距离。

桥梁建筑高度 h——行车道顶面至上部结构最低边缘的垂直距离。

桥下净空 H_0——上部结构最低边缘至设计洪水位或计算通航水位之间的垂直距离。对于跨线桥，则为上部结构最低点至桥下线路路面顶面之间的垂直距离。

净矢高 f_0——拱桥拱顶截面最下缘至相邻两拱脚截面下缘最低点连线的垂直距离。

计算矢高 f——拱桥拱顶截面形心至相邻两拱脚截面形心边线的垂直距离。

矢跨比(f/L)——计算矢高 f 与计算跨径 L 之比，也称矢拱度。而净矢高 f_0 与净跨径 L_0 之比(f_0/L_0)则称为净矢跨比或净矢拱度，是反映拱桥受力特性的一个重要指标。

3.1.3 桥梁的分类

桥梁分类最基本的方法是按其受力体系分类，一般分为梁式桥、刚架桥、拱桥、吊桥、斜拉桥。

1. 梁式桥

梁式桥是一种在竖向荷载作用下无水平反力的结构。其主要承重构件的梁内产生的弯矩很大，所以在受拉区需配置钢筋以承受拉应力。梁桥常用的有简支梁、简支板和连续梁桥。简支板桥在小跨径的桥涵中经常使用，简支梁桥在公路桥梁中仍被广泛采用，而在新兴的城市桥梁中，空间的限制和对桥梁美学的重视，使得连续梁桥被广泛采用。

2. 刚架桥

刚架桥的主要承重结构是梁或板和立柱或竖墙整体结合在一起的刚架结构,刚架桥跨中的建筑高度就可以做得较小(图3-3)。城市中遇到线路立体交叉或需要跨越通航江河时,采用这种桥型能尽量减低线路标高以改善纵坡并能减少路堤土方量。当桥面标高已确定时,能增加桥下净空。刚架桥的缺点是施工比较困难。

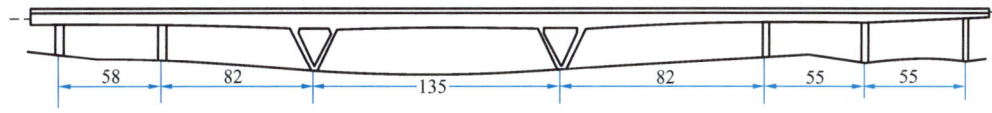

图3-3 V形桥墩刚架桥(m)

3. 拱桥

拱桥是在竖向力作用下具有水平推力的结构物,主要承重结构是拱券或拱肋,且以承受压力为主。传统的拱桥以砖、石、混凝土为主修建,也称圬工桥梁。现代的拱桥如钢管混凝土拱桥则以其优美的造型成为许多市政桥梁的首选桥型,这是传统拱桥和现代梁桥的完美结合。

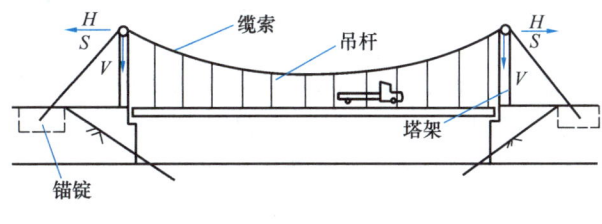

图3-4 吊桥

4. 吊桥

传统的吊桥均用悬挂在两边塔架上的强大缆索作为主要承重结构(图3-4)。在竖向荷载作用下,通过吊杆使缆索承受很大的拉力,通常就需要在两岸桥台的后方修筑巨大的锚锭结构。吊桥也是具有水平反力(拉力)的结构。现代的吊桥,广泛采用高强度钢丝编制的钢缆,以充分发挥其优异的抗拉性能,因此结构自重较轻,能以较小的建筑高度跨越其他任何桥型无法相比的特大跨度。其经济跨径在500m以上。吊桥的另一特点是:成卷的钢缆易于运输,结构的组成构件较轻,便于无支架悬吊拼装。

5. 斜拉桥

斜拉桥(图3-5)是由承压的塔、受拉的索与承弯的梁体组合起来的一种结构体系。主要承重的主梁,由于斜拉索将主梁吊住,使主梁变成多点弹性支承的连续梁。在外荷载和自重作用下,梁除本身受弯外,还有斜拉索施加给主梁的轴向力,主梁为压弯构件,能充分发挥其结构的力学性能,可减少主梁截面或增加桥跨径。从经济上看,可以做吊桥也可做斜拉桥时,斜拉桥相对经济。因斜拉桥与吊桥比:它是一种自锚体系,不需昂贵的地锚基础;防腐技术要求比吊桥低,从而降低钢索防腐费用;刚度比吊桥好,抗风能力也比吊桥好;可用悬臂施工工艺,施工不妨碍通航;钢束用量比吊桥少。

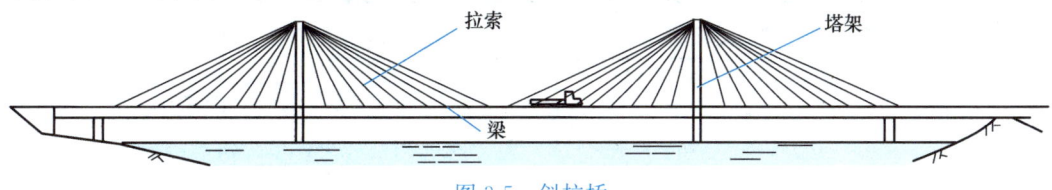

图3-5 斜拉桥

3.2 简支板桥和简支梁桥的构造

3.2.1 简支板桥

板桥是小跨径钢筋混凝土桥中最常用的形式,分为整体式结构和装配式结构。前者跨径一般为4~8m,后者若采用预应力混凝土空心板时,其跨径可达20m,当要求建造异形板时,往往采用整体式结构。

1. 整体式板桥

整体式板桥的横截面一般都设计成等厚度的矩形截面,有时为了减轻自重也可将受拉区稍加挖空做成矮肋式板桥。对于修建在城市内的宽桥,为了防止因温度变化和混凝土收缩而引起的纵向裂纹,以及由于活荷载在板的上缘产生过大的横向负弯矩,也可以使板沿桥中线断开,将一桥化为并列的二桥。为了缩短墩台的长度,也有将人行道做成悬臂形式从板的两侧挑出,但这样会带来施工的不便。整体式板桥除了配置纵向受力钢筋以外,还要在板内设置垂直于主钢筋的横向分布钢筋。

整体式板桥的主拉应力较小,一般可以不设弯起钢筋,但是习惯上仍然将一部分主筋按30°或45°,在跨径1/6~1/4处弯起。

一标准跨径为6m(图3-6),桥面净宽7.0m,整体式简支板桥,设0.25m的安全带,计算跨径为5.69m,板厚36cm,约为跨径的1/18,纵向主筋采用HRB400级钢筋,直径为18mm,板宽内间距12.4cm。主筋在跨径两端的1/6~1/4范围内成30°弯起。主钢筋与板边缘间的净距应不小于2cm。N_1、N_2、N_3为配置的纵向受力钢筋,N_1为通长钢筋,N_2、N_3为跨径1/6~1/4处弯起的抗剪钢筋;垂直于纵向受力钢筋的方向设置横向分布钢筋,用以增加横向刚度,取直径为10mm,间距20cm。纵向钢筋应在分布钢筋的外侧。

2. 装配式板桥

装配式板桥,按其截面形式分为实心板和空心板两种形式。

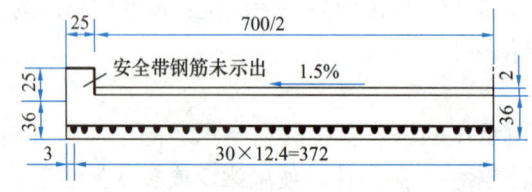

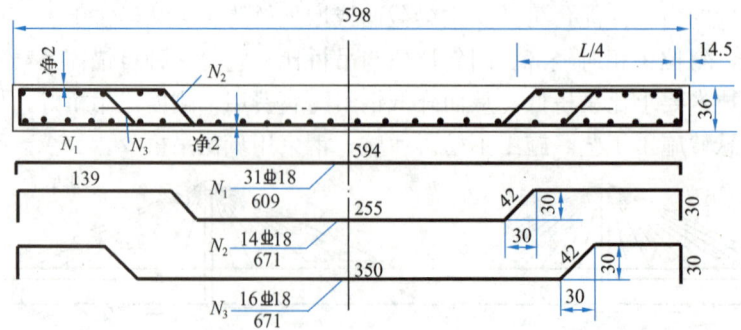

图3-6 整体式板桥构造(单位:cm;钢筋直径:mm)

(1) 矩形实心板

这是目前广泛采用的形式,通常跨径不超过 8m。矩形实心板形状简单,建筑高度小,施工方便。

一标准跨径 6m 的矩形实心板,该桥的中部块件和边部块件的构造如图 3-7 所示。N_1 为受力主钢筋,通常为直弯或不弯;N_2 为架立钢筋;N_3 为开口式的箍筋,伸出预制板面外以加强横向连接;N_4 为短筋,用以与 N_3 组成封闭的箍筋。

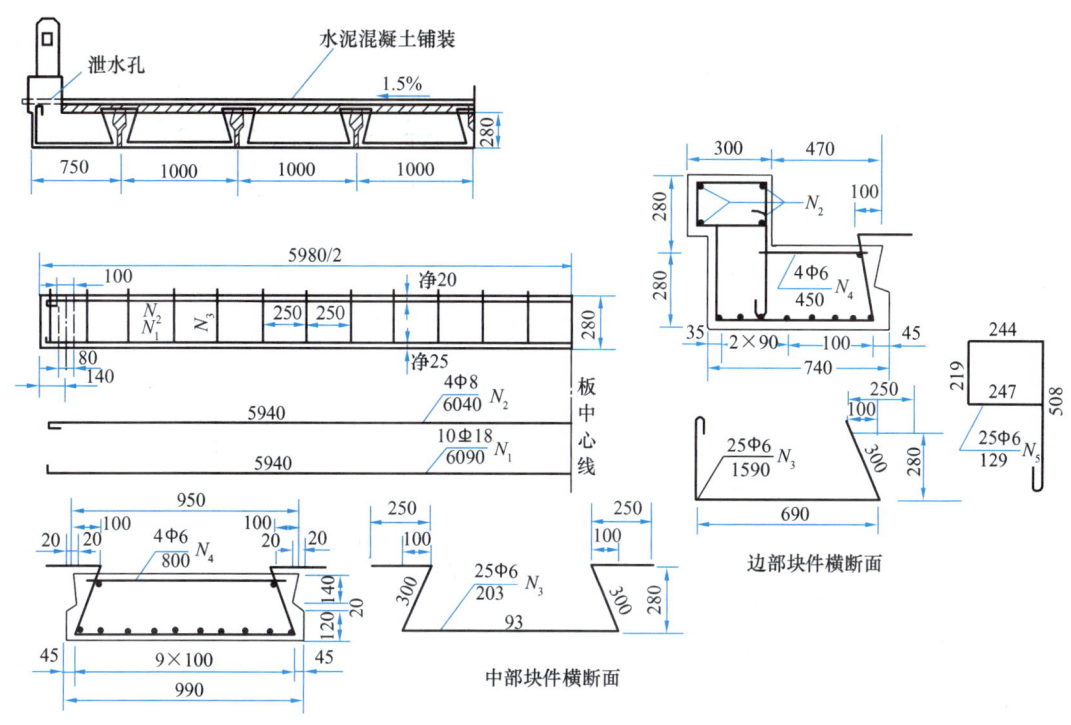

图 3-7 跨径 6m 装配式矩形板桥中部块件构造

(2) 空心板

钢筋混凝土空心板适用跨径为 8~13m,板厚为 0.4~0.8m 的板桥;预应力混凝土空心板适用跨径为 8~16m,板厚 0.4~0.7m 的板桥。空心板较同跨径的实心板质量轻,运输安装方便,空心板的开口形式,常用的如图 3-8 所示。空心板横截面的最薄处不得小于 7cm,以保证施工质量。应按抗剪要求弯起钢筋,设置箍筋。当采用预应力空心板时,保护层厚度不能小于 2.5cm。

图 3-9 为标准跨径 13m 的装配式预应力混凝土空心板构造。板全长 12.96m,计算跨径 12.60m,板厚 60cm,采用 C40 混凝土,每块板底层配置Ⅳ级冷拉钢筋作预应力筋,共 7 根 $\Phi'20$,为 N_1 钢筋。板顶面除配置 3 根 N_2($\Phi 12$)的架立钢筋外,在支座附近配置 6 根 N_3($\Phi 8$)钢筋,作为加强筋,在锚具附近,用以承担预应力产生的拉应

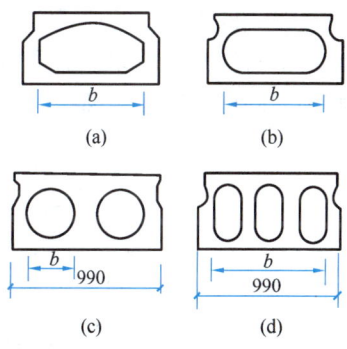

图 3-8 空心板截面形式

力。N_5、N_6 是两种不同直径的开口式箍筋，与横向钢筋 N_4 相绑扎，组成封闭的箍筋。N_7、N_8 是两孔之间隔离层内的防裂钢筋，N_9 是螺旋筋，用以扩散锚固力，N_{10} 为空心板的起吊钢筋。

3. 装配式板的横向连接

为了使装配式板块组成整体，共同承受车辆荷载，在块件之间必须具有横向连接的构造。常用的连接方法有企口混凝土铰连接和钢板焊接连接。

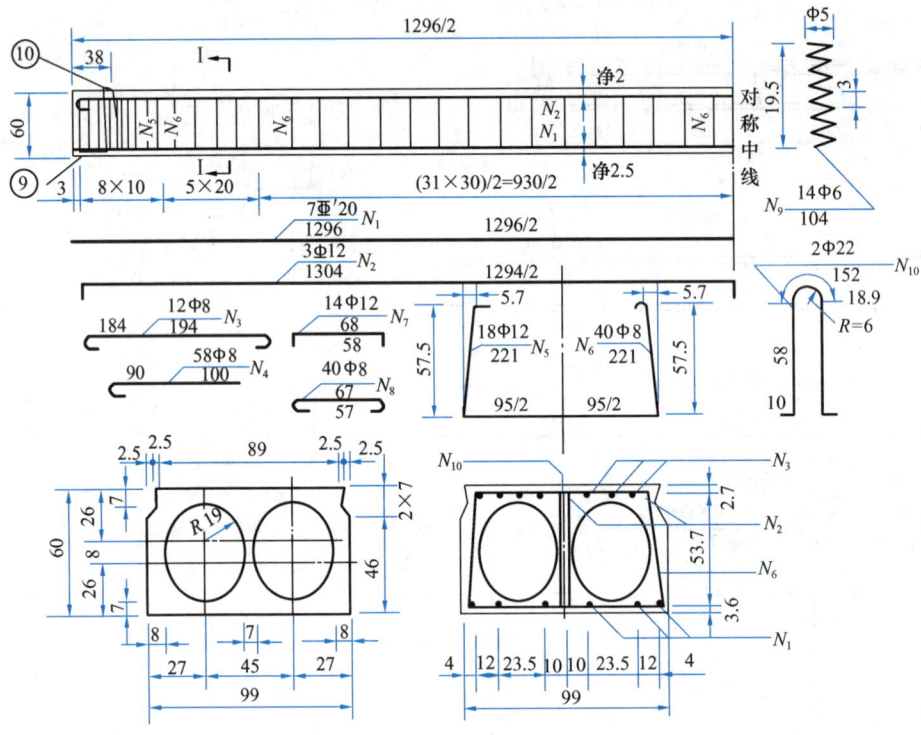

图 3-9　先张法预应力混凝土空心板配筋（单位：cm；钢筋直径：mm）

企口式混凝土铰的形式有圆形、菱形、漏斗形三种。铰缝内应用较预制板高一级强度等级的细石混凝土填充。如果要使桥面铺装层也参与受力，也可以将预制板中的钢筋伸出与相邻的同样钢筋互相绑扎，再浇筑在铺装层内（图 3-10）。

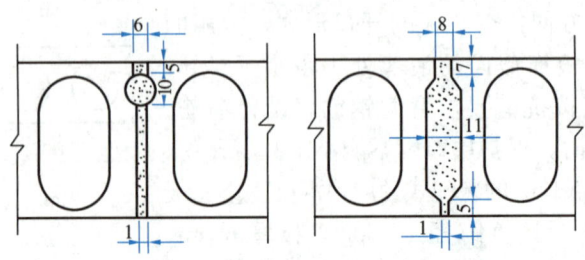

图 3-10　现浇混凝土企口铰连接（单位：cm）

由于企口混凝土铰需要现场浇筑混凝土，并需待混凝土达到设计强度后才能通车，为加快工程进度，也可采用钢板连接（图3-11）。它的构造是：用一块钢盖板 N_1 焊在相邻两构件的预埋钢板 N_2 上。连接构造的纵向中距通常为 80～150cm，根据受力特点，在跨中部分布置较密，向两端支点处逐渐减疏。

3.2.2 简支梁桥

钢筋混凝土或预应力混凝土简支梁桥受力明确、构造简单、施工方便，是中小跨径桥梁中应用最广的桥型。采用装配式的施工方法，可以大量节约模板支架材料，降低劳动强度，缩短工期，适用于中小跨径桥梁。预制装配式T形梁桥是最为普遍使用的形式。

典型的装配式T形梁桥上部构造如图3-12所示。它由几片T形截面的主梁并列在一起装配连接而成。

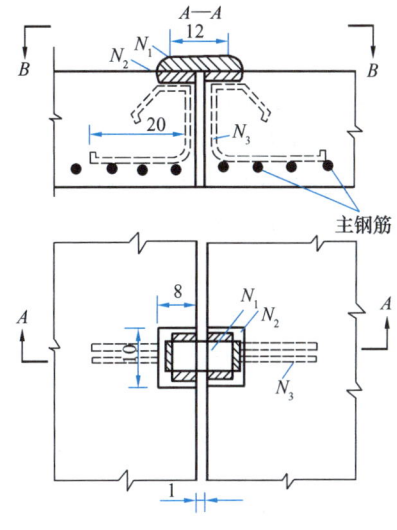

图3-11 焊接钢板连接（单位：cm）

T形梁的顶部翼板构成行车道板，与主梁梁肋垂直相连的横隔梁的上、下部以及T形梁翼板的边缘，均设焊接钢板连接构造将各主梁连成整体，这样就能使作用在行车道板上的局部荷载分布给各片主梁共同承受。

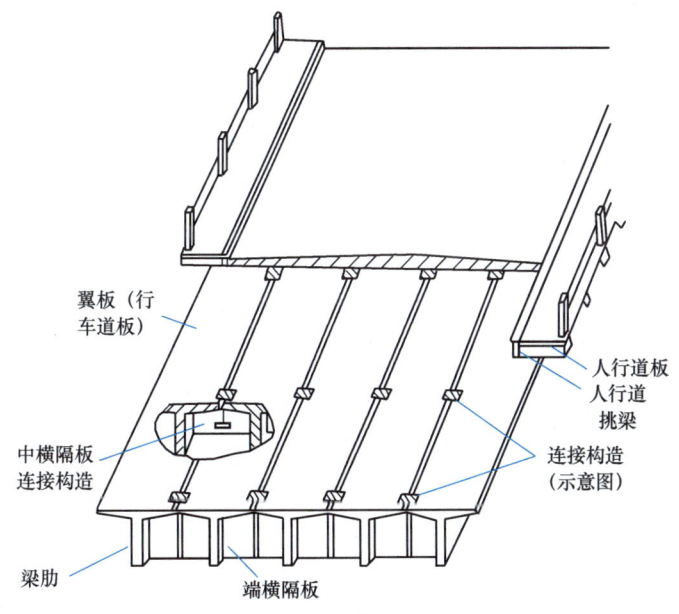

图3-12 装配式T形梁桥构造

1. 尺寸构造

（1）主梁

主梁的合理高度与梁的间距、活载的大小等有关。对于跨径10m、13m、16m和20m的标准设计所采用的梁高相应为0.9m、1.1m、1.3m和1.5m，经济分析表明，梁高与跨径之比（俗称高跨比）的经济范围大约为1/16～1/11，跨径大的取用偏小的比值。主梁梁肋的宽度，应考虑梁的抗剪强度、构件自重及施工捣固的难易程度，常用的梁肋宽度为15～18cm，视梁内主筋的直径和钢筋骨架的片数而定，一般装配式主梁翼板的宽度视主梁间距而定，在实际预制时，翼板的宽度应比主梁中距小2cm，以便在安装过程中易于调整T形梁的位置和制作上的误差。

对于跨径大一些的桥梁，如建筑高度不受限制，应适当加大主梁间距，减小其片数，比较经济，但还需结合考虑，构件质量增加会导致施工复杂。主梁间距一般在1.6～2.2m之间。目前编制的2.2m主梁间距的标准图中，T形梁预制宽度1.6m，吊装后铰缝的宽度为0.6m。

翼缘的厚度由强度要求和最小构造要求确定。一般翼缘与梁肋衔接处的厚度应不小于主梁高度的1/12。当考虑翼缘板承担桥面上的恒载和活荷载时，翼板的端部厚度一般取8cm；若翼板只承担本身自重、桥面铺装层恒载及临时施工荷载，则端部厚度一般取6cm。

（2）横隔梁

跨中横隔梁的高度应保证具有足够的抗弯刚度，通常可做成主梁高度的3/4左右。梁肋下部呈"马蹄形"加宽时，横隔梁延伸至"马蹄"的加宽处，横隔梁间距采用5.00～6.00m为宜。

为便于安装和检查支座，端横隔梁底部与主梁底缘之间宜留有一定的空隙，或可做成与中横隔梁同高。但从梁体在运输和安装阶段的稳定要求来看，端横隔梁又宜做成与主梁同高。端横隔梁必须设置。横隔梁的肋宽通常采用12～18cm，且宜做成上宽下窄和内宽外窄的楔形，以便脱模工作。

2. 钢筋构造

（1）主梁

主梁内钢筋主要分为主钢筋、架立钢筋、斜钢筋、箍筋和分布钢筋等。一般采用多层焊接骨架。

由于主梁承受正弯矩作用，因此主钢筋设置在梁肋的下缘。为保证梁在梁端有足够的锚固长度和加强支承部分的作用，主钢筋可在跨间适当位置处弯起，应至少有2根，并不少于20%的主钢筋伸过支承截面。简支梁两侧的受拉主钢筋应伸出支点截面以外，并弯成直角顺梁端延伸至顶部，两侧之间不向上弯曲的受拉主钢筋伸出支承截面的长度规定为：对带半圆弯钩的光圆钢筋不小于$15d$，对带直角弯钩的螺纹钢筋不小于$10d$（图3-13）。

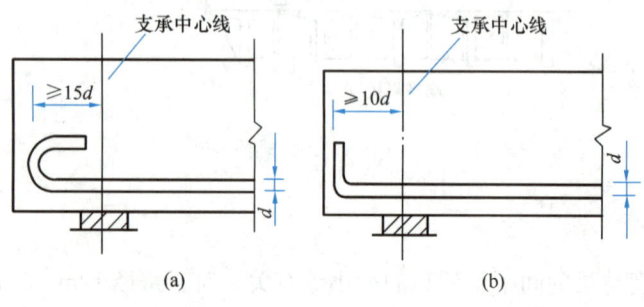

图3-13 梁端主钢筋锚固

主钢筋应设保护层。底部保护层厚度不小于3cm，也不要大于5cm，主筋与梁侧面净距不小于2.5cm，箍筋与防收缩钢筋和主梁侧面净距不小于1.5cm（图3-14）。

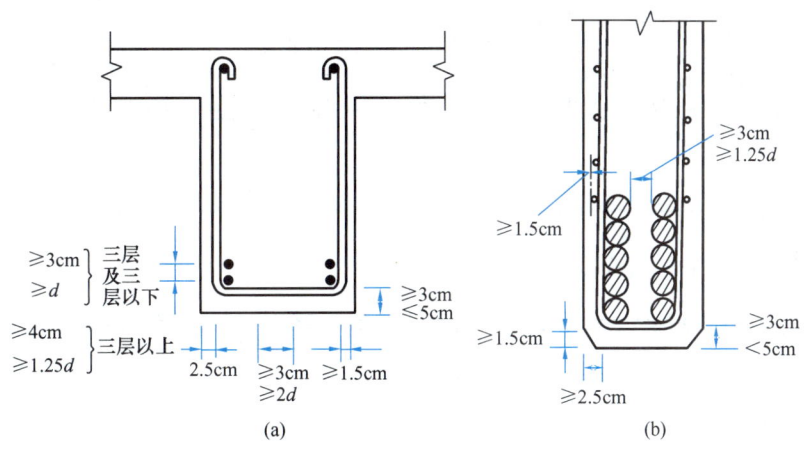

图 3-14　主筋净距及保护层厚度
(a) 绑扎骨架；(b) 焊接骨架

为保证混凝土浇筑密实，避免形成空洞，各主钢筋间应保持一定距离，绑扎骨架在三层或三层以下者不小于3cm，且不小于主筋直径；三层以上不小于4cm，且不小于主筋直径的1.25倍。焊接骨架不得小于3cm，且不小于主筋直径的1.25倍（图3-14）。

弯起钢筋是承担主拉应力的，一般由主筋弯起，弯起角度一般与梁纵轴成45°。当主筋弯起数量不足时，可采用附加斜筋，并容许采用两次弯起的钢筋（图3-15），但不能采用不与主筋焊接的浮筋作为斜筋。

主筋之间及主筋与斜筋的连接焊缝双面焊为$2.5d$，单面焊为$5.0d$。

箍筋的作用也是承受主拉应力，其间距不大于梁高的3/4或为50cm，直径不小于6mm，且不小于主筋直径的1/4。

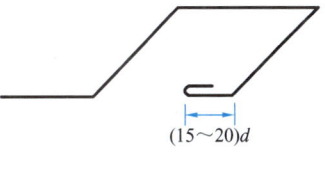

图 3-15　两次斜弯筋

图3-16为T形梁，梁长19.96m，主梁高度1.30m，全桥设置5道横隔梁。$N_1 \sim N_4$为每根主梁的主钢筋，为ф32，其中$2N_1$钢筋通过支座，其余3组主筋按抗剪要求弯起。N_5为2ф32钢筋，是梁中的架立筋。N_{11}为梁的箍筋，N_{12}为支座箍筋，采用ф8@200。N_6、N_7、N_8为附加斜筋，由计算确定用量及位置。N_9为防混凝土收缩等引起的垂直裂缝而布置的纵向侧面分布筋，按上疏下密分布确定。

(2) 横隔梁

一般在梁的上缘布置2根受力钢筋，下缘配置4根受力钢筋。采用钢板连接成骨架，上缘接头钢板设在T形梁翼缘上，下缘接头钢板设在横隔梁的两侧，钢板厚一般不小于10mm。

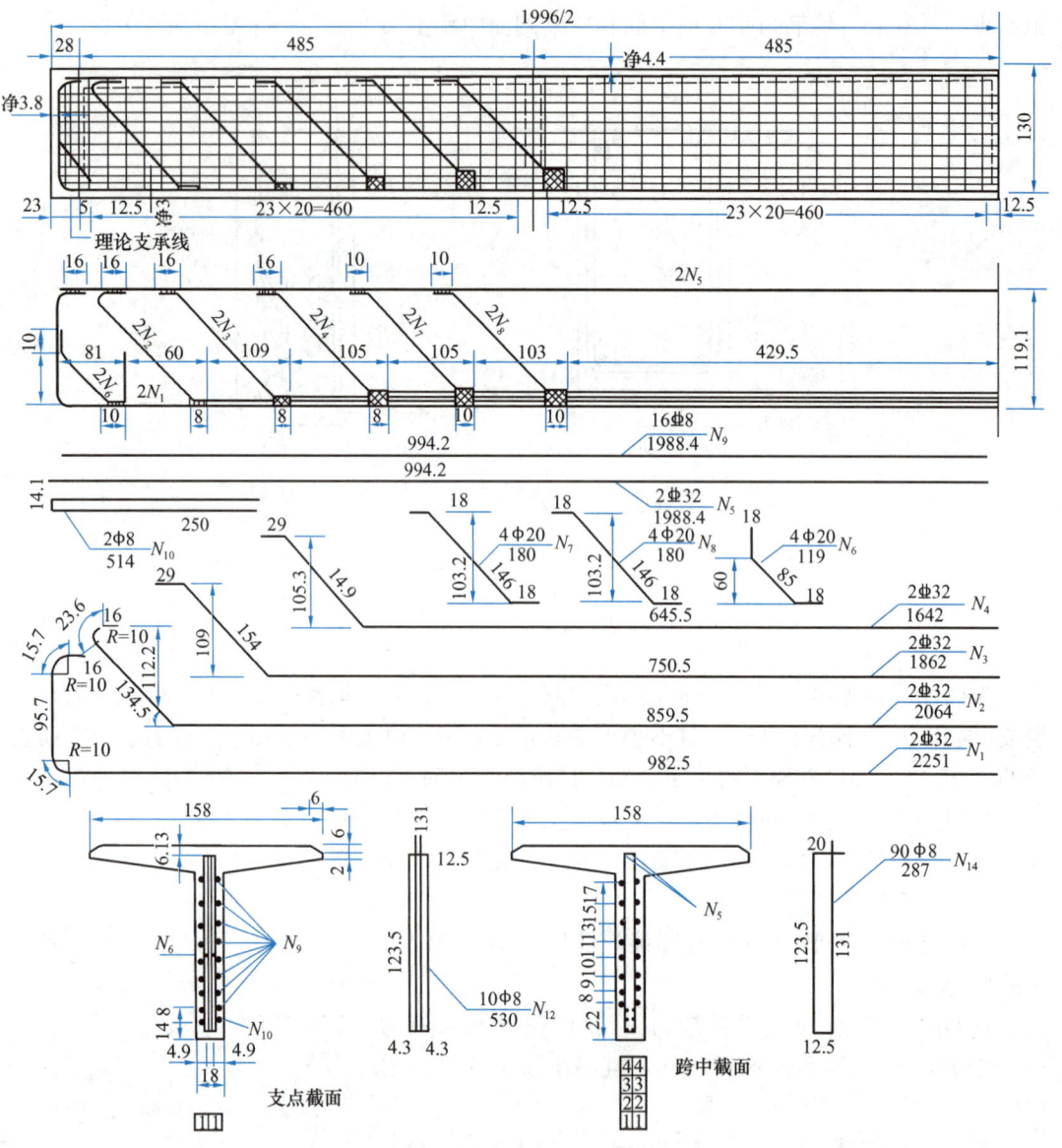

图 3-16 装配式 T 形梁钢筋构造（单位：cm）

3.3 连续梁桥构造

3.3.1 立面形式

连续梁桥目前一般采用预应力混凝土连续梁，适合于 30～200m 的中等跨度和大跨径桥梁。一般采用不等跨布置，当多于三跨连续时，常用等跨度的方式。当主跨跨径大于 80m 时，一般主梁采用变高度形式比较合理，梁底曲线用二次曲线较好，但用折线放样较方便。跨径在 40～60m 的中等跨连续梁中，可采用等高度连续梁。

3.3.2 横截面的形状和尺寸

预应力混凝土连续梁桥常用的横截面形式有板式、T形梁式和箱形梁式。目前箱形截面梁式应用非常普遍，典型的箱形截面形式如图3-17所示。

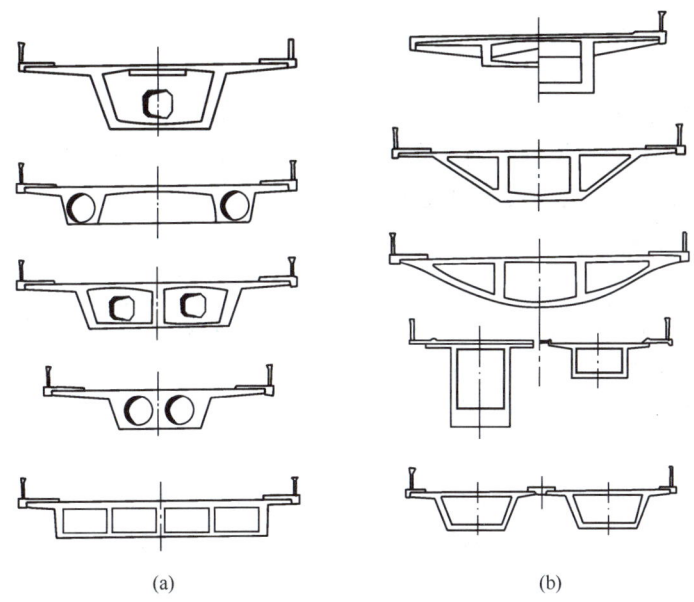

图 3-17 典型截面形式图

(a) 箱形截面形式之一；(b) 箱形截面形式之二

1. 顶板和底板的厚度

箱形梁的顶板和底板除承受法向荷载外，还承受轴向拉压荷载，所以既要满足板的构造要求，又要符合桥跨方向上总弯矩的要求。箱梁根部底板厚度一般为墩顶梁高的1/12～1/10；箱梁跨中底板厚度一般按构造选定，若不配预应力筋，厚度可取 15～18cm，配有预应力筋，厚度可取 20～25cm。箱梁顶板厚度首先要满足布置纵横预应力筋的构造要求。

2. 腹板要求

腹板厚度的选定，主要取决于布置预应力筋和浇筑混凝土必要的间隙等构造要求。一般情况下可按以下原则选用：

(1) 腹板内无预应力筋时，可用 20cm；

(2) 腹板内有预应力筋时，可用 25～30cm；

(3) 腹板内有预应力固定锚时，可用 35cm；

(4) 墩上或靠近桥墩的箱梁根部腹板需加厚到 30～60cm，甚至到 100cm。

3. 梗腋

在顶板、底板与腹板相交处设梗腋，以减小应力集中，提高断面的抗扭和抗弯刚度，减小梁的畸变。一般顶板梗腋采用图3-18中(a)、(b)、(c)的形式，底板采用图中(d)、(e)、(f)的形式。

4. 横隔板

横隔板的主要作用是增加箱梁横向刚度，限制箱梁的畸变。在支承处一般要设置强大

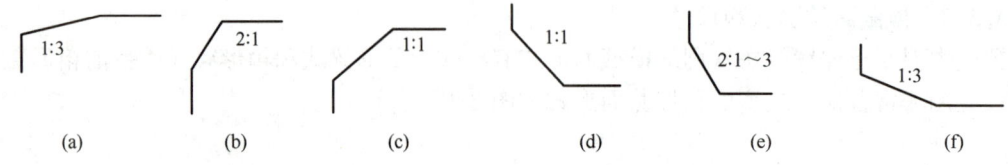

图 3-18 箱梁梗胺形式图

的横隔板以承受和分布强大的支承反力,必要时还要配以预应力的钢筋。支点的横隔板厚度可取 40~60cm,其余部位的横隔板厚度可取 15~20cm。为不致引起钢筋交叉,可将横隔板与顶板、底板分开,或设较大的人孔来分隔。

3.3.3 钢筋布置

1. 预应力钢筋

箱形梁预应力钢筋由纵向预应力钢筋、横向预应力钢筋、竖向预应力钢筋组成。纵向预应力钢筋是用以保证桥梁在恒、活荷载作用下纵向跨越能力的主要受力钢筋,所以也称之为主筋,可布置在腹板和上下底板中。横向预应力钢筋是用以保证桥梁的横向整体性或桥面板及横隔板横向抗弯能力的预应力钢筋,可布置在横隔板或上下底板中。竖向预应力钢筋,是用以提高截面抗剪能力的预应力钢筋,可布置在腹板中。

在图 3-19 中表示了几种布置方式,分别适用于(a)顶推连续梁;(b)先简支后连续梁;(c)和(d)正弯矩和负弯矩钢筋分别配置,在弯矩零点附近分散交叉;(e)整体浇筑连续梁的连续配筋。

梁中切断锚固的预应力筋,锚头要设在截面重心附近和弯矩零点附近,不能锚在弯矩的受拉区。在梁中锚头部位要附加构造钢筋,以扩散集中应力,防止混凝土开裂(图 3-20)。

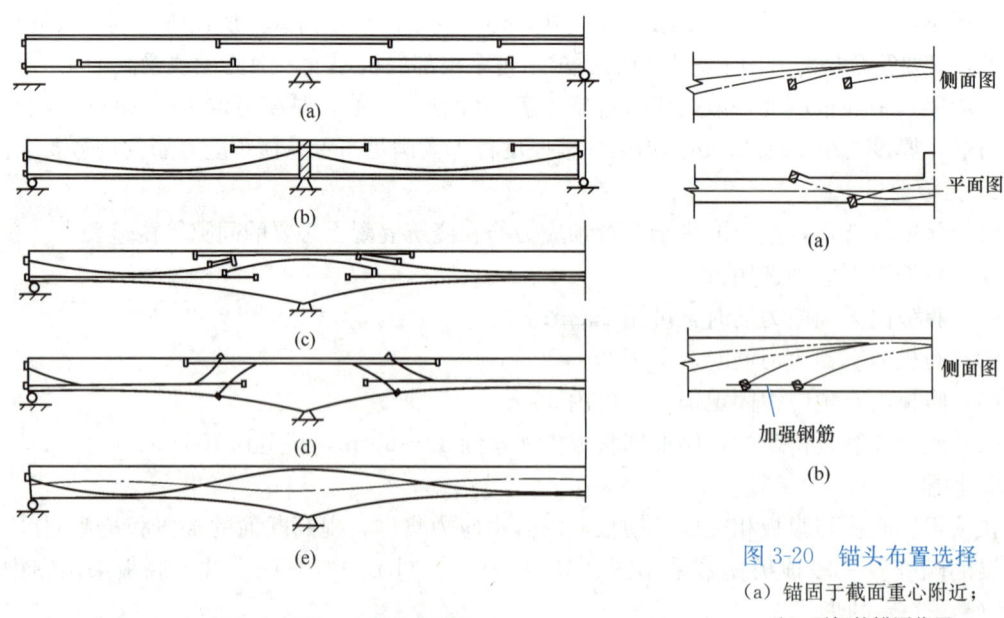

图 3-19 预应力混凝土连续梁配筋方式

图 3-20 锚头布置选择
(a) 锚固于截面重心附近;
(b) 不好的锚固位置

反弯点附近布筋时,附近弯矩正负更迭,预应力钢筋重心应在剖面形心附近,但是应将预应力束向上、下缘分散。如果必须将全部钢束集中在形心附近时，必须要用普通钢筋加强。

2. 普通钢筋

普通钢筋在连续梁中可平衡少量弯矩、剪力、扭矩等，也是受力钢筋的架立筋，预应力钢筋的定位筋，同时锚头部位及支座承压部位的防裂作用和腹板的防收缩作用也由普通钢筋承担。

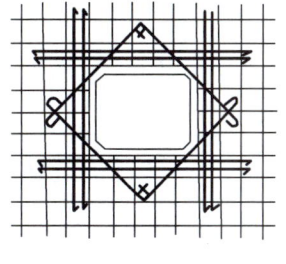

图 3-21 人孔加强配筋布置图

图 3-21 为人孔加强配筋布置，在孔洞处切断的纵横钢筋，需在孔边同方向上布置补强筋，其数量应不少于切断筋面积。

连续梁中间支点处是弯矩和剪力最大处，应力复杂，各种情况难以精确模拟，按其构造予以特别加强，可防止边孔的中间支座上极容易产生的裂纹，如图 3-22 所示。

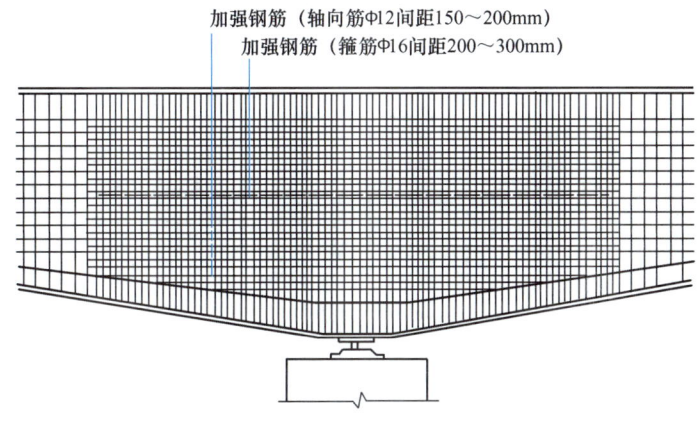

图 3-22 支点附近的加强钢筋示例

在现场浇筑的梁，日照使上缘温度高于下缘，梁的下缘至腹板上部会产生相当大的拉应力，导致开裂。可在梁的下缘和腹板上部布置补强钢筋。在中间支座处梁的下缘可能会由于负弯矩预应力索张拉时产生很小的拉应力，所以也可在支点下缘布置临时预应力索。

在锚具附近，由于张拉力作用，很容易在锚下混凝土板中产生横裂纹，必须沿着梁顶、底板的纵向布置加强钢筋，在锚体内配置足够的钢筋以防崩裂。

图 3-23 为连续 5 跨的等高度梁，单箱 5 室，外挑悬臂，每跨达 25.00m。箱梁高 1.5m，箱梁底宽 12.00m；跨中底板厚 18cm，顶板厚 20cm；支座底板厚 25cm，顶板厚 18cm；侧墙厚 50cm。腹板的厚度由跨中 30cm 渐变至支点处 50cm。配置了四种纵向预应力钢筋，其中 N_1、N_2 为全梁长配置的预应力曲线配筋，放置在侧壁和腹板的位置，用以跨中抵抗正弯矩，支座处抵抗负弯矩。N_3、N_4 为设在箱梁底板处的预应力直筋。在箱梁混凝土结构内外表面，纵向、横向、竖向都配置了普通钢筋，起防裂、防收缩、预应力钢筋定位等重要作用。

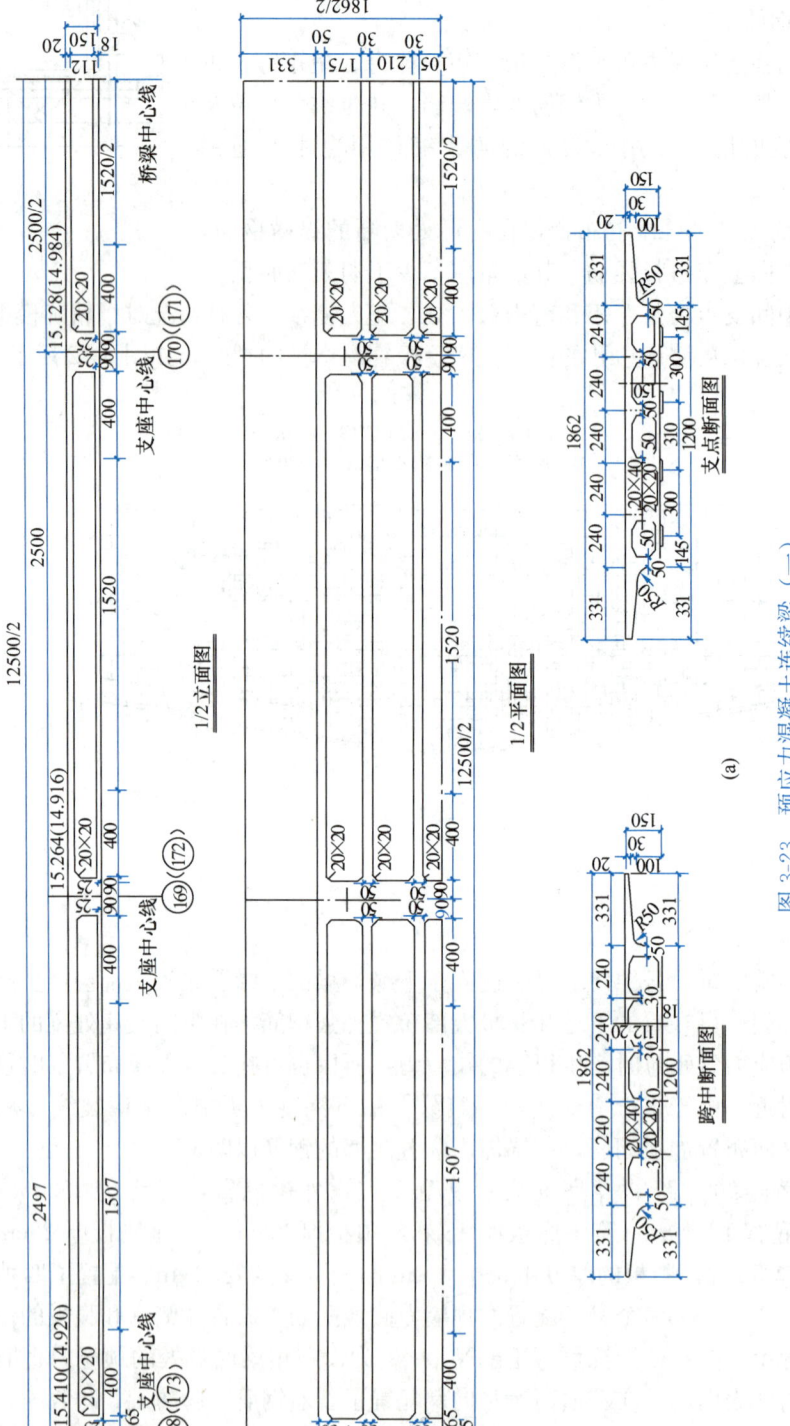

图 3-23 预应力混凝土连续梁（一）

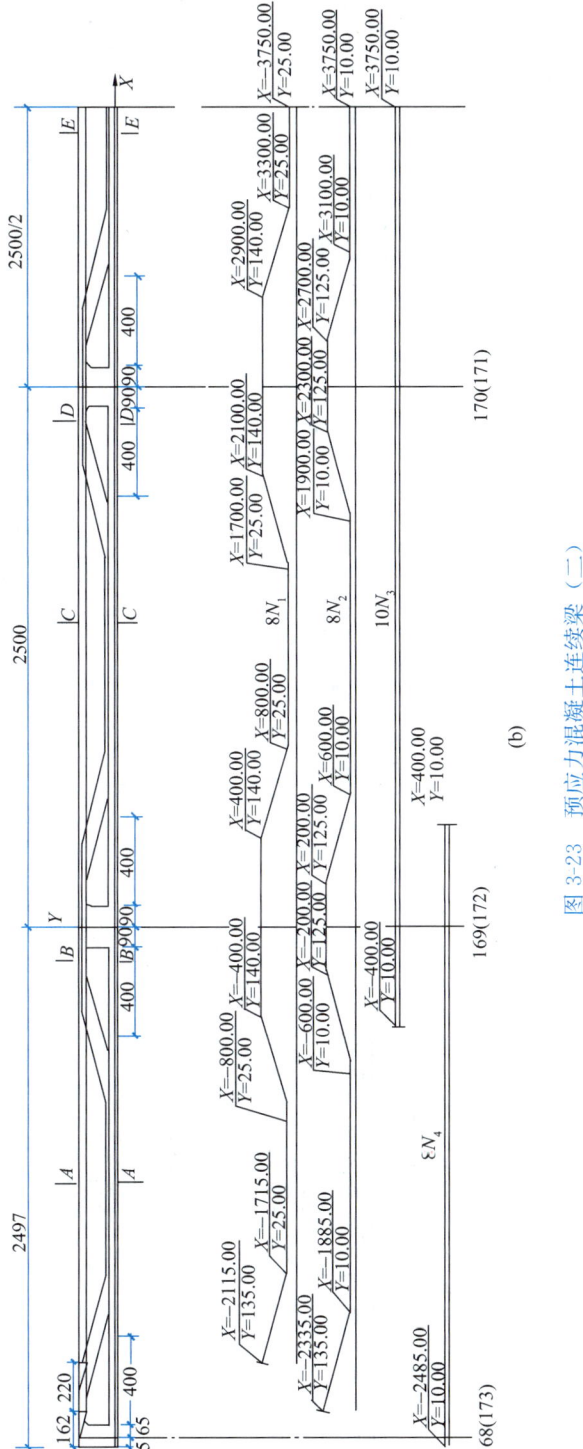

图 3-23 预应力混凝土连续梁（二）

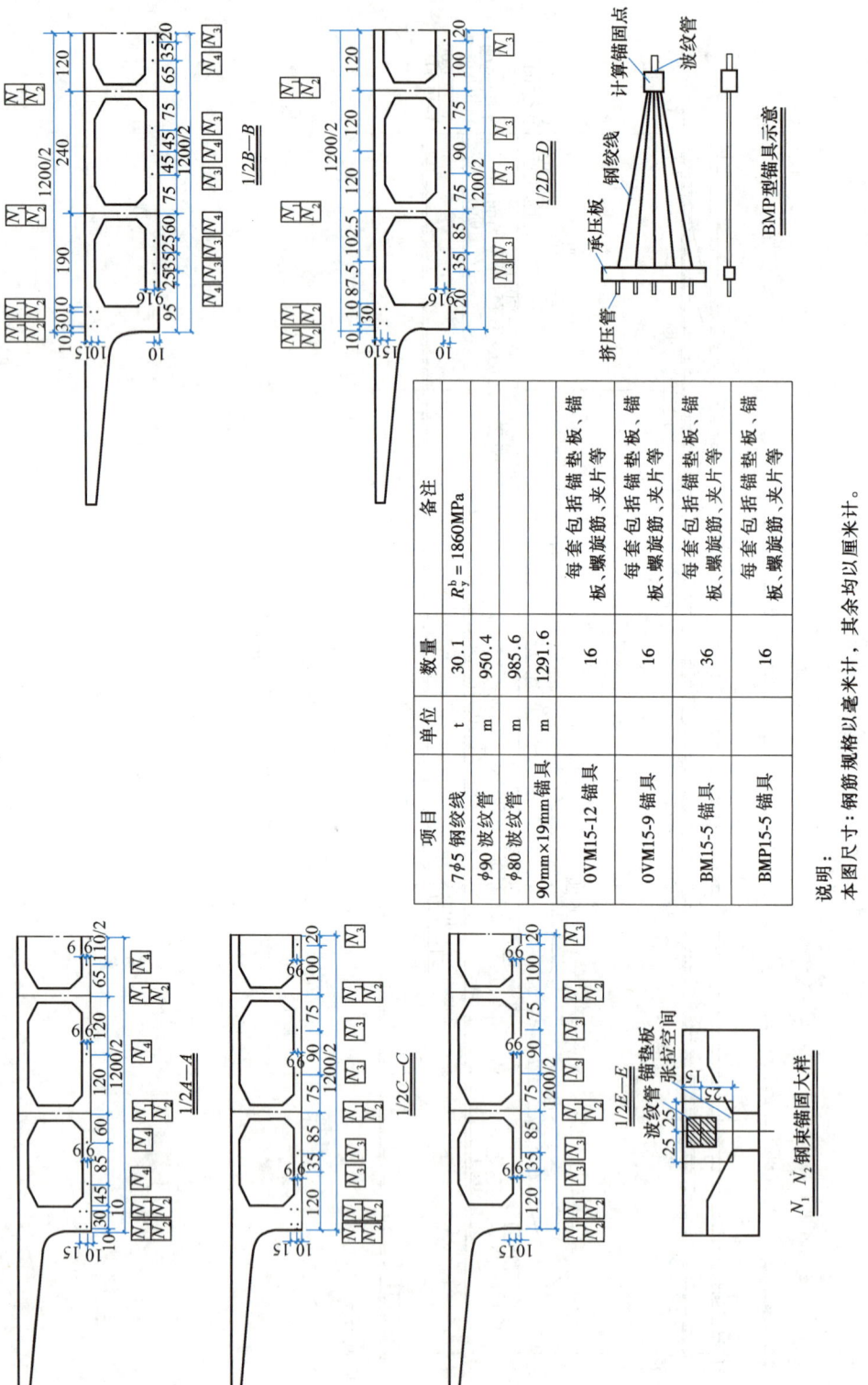

图 3-23 预应力混凝土连续梁（三）

3.4 拱桥构造

拱桥结构在竖向荷载作用下，支承处不仅产生竖向反力，而且还产生水平推力。由于水平推力的存在，拱的弯矩将比同跨径的梁的弯矩要小得多，并使整个拱主要承受压力。这样，拱桥不仅可利用钢、钢筋混凝土等材料来修建，而且还可以充分利用抗压性能好、而抗拉性能差的圬工材料（石料、混凝土、砖等）来修建，称为圬工拱桥。过去砖石拱桥是传统拱桥的代表，而钢管混凝土拱桥是现代拱桥的典型。

3.4.1 砖石拱桥

1. 拱券构造

石拱桥的主拱券通常做成实体的矩形截面，所以又称石板拱。按照拱券使用的石料规格分为片石拱、块石拱和料石拱。

用来砌筑拱券的石料，要求是未经风化的石料，其强度等级不得低于MU30。砌筑用的砂浆强度等级，对于大、中跨径拱桥，不得低于M7.5；对于小跨径拱桥，不得低于M5，也可采用粒径不大于2cm的小石子混凝土代替砂浆砌筑片石或块石拱券。

在砌筑料石拱券时，根据受力的需要，构造上应满足如下要求：

拱石受压面的砌缝应是辐射方向，即与拱轴线垂直，砌筑时一般采用通缝，不必错缝；

当采用两层或两层以上石料砌筑拱券时，在砌筑垂直于受压面的顺桥面应砌缝错开，其错缝间距不小于10cm，主要是在纵向或横向剪力作用下，可以避免剪力单纯由砌缝内的砂浆承担，从而可增加砌体的抗剪强度和整体性；

拱石竖向砌筑应采用错缝砌筑，其错缝间宽度不小于10cm（图3-24）。

2. 拱上建筑构造

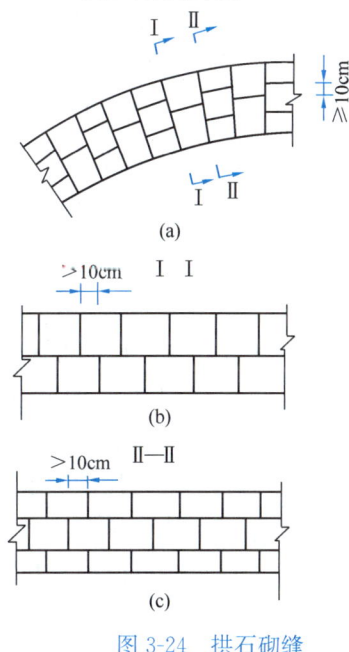

图3-24 拱石砌缝

实腹式拱上建筑由侧墙、拱腔填料、护拱、变形缝等组成。侧墙厚度顶面一般为50～70cm，向下逐渐增厚，墙脚厚度取用墙高的0.4。外坡垂直，内坡为4:1或3:1。拱腔填料一般应就地取材，通常采用粗砂、砾石、碎石及煤渣等透水性良好、土压力小的材料。实腹式拱桥一般设置护拱，护拱一般采用低强度等级砂浆砌片石。护拱一般做斜坡式，以利排除桥面渗入拱腔的雨水。

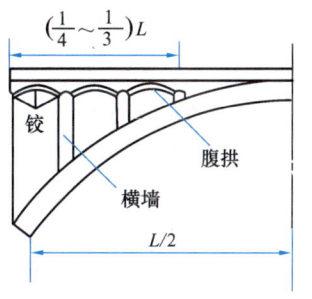

图3-25 空腹式拱上建筑

空腹式拱上建筑由实腹段和空腹段组成。实腹段的构造与空腹段构造相同，空腹段做成横向腹拱的形式，如图3-25所示。腹拱一般布置在主拱券的拱脚1/4～1/3跨径范围内。

一般情况下，腹拱跨径不大于主拱券跨径的1/15～1/8（其比值随主拱券跨径增大而减小）。拱券与墩台、空腹式拱上建筑的腹孔墩与拱券连接，应采用五角石，以改善受力状况。

3.4.2 钢管混凝土拱桥

钢管混凝土拱桥的主拱券形式主要有肋式和桁式。肋式中又可分为单管肋式、哑铃形肋式，桁式中可分为横哑铃形桁式、多肢桁式等。钢管混凝土拱桥，按行车道所在位置，可分为上承式、中承式和下承式，如图3-26所示。

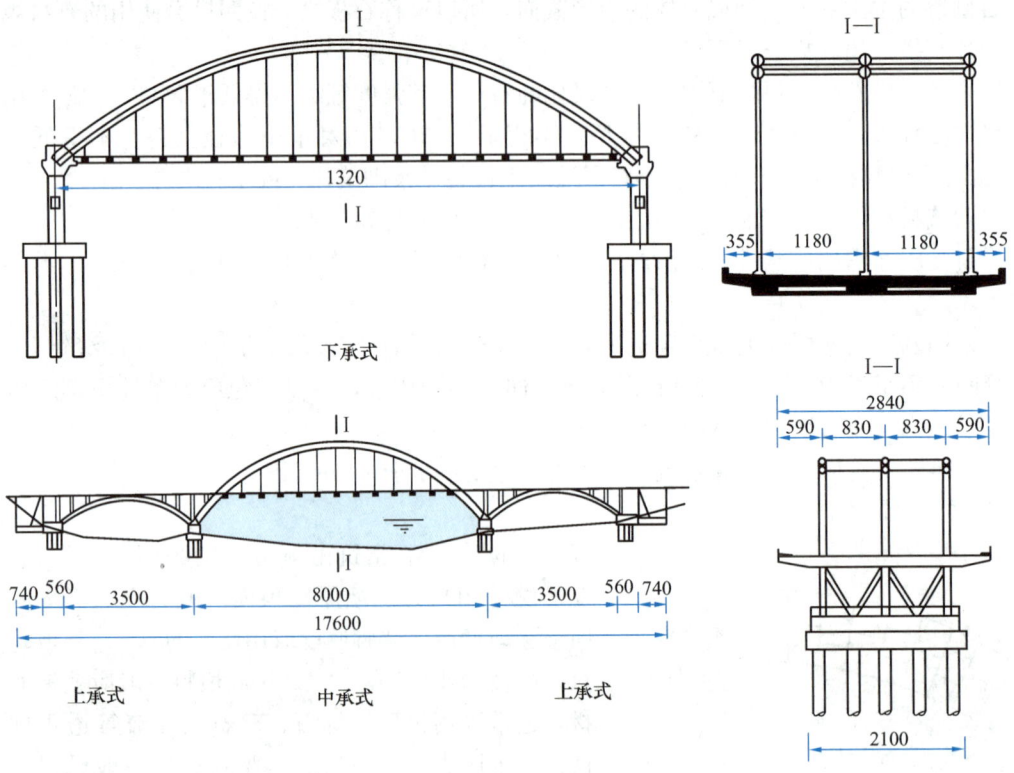

图3-26 下承式、中承式和上承式钢管混凝土拱桥（cm）

上承式拱建筑高度大，对地基要求高，适合于峡谷桥位。上承式构造，横向联系容易，桥面系支承于立柱上，整体性、横向稳定性和抗震性均较好。上承式拱肋常采用多肋形式，节省材料，并方便施工。下承式主要用在建筑高度受限制、通航要求高和地基条件较差的情况下。在平原地区和跨线桥中应用较多。钢管混凝土下承式拱，常采用柔性系杆和柔性吊杆，主要靠风撑将拱肋连成整体，因此横向间距较密，刚度也较大，甚至用一系列K撑。中承式拱桥常用在主跨，跨径大；边跨配上承式，跨径小；总体造型上主孔中承式位于广阔的江中，视野开阔，往往成为标志性建筑。

钢管混凝土拱桥主要由主拱券、横向联系、立柱、吊杆、系杆等组成。

1. 主拱券

钢管混凝土拱桥中，跨径不大于 80m 时，可采用单管截面，单管截面主要有圆形和圆端形，如图 3-27 所示。圆端形截面横向抗弯惯性矩较大，主要用于无风撑拱肋中。

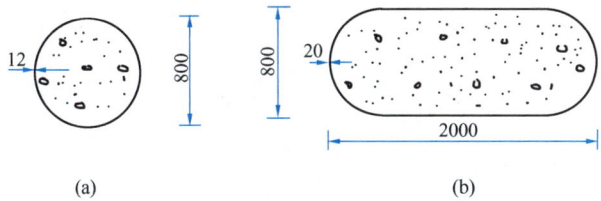

图 3-27 单圆管截面

(a) 圆形截面；(b) 圆端形截面

2. 拱肋和横向联系

拱肋也可采用哑铃形断面，如图 3-28 所示。哑铃形断面的特征是由两管组成，且腹腔较薄，两根圆管一般为竖向排列。

拱肋的钢管可采用直缝焊接管、螺旋焊接管和无缝钢管。一般当管径较小时，采用无缝钢管；管径较大时，采用前两种焊接管。直缝焊接管和螺旋焊接管常用普通 Q235 钢、16Mnq 钢和 15MnV 钢，由于它们的韧性和施工工艺性能得到改善，使用时有较好的效果。管径最小直径一般不小于 100mm，以保证混凝土浇筑和钢管与混凝土的共同作用。壁厚绝对不应小于 4mm，以保证焊接质量。混凝土强度等级不低于 C30，以保证充分发挥钢管混凝土组合材料的受力性能。

横向联系用于解决大跨径肋拱桥的横向稳定问题。

上承式拱肋可采用多肋结构（多于两肋），其横向联系通常布置成等间距的径向横撑（或横系梁）。对于下承式拱，横向联系的布置受到行车空间的限制，因此靠桥面一侧的横撑间距较大，拱顶附近则较小，可避免行车产生压抑感。

对于中承式拱，一部分拱肋在桥面以下，桥面以下部分可采用刚度较大的 K 式或 X 式横撑，以加强拱脚段的横向刚度，又不至于影响美观。K 撑布置形式有两种，如图 3-29 所示，当为整体式桥墩（台）时，采用图 3-29（a），当桥台为分离式时，采用图 3-29（b）。在拱肋与桥面交汇处，一般可将横梁与横撑相结合。在 1/4 跨度附近布置切向 K 撑（图 3-30），视觉效果良好。

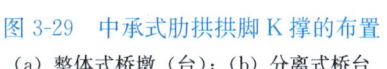

图 3-29 中承式肋拱拱脚 K 撑的布置

(a) 整体式桥墩（台）；(b) 分离式桥台

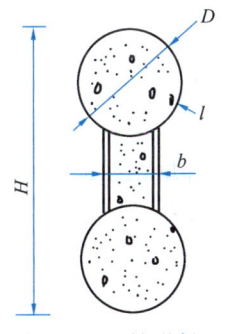

图 3-28 哑铃形断面

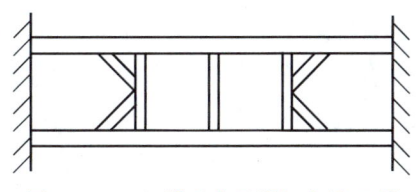

图 3-30 $L/4$ 附近布置沿切向的 K 撑

哑铃形拱肋的横撑常用单根钢管，焊接于两根拱肋的中部，横撑钢管的直径可与哑铃形中的圆管相同，也可以稍大些。为了增强连接处的刚度，有的桥梁进行了局部加强，如图 3-31 所示。

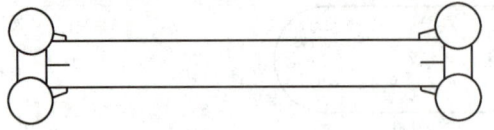

图 3-31　哑铃形拱肋采用单管的横撑

3. 立柱、吊杆与系杆

（1）立柱

立柱位于上承式拱桥和中承式拱桥的上承部分，是桥面系与主拱肋之间的传力结构。钢管混凝土拱桥的立柱主要形式有钢筋混凝土立柱和钢管混凝土立柱。

钢筋混凝土立柱的柱脚通常为焊接于拱肋之上的钢板箱，钢板箱内灌有混凝土，立柱钢筋焊于钢板箱上，如图 3-32 所示。对于小跨径拱桥中的短立柱，也有直接采用钢板箱立柱的。

对于大跨径或大矢跨比拱桥，尤其是靠近拱脚处，可采用钢管混凝土立柱，既能满足结构受力需要，又与轻型的主拱肋相适应，同时也能加快施工速度。钢管混凝土立柱的构造形式如图 3-33 所示。实际上，钢管混凝土用于以受压力为主的立柱是非常合适的，但要注意立柱的轴压失稳问题。

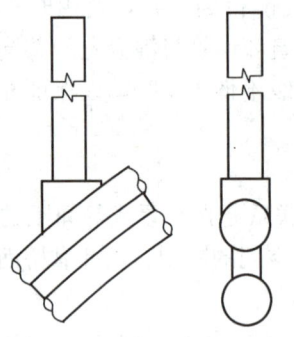　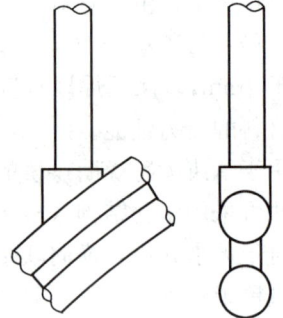

图 3-32　钢筋混凝土立柱　　　　　图 3-33　钢管混凝土立柱

对于长立柱，因其柔度较大，立柱本身能产生一定的变形以适应桥面系与拱肋变形不协调的问题。对于短立柱，特别是宽桥、长桥的短立柱，因其刚度较大，需要采取一定的构造措施来适应桥面系与拱肋之间不协调的变形。一种做法是将立柱与拱肋相接处的截面削弱，以产生类似铰的作用。另一种做法是立柱横梁（或称盖梁）与立柱不采用刚接（即不做成门式刚架），而是在立柱上安装支座，然后在其上放置立柱横梁。这种做法对于结构的抗震性能不利，应在构造上采取一定的防震措施。另外，对于中承式拱桥，当桥面纵梁有固定与活动两种支座时，固定支座一般不设在拱上门式刚架上，以减小刚架的纵向水平力。

（2）吊杆

钢管混凝土中下承式一般采用柔性吊杆，吊杆材料有圆钢、高强度钢丝和钢绞线。要求吊杆有高的承载力和稳定的高弹性模量（低松弛）、良好的耐疲劳和抗腐蚀能力，易于施工，而且价格便宜。

常用的吊杆材料有平行钢筋索、平行钢丝索、单股钢绞缆和封闭钢缆。锚具主要有热铸锚、镦头锚、冷铸镦头锚（或称冷铸锚）和夹片群锚。一般均采用 $\phi 5$ 或 $\phi 7$ 高强度钢丝组成的半平行钢丝索（又称扭绞型平行钢丝索）配镦头锚或冷铸锚，如图 3-34 所示。在大跨径桥中也有采用 φ7 平行或半平行钢绞线配夹片群锚的，如图 3-35 所示。

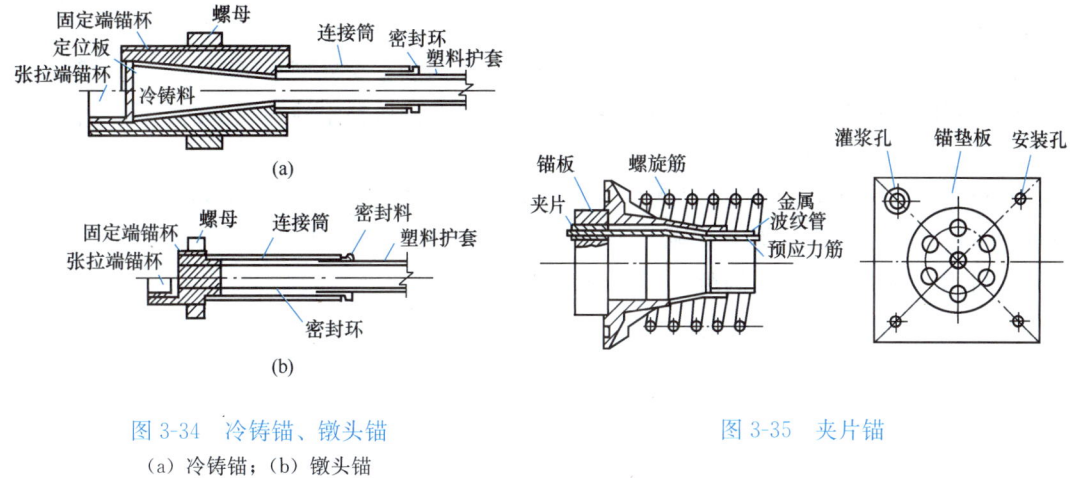

图 3-34　冷铸锚、镦头锚
（a）冷铸锚；（b）镦头锚

图 3-35　夹片锚

高强度钢丝吊杆常采取两种保护措施。一种是外包钢管内灌填砂浆或黄油防护，外包的钢管不参与受力，在上端采用套入式，下端可以焊在横梁上。采用这一种形式，需在施工现场张拉镦头，控制每根钢丝均匀受力尤其重要。压浆需待全桥桥面调整完毕后进行。这种构造相对提高了吊杆的刚度，对桥面系的整体性能有所改善。

另一种是采用 PE 防护，一般在工厂加工成成品索，两端锚头可以完全由工厂加工镦头，也可以一端在现场镦头。两端均在工厂镦头的，有两点应引起注意：一是上下端（即拱肋与横梁）的预留孔均应能穿过锚头，这样对拱肋截面的损失较大，对横梁（特别是伸臂横梁）吊点处的受力钢筋影响较大；二是预制的尺寸要与实际结构尺寸很接近，因为锚头的调整范围很小。对一端工厂镦头，一端在现场镦头的，其施工注意事项同钢管护套的高强度钢丝吊杆。

采用 PE 防护的吊杆，外层可以涂彩色，即双层 PE，近年来又出现了单层彩色 PE 护套。为防止行人或小孩用刀刃等利器割伤 PE，通常在人行道上 2.0～2.5m 范围内用镀锌薄钢板或不锈钢管包裹。当跨径不大时，有时则整根包裹，PE 就不必着色了。采用 PE 防护的吊杆，其刚度相对于采用钢管护套的显得更柔些。

(3) 系杆

系杆在钢管混凝土拱桥中为预应力混凝土梁，为拉弯构件。可参考预应力混凝土梁的构造，在这里不再赘述。

3.5　斜 拉 桥 构 造

斜拉桥是桥面体系受压，支承体系受拉的桥梁。主梁、拉索、索塔、锚固体系、支承体系是构成斜拉桥的五大要素。

3.5.1　主梁

主梁直接承受车辆荷载，是斜拉桥主要承受构件之一。梁高与主跨比 h/L 变化范围一般在1/100～1/50,对密索体系大跨径斜拉桥,高跨比可小于1/200。目前常用的主梁有钢梁、混凝土梁、叠合梁和混合梁等四种形式。钢梁主要优点是跨越能力大,施工速度快,质量可靠程度高。但钢主梁价格较贵,后期养护工作量大,抗风稳定性较差。钢主梁适宜在1000m左右的跨径。

叠合梁即在钢主梁上用预制混凝土桥面板代替常用的正交异型钢桥面板。它除具有与钢主梁相同的优缺点外,还能节约钢材用量且其刚度及抗风稳定性均优于钢主梁。叠合梁适宜跨径为300～600m。

混凝土梁的优点是造价低、刚度大、挠度小、抗风稳定性好,后期养护比钢梁简单。缺点是跨越能力不如钢结构大,施工速度不如钢结构快。混凝土主梁典型的截面形式如图3-36所示。混凝土梁适宜的跨径在300m左右。

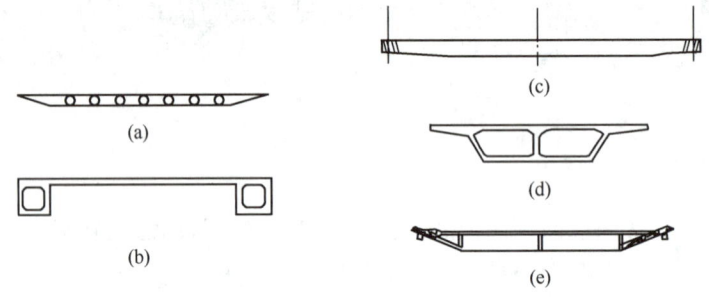

图3-36　混凝土主梁典型截面形式
(a) 板式截面;(b)、(c) 分离式双箱截面;(d) 闭合箱形截面;(e) 梯形或三角形箱形截面

图3-36(a)为板式截面,构造简单、建筑高度小、抗风性能也好,适用于双索面密索体系的窄桥。当板厚较大时,可采用空心板式截面。图3-36(b)、(c)为分离式双箱(或双主肋)截面,箱梁中心对准拉索平面,两个箱梁(或主肋)用于承重及锚固拉索,箱梁之间设置桥面系。其优点是施工方便。但全截面的抗扭刚度较差。图3-36(d)为闭合箱形截面,抗弯和抗扭刚度很大,适合于双索面稀索体系和单索面斜拉桥。外腹板多采用斜腹板,其在抗风和美观方面均优于直腹板,此外还可减少墩台宽度。图3-36(e)为半封闭双室梯形或三角形箱形截面。这种截面形式具有良好的抗风性能,特别适合于风载较大的双索面密索体系。

3.5.2　拉索

斜拉索是斜拉桥的重要组成部分,桥跨的质量和桥上荷载主要通过斜拉索传递给塔柱。

斜拉索由钢索和锚具两部分组成。钢索承受拉力,设置在钢索两端的锚具用来传递拉力。钢索一般采用高强度钢筋、钢丝或钢绞线制作。钢索种类主要有如下几种形式

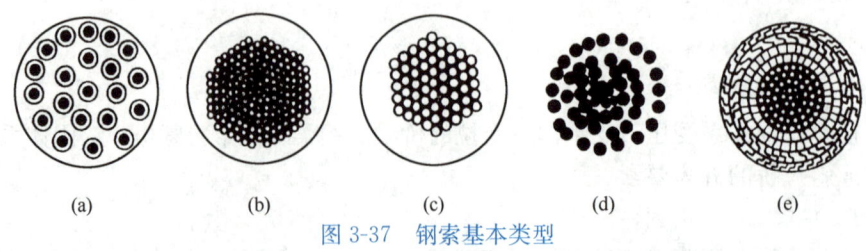

图3-37　钢索基本类型
(a) 平行钢筋索;(b) 平行钢丝索;(c) 钢绞线索;(d) 单股钢绞缆;(e) 封闭式钢缆

(图 3-37)：平行钢筋索、平行钢丝索、钢绞线索、单股钢绞缆和封闭式钢缆。

平行钢筋索由若干根高强度钢筋平行组成，钢筋直径有 16mm、26.5mm、32mm、38mm 等几种规格。所以钢筋在金属管道内由聚乙烯定位板固定其位置，索力调整完后，在套管内采用柔性防护。这种钢索配用夹片式群锚。平行钢筋索必须在现场架设过程中形成。

平行钢丝索是将若干根钢丝平行并拢、扎紧、穿入聚乙烯套管，在张拉结束后采用柔性防护而成。钢丝索配用镦头锚或冷铸锚。目前钢丝索采用 φ5 或 φ7 钢丝制作，要求钢丝的标准强度 R_h 低于 1570MPa。这种索适合于现场制作。

钢绞线索由多股钢绞线平行或经轻度扭绞组成。其标准强度 R_h 已达 1860MPa，因此用钢绞线制作的钢索可以进一步减轻钢索的质量。平行钢绞线的防护有两种形式：一种是将整束钢绞线穿入一根粗的聚乙烯套管，然后采用柔性防护；另一种是将每一根钢绞线，涂防锈油脂后挤裹聚乙烯套管，再将若干根带有防护套的钢绞线，穿入大的聚乙烯套管中并压注采用柔性防护。集束后轻度扭绞的半平行钢绞线索的防护，采用热挤聚乙烯护套最为方便。平行钢绞线索一般在现场制作，半平行钢绞线索一般在工厂制作好后运至工地。平行钢绞线索配用夹片锚具。半平行钢绞线索也可以配用冷铸镦头锚。

封闭式钢缆是以一根较细的单股钢绞缆为缆心，逐层绞裹，断面为梯形的钢丝，接近外层时，绞裹断面为"Z"形的钢丝，相邻各层的捻向相反，最后得到一根粗大的钢缆。这种钢缆结构紧密，具有最大面积率，水分不易侵入。因此称为封闭式钢缆。

暴露在大气中的拉索在风雨天会出现振动，振动导致索中钢丝产生附加挠曲应力，加速钢丝的疲劳，因此拉索的风振应加以防止。常用的方法是在拉索上设置高阻尼黏弹性材料或黏性剪切型阻尼器来实施，也可以用右膜阻尼器实施。

拉索是斜拉桥长期暴露的结构构件，因此必须针对侵蚀性环境的影响，特别对腐蚀加以防护。

3.5.3 索塔

索塔的结构形式、高度、截面尺寸，由跨径、桥面宽度、拉索布置等因素确定。

索塔的纵向造型和相应的受力条件必须满足足够的纵向稳定性和在运营条件下发挥正常功能的要求。从顺桥向看，经常采用的主塔结构形式有单柱式、A 字形和倒 Y 形等（图 3-38）。单柱式主塔构造简单，而 A 字形、倒 Y 形的主塔刚度大，能抵抗较大的弯矩。

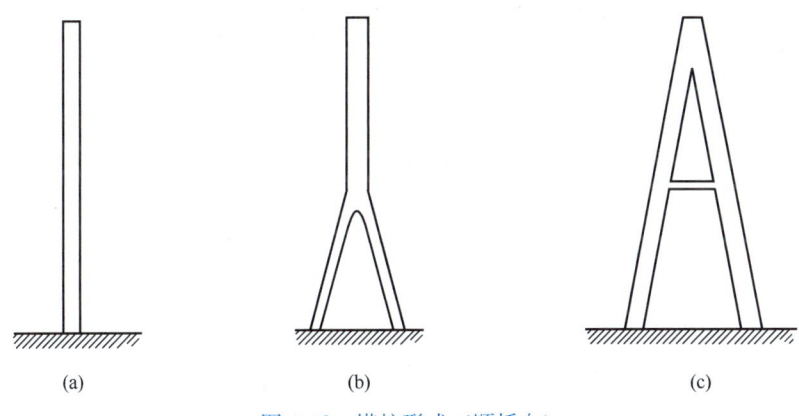

图 3-38 塔柱形式（顺桥向）
(a) 单柱式；(b) 倒 Y 形；(c) A 字形

从横桥向看，斜拉桥索塔形式（图 3-39）有柱式（a），门式（b）、(c)，A 字形（d），倒 Y 形（e）及菱形（f）等。柱式塔构造简单，但承受横向水平荷载的能力差。单柱式通常用于主梁抗扭刚度较大的单索面斜拉桥；门式塔系两根塔柱组成的门形框架，构造较单柱式塔复杂，但抵抗横向水平荷载的能力较强。双柱及门式塔一般适用于桥面宽度不大的双拉索桥面斜拉桥。A 字形和倒 Y 形主塔的特点是结构横向刚度较大，但构造、受力复杂，施工难度较大。对于抗风、抗震要求较高的桥及大跨径或特大跨径的斜拉桥，经常采用这类形式的主塔结构。

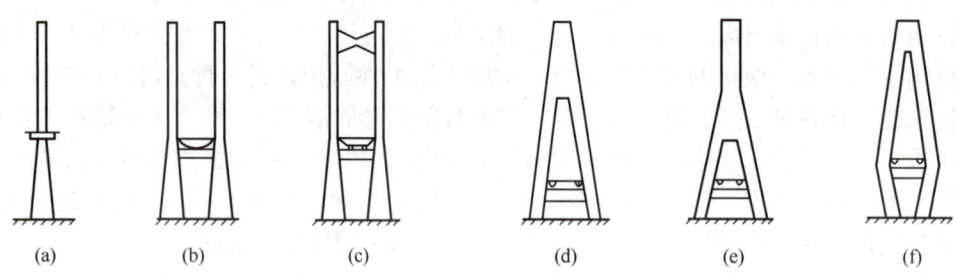

图 3-39　索塔横向造型基本形式
(a) 柱式；(b)、(c) 门式；(d) A 字形；(e) 倒 Y 形；(f) 菱形

3.5.4　锚固体系

斜拉桥拉索锚具目前常用四种：热铸锚、镦头锚、冷铸镦头锚和夹片式群锚。前三种锚具都可以事先接装在拉索上，称为拉锚式锚具；装配夹片式群锚的拉索，张拉时千斤顶直接拉钢索，张拉结束后锚具才发挥作用，所以夹片式群锚又称为拉丝式锚具。拉索锚具应便于张拉和换索，宜先考虑采用镦头锚和冷铸镦头锚。随着钢绞线斜拉索的发展，夹片式群锚也将成为首选锚具。

斜拉索在主梁上锚固的梁段，习惯地称为锚固梁段。拉索在锚固梁段的锚固方式，根据索面和截面形状的不同几乎各桥皆异。选择锚固方式时，要考虑以下几个因素：确保连接可靠；能简捷地把索力传递到全截面；如需在梁端张拉，应具有足够的操作空间；要有防锈蚀能力和避免拉索产生颤振应力腐蚀；便于拉索养护和更换。

拉索在锚固梁段的锚固方式根据索面及截面形状的不同，大体上可分为以下几种类型：顶板设置锚固块；箱梁内设横隔板锚固；在三角形箱边缘锚固；在梁底锚固；锚固横梁。

3.5.5　支承体系

支承体系是传递斜拉桥上部各种荷载至下部结构的枢纽，一般在全桥总体布置及构造中予以考虑。在塔与梁的交叉部位及端支承部位，均应设空间约束的支承构造，同时考虑运营后容易更换耐久性差的构造及材料，并便于施工，利于养护维护。支承一般布置在塔的位置，顺桥向、横桥向均应设置。

3.6　悬索桥构造

悬索桥也称吊桥，它主要由主缆、锚碇、索塔、加劲梁、吊索组成，细部构造还有主索鞍、散索鞍、索夹等，如图 3-40 所示。

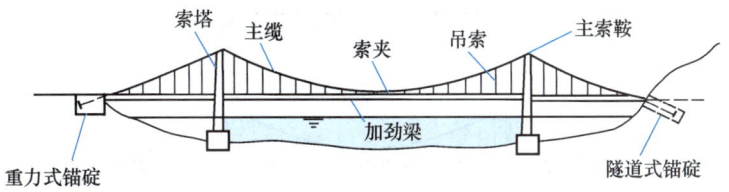

图 3-40　悬索桥主要构造

主缆：是悬索桥的主要承重结构，可由钢丝绳组成，也可用平行钢丝组成。大跨度悬索桥的主缆普遍使用平行钢丝式，可采用预制平行钢丝索股架设方法（PPWS法），也可采用空中纺丝法（AS法）架设。

锚碇：是锚固主缆的结构，主缆的钢丝索通过散索鞍分散开来锚于其中。根据不同的地质情况可修成不同形式的锚碇，如重力锚碇、隧道锚碇等。

索塔：是支承主缆的结构，主缆通过主索鞍跨于其上。根据具体情况可用不同材料修建，国内多为钢筋混凝土塔，国外钢塔较多。

加劲梁：是供车辆通行的结构。根据桥上的通车需要及所需刚度可选用不同的结构形式，如桁架式加劲梁、扁平箱形加劲梁等。

吊索：它通过索夹把加劲梁悬挂于主缆上。

大跨径悬索桥的结构形式根据吊索和加劲梁的形式可分为以下几种：

(1) 采用竖直吊索，并以钢桁架作加劲梁，如图 3-41 所示；

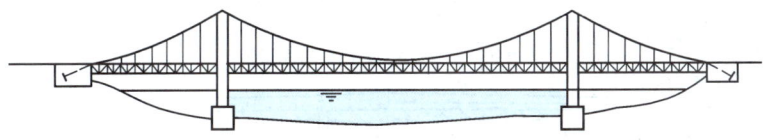

图 3-41　采用竖直吊索桁架式加劲梁的悬索桥

(2) 采用三角形布置的斜吊索，以扁平流线形钢箱梁作加劲梁，如图 3-42 所示；

(3) 前两者的混合式，即采用竖直吊索和斜吊索，流线形钢箱梁作加劲梁；

(4) 除了有一般悬索桥的缆索体系外，还有若干加强用的斜拉索，如图 3-43 所示。

如果按加劲梁的支承构造来分的话，又可分为单跨两铰加劲梁悬索桥、三跨两铰加劲梁悬索桥及三跨连续加劲梁悬索桥等，如图 3-44 所示。

图 3-42　采用斜吊索钢箱加劲梁的悬索桥

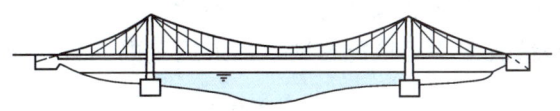

图 3-43　带斜拉索的悬索桥

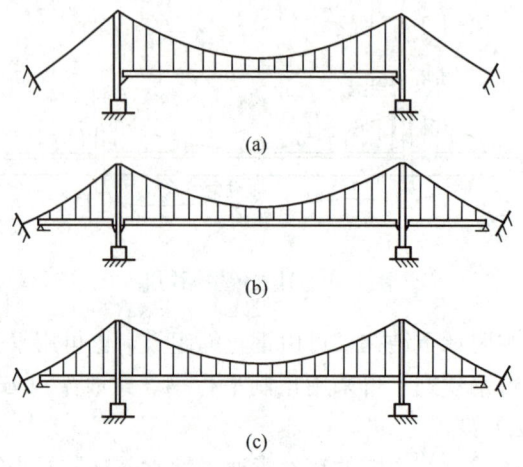

图 3-44 按支承构造划分悬索桥形式
(a) 单跨两铰加劲梁；(b) 三跨两铰加劲梁；
(c) 三跨连续加劲梁

3.7 桥面系构造

桥面系包括桥面铺装、桥面防水层、排水系统、人行道、栏杆、护栏和伸缩缝等，如图 3-45 所示。

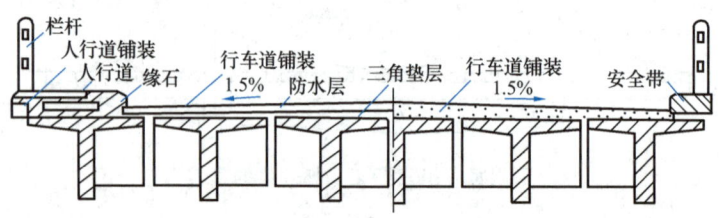

图 3-45 桥面的一般构造

3.7.1 桥面铺装

桥面铺装是车轮直接作用的部分。功用有：一是防止车辆轮胎或履带直接磨耗桥面板，二是保护主梁免受雨水侵蚀，三是分布车轮的集中荷载。

桥面铺装要求：抗车辙、行车舒适、抗滑、不透水、刚度好（和桥面板一起作用时）等。

水泥混凝土桥面铺装直接铺设在防水层或桥面板之上。其混凝土强度等级一般应高于或等于桥面板的强度等级，铺设桥面铺装时应避免二次成型。

装配式桥梁的水泥混凝土铺装层内宜配置 $\phi 6@20$ 双向钢筋网，桥面有超重车通过时，则采用 $\phi 8@20$ 双向钢筋网，防水混凝土在 8～13cm 之间。

沥青混凝土铺装是按级配原理选配材料，加入适量的沥青，沥青混凝土层厚在 6～8cm 之间。

简支板梁的桥面一般都做成连续桥面。与简支桥面相比，连续桥面行车舒适性好。

跨径 50m 以下的简支梁，改作桥面连续体系较合适。连接的方法有行车道板相连和桥面刚性铺装层相连两种。前者是在预制梁浇筑混凝土时，要留出水平钢筋、斜筋或箍筋露头，最后浇筑铺装层时，再完整接头。一般采用行车道板相连的方式，如图 3-46 所示。

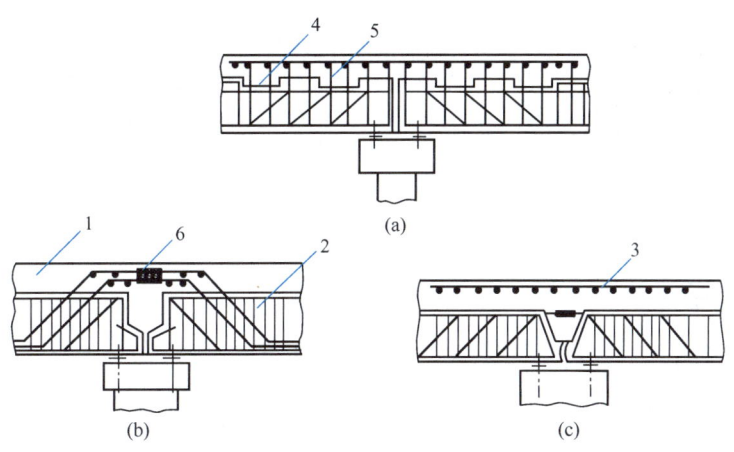

图 3-46 板梁式上部结构的连续桥面
1—现浇整体混凝土；2—预制构件；3—钢筋网；4—预制构件的凹部；
5—预制构件箍筋引出部分；6—引出筋焊接接头

3.7.2 防水层

防水层设在钢筋混凝土桥面板与铺装层之间，尤其在主梁受负弯矩作用处。梁桥防水层的构造由垫层、防水层与保护层三部分组成。垫层多做成三角形，以形成桥面横向排水坡度，如图 3-47 所示；垫层不宜过厚或过薄，厚度在 5cm 以下时，可只用 1:3 或 1:4 水泥砂浆抹平。水泥砂浆的厚度不宜小于 2cm。垫层的表面不宜光滑。有的梁桥防水层可以利用桥面铺装来充当。

3.7.3 排水系统

钢筋混凝土结构不宜经受时而湿润、时而干晒的交替作用，因为渗入混凝土微细发纹内和大孔穴内的水分在结冰时会使混凝土发生破坏，也会使钢筋锈蚀。因此，除加强桥面铺装层的防水能力外，还应使桥上的雨水迅速排出桥面。

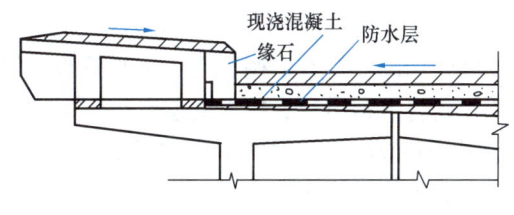

图 3-47 防水层示意图

为了迅速排除桥面雨水，横桥向桥面铺装层的表面应做成 1.5%～2% 的横坡。为了节省铺装材料并减轻重力，可以将横坡直接设在墩台顶部而做成倾斜的桥面板。桥面铺装的表面通常采用直线或抛物线形。人行道设 1% 的向内横坡，表面采用直线形。

在纵桥向，当桥面纵坡大于 2% 而桥长小于 50m 时，雨水可沿桥上纵向排出，不设泄水管，此时应在路基两侧设置流水槽，以免雨水冲刷引道路基；当桥面纵坡大于 2% 而桥长大于 50m 时，为防止雨水积滞桥面，就需要设置泄水管，顺桥向每隔 12～15m 设置一个；当桥面纵坡小于 2% 时，泄水管就需设置更密一些，一般顺桥长每隔 6～8m

设置一个。排水用的泄水管设置在行车道两侧，可对称排列。泄水管离路缘石的距离为 0.1~0.5m。常用泄水管有铸铁管和塑料管，泄水管的布置位置如图 3-48 中泄水孔位置所示。

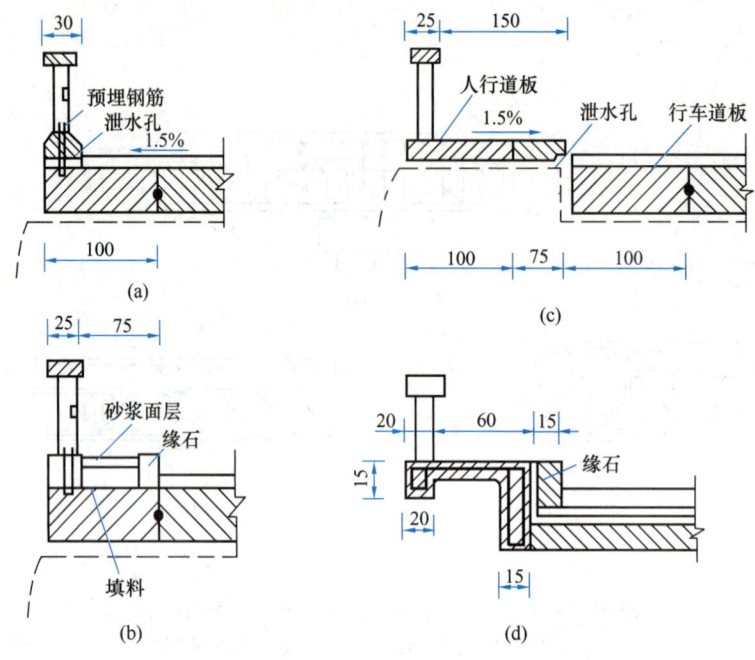

图 3-48　人行道构造（单位：cm）

3.7.4　人行道

人行道设在桥承重结构的顶面，而且高出行车道 25~35cm，有就地浇筑式、预制装配式，常用的构造形式，如图 3-48 所示。

其中，图 3-48（a）为上设安全带的构造，它可以单独做成预制块件或与梁一起预制；图 3-48（b）为附设在板上的人行道构造，人行道部分用填料填高，上面敷设 2~3cm 砂浆面层或沥青砂，在人行道内边缘设置缘石。图 3-48（c）为小跨型宽桥，可将人行道部分墩台加高，在其上搁置人行道承重板。图 3-48（d）则适用于整体浇筑的钢筋混凝土梁桥，而将人行道设在挑出的悬臂上，这样可缩短墩台长度，但施工不太方便。

图 3-49 为装配式人行道构造实例，它适用于 0.75m 宽人行道。它由人行道板、人行道梁、支撑梁及缘石组成。支撑梁用以固定人行道梁的位置，安装时将人行道板用稠水泥浆搁置在主梁上，人行道梁根部应与主梁桥面板伸出的锚固筋焊接，焊接部分应涂热沥青防锈，最后再在其上安放预制人行道板。就地浇筑的人行道板的厚度应不小于 8cm，装配式不小于 5cm。

3.7.5　栏杆、灯柱和护栏

栏杆是桥梁的防护设备，城市桥梁栏杆应美观实用、朴素大方，栏杆高度通常为 1.0~1.2m，栏杆柱的间距一般为 1.6~2.7m。图 3-50 为城市桥梁中用量较多的双菱形和长腰圆形预制花板的栏杆图式。对于特别重要的城市桥梁，栏杆和灯柱设计更应注意艺术造型，使之与周围环境和桥型相协调，可采用易于制成各种图案和艺术性强的花板金属栏杆。

城市桥梁应设照明设备，照明灯柱可以设在栏杆扶手的位置上，也可靠近缘石处，其高度一般高出车行道 5m 左右。

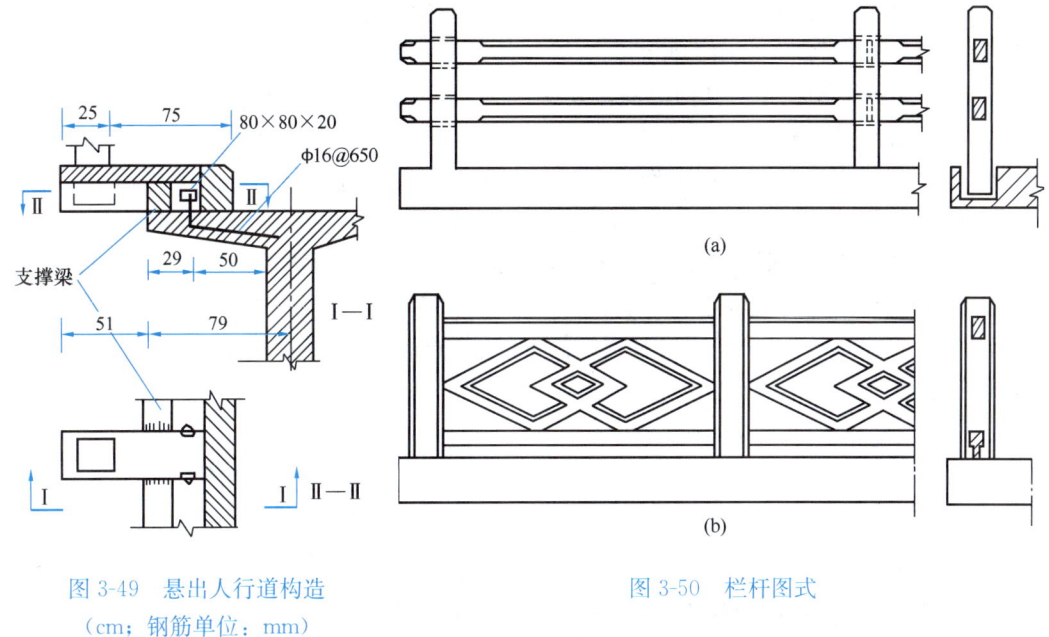

图 3-49　悬出人行道构造　　　　　图 3-50　栏杆图式
（cm；钢筋单位：mm）

护栏的设置宽度不少于 0.25m，高度为 0.25～0.35m，有的达到 0.4m。常用的有钢筋混凝土墙式护栏和金属制桥梁栏杆，典型截面如图 3-51 所示。设置护栏除保障行人的安全外，还能在意外情况下，对机动车起阻挡作用，抵挡车辆的冲撞，使车辆不致发生因失控冲出护栏以外的事故。

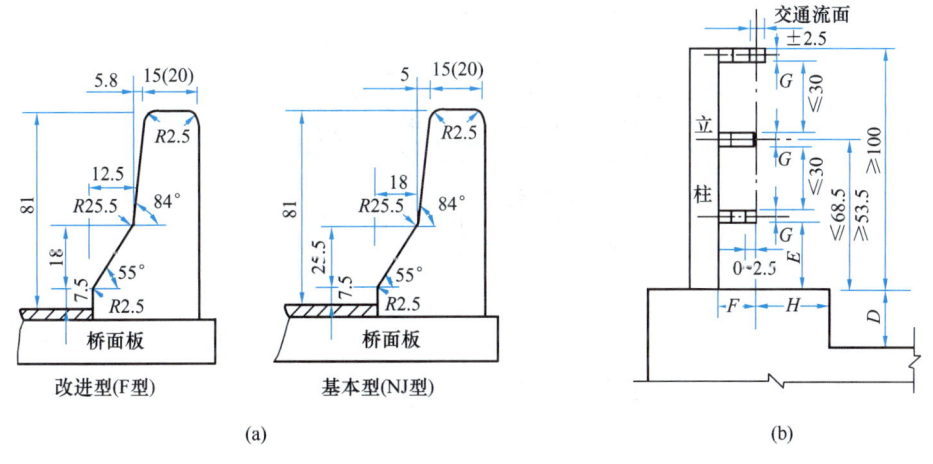

图 3-51　桥梁护栏简图
（a）钢筋混凝土墙式护栏（cm）；（b）金属制桥梁栏杆（$D \geqslant 25cm$）（cm）

3.7.6　伸缩缝

为了保证主梁在气温变化、活荷载作用、混凝土胀缩和徐变时，能自由变形，就需要在梁与桥台之间、梁与梁之间设置伸缩缝（也称变形缝）。伸缩缝的作用除保证梁自由变形外，还应能使车辆在接缝处平顺通过，防止雨水及垃圾泥土等渗入，其构造应便于施工安装和维修。因此，伸缩部件除应具有一定强度外，还应能与桥面铺装牢固连接，并便于检修和清除缝中的污物。常用的伸缩缝有橡胶伸缩缝。

图3-52为各种橡胶伸缩缝构造图。其中，图3-52（a）是用一种特制的三节型橡胶带代替镀锌薄钢板的伸缩缝构造，带的中心是空心的，它能满足变形要求和兼备防水的功能。图3-52（b）是用氯丁橡胶制作的具有两上圆孔的伸缩缝嵌条，当梁架好后，在端部焊好角钢（角钢间距可略比橡胶嵌条的宽度小），涂上环氧树脂后，再将嵌条强行嵌入。图3-52（c）则为橡胶与钢板组合的伸缩缝，橡胶嵌条的数量可随变形量的大小选取，其变形量可达15cm。目前使用较多的是大变形橡胶伸缩缝。伸缩缝在使用中容易损坏，为了行车平顺舒适，减轻养护工作量并提高桥梁的使用寿命，应尽量减少伸缩缝的数量并保证伸缩缝的施工质量。

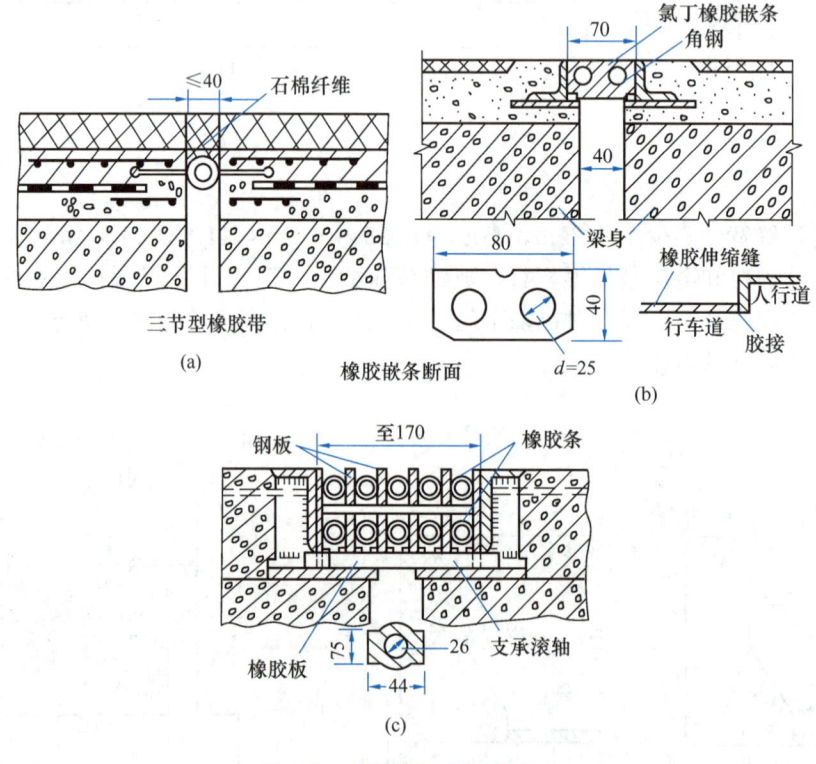

图3-52 橡胶板（带）伸缩缝
（a）三节型橡胶带；（b）氯丁橡胶嵌条；（c）橡胶与钢板组合

3.8 桥梁墩台构造

桥梁墩台是桥梁的重要组成部分，桥梁墩台一般由墩（台）帽、墩（台）身和基础组成。

桥墩一般系指多跨桥梁的中间支承结构物，它将相邻两孔的桥跨结构连接起来。桥梁除了承受上部结构的荷载外，还要承受水压力、风力及可能出现的流冰压力、船只及漂浮物的撞击力等。桥台是将桥梁与路堤衔接的构筑物，它除了承受上部结构的荷载外，还承受桥头填土的水平土压力及直接作用在桥台上的车辆荷载等。

3.8.1 桥墩构造

1. 重力式桥墩

重力式桥墩由墩帽、墩身和基础三部分组成。

墩帽一般用不低于C20的混凝土筑成，其顶面在横桥向常做成一定的排水坡，四周应挑出墩身约5～10cm作为滴水（檐口），如图3-53所示。在墩帽内，大、中跨径桥梁应设置构造钢筋，小跨径桥梁，当桥宽较窄时，除严寒地区外，可不设构造钢筋。

对于中、小跨径的桥梁，支座可直接安置在墩帽上。为了使支座传来的压力均匀分布到墩顶上，要在支座下设置1～2层钢筋网。钢筋网的尺寸为支座的2倍，钢筋直径一般为8～12mm，网格间距为7～10mm。

对于大跨径的桥梁，需在墩顶上设置钢筋混凝土支承垫石（图3-54），支座放在支承垫石上。支承垫石的平面尺寸要根据支座大小、支座传来的荷载大小和支承垫石下墩顶混凝土的强度而定，一般要求支座边缘距支承垫石边缘的距离不大于15～20cm，支承垫石的厚度一般为其长度的1/3～1/2。

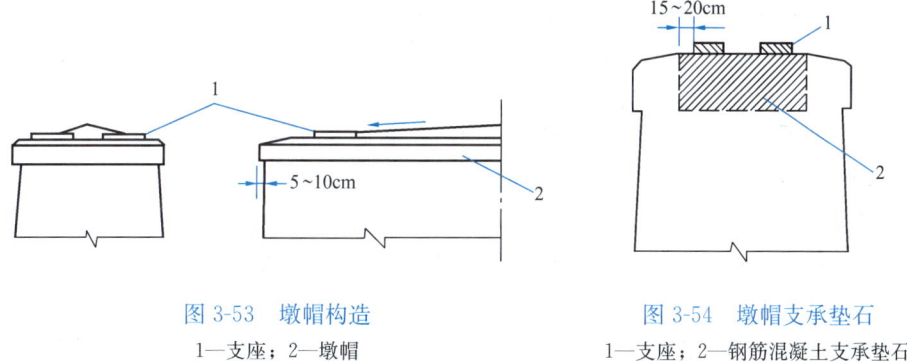

图3-53 墩帽构造　　　　　　　　图3-54 墩帽支承垫石
1—支座；2—墩帽　　　　　　　　1—支座；2—钢筋混凝土支承垫石

墩身的平面形状，在河中可以做成圆端形或尖端形，在无水岸墩或高架桥也可做成矩形，在水流与桥梁斜交时，可做成圆形。墩身可用浆砌块石或混凝土筑成。

设在天然地基上的桥墩基础一般采用C15以上的混凝土或M5砂浆砌片石（或块石）筑成。基础平面尺寸应较墩身底面尺寸略大。在竖向，基础可以做成单层式的或2～3层台阶式的。

重力式桥墩的优点是承载能力大，缺点是圬工数量多、重力大，适用于荷载较大或河流中流冰和漂浮物较多的桥梁。

2. 钢筋混凝土薄壁桥墩

由于重力式桥墩重力大，当地基土质条件较差时，为了减轻地基的应力，可考虑采用钢筋混凝土薄壁桥墩（图3-55）。其墩身厚度约为墩高的1/15～1/10（一般为30～50cm）。圬工数量比重力式桥墩节省70%左右，但需耗用较多的钢筋。

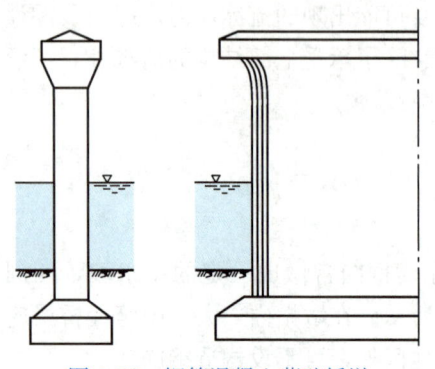

图 3-55 钢筋混凝土薄壁桥墩

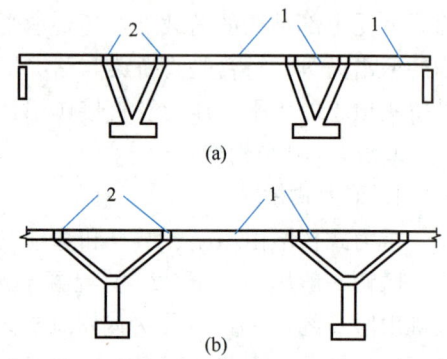

图 3-56 V 形桥墩和 Y 形桥墩
(a) V 形桥墩；(b) Y 形桥墩
1—预制梁；2—接头

3. V 形桥墩和 Y 形桥墩

大跨径桥梁，当上部结构为连续梁时，为了缩短两桥墩的跨径，桥墩结构可采用顶部分开底部连在一起的 V 形桥墩（图 3-56a）和顶部分开底部与直立桥墩连在一起的 Y 形桥墩（图 3-56b）。由于这种桥墩能缩短上部结构的跨径，所以上部结构所产生的弯矩比用其他形式的桥墩减少很多。

V 形桥墩的高度一般都设计成等高，墩底可以是固接的，也可以是铰接的。Y 形桥墩的高度可以不同，但斜臂顶至底的距离应保持不变，这样可以使所有的斜臂都具有统一的体形。

V 形和 Y 形桥墩都具有优美的外形，它能增加上部结构的跨径，减少桥墩数目，但施工比较复杂，需设置临时墩和用钢脚手架来支承斜臂的重力。

4. 柱式桥墩和桩柱式桥墩

柱式桥墩和桩柱式桥墩是公路桥梁采用较多的桥墩形式之一，它能减轻墩身重力，节约圬工材料，外形又较美观。

柱式桥墩可以在灌注桩顶浇一承台，然后在承台上设立柱（图 3-57a），或在浅基础上设立柱（图 3-57b）。为了增强墩柱间抗撞击的能力，在两柱中间加做隔墙（图 3-57c）。当桥墩较高，也可以把水下部分做成实体式，以上部分仍为柱式（图 3-57d）。

桩柱式桥墩一般分为两部分，在地面以上（或柱桩连接处以上）称为柱，在地面以下称为桩。图 3-57（e）为单柱式桩墩，适用于水流方向不稳定或桥宽不大的斜交桥；图 3-57(f)为等截面双柱式桩墩，桩位施工的精度要求高。图 3-57（g）为变截面双柱式桩墩。为了增加桩柱的横向刚度，在桩柱之间设置横系梁（图 3-57g）。

桩柱式桥墩施工方便，特别是采用钻孔灌注桩时，钻孔直径较大，墩身的刚度也比较大，桩内钢筋用量不多。

5. 柔性排架桩墩

柔性排架桩墩是由成排打入的钢筋混凝土桩构成，一般在墩高小于 5～7m、跨径小于 13m 的桥梁上使用。对于漂浮物严重和流速较大的河流，由于桩墩容易磨耗，不宜采用。

柔性排架桩墩可分为单排架墩和双排架墩（图 3-58）。单排架桩墩高不超过 4～5m。

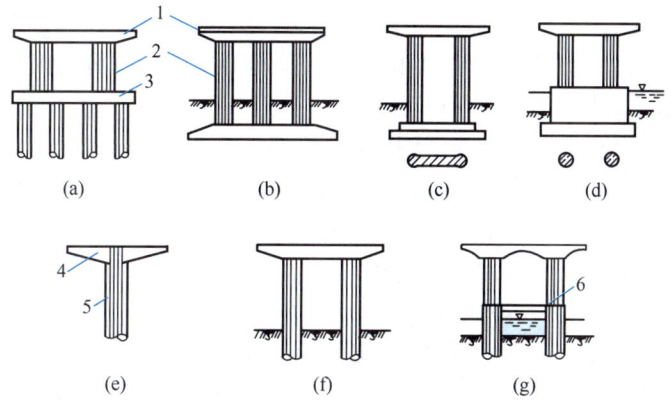

图 3-57 梁桥柱式和桩柱式桥墩

（a）承台上设立柱；（b）浅基础上设立柱；（c）两柱中间加隔墙；（d）水下实体式；
（e）单柱式桩墩；（f）等截面双柱式桩墩；（g）变截面双柱式桩墩
1—盖梁；2—立柱；3—承台；4—悬臂盖梁；5—单立柱；6—横系梁

当桩墩高度大于5m时，为了避免行车可能发生的纵向晃动，宜设置双排架墩。桩一般是采用预制的钢筋混凝土方桩，其截面为25~40cm的矩形。桩长不超过14m，桩与桩的间距为1.5~2m，双排间距30~40cm，桩顶盖梁为矩形截面，宽为60~80cm。

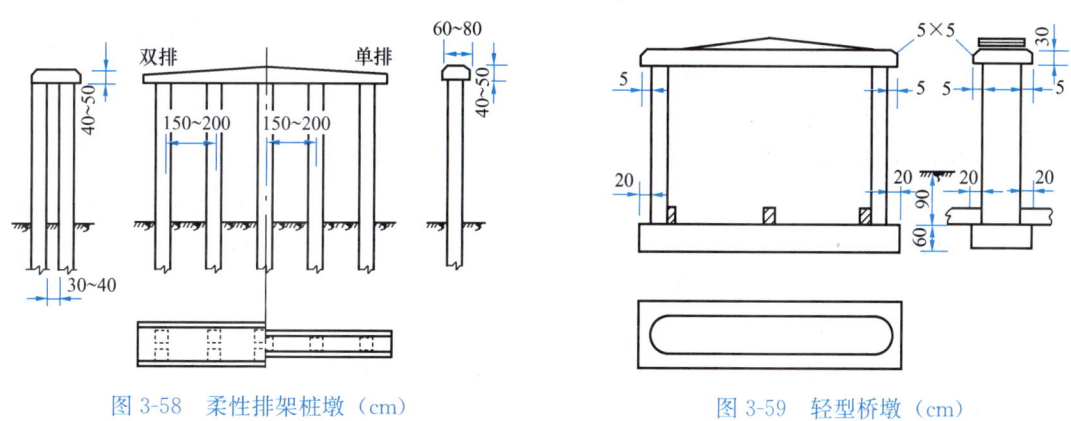

图 3-58 柔性排架桩墩（cm）　　　　图 3-59 轻型桥墩（cm）

6. 轻型桥墩

小跨径的钢筋混凝土板桥，一般采用石砌或混凝土轻型桥墩较为经济（图 3-59）。

墩帽用混凝土浇筑，厚度不小于30cm。墩帽四周挑檐宽度为5cm，周边做成5cm削角。当桥面的横向排水不用三角垫层调整时，可在墩帽顶面中心向两端加做三角垫层。墩帽上要预埋栓钉，位置与上部结构块件的栓孔相适应。

墩身用混凝土或浆砌块石做成，宽度不小于50cm，两边坡度为直立，两头做成圆墩形。

基础采用C15混凝土或砂浆砌片石（或块石）做成，平面尺寸较墩身底面尺寸略大（一般大20cm）。基础多做成单层式的，其高度在60cm上下。

3.8.2 桥台构造

1. 重力式U形桥台

重力式U形桥台由台帽、台身（前墙和后墙）和基础三部分组成（图3-60）。前墙除承受上部结构传来的荷载外，还承受路堤的水平压力。前墙顶部设置台帽，以放置支座和安设上部构造，其构造要求与墩帽基本相同。台顶部分用防护墙将台帽与填土隔开，侧墙用以连接路堤并抵挡路堤填土向两侧的压力。

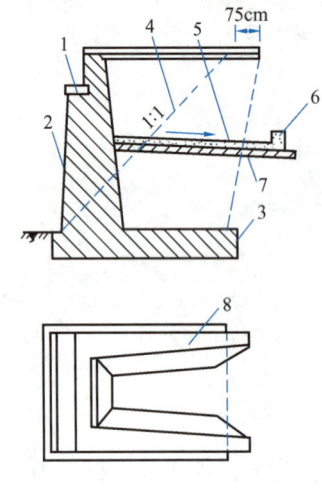

图 3-60　梁桥重力式 U 形桥台
1—台帽；2—前墙；3—基础；4—锥形护坡；5—碎石；6—盲沟；7—夯实黏土；8—侧墙

侧墙长度可根据锥形护坡长度决定，侧墙后端应伸入路堤锥坡内 75cm，以防填土松塌。尾端上部做成垂直，下部按一定坡度缩短，前端与前墙相连，改善了前墙的受力条件。桥台前墙的下缘一般与锥坡下缘相齐。两个侧墙间应填以渗透性较好的土。为了排除桥台前墙后面的积水，应于侧墙间略高于高水位的平面上铺一层向路堤方向设有斜坡的夯实黏土作为防水层，并在黏土层上再铺一层碎石，将积水引向设于桥台后横穿路堤的盲沟内（图 3-60）。

桥台两侧设有锥形护坡，锥形的坡度一般由纵向（顺路堤方向）为 1∶1 逐渐变至横向为 1∶1.5，以便和路堤边坡一致。锥坡的平面形状为 1/4 椭圆。锥坡用土夯筑而成，其表面用片石砌筑。

重力式 U 形桥台，主要依靠自身重力和台内填土重力来保持稳定，其构造虽然简单，但圬工数量大，并由于自身质量大而增强对地基的压力，因此，一般宜在填土高度和跨径不大的桥梁中采用。

2. 钢筋混凝土薄壁桥台

钢筋混凝土薄壁桥台是由扶壁式挡土墙和两侧的薄壁侧墙所构成（图 3-61）。挡土墙由厚度不小于 15cm（一般为 15～30cm）的前墙和每隔按 2.5～3.5m 设置的扶壁所组成。台顶由竖直小墙和支于扶壁上的水平板构成承梁部分，以支承桥跨。侧墙由两个边扶壁构成，在边扶壁上建有钢筋混凝土耳墙。

这种桥台比重力式 U 形桥台可减少圬工体积 40%～50%，同时还因自身质量轻而减小对地基的压力。但其构造复杂，钢筋用量也比较多，适用于在软土地基上建造的桥梁。

3. 埋置式桥台

当路堤填土高度超过 6～8m 时，可采用埋置式桥台。它是将台身埋在锥形护坡中，只露出台帽，以安放支座和上部结构。由于台身埋入土中，利用台前锥坡产生的土压力来抵消台后的主动土压力，可以增加桥台的稳定性，桥台的尺寸也相应减小。但埋置式桥台的锥坡挡水面积大，对桥孔下的过水面积有所压缩。

埋置式桥台台顶部分的内角到路堤锥坡表面的距离不应小于 50cm，否则应在台顶缺口的两侧设置横隔板，使台顶部分与路堤锥坡的填土隔开，防止土壅到支座平台上。桥台通过耳墙与路堤衔接，耳墙伸进路堤的长度一般不小于 50cm。

重力式埋置桥台的台身可用混凝土、片石混凝土或浆砌块石筑成，耳墙用钢筋混凝土做成。台身常做成向后倾斜，

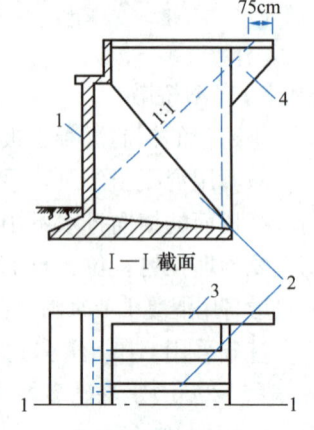

图 3-61　钢筋混凝土薄壁桥台
1—前墙；2—扶壁；3—侧墙；4—耳墙

这样可减小台后土压力和基底合力偏心距。但施工时应注意桥台前后均匀填土，以防倾倒（图 3-62a）。

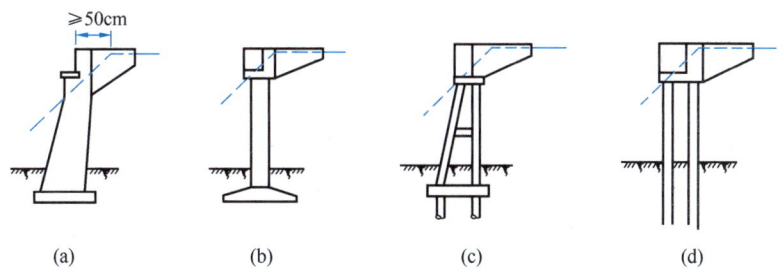

图 3-62 埋置式桥台

（a）重力式埋置桥台；（b）立柱式埋置桥台；（c）框架式埋置桥台；（d）柱式埋置桥台

除了重力式埋置桥台外，还有立柱式埋置桥台（图 3-62b）、框架式埋置桥台（图 5-62c）和柱式埋置桥台（图 3-62d）。这些桥台均较重力式桥台轻巧，能节约大量圬工。

在高等级公路中，对于桩式埋置桥台，由于桩的下沉量很小、路基下沉量较大而引起桥头跳车时，需设置桥头搭板。

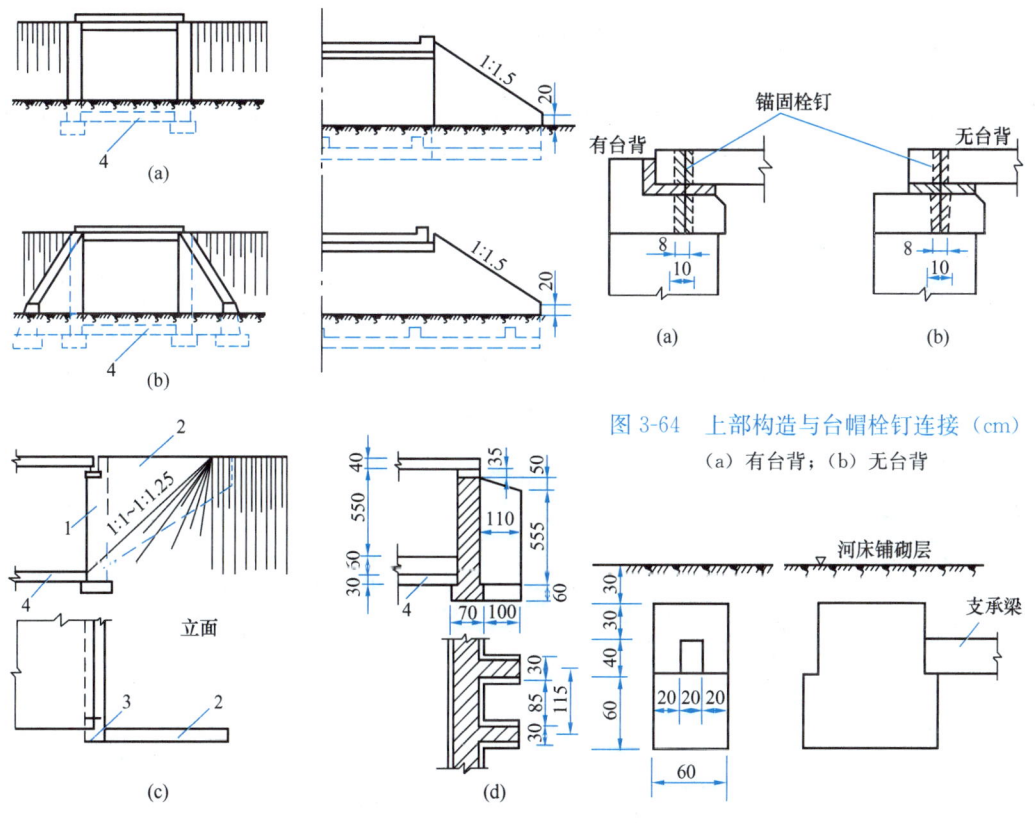

图 3-63 轻型桥台（cm）

（a）一字形；（b）八字形；（c）边柱设置耳墙；（d）T形截面

1—台墙；2—耳墙；3—边柱；4—支承梁

图 3-64 上部构造与台帽栓钉连接（cm）

（a）有台背；（b）无台背

图 3-65 支承梁顶座（cm）

4. 轻型桥台

轻型桥台用于跨径不大于 13m 的板（梁）桥，且不宜多于 3 孔，全长不大于 20m。

台帽用混凝土浇筑，厚度不小于 30cm。当填土高度较高或跨径较大时，宜采用有台背的台帽。当上部构造不设三角垫层时，可在台帽上做成有斜坡的三角垫层。

台身用混凝土浇筑或块石砌筑，宽度不小于 60cm，两边坡度为直立。两边翼墙与桥台连成整体，成为一字形桥台（图 3-63b）；也有把翼墙与桥台设缝分离，翼墙与水流方向成 30°夹角，成为八字形桥台（图 3-63a）。为了节约圬工数量，也可在边柱上设置耳墙（图 3-63c）。为了增加桥台抵抗水平推力的抗弯刚度，也可将台身做成 T 形截面（图5-63d）。

上部构造与台帽间应用栓钉连接，栓钉孔、上部结构与台背之间需用小石头混凝土（强度等级同上部结构）或砂浆（M12）填实（图 3-64）。栓钉直径不宜小于上部构造主筋的直径，锚固长度为台帽厚度加上三角垫层和板厚。

桥台下端与相邻桥台（墩）之间设置支承梁。支承梁的尺寸一般为 20cm×30cm，设在铺砌层及冲刷线之下，中距为 2～3m。对于多孔桥的一字形桥台，墩与台之间的支承梁需设置支承梁顶座（图 3-65）。

3.9　桥梁支座构造

桥梁支座的主要作用是将桥跨结构上的恒载与活荷载力传递到桥梁的墩台上去，同时保证桥跨结构所要求的位移与转动。常用的支座有板式橡胶支座、聚四氟乙烯滑板式橡胶支座和盆式橡胶支座等。

3.9.1　板式橡胶支座

板式橡胶支座由多层橡胶片与薄钢板镶嵌、粘合、压制而成（图 3-66）。它具有足够的竖向刚度以承受竖向荷载，能将上部结构的反力可靠地传递给墩台；有良好的弹性，以适应梁端的转动；有较大的剪切变形以满足上部构造的水平位移。它的形状除了矩形之外，还有圆形。板式橡胶支座适用于中小跨径桥梁，标准跨径 20m 以内的梁板桥，可采用该种支座。

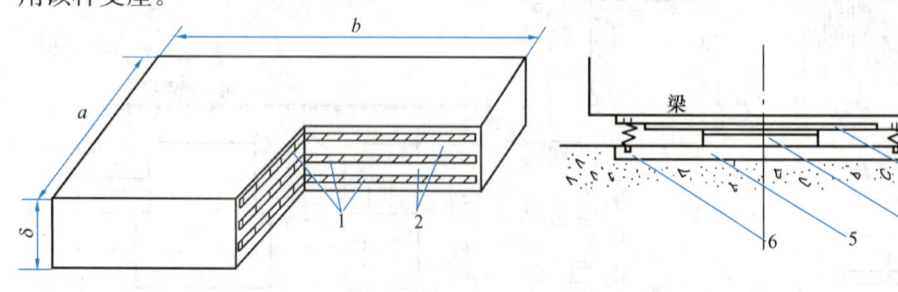

图 3-66　板式橡胶支座结构示意图
1—薄钢板；2—橡胶片

图 3-67　四氟滑板式橡胶支座构造图
1—梁底上钢板；2—不锈钢板；3—四氟滑板式橡胶支座；4—支座保护皮腔；5—墩台下钢板；6—压板条

聚四氟乙烯滑板式橡胶支座（以下简称四氟滑板式橡胶支座），是板式橡胶支座的一种特殊形式，系将一块平面尺寸与橡胶支座相同，厚为 1.5～3mm 的聚四氟乙烯板材，与橡胶支座粘合在一起的支座。另在梁底支点处，设置一块有一定光洁度的不锈钢板，可在支座四氟乙烯板表面来回移动。它除了具有橡胶支座优点外，还能满足位移量需要较大的要求。

聚四氟乙烯滑板式橡胶支座能满足的反力为90～3600kN，适用于水平位移较大的桥梁需要。这种支座不仅适用于较大跨度的简支梁桥，而且还适用于桥面连续的桥梁和连续桥梁。

四氟滑板式橡胶支座是由六个部分组成，如图3-67所示。

梁底上钢板与梁底连接，该钢板可以预埋在梁的支点处，也可以在梁架设时用环氧树脂与梁底粘结。厚10～16mm。

不锈钢板上与梁底上钢板宽槽吻合，并用环氧树脂粘结，下与支座四氟板表面接触，一般是在支座就位架梁时安放，其目的是保护不锈钢板避免受伤锉毛，这样对减少四氟板的磨耗有利，并对减小摩擦系数有好处。

四氟滑板式橡胶支座是由纯聚四氟乙烯板、橡胶、Q235钢板三种不同材料硫化粘结而成。它是将一块平面尺寸与橡胶支座相同的纯聚四氟乙烯板，使用特殊的胶粘技术与橡胶支座粘结在一起。

皮腔是用人造革或优质漆布制成折叠式长方形的保护腔，设在四氟滑板式橡胶支座外围，其目的是隔绝或减少紫外线对橡胶老化的影响，另外保护不锈钢表面的清洁度以免受沾污而对四氟板起有害作用。

墩台下钢板是用厚为10～12mm的Q235钢板制成，预埋在墩以上，钢板面层有深与宽各为1mm的交叉对角线为方框线，是设定梁轴线和支座安放位置的标记。在垂直梁轴线的钢板两边附近有若干个螺钉，作固定皮腔之用。

3.9.2　盆式橡胶支座

盆式橡胶支座适用于支座承载力为1000～2000kN的梁。压板条是用厚为3mm、宽为15mm、长按支座要求而定的Q235钢板制成，一套压板有9条，每条压板条有若干个大于螺钉直径的圆孔，作压住皮腔之用，分为固定支座、双向活动支座和单向活动支座，如图3-68与图3-69所示。

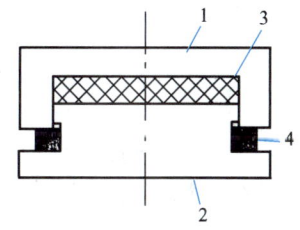 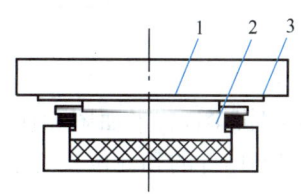 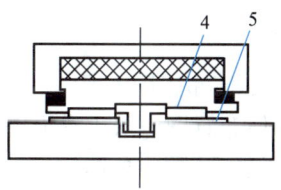

图3-68　固定支座　　　　　　　图3-69　双、单向活动支座
1—盆环；2—盆塞；　　　　　　1—四氟乙烯板-双向活动支座；2—中间支座板；
3—橡胶块；4—密封　　　　　　3—钢滑板；4—四氟乙烯板；5—不锈钢板装置

通常，一个T形梁的支点宜设一个支座，一个箱梁的支点宜设两个支座，当超过此数时，基于盆式支座刚度很大，除应采取均衡受力措施外，还必须对支座承载能力及结构强度留有充分余地。

单向活动支座主要由下支座板、上支座板、聚四氟乙烯滑板、承压橡胶块、橡胶密封圈、中间支座板、钢紧箍圈、上下支座连接板等组成,如图3-70所示。

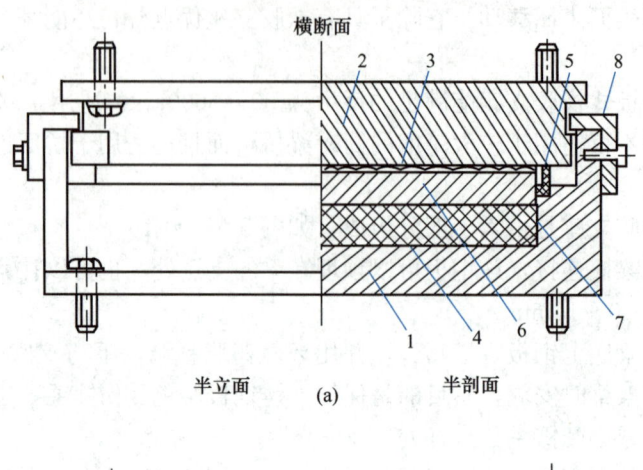

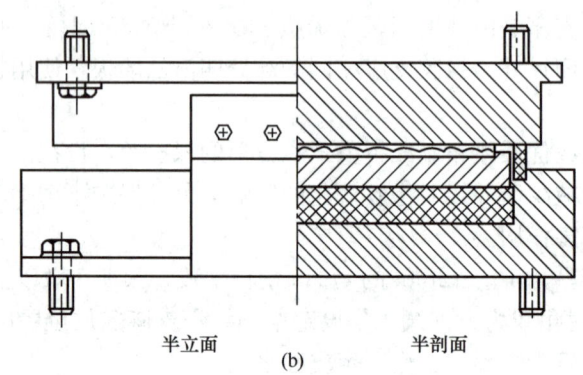

图 3-70 单向活动支座
(a) 横桥向;(b) 顺桥向
1—下支座板;2—上支座板;3—聚四氟乙烯滑板;4—承压橡胶块;
5—橡胶密封圈;6—中间支座板;7—钢紧箍圈;8—上下支座连接板

3.10 桥梁工程图识读

1. 总体布置图

总体布置图一般由立面图(半剖面图)、平面图和横断面图表示,主要表明桥梁的形式、跨径、孔数、总体尺寸、各主要构件的相互位置关系、桥梁各部分的标高及说明等。

(1) 立面图

总体立面图一般采用半立面图和半纵剖面图来表示,半立面图表示其外部形状,半纵剖面图表示其内部构造,如图3-71所示。由总体布置立面图可看出:

1) 跨径:全桥为一跨,跨径为20m;
2) 桥墩台形式:桥台为重力式桥台,由台帽、台身、承台组成;
3) 基础:桩基为钻孔灌注桩基础,每个桥台下布设两排;

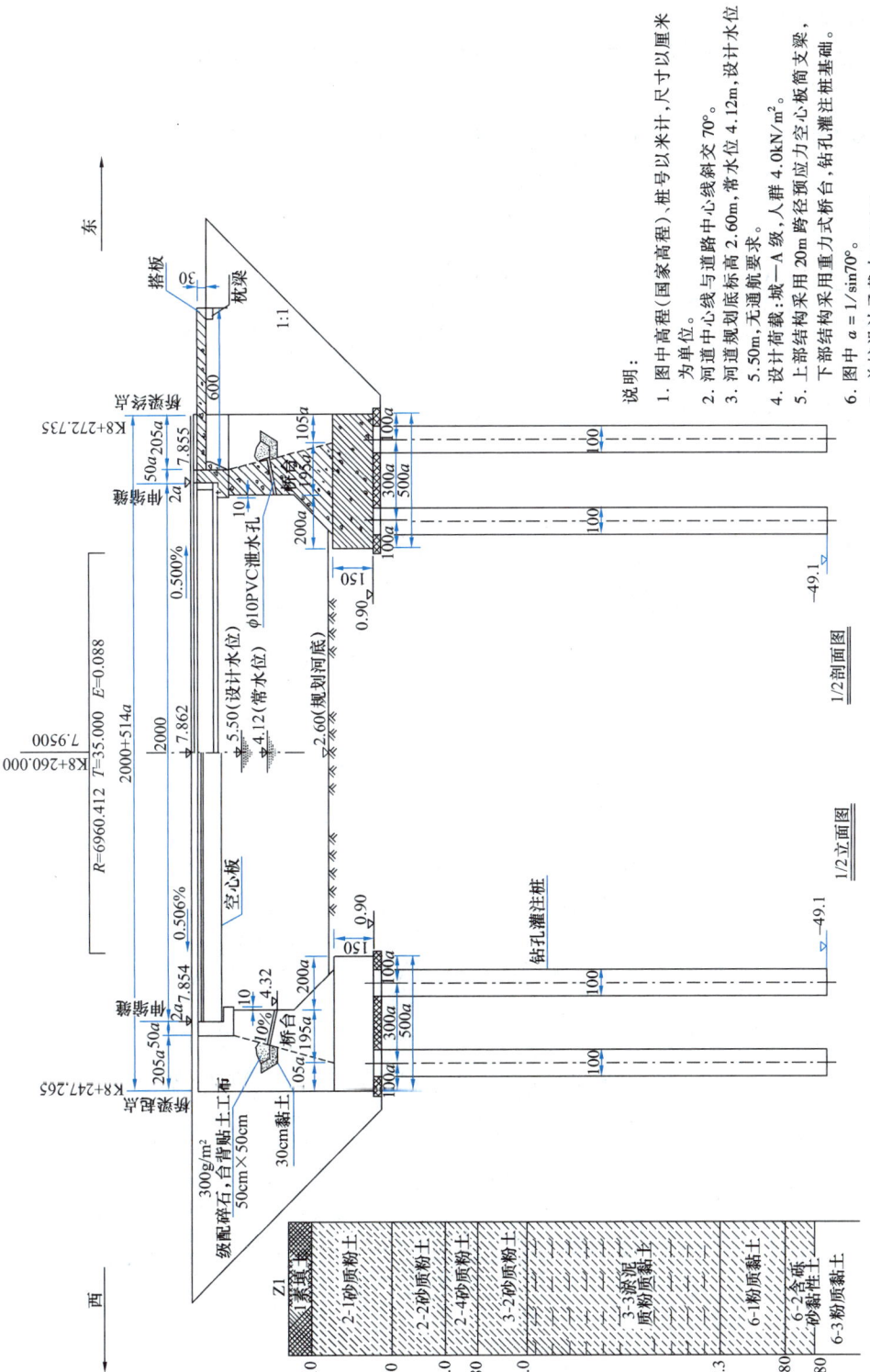

图 3-71 总体布置立面图

4）总体尺寸、标高：由图可了解桥梁起终点桩号、桥面标高、河底标高、水位标高、桩基底标高及桩径尺寸等；

5）其他：由地质剖面图可了解到地质大致情况及一些附属构件如桥台后搭板的长度等。

(2) 平面图

表示桥梁的平面布置形式，可看出桥梁宽度、桥梁与河道的相交形式、桥台平面尺寸以及桩的平面布置方式，如图3-72所示。

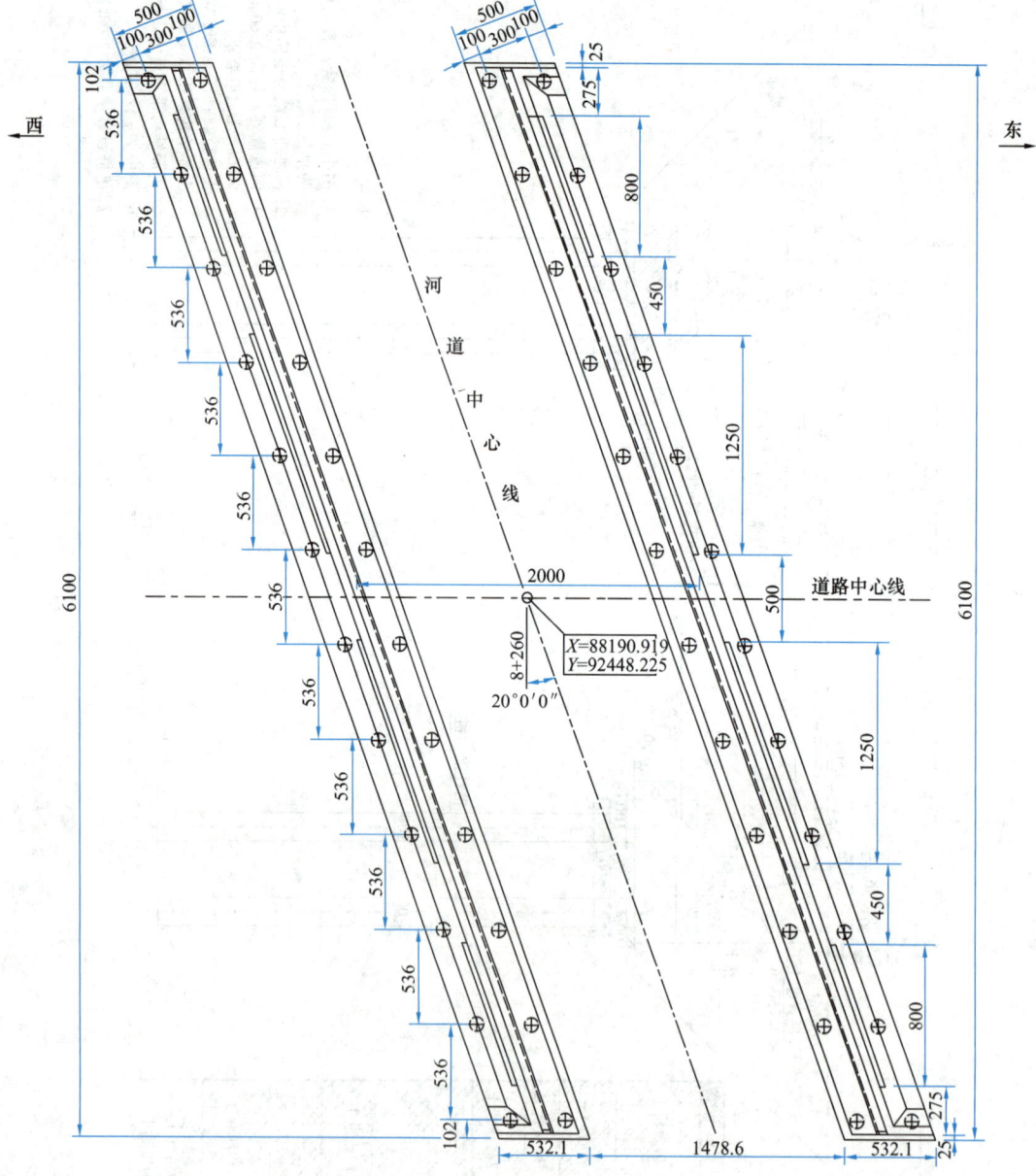

说明：
图中桩号、坐标均以米计，尺寸以厘米计。

图3-72 总体平面布置图

(3) 横断面图

主要表示桥梁横向布置情况,从图中可看出桥梁宽度、桥上路幅布置、梁板布置及梁板形式,也可看出桩基的横向布置,如图3-73所示。

2. 构造及配筋图

(1) 空心板构造及配筋图

1) 构造图由平、立、剖面共同表示,可清楚了解空心板的内外部构造尺寸,并由图中的铰缝图了解空心板与空心板间的连接情况,如图3-74所示。

2) 配筋图由普通钢筋构造图与预应力钢筋构造图组成。预应力空心板受力筋为预应力钢筋,普通钢筋则为构造钢筋,如图3-75(a)、(b)所示。

①普通钢筋构造图:表示空心板中构造钢筋布置情况,钢筋编号采用 N 表示,N_1、N_2、N_3 为纵向布置钢筋,为梁中主要构造钢筋,对分散梁中应力及控制非受力裂缝起较大作用,N_1 通长布置。由于铰缝的缘故,N_2、N_3 号筋共同组成通长筋,N_1 下缘布置8根,上缘8根,两侧各3根,共22根;N_4、N_5、N_6、N_7 共同组成箍筋,梁端部间距为10cm,中部为20cm,主要作用为架立并承担部分剪力,与纵向钢筋组成普通钢筋骨架;N_8 号筋为板间连接钢筋,作用为加强两空心板间的连接刚度;N_9、N_{10} 为空心板顶板下缘筋,主要承担空心板顶板弯矩。图中画出了每种钢筋的详图。

②预应力钢束构造图:板梁为后张法预应力空心板梁,由图中预应力钢束坐标表可知预应力筋立面布置位置;一块空心板共4束钢束,每束由4根高强低松弛钢绞线组成,由说明还可看出预应力孔道由预埋波纹管形成及锚具型号。预应力钢筋为梁板中主要受力钢筋,承受梁板的主要弯矩及剪力,如图3-75所示。

(2) 桩基构造及配筋图

因桩基外形简单无需另出构造图,由图3-76中可知桩基为桩径1m的钻孔灌注桩基础。N_1、N_2 号筋为主筋,主要承受桩所受的弯矩及部分剪力,由于本桥桩基采用摩擦桩,考虑桩顶以下一定深度弯矩及水平力均较小,主筋不需通长布置,N_1 号筋从上到下约布置到桩长2/3、N_2 号筋约为桩长的1/2;N_3 号筋为加强钢筋,与主筋焊接,每2m布设一道;N_4、N_5 号筋为螺旋箍筋,与主筋绑扎形成钢筋笼,并受部分水平力,其中 N_5 号筋为桩顶处螺旋筋,主筋在桩顶处弯起,使其与承台连接更牢固;N_6 号筋为定位钢筋,布置在加强筋四周,如图3-76所示。

桥梁是很复杂的建筑物,它是由许多构件组成的。读图时,首先要用形体分析法将整个桥梁图由大化小,由繁化简。再运用投影规律,将各投影图互相对照联系起来看,先由整体到局部,再由局部到整体,直至读懂整个桥梁图。

读图可按下列步骤顺序进行:

(1) 先看总体图图样右下角的标题栏,了解桥梁名称、类型、结构、比例、尺寸单位、施工措施、承受荷载级别等。

(2) 看总体图,弄清楚各视图之间的关系,如有剖面图、断面图,则需要找出剖切线的位置和观察方向。看图时,应先看立面图(包括纵剖面图),了解桥型、孔数、跨径大小、墩台数目、总长、总高,了解河床断面及其地质情况,再对照平面图、侧面图和横剖面图等,了解桥的宽度、人行道的尺寸和主梁的断面形式等,同时要阅读图样中的技术说明。这样,对桥梁的全貌便有了一个初步的了解。

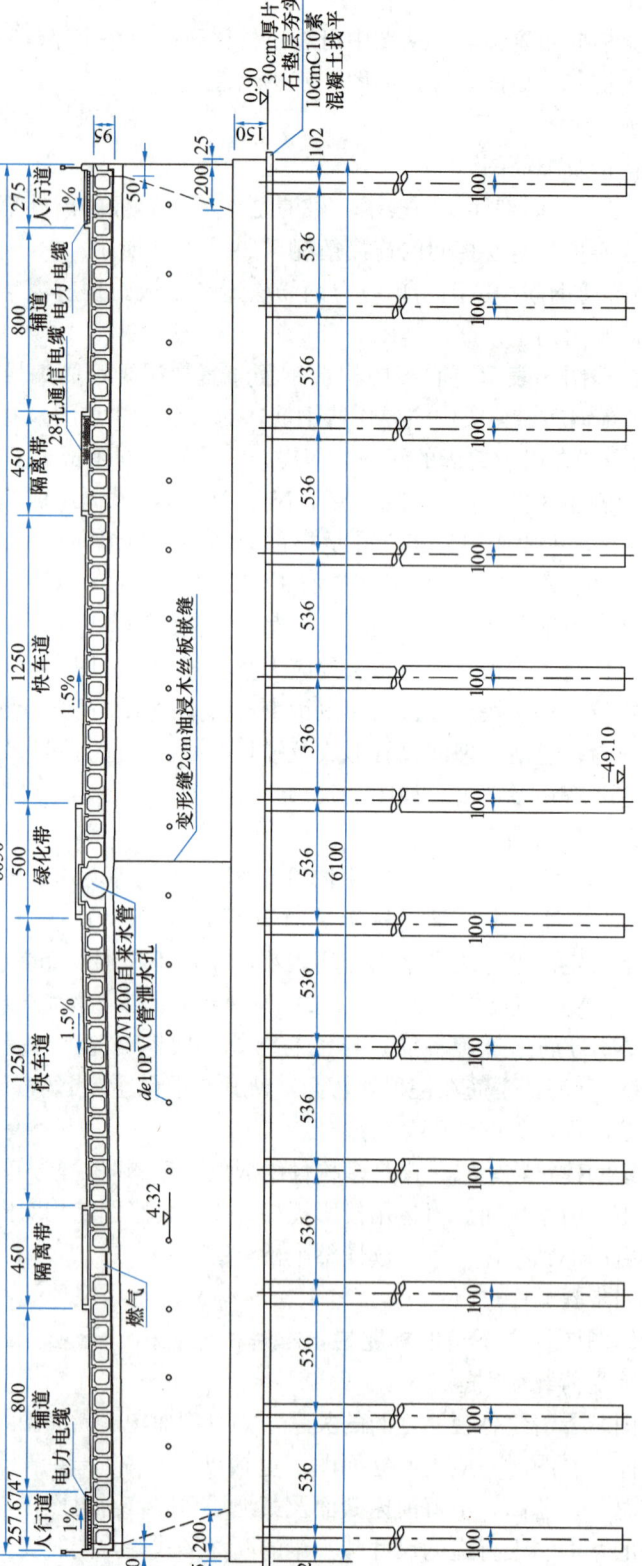

图 3-73 桥台横断面图

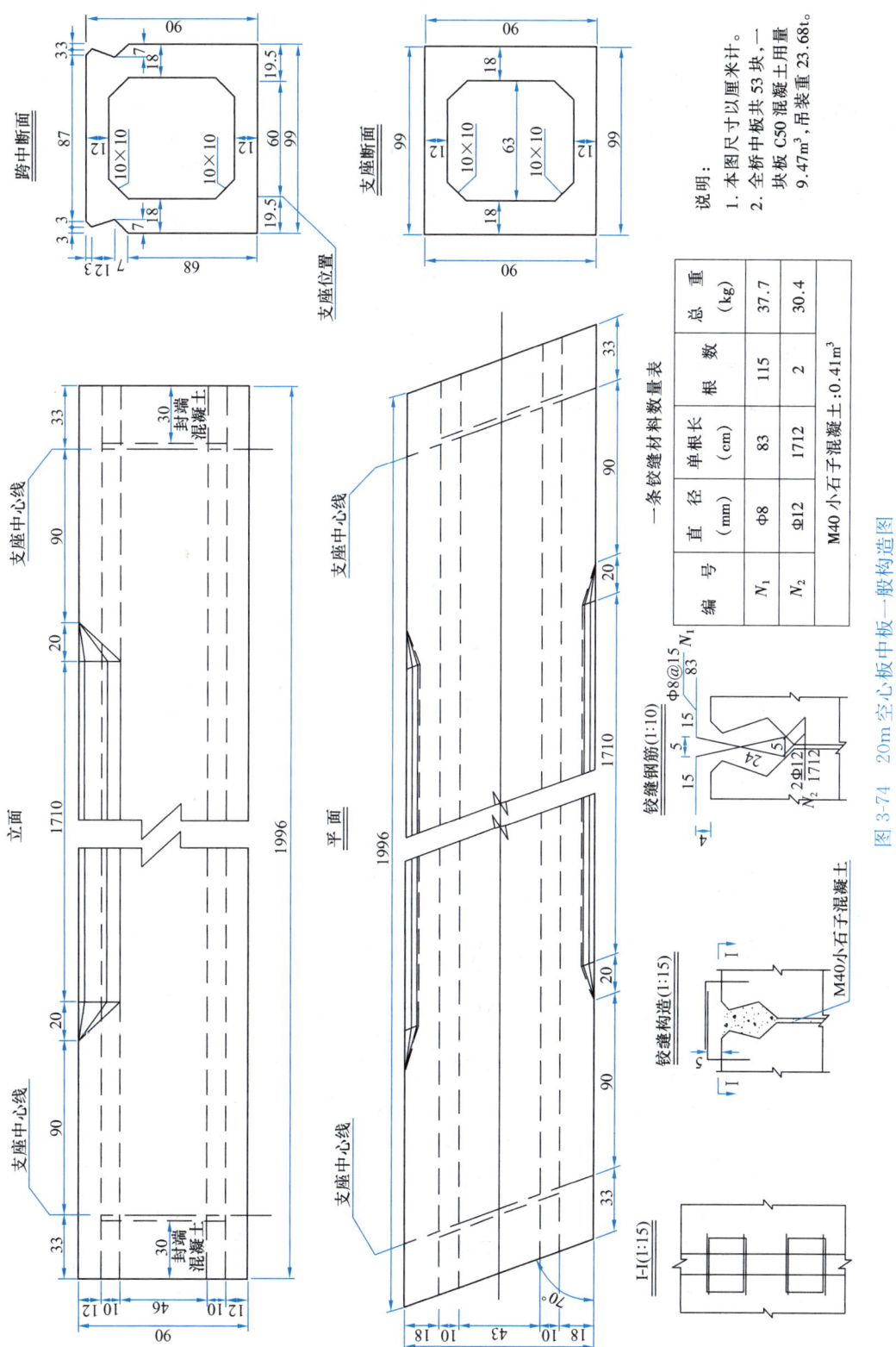

图 3-74 20m 空心板中板一般构造图

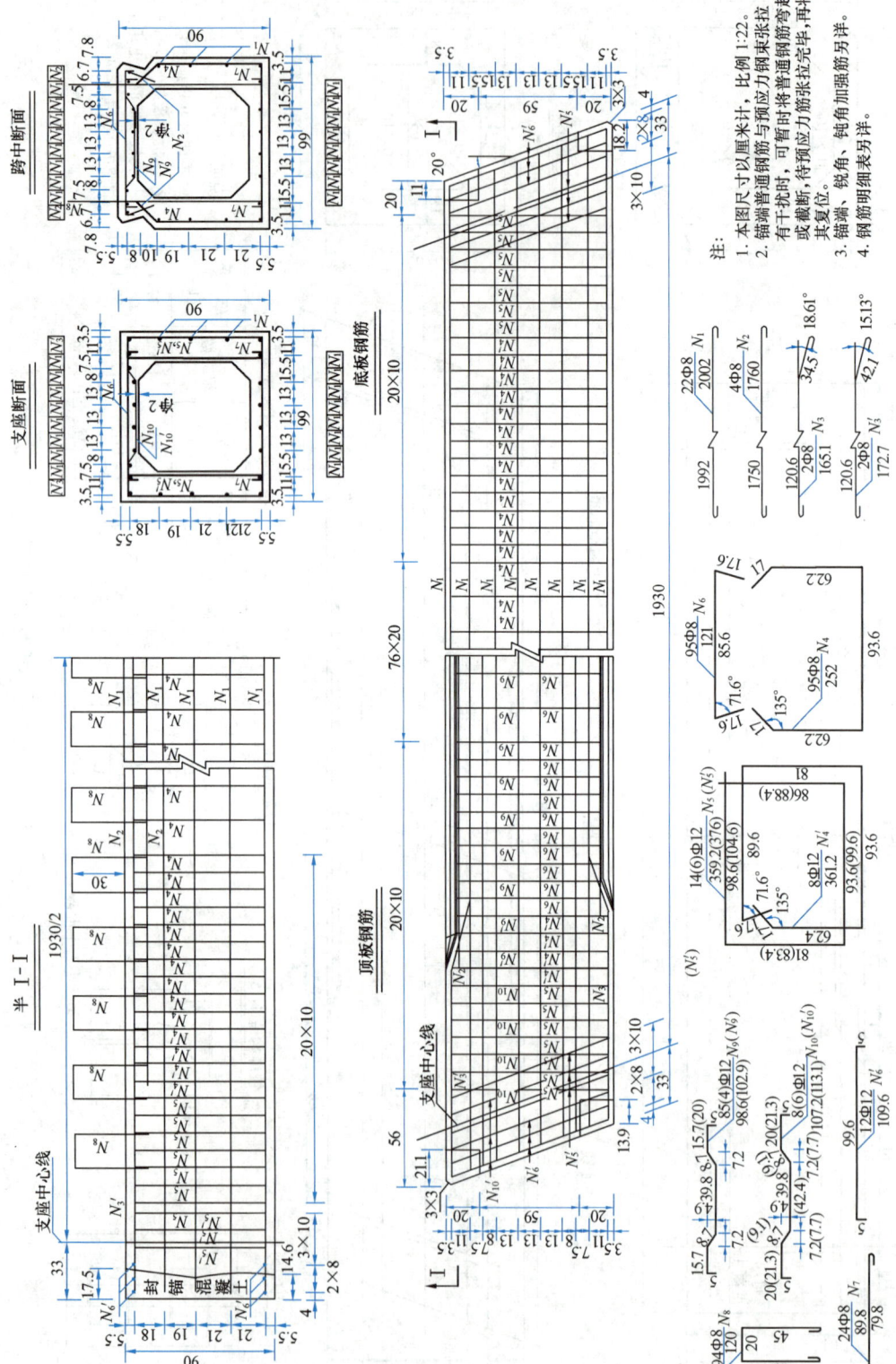

图 3-75 20m 空心板中普通钢筋构造图（一）

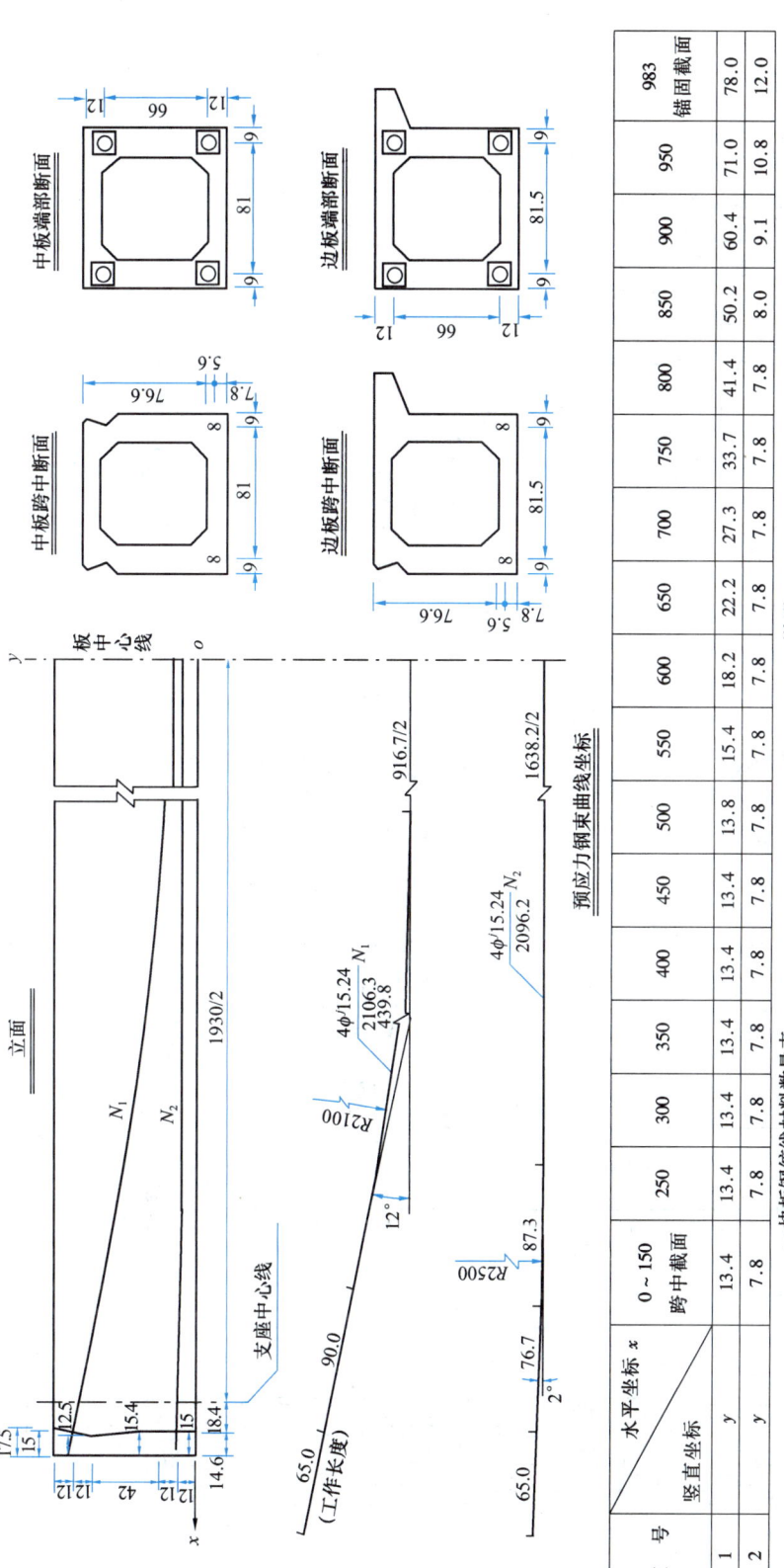

图 3-75 20m 空心板预应力钢束构造图（二）

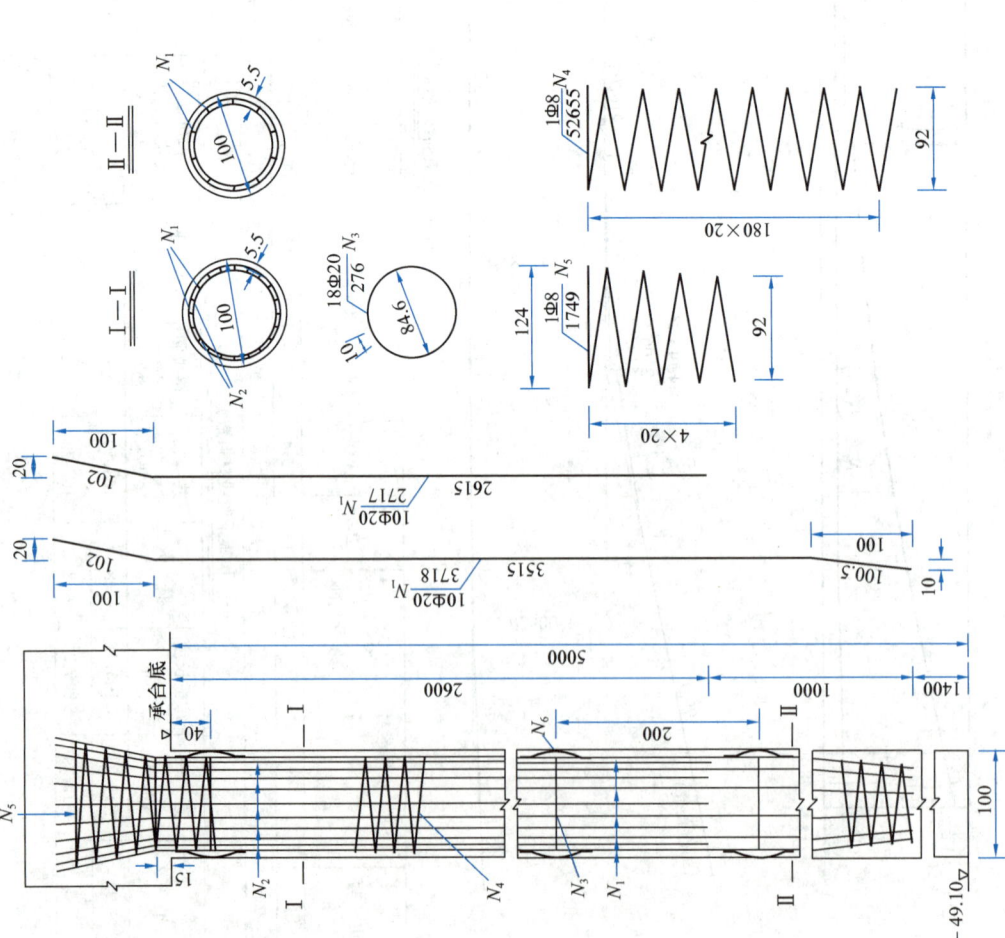

图 3-76 灌注桩配筋图

(3) 分别阅读构件图和大样图,搞清楚构件的构造及其钢筋的布置情况。

(4) 了解桥梁各部分所使用的建筑材料,并阅读工程数量表、钢筋明细表及其说明等内容。

(5) 看懂桥梁图后,再详细看尺寸,进行复核,检查读图中有无错误或遗漏。

第4章 桥梁工程施工

桥梁的施工程序为：施工准备工作和桥位放样──→下部结构施工──→上部结构施工。

(1) 施工准备工作和桥位放样，包括熟悉设计文件、施工图纸和现场调查施工条件，拟订施工方案，编制施工组织设计，以便有组织、有计划、有步骤地进行施工。成立施工管理机构并配备人员，组织劳动力、材料和施工机具设备等；桥位施工勘测，墩台中心线定位与放样等。

(2) 下部结构施工，包括墩台基础施工、墩台砌筑、支座安装和桥台锥坡施工等。

(3) 上部结构施工，包括模板制作与安装，钢筋制作与安装，混凝土浇筑，预制构件的运输和安装，桥面系和装饰等。

4.1 桥梁施工准备工作

桥梁施工准备工作包括技术准备、组织准备、物资准备和现场准备工作。

4.1.1 技术准备

技术准备是施工准备工作的核心。技术准备必须认真做好以下准备工作。

1. 图纸会审和技术交底
(1) 图纸会审
(2) 技术交底
2. 原始资料的进一步调查分析
(1) 自然条件的调查分析
(2) 技术经济条件的调查分析
3. 拟订施工方案
4. 编制施工组织设计

施工组织设计大致包括的内容有：

①编制说明；②编制依据；③工程概况和特点；④施工准备工作；⑤施工方案（含专项设计）；⑥施工进度计划；⑦工料机需要量及进场计划；⑧资金供应计划；⑨施工平面图设计；⑩施工管理机构及劳动力组织；⑪季节性施工的技术组织保证措施；⑫质量计划；⑬有关交通、航运安排；⑭公用事业管线保护方案；⑮安全措施；⑯文明施工和环境保护措施；⑰技术经济指标等。

5. 编制施工预算

4.1.2 组织准备

(1) 建立组织机构
(2) 合理设置施工班组
(3) 集结施工力量，组织劳动力进场

(4) 施工组织设计、施工计划、施工技术与安全交底
(5) 建立、健全各项管理制度

4.1.3 物资准备

(1) 工程材料，如钢材、木材、水泥、砂石等的准备。
(2) 工程施工设备的准备。
(3) 其他各种小型生产工具、小型配件等的准备。

4.1.4 现场准备

(1) 施工控制网测量
(2) 搞好"四通一平"
"四通一平"是指水通、电通、通信通、路通和平整场地。
(3) 建造临时设施
(4) 安装调试施工机具
(5) 材料的试验和储存堆放
(6) 新技术项目的试制和试验
(7) 冬期、雨期施工安排
(8) 消防、保安措施
(9) 建立、健全施工现场各项管理制度
(10) 办理同意施工的手续

4.2 桥梁基础施工

桥梁上部结构承受的各种荷载，通过桥台或桥墩传至基础，再由基础传给地基。基础是桥梁下部结构的重要组成部分，桥梁的基础施工属于桥梁下部结构施工。根据桥梁基础埋置深度分为浅基础和深基础。浅基础一般采用明挖工程，深基础有桩基础、管柱基础、沉井基础、地下连续墙基础等。本章主要介绍浅基础施工、钻孔灌注桩施工及沉井施工。

4.2.1 明挖扩大基础施工

天然地基上浅基础施工又称明挖法施工。采用明挖法施工特点是工作面大，施工简便，其施工程序和主要内容为定位放样、基坑围堰、基坑排水、基坑开挖、基底检验、基础砌筑及基坑回填。

1. 基础定位放样

基础定位放样是根据墩台的位置和尺寸将基础的平面位置与基础各部分的高程标定在地面上。放样时，首先定出桥梁的主轴线，然后定出墩台轴线，最后详细定出基础各部尺寸。基础位置确定后采用钉设龙门板或测设轴线控制桩，作为基坑开挖后各阶段施工恢复轴线的依据。

基础的尺寸由设计图纸查得为 a、b，如图4-1所示，根据土质确定放坡率与工作面等，可得到基坑顶的尺寸为：

$$A = a + 2 \times (0.5 \sim 1\text{m}) + 2 \cdot H \cdot n \tag{4-1}$$

$$B = b + 2 \times (0.5 \sim 1\text{m}) + 2 \cdot H \cdot n \tag{4-2}$$

式中 A——基坑顶的长；

B——基坑顶的宽；

H——基础底高程与地面平均高程之差；

n——边坡率。

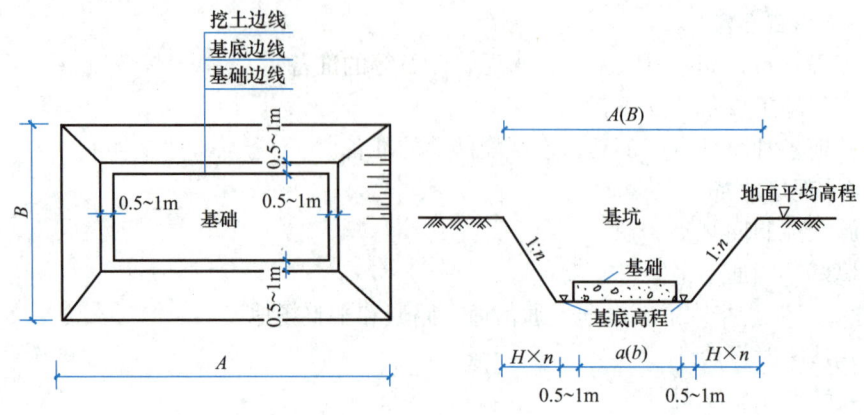

图 4-1 基坑放坡示意

2. 基坑围堰

在水中修筑基础必须防止地下水和地表水浸入基坑内，常用的防水措施是围堰法。围堰是一种临时性的挡水结构物。其方法是在基坑开挖之前，在基础范围的四周修筑一个封闭的挡水堤坝，将水挡住，然后排出堰内水，使基坑的开挖在无水或很少水的情况下进行。待工作结束后，即可拆除。

（1）围堰的一般要求

1）堰顶应高出施工期间可能出现的最高水位（包括浪高）0.5~0.7m。

2）围堰的外形应与基础的轮廓线及水流状况相适应，堰内平面尺寸应满足基础施工的需要，堰的内脚至基坑顶边缘不小于 1.0m 距离。

3）围堰要求坚固、稳定，防水严密，减少渗漏。

（2）常用围堰的形式和施工要求

1）土围堰

如图 4-2 所示，土围堰适用于河边浅滩地段和水深小于 1.5m、流速小于 0.5m/s 的渗水性较小的河床上。

土堰的构造：顶宽 1~2m，堰外迎水面边坡为 1∶2~1∶3，堰内边坡为 1∶1~1∶1.5，外侧坡面加铺草皮、柴排或草袋等加以防护。

2）土袋围堰

土袋围堰适用于水深 3.5m 以下、流速小于 2m/s 的透水性较小的河床，如图 4-3 所示。

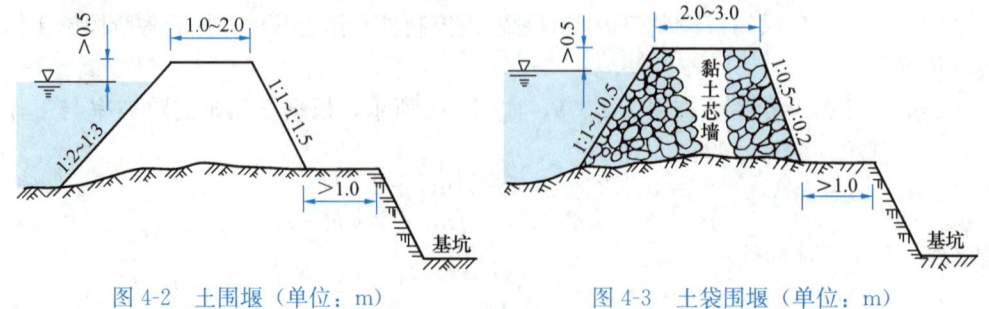

图 4-2 土围堰（单位：m） 图 4-3 土袋围堰（单位：m）

堰底处理及填筑方向与土围堰相同。土袋内应装容量1/3～1/2松散的黏土或粉质黏土。土袋可采用草包、麻袋或尼龙编织袋。叠砌土袋时,要求上下、内外相互错缝,堆码整齐。土袋围堰也可用双排土袋与中间填充黏土组成。

土袋围堰构造：顶宽2～3m,堰外边坡为1∶1.0～1∶0.5,堰内边坡为1∶0.5～1∶0.2。

3) 钢板桩围堰

钢板桩围堰适用于水深5m以上各类土质的深水基坑,如图4-4所示。

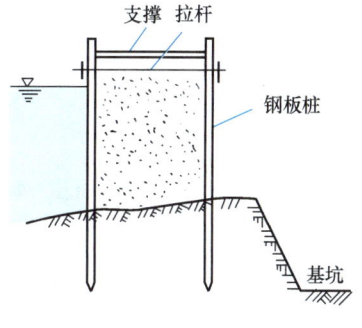

施打顺序一般由上游分两头向下游合拢,施打时宜先将钢板桩打到稳定的深度再依次打到设计深度。钢板桩需接长时,相邻两桩的接头位置应上下错开。

钢板桩可用锤击、振动或辅以射水等方法下沉,但在黏土地基中不宜使用射水。锤击时宜使用桩帽,以分布冲击力和保护桩头。

图4-4 双层钢板桩围堰

3. 基坑排水

(1) 集水坑排水

集水坑排水适用于除严重流砂以外的各种土质。它主要是用水泵将水排出坑外,排水时,泵的抽水量应大于集水坑内的渗水量。

基坑施工接近地下水位时,在坑底基础范围以外设置集水坑并沿坑底周围开挖排水沟,使渗出的水从沟流入集水坑内,排出坑外。随着基坑的挖深,集水坑也应随着加深,并低于坑底面约0.3～0.5m,集水坑宜设在上游。

(2) 井点排水法

井点排水法适用于粉、细砂或地下水位较高,挖基较深、坑壁不易稳定的土质基坑。井点的选择应根据土层的渗透系数、要求的降低水位深度以及工程特点而定。

1) 轻型井点法降低地下水位

轻型井点法是在基坑四周将井点管按一定的间距插入地下含水层内,井点管的上端通过弯联管与总管相连接,再用抽水设备将地下水从井点管内不断抽出,使地下水位降至坑底以下,保证基坑挖土施工处于干燥无水的状态下进行。

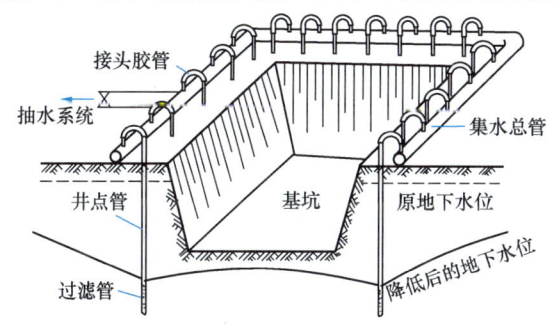

轻型井点系统的主要设备有井点设备（井点管、弯联管、集水总管）和抽水设备（真空泵、离心水泵、集水箱）。其施工程序为埋设井管、用弯联管连接井点管和集水总管、连接抽水系统、开动抽水系统抽水、拔管,如图4-5所示。

2) 井点法施工应注意事项

① 井点管距离基坑壁一般不宜小于1m,宜布置在地下水流的上游。

图4-5 井点法布置示意图

② 井点的布置应随基坑形状、大小、地质、地下水位高低与降水深度等要求可采用单排、双排、环形井点。有时为了施工需要,也可留出一段不加封闭。

③ 井点管露出地面0.2～0.3m,尽可能将滤水管埋设在透水性较好的土层中,埋深

保证地下水位降至基坑底面以下0.5~1.0m。

④ 射水冲孔深度低于滤管底1.0m，并灌粗砂至滤管以上1.0m，距地面1.5m处用黏土封口以防漏气。

⑤ 应对整个井点系统加强维护和检查，保证不间断地抽水。

⑥ 应考虑水位降低区域建筑物可能产生的沉降，做好沉降观测，必要时应采取防护措施。

⑦ 为防止在抽水过程中，因个别井点管失效而影响抽水效果，在使用时应比原来确定数增加10%。

4. 基坑开挖

(1) 不加固坑壁的开挖（放坡法）

1) 适用条件

对于在干涸无水河滩、河沟或修筑围堰后排除地面水的河沟；在地下水位低于基底，或渗水小不影响坑壁稳定；基础埋置不深，施工周期短，挖基坑时不影响邻近建筑物的安全可采用放坡开挖。

2) 开挖注意事项

① 为避免地面水冲刷坑壁，在基坑顶四周适当距离设置截水沟。

② 槽边堆土时，堆土坡脚距基坑顶边线的距离不得小于1m，堆土高度不得大于1.5m。

③ 基坑深度大于5m时，可采用二次放坡法施工，在边坡中段加设宽约0.5~1.0m的护道，如图4-6所示。

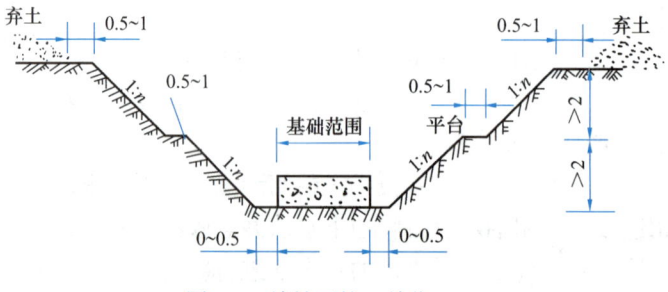

图4-6 放坡开挖（单位：m）

④ 基坑开挖在有条件的情况下，宜在枯水或少雨季节进行，开挖后应连续快速施工。

⑤ 当采用机械挖土时，挖至坑底时应保留0.2~0.3m底层，在基础浇筑圬工前用人工挖至基底高程。

⑥ 基坑开挖不得扰动基底土；如发生超挖，严禁用土回填。

⑦ 开挖后的基坑不得长期暴露、扰动或浸泡，应及时组织验槽、砌筑。

⑧ 施工时应随时观察基坑边缘顶面土有无裂缝，坑壁有无松散塌落，确保安全施工。

(2) 加固坑壁的开挖

1) 适用条件

当地下水位较高而基坑较深、坑壁土质不稳定，放坡开挖工作量大，施工影响邻近建筑物的安全，可将基坑的坑壁加固后再开挖或边开挖边加固坑壁。加固坑壁的方法有：挡板支撑和喷射混凝土护壁。

2) 挡板支撑

① 垂直衬板支撑加固坑壁　在黏性土、紧密的干砂土地基中，当基坑尺寸较小，挖深不超过 2m 时，可采用图 4-7（a）的加固方法，一次挖至基底后再安装支撑。但有些黏性差的土，开挖时易坍塌，可采用图 4-7（b）的加固方法，分段下挖，随挖随撑。

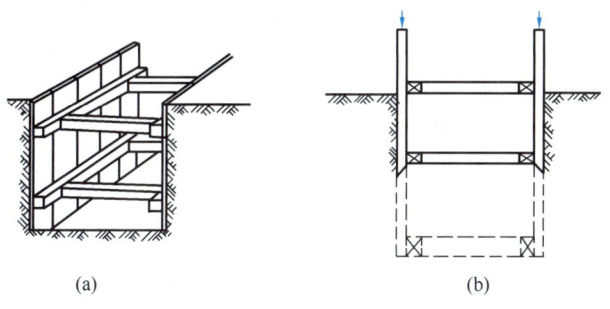

图 4-7　垂直衬板式支撑
（a）垂直衬板支撑一次完成；（b）垂直衬板支撑分段完成

② 水平衬板支撑加固坑壁　用水平衬板支撑加固坑壁要比垂直衬板加固坑壁来得简单方便。如土质的黏性较好，地基密实，可一次挖到设计标高后进行支撑加固，如图 4-8（a）所示；对于黏性较差，易坍塌的土，可分层开挖，分层支撑，最后以长立木替换短立木，如图 4-8（b）所示。

如果基坑宽度很大，无法安设支撑时，可采用锚桩式支撑，如图 4-9 所示。柱桩采用螺栓拉杆连接锚桩，锚桩距柱桩 $L \geqslant H/\tan\varphi$。式中 H 为基坑开挖深度，φ 为土的内摩擦角。

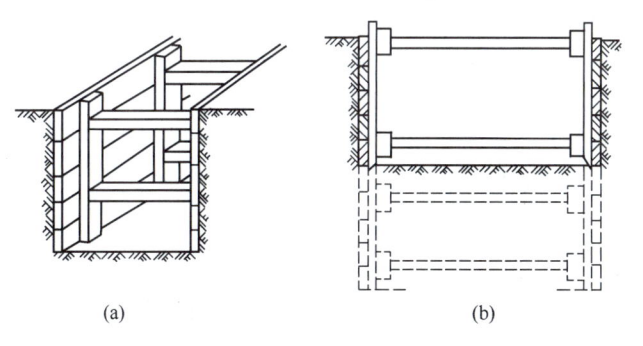

图 4-8　水平衬板式支撑　　　　　　　　　图 4-9　锚桩式支撑
（a）水平衬板支撑一次完成；（b）水平衬板支撑分段完成

3) 喷射混凝土护壁

喷射混凝土护壁施工是在基坑开挖限界内，先向下挖土 1m 左右，即用混凝土喷射机喷射一层含速凝剂的混凝土，以保护坑壁。应按设计要求逐层开挖，逐层喷护加固直至坑底。一次下挖深度，较稳定的土层可为 1m 左右，含水量大的土壁不宜超过 0.5m；对于无水少水的坑壁，喷射应由下向上进行，有渗水的坑壁，喷射则应由上向下进行，以防新喷的混凝土被水冲坏。

5. 基底检验与处理

(1) 基底检验

1) 检查基底的平面位置、尺寸和高程是否符合设计要求。

2) 检查基底的工程地质的均匀性、稳定性及承载力等。

3) 对特别复杂的地质应进行荷载试验，对大、中桥，采用触探和钻探取样做土工试验。

4) 检查开挖基坑处理施工过程中有关施工记录和试验等资料。

5) 基坑内地基承载力必须满足设计要求。基坑开挖完成后，应由五方主体单位实地验槽，确认地基承载力满足设计要求。

(2) 基底处理

经基底检查发现土质与容许承载力有问题还应进行基底处理，为土层更有效地承担荷载创造条件。

6. 基础砌筑

基础施工可分为无水砌筑、排水砌筑及水下灌筑 3 种情况，扩大基础的种类有浆砌片石、浆砌块石、片石混凝土、钢筋混凝土等几种。

(1) 浆砌块（片）石

一般要求砌块在使用前必须浇水湿润，将表面的泥土、水锈清洗干净，砌第一层砌块时，如基底为岩层或混凝土基础，应先将基底表面清洗、湿润，再坐浆砌筑。砌筑应分层进行，各层先砌筑外圈定位行列，然后砌筑里层，外圈砌石与里层砌块交错连成一体。各砌层的砌块应安放稳固，砌块间应砂浆饱满，粘结牢固，不得直接贴靠或脱空。

片石砌体宜以 2～3 层砌块组成一工作层，每层的水平缝应大致找平，各层竖缝应相互错开，不得贯通。外圈定位行列和转角石，应选择形状较为方正及尺寸较大的片石，并长短相间地与里层砌块咬接，砌缝宽度一般不应大于 4cm。较大的砌块应放在下层，石块的尖锐凸出部分应敲除。竖缝较宽时，在砂浆中塞以小石块填实。

块石砌筑时每层石料高度应大致一样，外圈定位行列和镶面石块，应丁顺相间或二顺一丁排列，砌缝宽度不大于 3cm，上下层竖缝错开距离不小于 8cm。

(2) 加石混凝土和片石混凝土

混凝土中填放片石时应符合以下规定。

1) 埋放石块的数量不宜超过混凝土结构体积的 25%；当设计为片石混凝土砌体时，石块可增加为 50%～60%。

2) 应选用无裂纹、高度小于 15cm、具有抗冻性能的石块。

3) 石块的抗压强度应不小于 25MPa 及混凝土强度等级。

4) 石块应清洗干净，应在捣实的混凝土中埋入一半以上；石块应分布均匀，净距不小于 1cm，距结构侧面和顶面净距不小于 15cm，对于片石混凝土，石块净距不小于 4～6cm；石块不得挨靠钢筋或预埋体。

(3) 钢筋混凝土基础

旱地浇筑钢筋混凝土基础，应在对基底及基坑验收完成后尽快绑扎、放置钢筋；在底部放置混凝土垫块，保证钢筋的混凝土净保护层厚度，同时安放墩柱或台身钢筋的预埋部分，保证其定位准确；对全部钢筋进行检查验收，保证其根数、直径、间距、位置满足设计文件和技术规范要求时，即可浇筑混凝土。拌制好的混凝土运输至现场后，若高差不大，可直接倒入基坑内；若倾卸高度过大，为防止发生离析，应设置串筒或溜槽，槽内焊上减速钢梳，保证混凝土整体均匀运入基坑，振捣密实。浇筑应分层进行，但应连续施工，在下层混凝土开始凝结之前，应将上层混凝土灌注捣实完毕。基础全部浇筑完凝结后，要立即覆盖草袋、麻袋、稻草或砂子，并经洒水养护。养护时间：一般普通硅酸盐水泥混凝土为7d以上；矿渣水泥、火山灰质水泥或掺用塑化剂的混凝土应为14d以上。

7. 基坑回填

基坑回填应满足下列要求：

（1）基坑回填时，其结构的混凝土强度应不低于设计强度的70%；

（2）在覆土线以下的结构必须通过隐蔽工程验收；

（3）填土前抽除基坑内积水，清除淤泥及杂物等；

（4）凡淤泥、腐殖土、有机物质超过5%的垃圾土、冻土或大石块不得回填，应采用含水量适中的同类粉质黏土或砂质黏土；

（5）填土应水平分层回填压实，每层松铺厚度一般为30cm，在其含水量接近最佳含水量时压实；

（6）填土经碾压、夯实后不得有翻浆、"弹簧"现象；

（7）填土施工中，应随时检查土的含水量和密实度。

4.2.2 钻孔灌注桩基础施工

钻孔灌注桩基础施工是采用钻孔方法，在土中形成一定直径的井孔，达到设计标高后，再将钢筋骨架吊入井孔中，灌注混凝土（有地下水，是灌注水下混凝土）形成桩基础。

钻孔灌注桩具有施工设备简单、施工便利、用钢量少、承载力大等优点，故应用普遍。图4-10为旋转式钻孔灌注桩施工示意图。

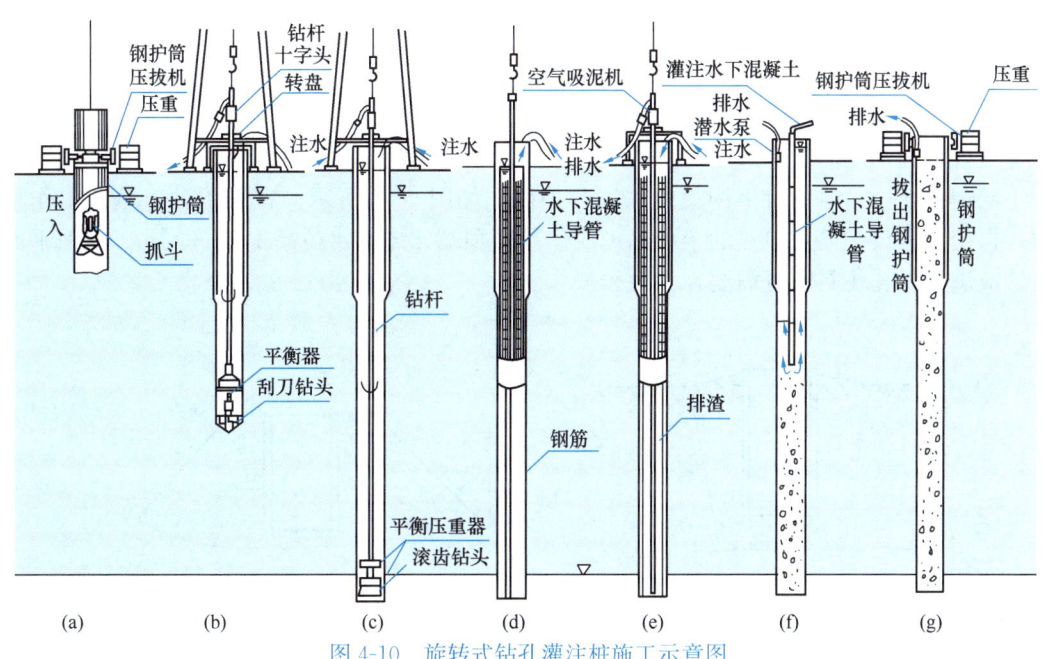

图4-10 旋转式钻孔灌注桩施工示意图

(a) 埋入钢护筒；(b) 在覆盖层中钻进；(c) 在岩中钻进；(d) 安装钢筋及水下混凝土导管；(e) 清孔；(f) 灌注水下混凝土；(g) 拔出钢护筒

1. 钻孔准备工作

（1）场地准备

（2）桩位放样

（3）埋设护筒

1）护筒的作用

① 固定桩位，并作钻孔导向。

② 保护孔口防止坍塌。

③ 隔离地表水，并保持孔内水位（泥浆）高出地下水位或施工水位一定高度，形成静水压力（水头），以保持孔壁。

2）护筒的要求

① 用钢板或钢筋混凝土制成的护筒，应坚固，轻便耐用，不漏水。

② 护筒的内径应比设计桩径稍大 200～400mm，长度应根据施工水位决定。

③ 护筒顶标高应高出地下水位和施工最高水位 1.5～2.0m，旱地应高出地面 0.3m；护筒底应低于施工最低水位 0.1～0.3m。

④ 护筒的入土深度，当河底是黏性土时为 1～1.5m，砂性土时为 3～4m。

3）护筒的埋设

护筒对成孔、成桩的质量有重要影响，埋设时，其平面位置的偏差不得大于 5cm，倾斜度的偏差不得大于 1%。

① 在旱地或岸滩设护筒（下埋设） 当地下水位在地面以下超过 1m 时，可采用挖埋法（图 4-11）。

在砂类土（粉砂，细、中砂）、砂砾等河床挖埋护筒时，先在桩位处挖出比护筒外径大 80～100cm 的圆坑。然后在坑底填筑 50cm 左右厚的黏土，分层夯实，以备安设护筒。

在黏土中挖埋时，坑的直径与上述相同，坑底与护筒底相同，坑底应整平。

护筒埋设深度，在黏性土中不少于 1.0m，在砂土中不少于 1.5m。在冰冻地区，护筒应埋入冻土层以下 0.5m。

当桩位处的地面标高与施工水位（或地下水位）的高差小于 1.5～2.0m（视钻孔方法和土层情况而定）时，宜采用填筑法安装护筒，如图 4-12 所示。宜采用黏土填筑工作场地，再挖坑埋设护筒。填筑的土台高度应使护筒顶端比施工水位高 1.5～2.0m。顶面平面尺寸应满足钻孔机具布置需要，并便于操作。

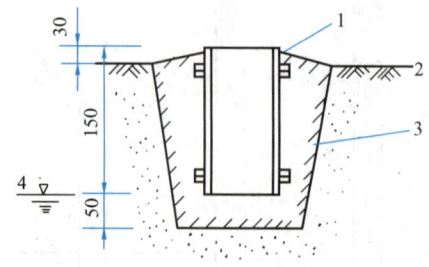

图 4-11 挖埋护筒（cm）

1—护筒；2—地面；3—夯填黏土；
4—施工水位

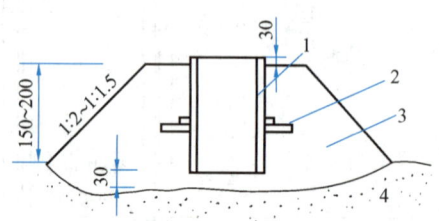

图 4-12 填筑式护筒（cm）

1—木护筒；2—井框；
3—土岛；4—砂

② 在水深小于 3m 的浅水处埋设护筒（上埋设）　一般需围堰筑岛。岛面应高出施工水位 0.5~0.7m。若岛底河床为淤泥或软土，应先挖除，如果挖除量过大，此法不经济了，宜改用长护筒，用加压、锤击或振动法将护筒沉入河底土层，其刃应尽量插入土层。插入深度，在黏土层不小于 2m，在砂土不小于 3m，然后按前述旱地埋设护筒的方法施工（图 4-13）。

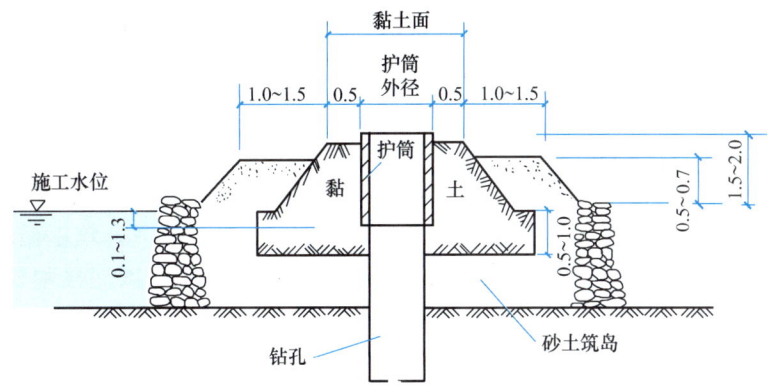

图 4-13　筑岛法定桩位（m）

③ 在水深大于 3m 的深水河床安放护筒　在水深流急的江河，因流速较大（3m/s 以上），可用钢板桩围堰工作平台，如不先设围堰，则钻孔桩基础施工十分困难。为了便于施工，常在墩位处设置围堰，使堰内的水成为静水，其钻孔桩基础在钢板桩围堰内设置工作平台进行施工。因钢板桩本身很坚固，打入河床后各板块互相扣合成整体，可抵抗水流冲刷和流水撞击。

（4）泥浆

1）泥浆的作用

① 对砂性土地基起稳定和保护孔壁防止坍塌的作用。

② 泥浆可将钻渣浮起与泥浆一起排出孔外。

③ 泥浆可以冷却、润滑钻头。

2）泥浆的要求

泥浆由水、黏土（膨润土）和添加剂按适当配合比配制而成。黏土以水化快、造浆能力强、黏度大的膨润土为好。通常采用塑性指数大于 25、粒径小于 0.005mm、黏粒含量大于 50% 的黏土。

3）泥浆的制备

采用回转钻机钻孔时，通过泥浆搅拌机成浆，储存在泥浆池内，再用泥浆泵输入钻孔内。

（5）钻架与钻机就位

钻架主要受力构件的安全系数不宜小于 3。

在钻孔过程中，成孔中心必须对准桩位中心，钻机（架）必须保持平稳，不发生位移、倾斜和沉陷。钻机（架）安装就位时，应详细测量，底座应用枕木垫实塞紧，顶端用缆风绳固定平稳，并在钻孔过程中经常检查。

2. 旋转钻进成孔

(1) 钻孔方法

利用钻具的旋转切削土体钻进,并在钻进同时使用循环泥浆的方法护壁排渣,继续钻进成孔,钻机按泥浆循环的程序不同分为正循环与反循环两种。

1) 正循环回转法　正循环是用泥浆泵将泥浆以一定压力通过空心钻杆顶部,从钻杆底部射出。底部的钻锥在回转时将土搅松成为钻渣,被泥浆悬浮,随着泥浆上升而溢出流至孔外的泥浆池,经过沉淀池中沉淀净化,再循环使用。孔壁靠水头和泥浆保护。因钻渣需靠泥浆浮悬才能随泥浆上升,故对泥浆要求较高。

2) 反循环回转法　反循环与正循环程序相反,泥浆由孔外流入孔内,而用真空泵或空气吸泥机将钻渣通过钻杆中心从钻杆顶部吸出,或将泥浆泵随同钻锥一同钻进,从孔底将泥渣吸出孔外。反循环钻杆直径宜大于127mm,故钻杆内泥水上升较正循环快得多,就是清水也可把钻渣带上钻杆顶端流入泥浆池,净化后循环使用。因泥浆主要起护壁作用,其质量要求可降低,但如果钻深孔或易坍塌土层,则仍需用高质量的泥浆。

(2) 钻孔应注意事项

1) 钻孔过程中,始终保持孔内外既定的水位差和泥浆浓度,以起到护壁作用,防止坍孔。

2) 钻孔宜一气呵成,不宜中途停钻以避免坍孔。

3) 在钻孔过程中,应根据土质等情况控制钻进速度,开钻时均应慢速钻进。

4) 钻孔过程中应加强对桩位、成孔情况的检查工作。终孔时应对桩位、孔径、形状、深度、倾斜度及孔底土质等情况进行检查,合格后立即清孔,吊放钢筋笼,灌注混凝土。

3. 清孔

(1) 清孔目的

钻孔过程中必有一部分泥浆和钻渣沉于孔底,必须将这些沉积物清除干净,才能使灌注的混凝土与地层或岩层紧密结合,保证桩的设计承载能力。清孔方法有三种。

(2) 清孔方法

正反循环旋转钻机可在钻孔完成后不停钻、不进尺,继续循环换浆清渣直至达到清理泥浆的要求,适用于各类土的摩擦桩。

清孔时要注意避免发生坍孔事故,必须保证孔内的静水压力大于孔外的水头压力。

4. 安放钢筋笼

安放钢筋笼前需测孔深与孔径,安放时,注意对准桩位中心,轻轻下落,并防止碰撞孔壁。为保证灌注混凝土时钢筋笼四周有足够的保护层,可沿护筒顶面四周悬挂几根钢管,其长度为钢筋笼长度的一半。骨架顶端应设置吊环。钢筋骨架下到设计高程后,检查钢筋骨架的顶面与底面标高,顶部采取相应措施反压,并固定在孔口,防止在混凝土灌注过程中产生上浮,立即灌注水下混凝土。

5. 水下混凝土灌注

(1) 灌注方法

导管法的施工过程如图4-14所示。

将导管居中插入到离孔底0.3～0.5m(不能插入孔底沉积的泥浆中),导管上口接漏斗,在接口处设隔水球,以隔绝混凝土与管内水的接触。在漏斗中存备足够的混凝土,放开隔水球，存备的混凝土通过隔水球向孔底猛落，这时孔内水位骤涨外溢，说明混凝土已灌入孔内。若落下有足够数量的混凝土，则将导管内水全部压出，并使导管下口埋入孔内混凝土内 1m 深，保证钻孔内的水不可能重新流入导管。随着混凝土不断通过漏斗、导管灌入钻孔，钻孔内初期灌注的混凝土及其上面的水泥浆或泥浆不断被顶拖升高，相应地不断提升导管和拆除导管，直到钻孔内混凝土灌注完毕。

导管的分节长度应便于拆装与搬运，一般为 1～2m，最下面一节导管应较长，一般为 3～4m。导管两端用法兰盘及螺栓连接，并垫橡皮圈以保证接头不漏水。

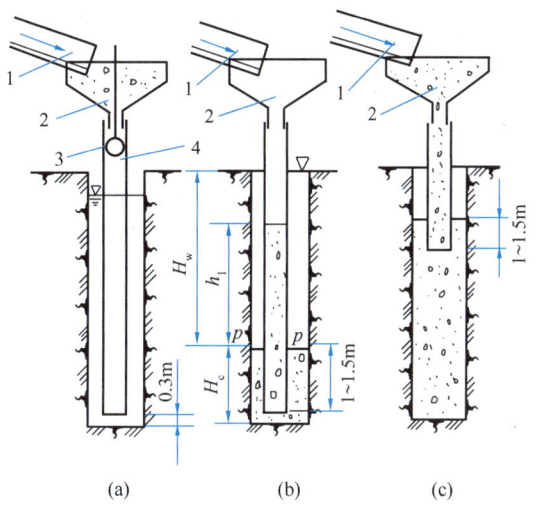

图 4-14 灌注水下混凝土
1—通混凝土储料槽；2—漏斗；3—隔水球；4—导管

为了首批灌注的混凝土数量能保证将导管内的水全部压出并满足导管初次埋入深度的需要，应计算漏斗应有的最小容量而确定漏斗的尺寸大小。漏斗和储料槽最小容量（m³）可参照图 4-14 和式（4-3）：

$$V = h_1 \cdot \frac{\pi d^2}{4} + H_c \cdot \frac{\pi D^2}{4} \tag{4-3}$$

式中　V——首批混凝土的最小储量或储料斗，m³；
　　　H_c——导管初次埋深加上开始时导管离孔底的间距，m；
　　　h_1——孔内混凝土高度达 H_c 时，导管内混凝土柱与导管外水压平衡所需高度，m；
　　　d、D——导管、钻孔桩直径，m。

h_1 的计算公式：
$$h_1 = \frac{H_w \gamma_w}{\gamma_c} \tag{4-4}$$

式中　H_w——孔内混凝土面至孔内水面的距离，m；
　　　γ_w、γ_c——孔内水或泥浆、混凝土密度（混凝土密度取 2.4t/m³），t/m³。

漏斗顶端应比桩顶（桩顶在水面以下时应比水面）高出至少 3m，以保证灌注混凝土最后阶段时，管内混凝土能满足顶出桩管外混凝土及其上的水泥或泥浆质量的需要。

（2）对混凝土材料的要求

水下混凝土常用的强度等级为 C20～C25。为了保证质量，混凝土的配合比应按设计强度的混凝土强度提高 10%～20% 进行设计，混凝土应有必要的流动性，坍落度宜为 18～22cm，水泥的强度等级不应低于 42.5 级，每立方米混凝土水泥用量不得少于 350kg，水灰比宜采用 0.5～0.6，含砂率宜采用 0.4～0.5，使混凝土有较好的和易性；为防卡管，石料尽可能采用卵石，适宜粒径为 5～30mm，最大粒径不应超过 40mm。

（3）灌注水下混凝土应注意的问题

1）首批灌注混凝土的初凝时间不得早于灌注桩全部混凝土灌注完成时间。首批混凝土的数量应能满足导管埋置深度不小于1.0m和充填导管底部的需要。

2）灌注应连续进行,一气呵成,严禁中途停工。水下混凝土严禁有夹层和松散层。

3）后续混凝土要徐徐灌入,以免在导管内形成高压气囊,挤出管节间的橡皮垫,而使导管漏水。

4）在灌注过程中应经常用测深锤或超声波测深,导管的埋置深度宜控制在2～6m。防止导管提升过猛,管底提离混凝土面或埋入过浅,而使导管内进水造成断桩夹泥,也要防止导管埋入过深,而造成导管内混凝土压不出或导管被混凝土埋住而不能提升,导致终止浇灌而断柱。

5）提升导管时要保持其轴线竖直和位置居中,逐步提升,拆除导管的动作还要快。

6）为了防止钢筋骨架上浮,当灌注的混凝土顶面距钢筋骨架底部1m左右时,应降低混凝土的灌注速度。当混凝土上升到骨架底部4m以上时,提升导管,使其底口高于骨架底部2m以上再恢复正常的灌注速度。

7）为了确保桩顶质量,灌注的桩顶标高应比设计高出0.5～1.0m,待混凝土凝结前,凿挖除多余的桩头,但应保留10～20cm,以待随后修凿,浇筑承台。

8）灌注混凝土将结束时,因导管内混凝土超压力降低,混凝土上升困难,可加水稀释泥浆。在拔最后一节导管时,提升必须缓慢,以防止桩顶沉淀的泥浆挤入导管形成泥芯。

9）在灌注混凝土时,每根桩应制作不少于2组的混凝土试件块。

10）及时记录混凝土灌注的时间、混凝土面的深度、导管埋深等。灌注中如果发生故障,应及时查明原因,合理确定方案,及时进行处理。

4.3 桥梁墩台施工

4.3.1 混凝土墩台、石砌墩台施工

1. 就地浇筑混凝土墩台施工

就地浇筑的混凝土墩台施工有两个主要工序:一是制作与安装墩台模板;二是混凝土浇筑。

(1) 墩台模板

模板一般用木材、钢料或其他符合设计要求的材料制成。对于大量或定型的混凝土结构物,则多采用钢模板。

常用的模板类型有拼装式模板、整体吊装模板、组合型钢模板及滑动钢模板等。

模板安装前应对模板尺寸进行检查;安装时要坚实牢固,以免振捣混凝土时引起跑模漏浆;安装位置要符合结构设计要求。

(2) 混凝土浇筑施工要求

墩台身混凝土施工前,应将基础顶面冲洗干净,凿除表面浮浆,整修连接钢筋。灌注混凝土时,应经常检查模板、钢筋及预埋件的位置和保护层的尺寸,确保位置正确,不发生变形。混凝土施工中,应切实保证混凝土的配合比、水灰比和坍落度等技术性能指标满足规范要求。

1）混凝土的运送

混凝土运输可采用水平和垂直运输。如混凝土的数量大，浇筑振捣速度快时，可采用混凝土的皮带运输机或混凝土的输送泵。皮带运输机速度应不大于1.0~1.2m/s，其最大倾角：当混凝土坍落度小于40mm时，向上传送为18°，向下传送为12°；当混凝土坍落度为40~80mm时，则分别为15°与10°。

2）混凝土浇筑

为防止墩台基础第一层混凝土中的水分被基底吸收或基底水分渗入混凝土，对墩台基底处理除应符合天然地基的有关规定外，还应满足以下要求。

① 基底为非黏性土或干土时，应将其湿润。

② 如为过湿土时，应在基底设计高程下夯填一层10~15cm厚片石或碎（卵）石层。

③ 基底面为岩石时，应加以润湿，铺一层厚2~3cm水泥砂浆，然后于水泥砂浆凝结前浇筑第一层混凝土。

墩台身钢筋的绑扎应和混凝土的灌注配合进行。在配置第一层竖向钢筋时，应有不同的长度，同一断面的钢筋接头应符合施工规范的规定，水平钢筋的接头，也应内外、上下互相错开。钢筋保护层的净厚度，应符合设计要求。如无设计要求时，则可取墩台身受力钢筋的净保护层不小于30mm，承台基础受力钢筋的净保护层不小于35mm。墩台身混凝土宜一次连续灌注，否则应按桥涵施工规范的要求，处理好连接缝。墩台身混凝土未达到终凝前，不得泡水。

2. 石砌墩台施工

石砌墩台具有就地取材、经久耐用等优点。在石料丰富地区建造墩台时，在施工期限许可的条件下，为节约水泥，应优先考虑石砌墩台方案。

（1）石料、砂浆与脚手架

石砌墩台是用片石、块石及粗料石以水泥砂浆砌筑的，石料与砂浆的规格要符合有关规定。脚手架一般常用固定式轻型脚手架（适用于6m以上的墩台）、简易活动脚手架（用于25m以下的墩台）以及悬吊式脚手架（用于较高的墩台）。

（2）墩台砌筑施工要点

在砌筑前应按设计图放出实样，挂线砌筑。砌筑基础的第一层砌块时，如基底为土质，只在已砌石块的侧面铺上砂浆即可，不需坐浆；如基底为石质，应将其表面清洗、润湿后，先坐浆再砌筑。砌筑斜面墩台时，斜面应逐层放坡，以保证规定的坡度。砌块间用砂浆粘结并保持一定的缝厚，所有砌缝要求砂浆饱满。形状比较复杂的工程，应先做出配料设计，如图4-15所示，注明块石尺寸；形状比较简单的，也要根据砌体高度、尺寸、错缝等，先行放样配好石料再砌。

砌筑方法：同一层石料及水平灰缝的厚度要均匀一致，每层按水平砌筑，丁顺相间，砌石灰缝互相垂直。砌石顺序为先角石，再镶面，后填腹。填腹时的分层厚度应与镶面相同。圆端、尖端及转角形砌体的砌石顺序，应自顶点开始，按丁顺排列接砌镶面石。圆端形桥墩的圆端顶点不得有垂直灰缝，砌石应从顶端开始先砌石块，然后应丁顺相间排列，安砌四周镶面石。

（3）墩台顶帽施工

墩台顶帽施工的主要工序为：墩台帽放样，墩台帽模板，钢筋和支座垫板的安设。

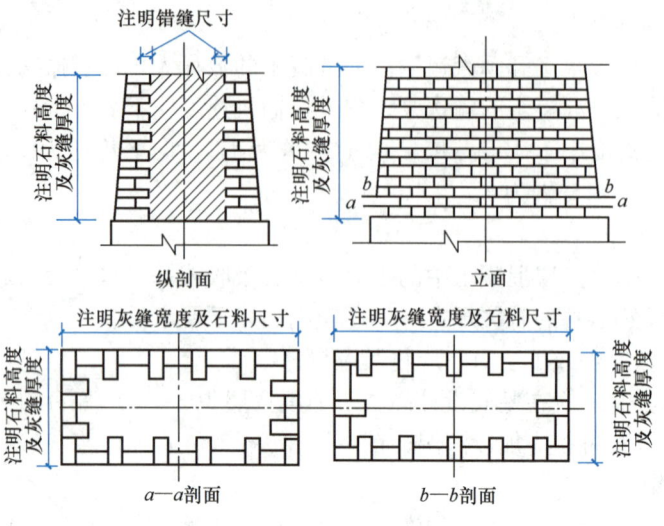

图 4-15 桥墩配料大样图

1）墩台帽放样

墩台混凝土（或砌石）灌注至离墩台帽 30～50cm 高度时，即需测出墩台纵横中心线，并开始竖立墩台帽模板、安装锚栓孔或安装预埋支座垫板、绑扎钢筋等。墩台帽放样时，应注意不要以基础中心线作为台帽背墙线，浇筑前应反复核实，以确保墩台帽中心、支座垫石等位置方向与水平高程等不出差错。

2）墩台帽模板

墩台帽是支撑上部结构的重要部分，其尺寸位置和水平高程的准确度要求较严，浇筑混凝土应从墩台帽下 30～50cm 处至墩台帽顶面一次浇筑，以保证墩台帽底有足够厚度的紧密混凝土。图 4-16 所示为混凝土桥墩墩台帽模板图，墩台帽模板下面的一根拉杆可利用墩台帽下层的分布钢筋，以节省铁件。墩台帽背墙模板应特别注意纵向支撑或拉条的刚度，防止浇筑混凝土时发生鼓肚，侵占梁端空间。

3）钢筋和支座垫板的安设

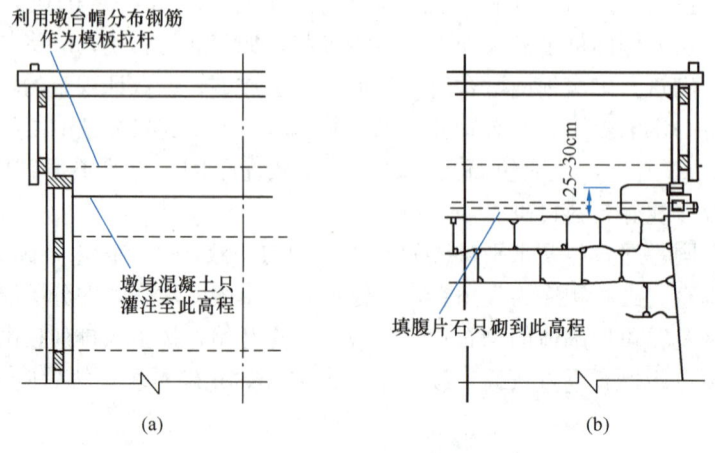

图 4-16 桥墩墩台帽模板
（a）混凝土桥墩墩台帽模板；（b）石砌桥墩墩台帽模板

墩台帽上的支座垫板的安设一般采用预埋支座和预留锚栓孔的方法。前者需在绑扎墩台帽和支座垫石钢筋时，将焊有锚固钢筋的钢垫板安设在支座的准确位置上，即将锚固钢筋和墩台帽骨架钢筋焊接固定，同时用木架将钢垫板固定在墩台帽上。此法在施工时垫板位置不易准确，应经常校正。后者需在安装墩台帽模板时，安装好预留孔模板，在绑扎钢筋时注意将锚栓孔位置留出。此法安装支座施工方便，支座垫板位置准确。

4.3.2 桥台附属工程施工

1. 锥坡施工

（1）石砌锥坡、护坡和河床铺砌层等工程，必须在坡面或基面夯实、整平后，方可开始铺砌，以保证护坡稳定。

（2）护坡基础与坡角的连接面应与护坡坡度垂直，以防坡角滑走。片石护坡的外露面和坡顶、边口，应选用较大、较平整并略加修凿的块石铺砌。

（3）砌石时拉线要张紧，砌面要平顺，护坡片石背后应按规定做碎石倒滤层，防止锥体土方被水冲蚀变形。护坡与路肩或地面的连接必须平顺，以利排水，并避免背后冲刷或渗透坍塌。

（4）锥体填土应按设计高程及坡度填足。砌筑片石厚度不够时再将土挖去。不允许填土不足，临时边砌石边填土。锥坡拉线放样时，坡顶应预先放高 2~4cm，使锥坡随同锥体填土沉降后，坡度仍符合设计规定。

（5）锥坡、护坡及拱上等各项填土，宜采用透水性土，不得采用含有泥草、腐殖物或冻土块的土。填土应在接近最佳含水量的情况下分层填筑和夯实，每层厚度不得超过0.30m，密实度应达到路基规范要求。

（6）在大孔土地区，应检查锥体基底及其附近有无陷穴，并彻底进行处理，保证锥体稳定。

（7）干砌片石锥坡，用小石子砂浆勾缝时，应尽可能在片石护坡砌筑完成后间隔一段时间，待锥体基本稳定再进行勾缝，以减少灰缝开裂。

砌体勾缝除设计有规定外，一般可采用凸缝或平缝。浆砌砌体应在砂浆初凝后，覆盖养护 7~14 天。养护期间应避免碰撞、振动和承重。

2. 台后填土要求

（1）台后填土应与桥台砌筑协调进行。填土应尽量选用渗水土，如黏土含量较少的砂质土。土的含水量要适量，在北方冰冻地区要防止冻胀。如遇软土地基，为增大土抗力，台后适当长度内的填土可采用石灰土（掺 5% 石灰）。

（2）填土应分层夯实，每层松土厚 20~30cm，一般应夯 2~3 遍，夯实后的厚度 15~20cm，使密实度达到 85%~90%，并做密实度测定。靠近台背处的填土打夯较困难时，可用木棍、拍板打紧捣实，与路基搭接处宜挖成台阶形。

（3）石砌圬工桥台台背与土接触面应涂抹两道热沥青或用石灰三合土、水泥砂浆胶泥做不透水层作为台后防水处理。

（4）对于梁式桥的轻型桥台台后填土，应在桥面完成后，在两侧平行进行。

（5）台背填土顺路线方向长度，一般应自台身起，底面不小于桥台高度加 2m，顶面不小于 2m。

3. 台后泄水盲沟施工

(1) 地下水较多时，泄水盲沟以片石、碎石或卵石等透水材料砌筑，并按坡度设置，沟底用黏土夯实。盲沟应建在下游方向，出口处应高出一般水位 0.2m。平时无水的干河沟应高出地面 0.3m。

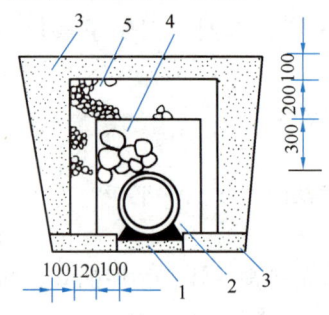

图 4-17 盲沟一般构造
1—渗水管基座；2—渗水管；3—粗砂层；4—粒径 2～3cm 卵石；5—粒径小于 2cm 卵石

(2) 如桥台在挖方内，横向无法排水时，泄水盲沟在平面上可在下游方向的锥体填土内折向桥台前端排水，在平面上呈 L 形。

(3) 地下水较大时，盲沟的一般构造如图 4-17 所示。盲沟施工时应注意以下事项。

1) 盲沟所用各种填料应洁净、无杂质，含泥量应小于 2%。

2) 各层的填料要求层次分明，填筑密实。

3) 盲沟应分段施工，当日下管填料应一次完成。

4) 盲沟滤管一般采用无砂混凝土管或有孔混凝土管，也可用短节混凝土管，但应在接头处留 1～2cm 间隙，供地下水渗入。

5) 盲沟滤管基底应用混凝土浇筑，并与滤管密贴；纵坡应均匀，粒径小于 2cm 卵石，无反向坡；管节应逐节检查，不合格者不得使用。

6) 管道安装完毕后，应将管内砂浆残渣、杂物清除干净。

4. 桥头搭板施工

桥头搭板位于桥梁端与引桥路始端相接处，为使它们顺接、防止和克服路端沉陷造成桥头"跳车"而设置。

设有钢筋混凝土桥头搭板的台后填土可用二灰碎石，至少应选用透水性好的砂性土或掺用 40%～70% 的砂石土，分层厚度 20～30cm，分层压实，压实度不小于 95%。台背填土前应进行防水处理。台后地基若为软土时，应按要求进行处理，预压时应进行沉降观测，预压沉降控制值应在搭板施工前完成。桥头搭板下的路堤可设置排水构筑物。钢筋混凝土搭板及枕梁宜采用就地现浇混凝土。

桥头搭板下应当按照设计要求做好基础，其范围应保证枕梁底处 1m 宽的襟边，向下以 1:1 放坡至 2m 深处。现浇桥头搭板基底应平整、密实，在砂土上浇筑应铺 3～5cm 厚水泥砂浆垫层。预制桥头搭板安装时应在与地梁、桥台接触面铺 2～3cm 厚水泥砂浆，搭板应安装稳固，不翘曲。预制板纵向留灌浆槽，灌浆应饱满，砂浆达到设计强度后方可铺筑路面。

4.4 钢筋混凝土桥施工

4.4.1 模板与支架工程

1. 模板与支架应符合的要求

(1) 保证结构物设计形状、尺寸及各部分相互位置的正确性；

(2) 具有足够的强度、刚度和稳定性，能可靠地承受在施工过程中可能产生的各项荷载；

(3)构造和制作力求简单,装拆方便,周转率高;

(4)模板接缝紧密,以保证混凝土在振动器强烈振动下不致漏浆,支架连接件牢靠、不松动,能承受支架以上的各项荷载。

2. 模板的种类

(1)木模

木模由模板、肋木、立柱或由模板、直枋、横枋组成(图 4-18)。模板厚度通常为 3~5cm,板宽为 15~20cm,不得过宽,以免翘曲。肋木、立柱、直枋和横枋尺寸应通过计算确定。木模的优点是容易制作。

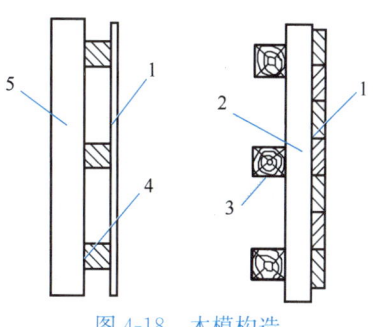

图 4-18 木模构造

1—模板;2—直枋;3—横枋;
4—肋木;5—立柱

(2)钢模

钢模大多做成大型块件,一般长 3~8m,由钢板和加劲骨架焊接组成。通常钢板厚取用 4~8mm。骨架由水平肋和竖向肋组成,肋由钢板或角钢做成,肋距 500~800mm。大型钢模块件之间用螺栓或销连接。在梁的下部,常集中布置受力钢筋或预应力索筋,必要时可在钢模板上开设天窗,以便浇筑或振捣混凝土,如图 4-19 所示。多次周转使用的钢模,在使用前可用化学方法或机械方法清扫;在浇筑混凝土前,在模板内壁要用隔离剂。

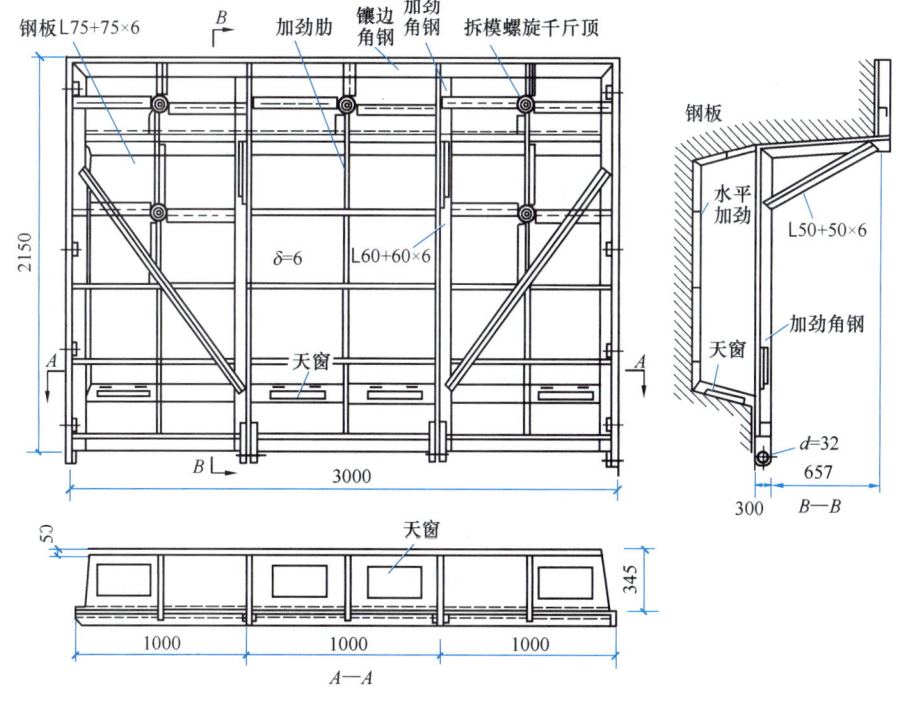

图 4-19 钢模板的主要构造(单位:mm)

钢模的优点是周转次数多,且结实耐用,拼缝严密,能经受强行振捣,浇筑时表面光滑。

3. 支架

支架的主要类型有 3 种:立柱式支架、梁式支架和梁柱结合式支架。

(1) 立柱式支架

如图 4-20（a）、（b）所示立柱式支架，主要由排架和纵梁等构件组成。其中排架由枕木或桩、立柱和盖梁组成。一般排架间距为 4m，桩的入土深度按施工设计要求设置，但是不能低于 3m。当水深大于 3m 时，桩要采用拉杆加强，还需要在纵梁下布置卸落设备。立柱式支架的特点是构造简单，主要用于城市高架桥或不通航道以及桥墩不高的小跨径桥梁施工。其构造如下。

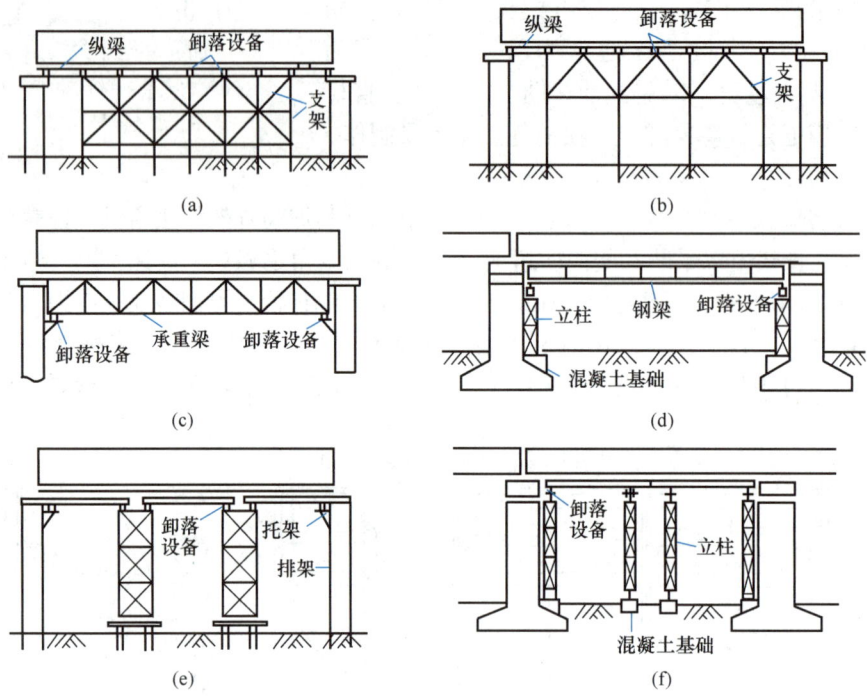

图 4-20 常用支架的主要构造示意图

1）立柱式支架还可以采用直径为 48mm、壁厚 3.5mm 的钢管搭设，水中支架需要事先设置基础、排架桩，钢管支架在排架上设置。

2）在城市里现浇高架桥，一般在平整路基上铺设碎石层或砂砾石层，在其上浇筑混凝土作为支架的基础；钢管排架纵、横向密排，下设槽钢支承钢管，钢管间距是根据高架桥的高度及现浇梁的自重、施工荷载的大小而定。

3）钢管主要由扣件接长或者搭接，上端采用可调节的槽形顶托固定纵、横木龙骨，形成立柱式支架。

4）搭设钢管支架要设置纵、横向水平杆加劲，高架桥较高时还需要加剪刀撑，水平加劲杆与剪刀撑均需要扣件与立柱钢管连成整体。排架顶高程应适当考虑设置预拱度。

5）方塔式重力支撑脚手架是一种轻型支架，需要采用焊接钢管制成的方塔，上、下均有可调底座和顶托，其高度可由标准节组拼调整，方塔间用连接杆连成整体。通过测试，每个单元塔架子安全承载力约 180kN。

6）该支架装拆方便，用钢量少，通常在高度 5m 以下的支架上使用。塔架需要架设水平加劲及剪刀加劲杆，但是，对高桥和重载桥不适宜。

(2) 梁式支架

根据高架桥的跨径不同，梁可采用工字钢、钢板梁或钢桁梁，如图 4-20（c）和图 4-20（d）所示。一般工字钢用于跨径小于 10m 的情况；钢板梁用于跨径小于 20m 的情况；钢桁梁用于跨径大于 20m 的情况。梁可以支承在墩旁支柱上，也可支承在桥墩上预留的托架或支承在桥墩处的横梁上。

(3) 梁柱结合式支架

当高架桥较高、跨径较大或必须在支架下设孔通航或排洪时，可采用梁柱结合式支架，如图 4-20（e）和图 4-20（f）所示。梁支承在桥墩、台以及临时支柱或临时墩上，形成多跨的梁柱结合式支架。

4. 支架和模板的安装

（1）支架安装前应对各种杆件的质量、尺寸、外观和轴线等进行检查。支架的支承面应抄平。支架宜采用标准化、系列化、通用化的构件拼装，应进行施工图设计，并验算其强度、刚度和稳定性。

（2）支架立柱必须安装在有足够承载力的地基上，立柱底端应设垫木来分布和传递压力，扩大上、下支承点的承载面，以减少支架下沉量和模板变形，保证浇筑混凝土后不发生超过允许的沉降量。

（3）支架结构应满足立模高程的调整要求。按设计高程和施工预拱度立模。

（4）承重部位的支架和模板，必要时应在立模后预压，消除非弹性变形和基础沉降。支架预压应参照现行规范《钢管满堂支架预压技术规程》JGJ/T 194—2009，预压重力相当于以后所浇筑混凝土的重力。当结构分层浇筑混凝土时，预压重力可取所浇混凝土质量的 80%。

（5）相互连接的模板，模板面要对齐，连接螺栓不要一次锁紧到位，整体检查模板线形，发现偏差及时调整后再锁紧连接螺栓，固定好支撑杆件。

（6）模板连接缝间隙大于 2cm 时，应用灰膏类填缝或贴胶带密封。预应力管道锚具处空隙大时，用海绵泡沫填塞，防止漏浆。

（7）为加强支架纵、横向的刚度和稳定性，立柱在两个互相垂直的方向要设水平撑杆和斜撑，斜撑与水平交角不大于 45°。一般立柱高度在 5m 左右时水平横撑不得少于两道，并应在横撑间加双向剪刀撑（十字撑）。在支架的转角、端头和纵向每 30m 左右均应设剪刀撑。剪刀撑要从顶到底连续布设，最后一对必须落地。

（8）遇 6 级以上大风时应停止施工作业。

5. 简支梁预拱度的施工

（1）确定预拱度时应考虑的因素

在支架上浇筑梁式上部构造时、在施工时和卸架后，上部构造要发生一定的下沉和产生一定的挠度。因此，为使上部构造在卸架后能满意地获得设计规定的外形，需在施工时设置一定数值的预拱度。在确定预拱度时应考虑下列因素。

1）卸架后上部构造本身及一半活载所产生的竖向挠度 δ_1。
2）支架在荷载作用下的弹性压缩 δ_2。
3）支架在荷载作用下的非弹性变形 δ_3。
4）支架基底在荷载作用下的非弹性沉陷 δ_4。

5) 由混凝土收缩及温度变化而引起的挠度 δ_5。

(2) 预拱度的设置

根据梁的拱度和支架的变形所计算出来的预拱度之和，为预拱度的最高值，应设置在梁的跨梁中点。其他各点的预拱度，应以中间点为最高值，以梁的两端为零，按直线或二次抛物线比例进行分配。

4.4.2 钢筋工程

钢筋加工工序多，包括钢筋调直、切断、除锈、弯制、焊接或绑扎成型等，而且钢筋的规格和型号尺寸也比较多。鉴于保证钢筋的加工质量和布置需要，钢筋进场后，应按不同钢种、等级、牌号、规格及生产厂家分批验收，确认合格后方可使用。在浇筑混凝土后再也无法检查和纠正，故必须仔细认真严格地控制钢筋加工的质量。

1. 钢筋加工

(1) 钢筋的检查

钢筋进场后，应检查出厂试验证明书。若无证明文件或钢筋质量有疑问时应做抗拉试验、冷弯试验和可焊性试验。

(2) 钢筋的调直

直径 10mm 以下 HPB300 级钢筋常卷成盘形，粗钢筋常弯成"发卡"形或出厂时截成 8~10m 长，便于运输和储存。

盘形钢筋应先放开，把它截成 30~40m 的长度，然后用人力或电动绞车拉直。拉直时对拉力要注意控制，使任一段的伸长率不超过 1‰。也可用钢筋调直机调直。

粗钢筋可放在工作台上用手锤敲直，亦可用手工扳子或自动机床矫直。整直后的粗钢筋，应挺直、无曲折，钢筋中心线的偏差不超过其全长的 1/100。

(3) 除锈去污

钢筋应具有清洁的表面，使之与混凝土间有可靠的粘结力，因此油渍、漆皮、鳞锈均应在使用前清除干净。除锈的方法可采用钢丝刷、砂盘或喷砂枪喷砂等工具除锈污，也可以将钢筋在砂堆中来回抽动以除锈去污。

(4) 钢筋的划线配料

为了使成型的钢筋符合设计要求，下料前应进行用料的设计工作，称为配料。配料应以施工图纸和库存料规格及每一根钢筋的下料长度为依据，将不同直径与不同长度的各号钢筋顺序填制配料单，按配料单进行配料，然后按型号规格分别切断弯制。

1) 钢筋下料长度计算

①弯钩增加长度计算

A. 180°弯钩（图 4-21a）

如 $\phi 20$ 以下 HPB300 级钢筋末端弯钩形状为 180°，按弯心直径不小于钢筋直径 d 的 2.5 倍，作 180°的圆弧弯曲，其平直部分的长度等于钢筋直径 3 倍。

钢筋弯曲时，内皮缩短，外皮伸长，中轴不变。弯钩长度计算公式为：

半圆弯钩全长 $\qquad 3d+\dfrac{3.5\pi d}{2}=8.5d$

半圆弯钩增加长度 $\qquad 8.5d-2.25d=6.25d$

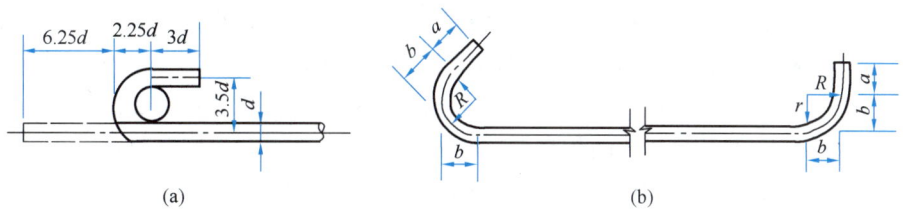

图 4-21 弯钩
(a) 半圆弯钩；(b) 90°及 135°弯钩

B. 90°及 135°弯钩（图 4-21b）

弯钩增长值的计算方法与半圆弯钩相同。90°、135°的弯钩增长度为 3.5d、4.9d。

用 HPB300 级钢筋制作的箍筋，其末端应做弯钩，弯钩的弯曲直径应大于受力主钢筋直径，且不小于箍筋直径的 2.5 倍。弯钩平直部分长度，一般结构不宜小于箍筋直径 5 倍，有抗震要求的结构，不应小于箍筋直径的 10 倍。

箍筋弯钩的形式，如设计无要求时，可按图 4-22(a)、(b)加工，有抗震要求的结构，应按图 4-22（c）加工。

② 弯曲伸长计算

钢筋弯曲后有所伸长，通常有 30°、45°、60°、90°、135°和 180°等几种，在钢筋剪断时应将延伸部分扣除，一般可做若干次试验，以求得实际的切断长度。

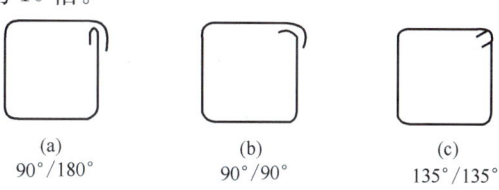

图 4-22 箍筋弯钩形式图

A. 当不用搭接时：

下料长度＝钢筋原长＋弯钩增长量－弯曲伸长量

B. 当需要搭接时（搭接焊或绑扎接头）：

下料长度＝钢筋原长＋弯钩增长量－弯曲伸长量＋搭接长度

【例 4-1】直径 φ10 光圆钢筋，弯曲形状如图 4-23 所示，试计算钢筋下料长度。

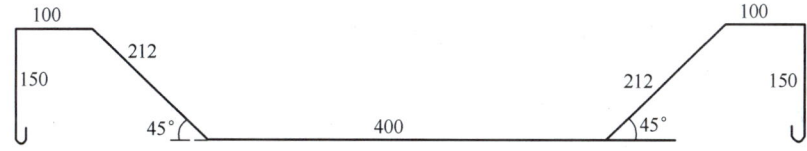

图 4-23 钢筋弯曲示意（cm）

【解】钢筋原长＝150×2＋100×2＋400＋150×1.414×2＝1748cm

2 个半圆弯钩增长量＝6.25×2×1＝12.5cm

2 个 180°弯曲伸长量＝1.5×2×1＝3cm

2 个 90°弯曲伸长量＝1.0×2×1＝2cm

4 个 45°弯曲伸长量＝0.5×4×1＝2cm

若无搭接则钢筋下料长度为：

$$L=1748+12.5-3-2-2=1753.5\text{cm}$$

2）钢筋配料注意事项

① 对于有接头的钢筋，配料时应注意使接头位置设在内力较小处，并错开布置。

② 对于焊接接头，受拉钢筋接头的截面积在同一截面内不得超过钢筋总截面积的50%。上述同一截面是指钢筋长度方向35d长度范围内，但不得小于50cm。

③ 对于绑扎搭接接头，其截面积在同一截面内受拉区不得超过钢筋总截面积的25%；受压区不得超过钢筋总截面积的50%。上述同一截面是指钢筋搭接长度范围内，绑扎接头的最小搭接长度，见表4-1。

绑扎接头最小搭接长度表　　　　　　　　　表4-1

钢筋种类	混凝土强度等级			
	C15		≥C20	
	受压	受拉	受压	受拉
HPB300钢筋	35d	25d	30d	20d
HRB335钢筋	40d	30d	35d	25d
HRB400钢筋	45d	35d	40d	30d

④ 所有接头与钢筋弯曲处应不小于10d，也不宜位于构件的最大弯钩处。

⑤ 受力钢筋同一截面内，同一根钢筋，只准有一个接头。

(5) 钢筋切断

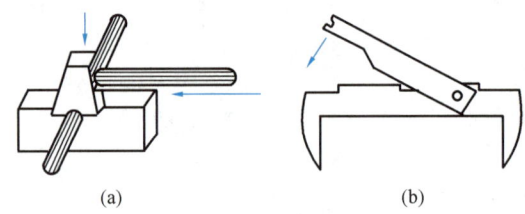

图4-24　用人工方法切断钢筋
(a) 以上下搭口切断钢筋；(b) 用剪筋刀剪钢筋

钢筋切断可依其直径的大小，用不同的人工或机械方法进行。

截切直径25mm以上的钢筋，可用钢锯锯断；10～22mm的钢筋可用上下搭口及铁锤割断（图4-24a）；10mm以下的钢筋可用电动剪切机，也可用剪筋刀剪断（图4-24b）。电动剪切机，可以截切直径40mm以下的钢筋，可一次切断数根。

2. 钢筋接长（钢筋连接）

钢筋接长的方式有闪光接触对焊、电弧焊（搭接焊、帮条焊、熔槽焊等）和绑扎搭接三种。一般多应用电焊接头，只有在没有焊接条件时，才可用绑扎接头。

(1) 连接方式

1) 闪光接触对焊

用闪光接触对焊接长钢筋，其优点是使钢筋传力性能好、省钢材、能电焊各种钢筋，避免了钢筋的拥挤，便于混凝土浇筑。故一般焊接均以采用闪光对焊为宜，如图4-25所示。闪光接触对焊系将夹紧于对焊机钳口内的钢筋，在接通电流时，以不大的压力移近钢筋两头，使其轻微接触。在移近过程中，钢筋端隙向四面喷射火花，钢筋到既定的长度值后，便将钢筋进行快速的顶煅，至此焊接过程结束。

2) 电弧焊

图4-26是电弧焊焊接过程示意图。一根导线接在被焊钢筋上，另一根导线接在夹有焊条的焊钳上。合上开关，将接触焊件接通电流，此时立即将焊条提起2～3mm，产生电弧。由于电弧最高可达4000℃，能熔化焊条和钢筋，并汇合成一条焊缝，至此焊接过程结束。

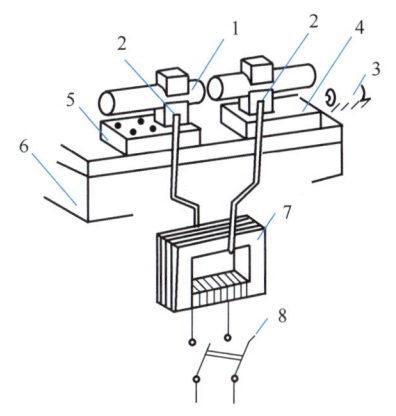
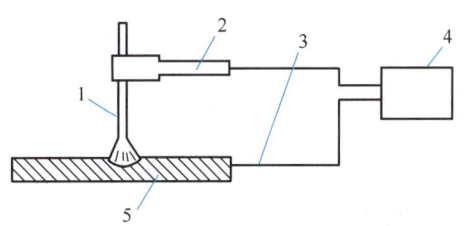

图 4-25 闪光接触对焊示意图
1—钢筋；2—电极；3—压力构件；4—活动平板；
5—固定平板；6—机身；7—变压器；8—闸刀

图 4-26 电弧焊焊接示意图
1—焊条；2—焊钳；3—导线；4—电源；
5—被焊金属

3）机械连接

钢筋机械连接是指通过连接的机械咬合作用或钢筋端面的承压作用，将一根钢筋中的力传递至另一根钢筋的连接方法。它具有接头质量稳定可靠，不受钢筋化学成分的影响，操作简便，施工速度快，且不受气候条件影响，无污染，无火灾隐患，施工安全等优点。目前推广应用的有套筒挤压连接法（通过挤压机施工）、直螺纹连接法和锥螺纹连接法等，如图 4-27～图 4-29 所示。

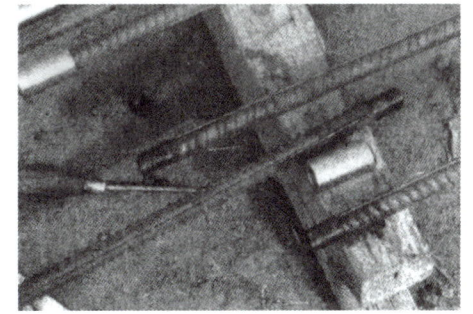

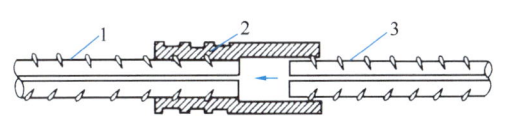

图 4-27 套筒挤压连接法
1—已挤压的钢筋；2—钢套筒；3—未挤压的钢筋

图 4-28 直螺纹连接法

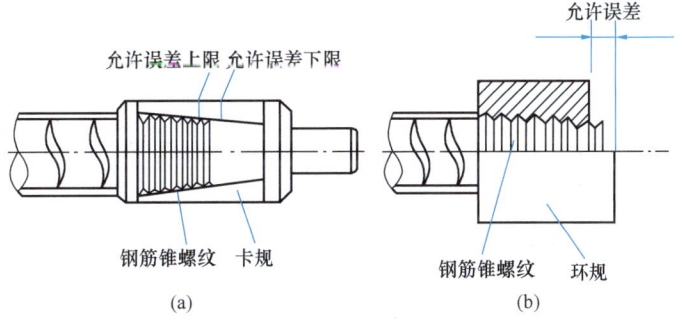

图 4-29 锥螺纹连接法

4）钢丝绑扎搭接

当没有条件采用焊接时，接头可采用钢丝绑扎搭接，绑扎应在钢筋搭接处的两端和中间至少三处用钢丝扎紧。受拉区内 HPB300 级钢筋的接头末端应做弯钩。

轴心受拉构件的接头及直径大于 25mm 的钢筋均应采用焊接，不得采用绑扎接头；冷拔钢丝的接头，只能采用绑扎，不得采用焊接接头；冷拉钢筋的焊接接头应在冷拉前焊接。

(2) 钢筋骨架的焊接

钢筋骨架的焊接应采用电弧焊，先焊成单片平面骨架，然后再将平面骨架组焊成立体骨架，使骨架有足够刚性和不变形，以便吊运。

为了防止施焊过程中骨架的变形，在施工工艺上要采取一定的措施。一般常在电焊工作台上用先点焊后跳焊（即错开焊接的次序）的方法。另外，宜采用双面焊缝使骨架的变形尽可能均匀对称。

钢筋按设计图布置就绪后，各钢筋用点焊固定相对位置，使钢筋骨架各部分不致因施焊时加热膨胀及冷却收缩而变形。

无论是点焊或电弧焊，骨架相邻部位的钢筋不能连续施焊，而应该错开焊接顺序（跳焊），如图 4-30 所示，钢筋骨架宜由中到边对称地向两端进行焊接，先下排钢筋跳焊，再焊上排钢筋。同一部位有多层钢筋时，各条焊缝也不能一次焊好，而要错开施焊。当多层钢筋直径不同时，可先焊两直径相同的，再焊直径不同的。

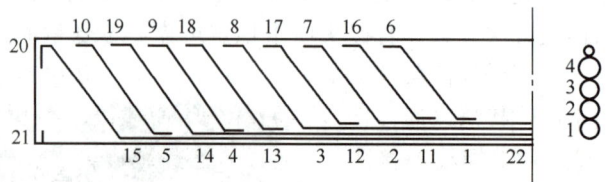

图 4-30　钢筋骨架焊接顺序

(3) 钢筋弯制成型

钢筋应按设计尺寸和形状用冷弯的方法弯制成型。

当弯制的钢筋较少时，可用人工弯筋器在成型台上弯制。

弯制大量钢筋时，宜采用电动弯筋机，能弯制直径 6～40mm 的钢筋，并可弯成各种角度。

弯制各种钢筋的第一根时，应反复修正，使其与设计尺寸和形状相符，并以此样件作标准，用以检查以后弯起的钢筋。钢筋弯曲成型后，表面不得有裂纹、鳞落或断裂等现象。

3. 钢筋的安装

对于绑扎钢筋的安装，应拟订安装顺序。一般的梁肋钢筋，先放箍筋，再安下排主筋，后装上排钢筋。在钢筋安装工作中为了保证达到设计及构造要求，应注意下列几点：

(1) 钢筋的接头应按规定要求错开布置；

(2) 钢筋的交叉点，应用钢丝绑扎结实，必要时可用点焊焊牢；

(3) 除设计有特殊要求外，梁中箍筋应与主筋垂直，箍筋弯钩的叠合处，在梁中应沿梁长方向置于上面并交错布置，在柱中应沿柱高方向交错布置；

(4) 为保证混凝土保护层厚度，应在钢筋与混凝土间错开 0.7～1.0m 设水泥浆垫块，不应贯通截面全长；

(5) 为保证与固定钢筋间的横向净距,两排钢筋间可用混凝土分隔块或短钢筋扎结固定。

4.4.3 混凝土工程

混凝土工程施工工艺：浇筑前的准备工作→混凝土的拌合→混凝土的运输→混凝土的浇筑→混凝土的振捣→混凝土的养护→混凝土的拆模。

1. 混凝土浇筑前的准备工作

(1) 检查原材料

1) 水泥

水泥进场必须有制造厂的水泥品质试验报告等合格证明文件。水泥进场后应按其品种、强度、证明文件以及出厂时间等情况分批进行检查验收,并对水泥进行反复试验。超过出厂日期三个月的水泥,应取样试验,并按其复验结果使用。对受过潮的水泥,硬块应筛除并进行试验,根据实际强度使用,一般不得用在结构工程中。已变质的水泥,不得使用。不同品种、强度等级和出厂日期的水泥应分别堆放。堆垛高度不宜超过 10 袋,离地、离墙 30cm。做到先到的先用,严禁混掺使用。

2) 砂子

混凝土用的砂子,应采用级配合理、质地坚硬、颗粒洁净、粒径小于 5mm 的天然砂,砂中有害杂质含量不得超过规范规定(一般以江砂或山砂为好)。

3) 石子

混凝土用的石子,有碎石和卵石两种,要求质地坚硬、有足够强度、表面洁净,针状、片状颗粒以及泥土、杂物等含量不得超过规范规定。粗骨料的最大粒径不得超过结构最小边尺寸的 1/4 和最小钢筋净距的 3/4;在两层或多层密布钢筋结构中,不得超过钢筋最小净距的 1/2,同时最大粒径不得超过 100mm。

4) 水

水中不得含有妨碍水泥正常硬化的有害杂质,不得含有油脂、糖类和游离酸等。pH 值小于 5 的酸性水及含硫酸盐量 SO_4^{2-} 计超过 $0.27kg/cm^3$ 的水不得使用,海水不得用于钢筋混凝土和预应力混凝土结构中。饮用水均可拌制混凝土。

(2) 检查混凝土配合比

混凝土配合比设计必须满足强度、和易性、耐久性和经济性的要求。根据设计的配合比及施工所采用的原材料,在与施工条件相同的情况下,拌合少量混凝土做试块试验,验证混凝土的强度及和易性。

上面所述的配合比均为理论配合比,其中砂、石均为干料,但在施工现场所用的材料均包含一定量的水。因此,在混凝土搅拌前,均需测定砂石的含水率,调整施工配合比。

(3) 检查模板与支架

检查模板的尺寸和形状是否正确,接缝是否紧密,支架接头、螺栓、拉杆、撑木等是否牢固,卸落设备是否符合要求;清除模板内的灰屑,并用水冲洗干净,模板内侧需涂刷隔离剂,以利于脱模,若是木模还应洒水润湿。

(4) 检查钢筋

检查钢筋的数量、尺寸、间距及保护层厚度是否符合设计要求;钢筋骨架绑扎是否牢固；预埋件和预留孔是否齐全，位置是否正确。

2. 混凝土拌合

（1）人工拌合

人工拌合混凝土是在铁板或在不渗水的拌合板上进行。拌合时先将拌合所需的砂料堆正中耙成浅沟，然后将水泥倒入沟中，干拌至颜色一致，再将石子倒入里面加水拌合，反复湿拌若干次到全部颜色一致、石子和水泥砂浆无分离和无不均匀现象为止。

（2）机械拌合

机械拌合混凝土是在搅拌机内进行。混凝土拌合前，应先测定砂石料的含水率，调整配合比，计算配料单，水泥以包为单位。

假设试验室配合比为：水泥：砂：石子$=1:x:y$

水灰比：W/C

现场测得砂含水率w_x、石子含水率w_y

则施工配合比为：水泥：砂：石子$=1:x(1+w_砂):y(1+w_y)$

水灰比W/C不变（但用水量要减去砂石中的含水量）

【例4-2】 混凝土试验室配合比为$1:2.28:4.47$，水灰比$W/C=0.63$，每立方米混凝土水泥用量$C=285$kg，现场实测砂子含水率3%，石子含水率1%，求施工配合比及每立方米混凝土各种材料用量。

【解】 施工配合比$1:x(1+w_x):y(1+w_y)=1:2.28\times(1+0.03):4.47\times(1+0.01)$

$$=1:2.35:4.51$$

按施工配合比每立方米混凝土各组成材料用量：

水泥　　　　$C'=C=285$kg

砂　　　　　$G'_砂=285\times2.35=669.75$kg

石　　　　　$G'_石=285\times4.51=1285.35$kg

用水量$W'=W-G_砂 \cdot w_x - G_石 \cdot w_y$

$$=0.63\times285-2.28\times285\times3\%-4.47\times285\times1\%$$

$$=179.55-19.49-12.74=147.32\text{kg}$$

混凝土混合料中的砂、石必须过磅，配料数量的允许偏差（以质量计）见表4-2。

配料数量允许偏差　　　表4-2

材料类别	允许偏差（%）	
	现场拌制	预制场或集中搅拌站拌制
水泥、混合材料	±2	±1
粗、细骨料	±3	±2
水、外加剂	±2	±1

混凝土拌合时，应先向鼓筒内注入用水量的2/3，然后按石子→水泥→砂子的上料顺序全部混合料倒入鼓筒，随之将余下的1/3水量注入。投入搅拌机的第一盘混凝土材料应适量增加水泥、砂和水或减少石子，以覆盖搅拌筒的内壁而不降低拌合物所需的含浆量。拌合时间一般为3min左右，以石子表面砂浆包满、混凝土颜色均匀为标准，不得有离析和泌水现象。

3. 混凝土运输

（1）基本要求

1）混凝土运输路线应尽量缩短，尽可能减少转运次数。道路应平坦，以保证车辆行驶平稳。

2）混凝土运输过程中不应发生离析、泌水和水泥浆流失现象，坍落度前后相差不得超过30%，如有离析现象，必须在浇筑前进行二次搅拌。二次搅拌时不得任意加水，可同时加水和水泥以保持原水灰比不变。如二次搅拌仍不符合要求，则不得使用。

3）运输盛器应严密坚实，要求不漏浆、不吸水，并便于装卸拌合料。

4）混凝土从拌合机内卸出后所需的运输时间不宜超过表4-3中的规定。

混凝土拌合物运输时间限制（min）　　　　　　　　　　　表4-3

气温（℃）	无搅拌设施运输	有搅拌设施运输
20～30	30	60
10～19	45	75
5～9	60	90

（2）运输工具

一般采用独轮手推车、双轮手推车、窄轨倾斗车、自动倾卸卡车、井字架起吊设备、悬臂起重机、缆索起重机、搅拌运输车和混凝土泵车（扬程高度100m、输送水平距离1000m）等。

4. 混凝土的浇筑

（1）允许间歇时间

混凝土浇筑应依照次序，逐层连续浇完，不得任意中断，并应在前层混凝土开始初凝前即将次层混凝土拌合物浇捣完毕。其允许间歇时间以混凝土还未初凝或振动器尚能顺利插入为准。

（2）工作缝的处理

当间歇时间超过表4-4所规定的数值时，应按工作缝处理，其方法如下：

浇筑混凝土允许间歇时间　　　　　　　　　　　表4-4

混凝土入模温度（℃）		20～30	10～19	5～9
允许间歇时间（h）	普通水泥	1.5	2.0	2.5
	矿渣火山灰水泥	2.0	2.5	3.0

1）需待下层混凝土强度达到1.2MPa（钢筋混凝土为2.5MPa）后方可浇筑上层混凝土。

2）在浇筑混凝土前应凿除施工缝处下层混凝土表面的水泥砂浆和松弱层，使坚实混凝土层外露并凿成毛面。

3）旧混凝土经清理干净后，用水清洗干净并排除积水。垂直接缝应刷一层净水泥浆；水平接缝应铺一层厚为1～2cm的1：2水泥砂浆。斜缝可把斜面凿毛呈台阶状，按前处理。

4）无筋构件的工作缝应加锚固钢筋或石榫。

5）对施工接缝处的混凝土，振动器离先浇混凝土 5~10cm，应仔细地加强振捣，使新旧混凝土紧密结合。施工缝的位置宜留置在结构受剪力和弯矩较小且便于施工的部位。

(3) 混凝土浇筑时的分层厚度

每层混凝土的浇筑厚度，应根据拌合能力、运输距离、浇筑速度、气温及振动器工作能力来决定，一般为 15~25cm。

(4) 混凝土的自由倾落高度

为保证混凝土在垂直浇筑过程中不发生离析现象，应遵守下列规定：

1）浇筑无筋或少筋混凝土时，混凝土拌合物的自由倾落高度不宜超过 2m。当倾落高度超过 2m 时，应用滑槽或串筒输送；当倾落高度超过 10m 时，串筒内应附设减速设备。

2）浇筑钢筋较密的混凝土时，自由倾落高度最好不超过 30cm。

3）在溜槽串筒的出料口下面，混凝土堆积高度不宜超过 1m。

(5) 斜层浇筑混凝土的方法

对于大型构造物，每小时的混凝土浇筑量相当大，使混凝土的生产能力很难适应，采用斜层浇筑混凝土的方法，可以减少浇筑层的面积，从而减少每小时的混凝土浇筑量。

(6) 分成几个单元浇筑混凝土的方法（大体积混凝土浇筑）

对于大型构造物如桥梁墩台，当其截面积超过 $100\sim150m^2$ 时，为减少混凝土每小时需要量，可把整体混凝土分成几个单元来浇筑。每个单元面积最好不小于 $50m^2$，其高度不超过 2m，上下两个单元间的垂直缝应彼此相间、互相错开约 1~1.5m。

把厚大的混凝土体分成单元，还可以防止墩台表面发生裂缝。大体积混凝土的浇筑应在一天中气温较低时进行。

(7) 片石混凝土的浇筑（混凝土墩台及基础）

为了节约水泥，可在混凝土中加片石，但加入的数量不宜超过混凝土结构体积的 25%。片石在混凝土中应均匀分布，两石块间的净距不小于 10cm，石块距模板的净距不小于 15cm。石块的最小尺寸为 15cm，石块不得接触钢筋和预埋件。石块的抗压强度不应低于 30MPa。

(8) 上部构造混凝土的浇筑

1）简支梁混凝土的浇筑

浇筑上部构造混凝土可以采用水平分层浇筑法或斜层浇筑法。

整体式简支板梁混凝土的浇筑，宜不间断地一次浇筑完毕。勿使整个上部构造浇筑完毕时，其最初浇筑的混凝土强度还不大，并仍有随同支架的沉陷而变形的可塑性。一般采用斜层浇筑法，从两端同时开始，向跨中将梁和行车道板一次浇筑完毕。

简支梁式上部构造混凝土的浇筑也可用水平层浇筑法，在所有钢筋绑扎安装之后，把上部构造分层一次浇筑完毕，浇筑时通过上部钢筋间的缝隙，从上面把混凝土浇入模板内并进行捣实。

2）悬臂梁、连续梁混凝土的浇筑

混凝土浇筑顺序从跨中向两端墩台进行，在桥墩处（刚性支点）设接缝，待支架稳定后，浇接缝混凝土。

跨径较大的，并且在满布式支架上浇筑简支梁式上部构造，以及在基底刚性不同的支架上浇筑悬臂梁式和连续梁式上部构造，其浇筑方法要选用适当，应不使浇筑的混凝土因支架沉陷不均匀，而发生裂缝。因此，必须按下列方法之一进行浇筑。

① 尽可能加速混凝土的浇筑速度，勿使全梁的混凝土浇筑完毕时，其最初浇筑的混凝土的强度还不大，仍有随同支架的沉陷而变形的可塑性。

② 浇筑前预先在支架上加以相当于全部混凝土质量的砂袋等，使其充分变形，浇筑时将预加的荷重逐渐撤去。

③ 将梁分成数段，按照适当的顺序分段浇筑。

5. 混凝土的振捣

为了使混凝土具有所需要的密实度，从而提高混凝土的强度与耐久性，应采用振动器进行捣实。

(1) 插入式振捣　用插入式振动棒插入混凝土内部振捣，适用于非薄壁构件的振捣，如实心板、墩台基础和墩台身，捣实效果比较好。振动棒插入混凝土时要垂直，不可触及模板和钢筋。振捣时快插慢拔、插点要均匀，可按并列式或交错式进行，两点间距离以1.5倍作用半径为宜，如图4-31所示。作用半径一般40～50cm。振捣上一层的混凝土时振动棒应略插入下层混凝土5～10cm以消除两层之间的接触面。与侧模应保持5～10cm的距离，以避免振动棒碰撞模板。

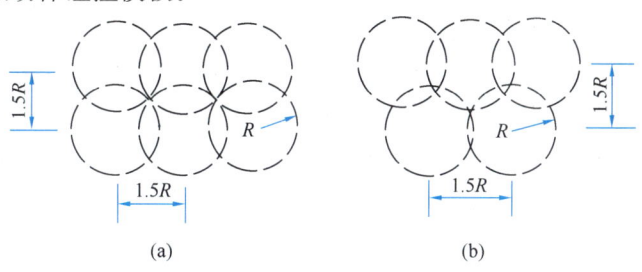

图4-31　插入式振动器移位示意

(a) 并列式；(b) 交错式

振动时间以混凝土不再下沉、气泡不再发生、水泥砂浆开始上浮、表面平整为止。插入式振动棒振捣时间约为15～30s。

延长振捣时间，并不能提高混凝土的质量；相反，过久地振捣，可能使混凝土产生离析，使混凝土发生石子下沉、灰浆上升，过多的振捣所造成的危害比振捣不足更大，尤其对塑性的、稠度较稀的混凝土更为显著。

(2) 平板式振捣　系用平板式振动器放在混凝土浇筑层的表面振捣，适用于混凝土面积较大的振捣，如实心板、空心板的底板和顶板、桥面和基础等。平板式振动器移位间距，应以使振动器平板能覆盖已振实部分10cm左右，振动时间约为20～40s。

(3) 附着式振捣　系用附着式振动器安装在模板外部振捣，适用于薄壁构件的振捣，如T形梁等。振动器的布置与构件厚度有关，当厚度小于15cm时，可两面交错布置；当厚度大于15cm时，应两面对称布置。振动器布置的间距不应大于它的作用半径。附着式振动器振捣时间约为40～60s。这种方法因系借助振动模板以振实混凝土，效果并不理想，且对模板要求很高，故一般只有在钢筋过密而无法采用插入式振动棒时方可采用。

6. 混凝土的养护

混凝土中水泥的水化作用过程，就是混凝土凝固、硬化和强度发展过程，为了保证已浇筑的混凝土有适当的硬化条件，并防止天气干燥使混凝土表面产生收缩裂缝，应对新浇筑的混凝土加以润湿养护。混凝土养护主要方法有浇水养护和喷膜养护。

（1）浇水养护

在自然温度条件下（高于+5℃），对塑性混凝土应在浇筑后12h以内，对干硬性混凝土应在浇筑后1～2h内，用湿草袋覆盖和洒水养护保持混凝土表面处于湿润状态。混凝土的浇水养护日期，随环境气温而异，在常温下，用普通水泥拌制时，不得少于7昼夜；用矾土水泥拌制时，不得少于3昼夜；用矿渣水泥、火山灰质水泥或在施工中掺用塑化剂时，不得少于14昼夜。干燥炎热天气应适当延长，气温低于5℃时，不得浇水，但需加以覆盖。

（2）喷膜养护

喷膜养护是混凝土表面喷洒1～2层塑料溶液，待溶液挥发后，在混凝土表面结合成一层塑料薄膜，使混凝土与空气隔绝，混凝土水分不再蒸发，从而完成水化作用。此养护方法适用于表面较大的混凝土及竖直面混凝土。

7. 模板与支架的拆除程序、方法和期限

模板拆除应遵循先支后拆、先拆非承重、后拆承重的顺序，自下而上进行。

非承重侧模板应在混凝土强度保证其表面及棱角不致因拆模而受损坏时方可拆除，一般应为抗压强度达到2.5MPa及以上。

芯模和预留孔道的内模，应在混凝土强度能保证其表面不发生塌陷和裂缝现象时，方可抽除。

预应力混凝土结构的承重底模，应在施加预应力后拆除。

拆除立杆（拉杆）时，要特别注意防止失稳，一般最后一道水平横撑杆要与立杆（拉杆）同时拆下。卸落支架时要设专人用仪器观测梁、拱的变形情况并做详细记录。

现浇钢筋混凝土桥落架工作，应从挠度最大处的支架上的落架设备开始向两支点进行。卸落量开始宜小以后逐渐增大，并要纵向对称、横向一致同时卸落。简支梁、连续梁宜从跨中向支座依次循环卸落；悬臂梁应先卸挂梁及悬臂的支架，再卸无铰跨内的支架。

在拆除模板及其支架以前，应将混凝土立方体进行试压，以确定所达到的强度。混凝土立方体应取自浇筑承重结构的混凝土中，并且应与承重结构处于相同的条件下进行养护。

模板及其支架的拆除期限与混凝土硬化的速度、气温及结构性质有关。钢筋混凝土结构的承重模板、支架和拱架的拆除，应符合设计要求。当设计无规定时，应符合表4-5规定。

现浇结构拆除底模时的混凝土强度　　　　　　　　　　　　　　　　表 4-5

结构类型	结构跨度（m）	按设计混凝土强度标准值的百分率（%）
板	≤2	50
	2～8	75
	>8	100

续表

结构类型	结构跨度（m）	按设计混凝土强度标准值的百分率（%）
梁、拱	≤8	75
	>8	100
悬臂构件	≤2	75
	>2	100

注：构件混凝土强度必须通过同条件养护的试件强度确定。

模板拆除时，应尽量避免对混凝土的振动，已拆除模板的结构，应在混凝土达到设计强度的100%时，才允许承受全部计算荷载。

8. 混凝土的冬期、高温期和雨期施工

（1）混凝土的冬期施工

在冬季条件下进行混凝土施工，要求混凝土强度未达到设计强度的30%~40%时不得受冻，需要采取保温措施。

试验证明，当混凝土强度达到设计强度的70%时，再受冻就没有影响了，当天气转暖后，混凝土仍可发展到正常的强度。当工地昼夜平均气温连续5d低于5℃或最低气温低于−3℃时，应按冬期施工法浇筑混凝土。

冬期混凝土宜优先选用强度等级在42.5级以上的硅酸盐水泥，普通硅酸盐水泥；水灰比一般不应大于0.45；宜选用较小的水灰比和较小的坍落度。

1）一般措施

运输时间应缩短，并减少中间倒运。减少用水量和增加混凝土拌合时间。改进运输工具，在其周围设置保温装置，减少热量损失。

2）原材料加热

一般情况是优先将水加热，水加热温度不宜高于80℃。在严寒情况下，也可将骨料加热，骨料加热温度不得高于60℃。拌合时先将水和砂石材料拌合一定时间，再加入水泥一起拌合，避免水泥和热水接触，产生"假凝现象"，拌合时间应延长50%。

混凝土拌合物入模温度不宜低于10℃。

3）掺早强剂

在混凝土中掺入一定数量的早强剂，既可加快提高混凝土的早期强度，又可降低混凝土中水的冰点，从而防止混凝土的早期冻结。

对无筋或少筋的混凝土结构可加入2%的氯化钙，对钢筋混凝土结构可加入亚硝酸钠复合剂0~1.0%。

当混凝土掺用防冻剂时，其试配强度应较设计强度提高一个等级。

4）提高养护温度

①蓄热法（暖瓶法）

在混凝土表面上覆盖稻草、锯末等保温材料，延迟混凝土热量的散失。此法宜用于不甚寒冷的气候，成本最低，使用简便。

②暖棚法

把结构物用棚子盖起来，在棚内生火炉，使温度保持在10℃左右。暖棚内应保持一定的湿度，湿度不足时，应向混凝土面及模板上洒水。

③电热法

在混凝土内埋入钢筋或钢丝,然后通电,使电能变为热能。在养护中控制温度并观测混凝土表面的湿度,出现干燥现象时应停电,并用温水润湿表面。

④蒸汽加热法

把构件放在密闭的养护室内,通以湿热蒸汽加以养护。蒸汽养护以混凝土浇筑后2h开始加温,升温速度不得超过15℃/h,养护时间为8~12h,最高温度不宜超过80℃,降温速度不得超过10℃/h。

(2) 混凝土高温期施工

混凝土高温期施工是指浇筑混凝土时的昼夜平均气温高于30℃。

1) 控制原材料温度

降低水温能有效地降低混凝土的温度。试验证明,若水温降低2℃,则能使混凝土降低0.5℃,拌制混凝土用水可采用地下水,水泥、砂、石料应遮阳防晒,以降低骨料温度。

2) 掺减水剂

掺加减水剂以减少水泥用量和提高混凝土的早期强度。减水剂的用量为水泥用量的3%。

3) 控制操作时间

混凝土的浇筑温度应控制在30℃以下,施工宜在凌晨或夜间进行,运输时尽量缩短时间,宜采用混凝土搅拌运输车,运输距离力求最短,减少拌合时间,保证以最短的时间连续浇筑完毕。

4) 注意养护

混凝土浇筑完毕后,表面宜立即覆盖塑料膜,终凝后覆盖土工布等材料,并应洒水保持湿润,洒水养护保持湿润最少7d。

(3) 混凝土雨期施工

混凝土雨期施工是指在降雨量集中的季节且易对混凝土的质量造成影响时进行的施工。

1) 避开大风大雨天浇筑混凝土。

2) 雨期施工的工作面不宜过大,应逐段、逐片分期施工。

3) 基础施工防止雨水浸泡基坑,基坑设挡水埂,基坑内设集水井,用水泵将水排出坑外。

4) 减少混凝土用水量。

5) 在浇筑点加盖雨篷防水。

6) 混凝土浇筑完毕后,及时覆盖塑料布。

7) 雷区应设置防雷措施,高耸结构应有防雷设施。露天使用的电气设备要有可靠的防漏措施,台风区要有防风措施。

8) 施工前检查和疏通现场排水系统。

9) 雨后及时清除模板和钢筋上的污物。

10) 有洪水危害时,工程应停止施工。

9. 泵送混凝土施工

泵送混凝土是在混凝土泵的推动下,沿输送管道进行运输和浇筑的坍落度不低于100mm的混凝土。泵送混凝土适用于各种大体积混凝土和连续性强、浇筑效率要求高的混凝土工程。

（1）混凝土的浇筑注意事项

混凝土浇筑应当注意事项如下：

1）当采用输送管输送混凝土时，应由远而近浇筑，可使布料、拆管和移动布料设备等不会影响先浇筑混凝土的质量。

2）同一区域的混凝土，应按先竖向结构后水平结构的顺序，分层连续浇筑。

3）当不允许留施工缝时，区域之间、上下层之间的混凝土浇筑间歇时间，不得超过混凝土初凝时间。

4）当下层混凝土初凝后，浇筑上层混凝土时，应先按留施工缝的规定处理。

5）在浇筑竖向结构混凝土时，布料设备的出口离模板内侧面不应小于50mm且不得向模板内侧面直冲布料，也不得直冲钢筋骨架，以防止混凝土离析。

6）浇筑水平结构混凝土时，不得在同一处连续布料，应在2～3m范围内水平移动布料，且宜垂直于模板布料。

（2）混凝土的浇捣

1）混凝土浇筑分层厚度，宜为300～500mm。当水平结构的混凝土浇筑厚度超过500mm时，可按1∶6～1∶10坡度分层浇筑，且上层混凝土应超前覆盖下层混凝土500mm以上。

2）振捣泵送混凝土时，振动器移动间距宜为400mm左右，振捣时间宜为15～30s，且隔20～30min后进行第二次复振。

4.4.4 装配式梁桥施工

1. 构件的起吊

装配式桥梁构件在脱底模、移运、吊装时，混凝土强度一般不低于设计强度的75%，对孔道已压浆的预应力混凝土构件，其孔道水泥浆的强度不应低于设计强度，如无设计规定时，不得低于30MPa。构件的吊环应顺直，吊绳与起吊构件的交角小于60°时，应设置吊架或扁担，尽可能使吊环垂直受力；吊移板式构件时，不得吊错上、下面，以免构件折断。

预制构件的吊环必须采用未经冷拉的HPB300热轧光圆钢筋制作，不得以其他钢筋替代。

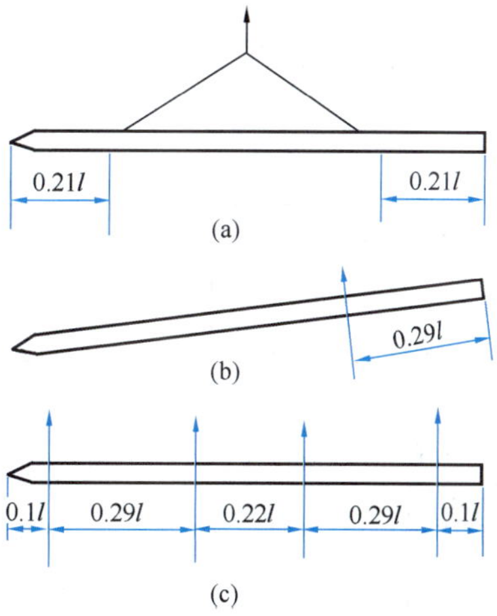

（1）吊点位置的选择

钢筋混凝土构件制作时，一般都在设计图纸上规定好吊点位置，预留吊孔或预埋吊环。当设计无规定时，应根据构件配筋情况、外形特征等慎重确定。

图4-32 桩的吊点
(a) 双吊点；(b) 单吊点；(c) 四吊点

1）细长构件

钢筋混凝土方桩等细长构件中所放的钢筋，一般钢筋对称放于四周，选择吊点时，当正、负弯矩相等时桩所受弯矩最小。吊点选择不当会使方桩产生裂缝以致断裂。根据桩长的不同，一般会有三种情况：

① 桩长在10m以下时，用单吊点（图4-32b）；

② 桩长在 11~16m 时，用双吊点或单吊点（图 4-32a、b）；

③ 桩长在 17m 以上时，用双吊点或四吊点（图 4-32a、c）。

2）一般构件

如钢筋混凝土简支梁、板等多采用两吊点。但因钢筋配置并非同方桩一样上下对称，而是上边缘稀少，下边缘密集，所以吊点位置一般均在距支点不远处，以减少起吊时构件吊点处的负弯矩。

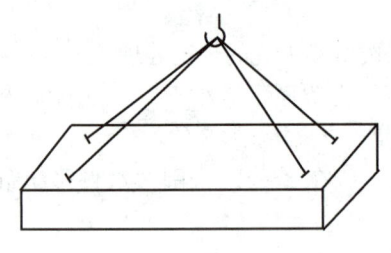

图 4-33　木块板件的吊点

3）厚大构件

尤其是平面尺寸较大的板块（如涵洞盖板），为增强吊运过程中的稳定性，防止翻身，常采用四吊点，吊点沿对角线设于交点处，如图 4-33 所示。

（2）构件绑扎

为了节约钢材及起吊方便，构件预制时常在吊点处预留吊孔以代替预埋吊环。构件起吊时，必须用千斤绳来绑扎，此时应注意：

1）绑扎方式应符合绑扎迅速、起吊安全、脱钩方便的要求；

2）绑扎处必须位于构件重心之上，防止失重；

3）千斤绳与构件棱角接触处，需用橡胶、麻袋或木块隔开，以防止构件棱角损伤和减少千斤绳的磨损。

（3）起吊方法（龙门吊机法）

如图 4-34 所示。

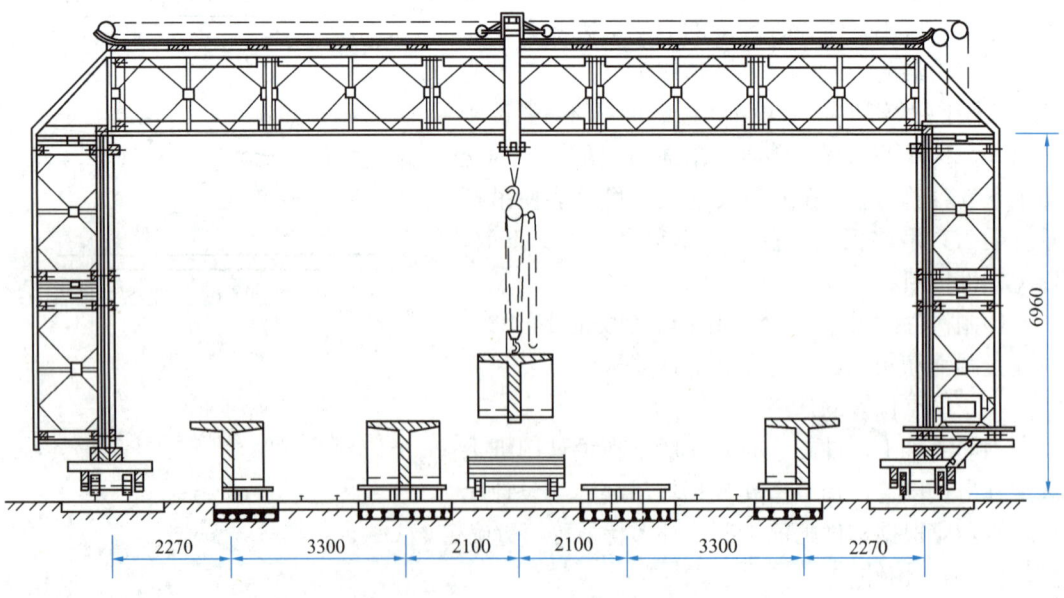

图 4-34　贝雷片组拼龙门吊机

2. 构件运输（汽车运输）

把构件吊装在拖车或平台拖车上，由汽车牵引，运往桥位。拖车仅能运 10m 以下的预制梁；平台拖车可运 20m 的 T 形梁。一般构件应顺宽度方向侧立放置，并应有防止其倾倒的固定措施，如必须平放时，在吊点处必须设支垫方木；桁架和大梁应顺高度方向竖立放置，如有特制的固定梁，将构件绑扎牢固。当车短而构件长时，外悬部分可能超过允许的外悬长度，应在预制前核算其负弯矩值，必要时在构件预制时，增加抵抗负弯矩的钢筋，以防运输时顶面开裂。运输构件的车辆应低速行驶，尽量避免道路的颠簸。

3. 构件安装

（1）旱地架梁

1）自行式吊车架梁

临岸或陆地桥墩的简支梁，场内又可设置行车通道的情况下，用自行式吊车（汽车吊车或履带吊车）架设十分方便（图 4-35a）。此法视吊装质量不同，可采取一台吊车"单吊"（起吊能力为荷载重的 2~3 倍）或两台吊车"双吊"（每台吊车的起吊能力为荷载重的 0.85~1.5 倍），其特点是机动性好，架梁速度快。一般吊装能力为 50~3500kN。

2）门式吊车架梁

在水深不超过 5m、水流平稳、不通航的中小河流上，也可以搭设便桥用门式吊车架梁（图 4-35b）。

3）摆动排架架梁

用木排架或钢排架作为承力的摆动支点，由牵引绞车和制动绞车控制摆动速度。当预制梁就位后，再用千斤顶落梁就位。此方法适用于小跨径桥梁（图 4-35c）。

4）移动支架架梁

对于高度不大的中小跨径桥梁，当桥下地基良好能设置简易轨道时，可采用木制或钢制的移动支架来架梁（图 4-35d）。

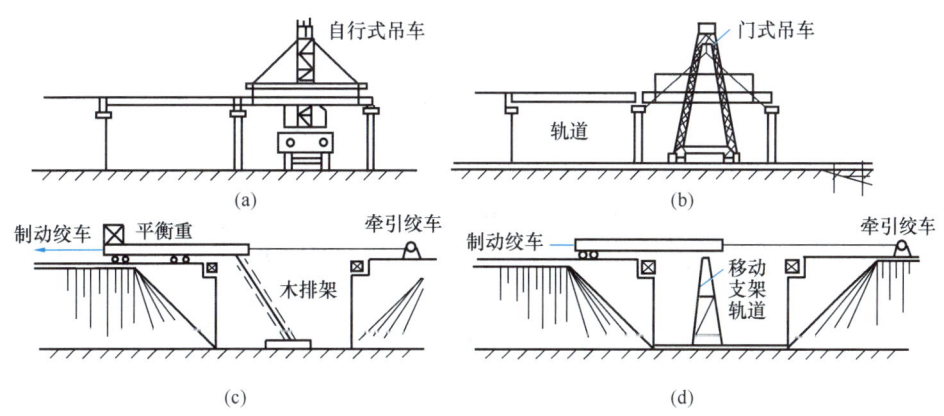

图 4-35 旱地架梁法

(a) 自行式吊车；(b) 门式吊车；(c) 摆动排架；(d) 移动支架

（2）水中架梁

由于水流较急、河较深或通航等原因不能采取上述方法时，可采用下述一些方法架梁。

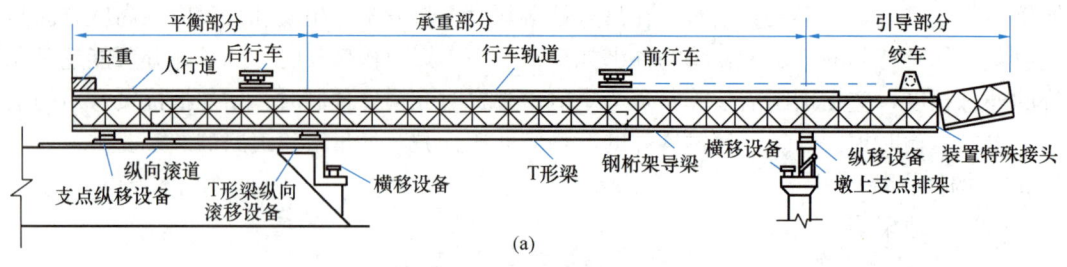

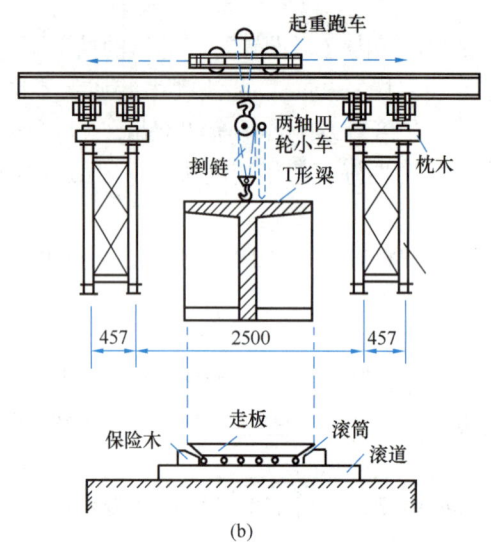

图 4-36 穿式导梁悬吊安装
(a) 穿式导梁的构造及施工布置；(b) 导梁的横断面

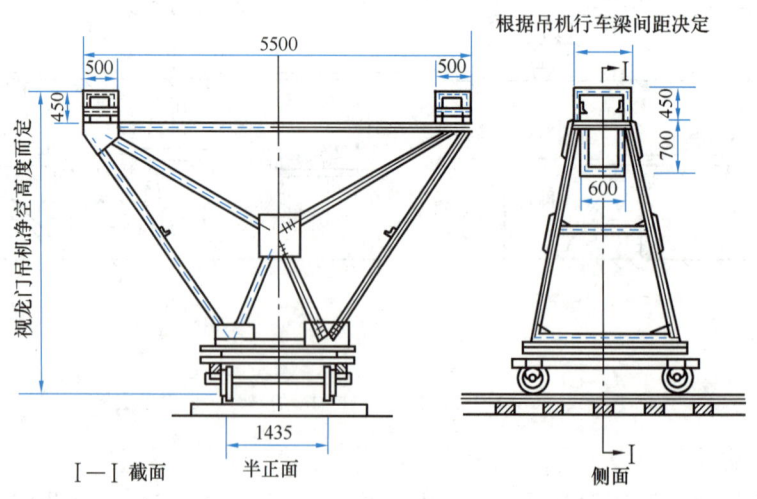

图 4-37 蝴蝶架

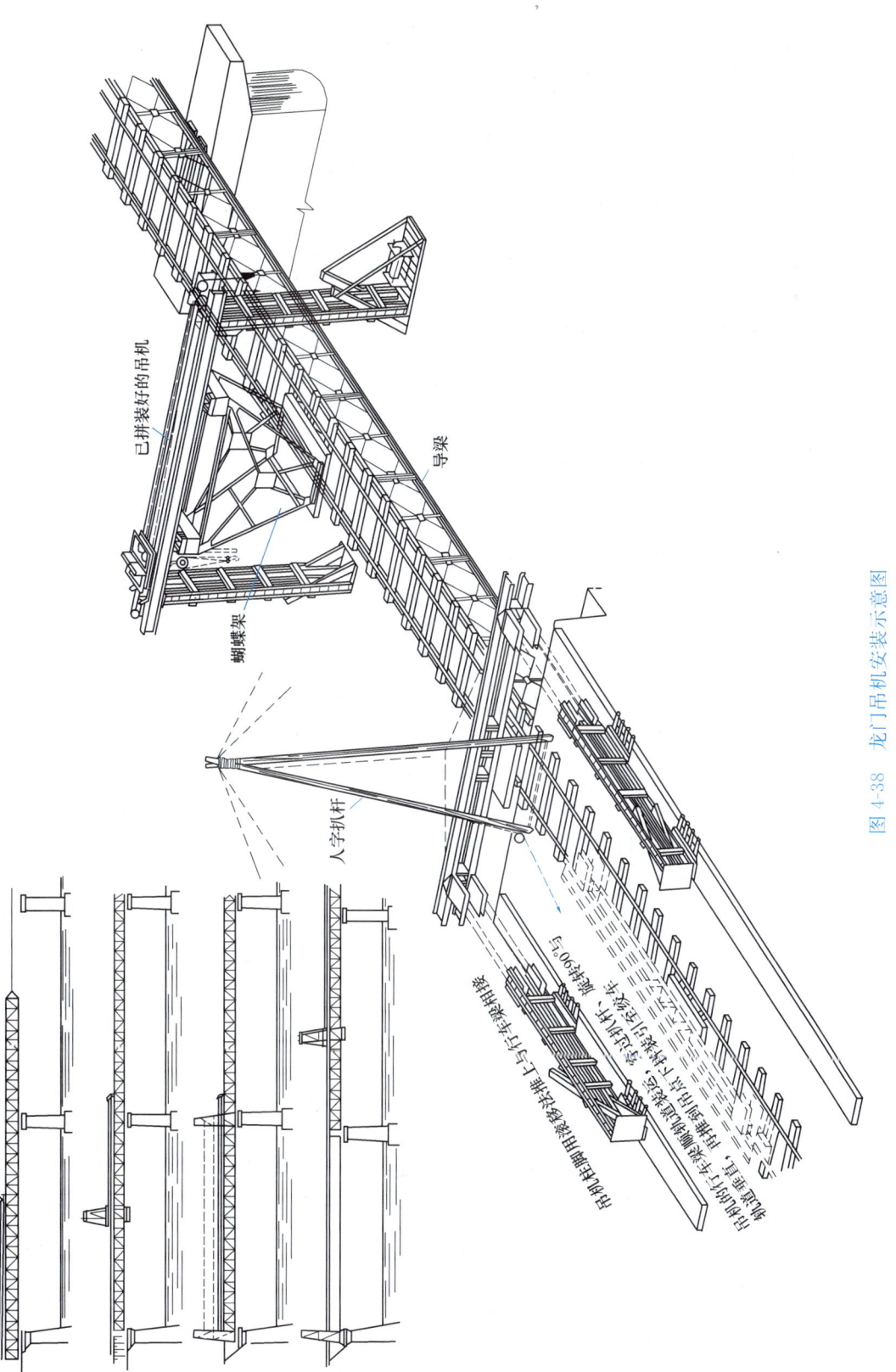

图 4-38 龙门吊机安装示意图

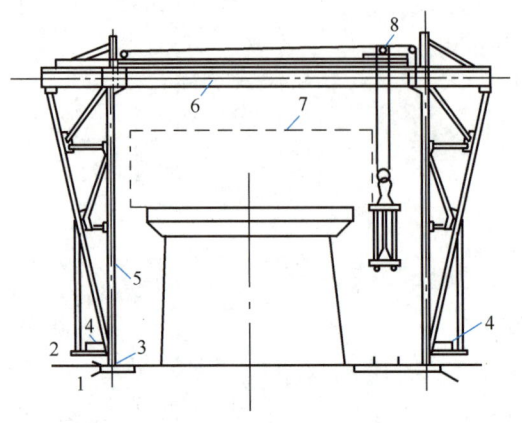

图 4-39 用龙门吊机架梁
1—枕木；2—钢轨；3—跑轮；4—卷扬机；5—立柱；
6—横梁；7—结构轮廓；8—吊车

1) 穿式导梁悬吊安装法

穿式导梁悬吊安装，就是在左右两组导梁安置起重行车，用卷扬机将梁悬吊穿过桥孔，再行落梁、横移、就位。起重量一般为 600kN 左右，施工布置如图 4-36 所示。

2) 龙门吊机导梁安装（也可用架机安装）

龙门吊机导梁安装是以龙门吊机和导梁为主体，配合运梁平车和蝴蝶架（图 4-37、图 4-38），使预制梁从导梁上通过桥孔，由龙门吊机吊装就位。

3) 跨墩龙门吊机安装

跨墩龙门吊机配合轻便铁轨及运梁平车安装桥跨结构是常用的方法，其特点是龙门吊机的柱脚跨过桥面，支承在沿桥长铺设的、筑于河底或栈桥上的轻便铁轨上（图 4-39）。

4.5 预应力混凝土桥施工

4.5.1 预应力的基本概念

图 4-40 是普通钢筋混凝土梁，在受荷载时，发生弯曲；当再加荷时，发生裂缝直至破坏。而预应力的钢筋混凝土则不一样，如图 4-41 所示。没有荷载时先在受拉区加一个压力，这预先加的压力叫预应力。先加的压力使梁产生反拱，当梁受荷载时，梁回复到平直状态；再增加荷载，则梁发生弯曲；继续增加荷载，梁才产生裂缝直到破坏。这就是预应力和非预应力混凝土构件的不同。前者构件早出现裂缝破坏，而后者构件不出现裂缝或推迟出现裂缝。

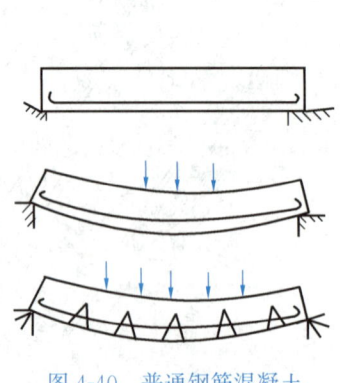

图 4-40 普通钢筋混凝土

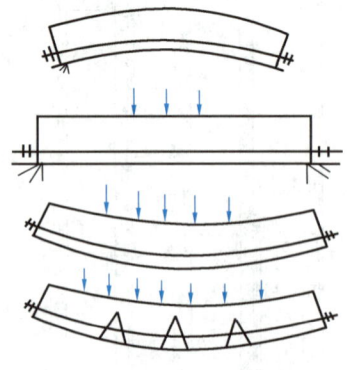

图 4-41 预应力钢筋混凝土

预应力混凝土与普通钢筋混凝土相比，有以下优点：
（1）提高构件的抗裂度和刚度；
（2）增加了结构及构件的耐久性；

(3) 结构自重轻,能用于大跨度结构;

(4) 节约大量钢材,降低成本。

施加混凝土预加应力的方法有先张法和后张法。

1. 先张法

先张法是先将预应力筋在台座上按设计要求的张拉控制应力张拉,然后立模浇筑混凝土,待混凝土强度达到设计强度后,放松预应力筋,由于钢筋的回缩,通过其与混凝土之间的粘结力,使混凝土得到预压应力。

先张法的优点是:只需夹具,可重复使用,它的锚固是依靠预应力筋与混凝土的粘结力自锚于混凝土中。工艺构造简单,施工方便,成本低。

先张法的缺点是:需要专门的张拉台座,一次性投资大,构件中的预应力筋只能直线配筋,适用于长25m内的预制构件。

2. 后张法

后张法是先制作留有预应力筋孔道的梁体,待混凝土达到设计强度后,将预应力筋穿入孔道,并利用构件本身作为张拉台座张拉预应力筋并锚固,然后进行孔道压浆并浇筑封闭锚具的混凝土,混凝土因有锚具传递压力而得到预压应力。

后张法的优点是:预应力筋直接在梁体上张拉,不需要专门台座;预应力筋可按设计要求配合弯矩和剪力变化布置成直线形或曲线形;适合于预制或现浇的大型构件。

后张法的缺点是:每一根预应力筋或每一束两头都需要加设锚具,在施工中还增加留孔、穿筋、灌浆和封锚等工序,工艺较复杂,成本高。

4.5.2 夹具和锚具

夹具与锚具都是锚固预应力筋的工具。夹具与锚具的种类很多,下面介绍几种目前桥梁结构中常用的锚夹具形式。

1. 夹具

在构件制作完毕后,能够取下重复使用的,通常称为夹具。夹具根据用途分为张拉夹具与锚固夹具。张拉时,把预应力筋夹住并与测力器相连的夹具称为张拉夹具;张拉完毕后,将预应力筋临时锚固在台座横梁上的夹具称为锚固夹具。

2. 锚具

锚固在构件两端与构件连成一体共同受力的通常称为锚具。

夹具与锚具应符合如下要求:

(1) 材料性能符合规定指标,加工尺寸精确,锚固力筋的可靠性好,不致滑脱。

(2) 使用时不变形锈蚀,装拆容易。

(3) 构造简单,制作容易,成本低廉。

(4) 能与张拉机具配套使用。

4.5.3 先张法施工工艺

1. 张拉台座

张拉台座由承力支架、横梁、定位钢板和台面等组成(图4-42),要求有足够强度、刚度与稳定性(其抗倾覆安全系数不小于1.5,抗滑移系数不小于1.3),台座长度一般在50~100m。

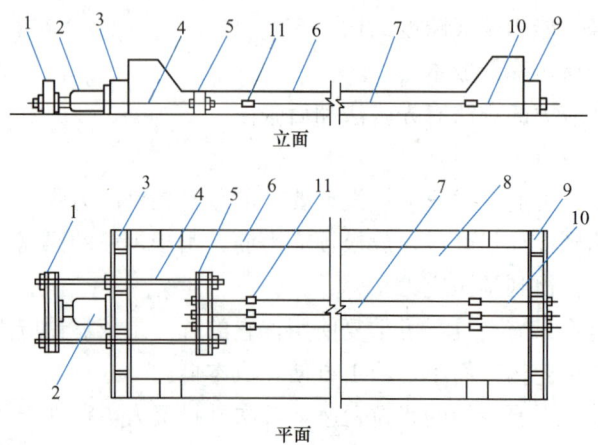

图 4-42 槽式台座示意图

1—活动前横梁；2—千斤顶；3—固定前横梁；4—大螺丝杆；5—活动后横梁；6—传力柱；
7—预应力筋；8—台面；9—固定后横梁；10—工具式螺丝杆；11—夹具

(1) 承力支架

承力支架是台座的重要组成部分，要承担全部张拉力，在设计和建造时应保证不变形、不位移、经济、安全和操作方便。目前在桥梁施工中所采用的承力支架多用槽式（图 4-43），这种支架一般能承受 1000kN 以上的张拉力。

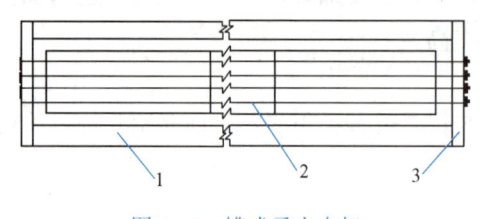

图 4-43 槽式承力支架

1—压杆；2—钢筋；3—横梁

(2) 台面

台面是制作构件的底模，要求坚固平整、光滑，一般可在夯实平整的地基上，浇铺一层素混凝土，并按规定留出伸缩缝。

(3) 横梁

横梁是将预应力筋的全部张拉力传给承力支架的两端横向构件，可用型钢或钢筋混凝土制作，并要根据横梁的跨度、张拉力的大小，通过计算确定其断面，以保证其强度、刚度和稳定性，避免受力后产生变形或翘曲。

(4) 定位板

定位板是用来固定预应力钢筋位置的，一般都用钢板制作。其厚度必须满足在承受张拉力后，具有足够的刚度。圆孔位置按照梁体预应力钢筋的设计位置确定。孔径的大小应略比预应力钢筋大 2～4mm，以便穿筋。

2. 模板的制作

模板的制作除满足一般要求外，还有如下要求。

(1) 端模预应力筋孔道的位置要准确，安装后与定位板上对应的预应力筋要求均在一条中心线上。

(2) 先张法制作预应力板梁，预应力钢筋放松后梁压缩量为 1‰ 左右。为保证梁体外形尺寸，侧模制作要增长 1‰。

3. 预应力钢筋的制作

预应力混凝土构件所用的预应力钢筋，种类很多，有直径为 3～5mm 的高强钢丝，钢绞线，冷拉Ⅱ级、Ⅲ级、Ⅳ级钢筋等。本节仅介绍预应力钢筋的制作，它包括下料、对焊、镦粗、冷拉等工序。进场分批验收除检查三证外，尚需按规定检验，每批质量不大于60t，若按规定抽样试样不合格，另取双倍试样检验不合格项，如再有不合格项，则整批预应力筋报废。

(1) 钢筋的下料

预应力钢筋的下料长度，应通过计算。计算时应考虑构件或台座长度、锚夹具长度、千斤顶长度、焊接接头或镦头预留量、冷拉伸长值、弹性回缩值、张拉伸长值和外露长度等因素。

如图 4-44 所示，其计算公式（按一端张拉）为：

$$L = \frac{L_0}{1+\delta_1-\delta_2} + n_1 l_1 + l_2 \tag{4-5}$$

$$L_0 = L_1 + L_2 + L_3$$

式中　L——下料长度；

δ_1——钢筋冷拉率（对 L 而言）；

δ_2——钢筋回缩率（对 L 而言）；

n_1——对焊接头的数量；

l_1——每个对焊接头的预留量；

l_2——镦粗头的预留量；

L_0——钢筋的要求长度；

L_1——长线台座的长度（包括横梁、定位板在内）；

L_2——夹具长度；

L_3——张拉机具所需的长度（按具体情况决定）。

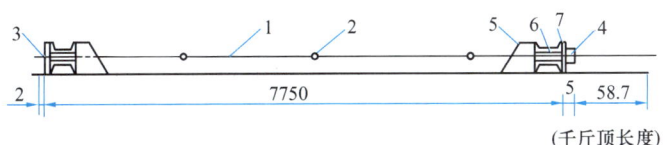

图 4-44　长线台座预应力钢筋下料长度示意图（cm）

1—预应力筋；2—对焊接头；3—镦粗头；4—夹具；
5—台座承力支座；6—横梁；7—定位板

【例 4-3】采用先张法制作预应力桥面空心板，长线台座长 77.5m，预应力钢筋直径为 12mm 的 44Mn$_2$Si 直条钢筋，每根长 9m，锚固端用镦粗头，一端张拉。试计算预应力钢筋的下料长度。

【解】按式（4-5）计算

根据测定结果　$\delta_1=3\%$，$\delta_2=0.3\%$，$n_1=8$，$l_1=1.5$cm，$l_2=2$cm，

$L_1=7750$cm，$L_2=5$cm，$L_3=58.7$cm

$L_0=L_1+L_2+L_3=7750+5+58.7=7813.7$cm

$L=\dfrac{L_0}{1+\delta_1-\delta_2}+n_1 l_1+l_2=\dfrac{7813.7}{1+0.03-0.003}+8\times 1.5+2=7622.3$cm

实际下料长度为8根9m钢筋和1根4.223m钢筋。

(2) 钢筋的对焊

预应力钢筋的接头必须在冷拉前采用对焊,以免冷拉钢筋高温回火后失去冷拉所提高的强度。

普通低合金钢筋的对焊工艺,多采用闪光对焊。一般闪光对焊工艺有:闪光—预热—闪光焊和闪光—预热—闪光焊加通电热处理。对焊后应进行热处理,以提高焊接质量。预应力筋有对焊接头时,宜将接头设置在受力较小处,在结构受拉区及在相当于预应力筋30d长度(不小于50cm)范围内,对焊接头的预应力筋截面面积不得超过钢筋总截面面积的25%。

(3) 镦粗

制作预应力混凝土构件时,要用夹具和锚具,需耗费一定的优质钢材。因此,为了节约钢材,简化锚固方法,可将预应力钢筋端部做一个大头(即镦粗头),加上开孔的垫板,以代替夹具和锚具(图4-45)。钢筋的镦粗头可以采用电热镦粗;高强钢丝可以采用液压冷镦;冷拔低碳钢丝可以采用冷冲镦粗。冷拉钢筋端头的镦粗及热处理工作应在钢筋冷拉前进行。

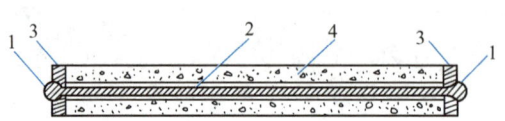

图4-45 预应力钢筋(或钢丝)镦粗头
1—镦粗头;2—预应力钢筋;
3—开孔垫板;4—构件

钢筋或钢丝的镦粗头制成后,要经过拉力试验,当钢筋或钢丝本身拉断,而镦粗头仍不破坏时,则认为合格;同时外观检查,不得有烧伤、歪斜和裂缝。

4. 钢筋的冷拉

为了提高钢筋的强度和节约钢筋,预应力粗钢筋在使用前一般需要进行冷拉(即在常温下用超过钢筋屈服强度的拉力拉伸钢筋)。

钢筋冷拉按照控制方法可分为"单控"(即控制冷拉伸长率)和"双控"(同时控制应力和冷拉伸长率)两种。目前由于材质不良,即使同一规格钢筋采用相同冷拉伸长率冷拉后建立的屈服强度也并不一致;或在同一控制应力下,伸长率又不一致。因此,单按哪一种指标控制都不能保证质量,最好采用"双控"冷拉,既可保证质量,又可在设计上充分利用钢材强度。采用"双控"冷拉时,应以应力控制为主,伸长率控制为辅。只有在没有测力设备的情况下,采用"单控冷拉"。

预应力筋采用应力控制方法张拉时,应以伸长值进行校核,实际伸长值与理论伸长值的差值应控制在6%以内,否则应暂停张拉,待查明原因并采取措施予以调整后方可继续张拉。

钢筋的冷拉应力和冷拉率不应超过表4-6的规定。

冷拉钢筋的控制应力和冷拉率 表4-6

钢筋种类	双控		单控(%)
	控制应力(MPa)	冷拉率(%)不大于	
Ⅱ级钢筋	450	5.5	3.5~5.5
Ⅲ级钢筋	530	5.0	3.5~5.0
Ⅳ级钢筋	750	4.0	2.5~4.0

5. 预应力筋的张拉

先张法预应力钢筋、钢丝和钢绞线的张拉按预应力筋数量、间距和张拉力的大小，采用单根张拉和多根张拉。当采用多根张拉时，必须使它们的初始长度一致，张拉后应力才均匀。为此应在张拉前调整初应力，初应力值一般为张拉控制应力值的10%～15%。

预应力筋的张拉控制应力必须符合设计规定。

为了减少预应力筋的松弛损失，可采用超张拉的方法进行张拉。超张拉值为张拉控制应力值的105%。先张法预应力筋张拉程序见表4-7。

先张法预应力筋张拉程序 表4-7

预应力筋种类	张拉程序
钢筋	0→初应力→$1.05\sigma_{con}$→$0.95\sigma_{con}$→σ_{con}（锚固）
钢丝、钢绞线	0→初应力→$1.05\sigma_{con}$（持荷2min）→0→σ_{con}（锚固） 对于夹片式等具有自锚性能的锚具： 普通松弛力筋 0→初应力→$1.03\sigma_{con}$（锚固） 低松弛力筋 0→初应力→σ_{con}（持荷2min锚固）

注：σ_{con}为张拉时的控制应力值，包括预应力损失值。

6. 混凝土工作

预应力混凝土梁的混凝土工作，除了要选用强度等级较高的混凝土以及在配料、制备、浇筑、振捣和养护等方面更应严格要求外，基本操作与钢筋混凝土构件相仿。混凝土可掺入适量的外加剂，但不得掺入氯化钙、氯化钠等氯盐；混凝土的水泥用量不宜超过500kg/m³；水灰比不超过0.45；坍落度不大于3cm；水、水泥、减水剂用量应准确到±1%；骨料用量准确到±2%。此外，在台座内每条生产线上的构件，其混凝土必须一次性浇筑完毕；振捣时，应避免碰击预应力筋，尽量采用侧模振捣工艺。

7. 预应力筋的放松

当混凝土强度达到设计规定后（当无设计规定，一般应不少于强度设计值的75%），可逐渐放松受拉的预应力筋，然后再切割每个梁的端部预应力筋。

预应力筋的放松速度不宜过快。当采用单根放松时，每根预应力筋严禁一次放松，以免最后放松的预应力筋自行崩断。常用的放松方法为千斤顶放松。

在台座固定端的承力支架和横梁之间，张拉前预先安放千斤顶（图4-46）。待混凝土达到规定的放松强度后，两个千斤顶同时回程，使拉紧的预应力筋徐徐回缩，张拉力被放松。

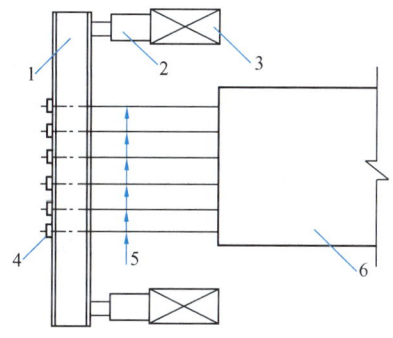

图4-46 千斤顶放松张拉力的布置
1—横梁；2—千斤顶；3—承力支架；
4—夹具；5—钢筋；6—构件

4.5.4 后张法施工工艺

后张法制作预应力混凝土构件，一般在施工现场进行，适用于大于25m的简支梁或现场浇筑的桥梁上部结构。

1. 预留孔道

(1) 制孔器种类

为了在梁体混凝土内形成钢束的管道,应在浇筑混凝土前预先安放制孔器。按制孔的方式可分预埋式制孔器和抽拔式制孔器两类。

预埋式制孔器有预埋铁皮波纹管。管道用薄钢板卷制而成,径向接头可采用咬口,轴向接头则用点焊,按设计位置,在浇筑混凝土前,直接固定在钢筋骨架上。多用于曲线形的孔道。

抽拔式制孔器有橡胶管制孔器、金属伸缩管制孔器和钢管制孔器。橡胶管制孔器是用橡胶夹两层钢丝编织而成,在管内插入钢筋芯棒,也可在管内充以压力水增加刚度,在直线和曲线孔道中均适用。金属伸缩管制孔器是用金属丝编织成的软管套,内用橡胶封管和钢筋芯棒加劲,并用铁皮管作伸缩管接头。钢管制孔器仅适用于直线形孔道,钢管必须平直,表面光滑,预埋前除锈刷油,两根钢管连接处可用2mm钢板做成两道长约40cm的套管连接。

(2) 制孔器安装

1) 安装要求

① 保证预留孔道位置正确。

② 保证预留孔道畅通,芯管的连接处不漏浆。

③ 采用定位钢筋固定安装管道。

2) 安装方法

安装制孔器时,可先将外管沿梁体长度方向顺序穿越各定位钢筋的"井"字网眼,然后在梁中部安装好外管接头,并固定外管,最后穿入钢筋芯棒。外管接头布置在跨中附近,但不宜在同一断面上(同一断面是指顺制孔器长度方向为1m的范围内)。

(3) 制孔器的抽拔

制孔器的抽拔应在混凝土初凝后与终凝前进行。过早抽拔,混凝土可能塌陷;过迟抽拔,可能拔断制孔器。一般以混凝土抗压强度达到0.4~0.8MPa时为宜。抽拔时间可参照表4-8的规定。

抽拔制孔器的时间 表4-8

环境温度(℃)	>30	30~20	20~10	<10
抽拔时间(h)	3	3~5	5~8	8~12

抽拔制孔器的顺序是先抽芯棒,后拔胶管;先拔下层胶管,后拔上层胶管;先拔早浇筑的半根芯管,后拔晚浇筑的半根芯管。

2. 预应力筋加工及下料

(1) 预应力筋加工

后张法预应力混凝土桥梁常用高强碳素钢丝束、钢绞线、冷拉Ⅱ级、Ⅲ级、Ⅳ级粗钢筋作为预应力筋。对于跨径较小的T形梁桥,也可采用冷拔低碳钢丝作为预应力筋。

1) 碳素钢丝束的加工

碳素钢丝束的加工包括下料和编束。编束时可将钢丝对齐后穿入特殊的疏丝板使其排列整齐成束。

2) 粗钢筋的加工

粗钢筋的加工主要包括下料、对焊、镦粗（采用镦台锚具、冷拉等工序）。

3) 钢绞线的加工

钢绞线预应力筋在使用前应进行预拉，以减少钢绞线的构造变形和应力松弛损失，并便于等长控制。钢绞线成束的编扎方法与钢丝束相同。

钢绞线、钢丝束和钢筋的下料，宜采用切割机或砂轮机，不得使用电弧焊切割下料。

(2) 预应力钢丝束的下料

预应力筋的下料长度应根据锚具类型、张拉设备确定，其计算公式为：

$$L = L_0 + n(l_1 + 0.15) \tag{4-6}$$

式中　L——下料长度，m；

　　　L_0——梁的管道长度加两端锚具长度，m；

　　　l_1——千斤顶支承端到夹具外缘距离，m；

　　　n——张拉端个数。

3. 预应力筋安装与张拉

(1) 预应力筋安装

预应力筋安装可在浇筑混凝土之前或之后穿入孔道，对钢绞线可逐根将钢绞线穿入孔道，也可将全部钢绞线编束后整体装入管道中。在混凝土浇筑之前，必须将管道上一切非有用的孔、开口或损坏之处修复，并应检查预应力筋能否在管道内自由滑动。

(2) 预应力筋张拉

当构件的混凝土强度达到设计强度时，便可对构件的预应力筋进行张拉。设计未规定时不得低于设计强度的75%，且应将限制位移的模板拆除后，方可进行张拉。

1) 张拉原则

① 对曲线预应力筋或长度不小于25m的直线预应力筋，宜在两端同时张拉，对长度小于25m的直线预应力筋，可在一端张拉。

② 张拉时应避免构件呈过大的偏心状态，因此，应对称于构件截面进行张拉，或先张拉靠近截面重心处的预应力筋，后张拉距截面重心较远处的预应力筋。

2) 张拉程序

后张法预应力筋的张拉程序见表4-9。

后张法预应力筋张拉程序　　　　　表4-9

预应力筋种类		张拉程序
钢绞线束	对夹片式等有自锚性能的锚具	普通松弛力筋 0→初应力→1.03σ_{con}（锚固） 低松弛力筋 0→初应力→σ_{con}（持荷2min锚固）
	其他锚具	0→初应力→1.05σ_{con}（持荷2min）→σ_{con}（锚固）
钢丝束	对夹片式等有自锚性能的锚具	普通松弛力筋 0→初应力→1.03σ_{con}（锚固） 低松弛力筋 0→初应力→σ_{con}（持荷2min锚固）
	其他锚具	0→初应力→1.05σ_{con}（持荷2min）→0→σ_{con}（锚固）

续表

预应力筋种类		张拉程序
精轧螺纹钢筋	直线配筋时	0→初应力→σ_{con}（持荷2min锚固）
	曲线配筋时	0→σ_{con}（持荷2min）→0（上述程序可反复几次）→初应力→σ_{con}（持荷2min锚固）

注：1. σ_{con}为张拉时的控制应力值，包括预应力损失值。
　　2. 梁的竖向预应力筋可一次张拉到控制应力，持荷5min锚固。

预应力筋在张拉控制应力达到预定后方可锚固。锚固完毕并经检验合格后即可切割端头多余的预应力筋，用砂轮机切割，严禁用电弧焊切割，但应保留30mm外伸长度。

4. 孔道压浆

为了使孔道内预应力筋不受锈蚀，并与构件混凝土结成整体，保证构件的强度和耐久性，当预应力钢筋张拉完毕后，应尽快进行孔道压浆。

孔道压浆的操作要点如下：

（1）冲洗孔道

压浆前先用清水冲洗孔道，使之湿润，以保持灰浆的流动性，同时要检查灌浆孔、排气孔是否畅通无阻。

（2）确定灰浆配合比

孔道压浆一般宜采用水泥浆，孔道较大时可在水泥浆中掺入适量的细砂。压浆所用水泥宜采用普通硅酸盐水泥，强度等级不宜低于42.5级。水灰比应控制在0.4~0.45。水泥浆强度符合设计规定，如无规定不得小于30MPa。掺入减水剂时，水灰比可减少到0.35。水泥浆的泌水率最大不超过3%，拌合后3h泌水率宜控制在2%，泌水应在24h内重新全部被水泥浆吸收。水泥浆自调制至压入孔道的间隔时间不得超过30~45min，水泥浆在使用前和压注过程中应连续搅拌。

（3）压浆方法

压浆时，对曲线孔道和竖向孔道应从最低点的压浆孔压入，由最高点的排气孔排气和泌水。压浆顺序宜先压注下层孔道，后压注上层孔道。压浆应缓慢、均匀、连续进行，不得中断，如中间因故停顿时，应立即将已灌入孔道的灰浆用水冲洗干净后重新压浆。压浆时，每一工作班应留取不少于3组的70.7mm×70.7mm×70.7mm立方体试件，标准养护28d，检查其抗压强度。压浆过程中及压浆后48h内，结构混凝土温度不得低于+5℃，否则应采取保温措施。当温度高于35℃时，压浆宜在夜间进行。

5. 封锚锚固

孔道压浆后应立即将锚固端水泥浆冲洗干净，并将端面混凝土凿毛。在绑扎端部钢筋网和安装封锚模板时，要妥善固定，以免浇筑封锚混凝土时，模板走样。封锚混凝土强度等级应符合设计规定，一般不宜低于构件混凝土强度等级的80%。封锚混凝土必须严格控制梁体长度。浇筑后1~2h带模养护，脱模后继续洒水养护不少于7d。对于长期外露的锚具，应采取可靠的防锈措施。

4.5.5　预应力连续梁悬臂施工

在桥梁施工中，桥梁架设不用支架的施工方法的出现，乃是大跨径预应力混凝土连续梁和悬臂梁桥迅速发展的重要原因。

悬臂施工法也称为分段施工法。悬臂施工法是以桥墩为中心向两岸对称地逐节悬臂接长的施工方法。

悬臂施工法，充分利用了预应力混凝土能抗拉和承受负弯矩的特性，是将设计和施工的要求密切配合在一起而出现的新方法。即它把跨中的最大施工困难移至支点，又用支点的扩大截面来承受施工期间和通车之后的最大弯矩，所以能用较低的造价来修建大跨度的桥梁。

1. 适用范围

悬臂施工法应用范围很广，能建造大跨度的悬臂梁、连续梁、刚架桥、斜拉桥等体系的桥梁。为了增加梁体的刚度，它们的横截面几乎都是箱形（单箱或多箱）。

2. 施工方法（悬臂浇筑法）

悬臂浇筑法采用移动式挂篮作为主要施工设备，以桥墩为中心，对称向两岸利用挂篮浇筑梁段混凝土，每段长 2～5m。每浇筑完一对梁段，待混凝土达到规定强度后，张拉预应力束并锚固，再向前移动挂篮，进行下一节段的施工。

挂篮是由底模板、悬挂系统、钢桁架、行走系统、平衡重力及锚固系统、工作平台等组成，构造如图 4-47 所示。挂篮能沿轨道行走，能悬挂在已经完成悬浇施工的悬臂梁段上进行下一梁段施工。由于梁段的模板架设、钢筋绑扎、制孔器安装、混凝土浇筑、预加应力和管道压浆均在挂篮上进行，所以挂篮除具备足够的强度外，还应满足变形小、行走方便、锚固拆装容易以及各项施工作业的操作要求，必须注意安全设施保障。

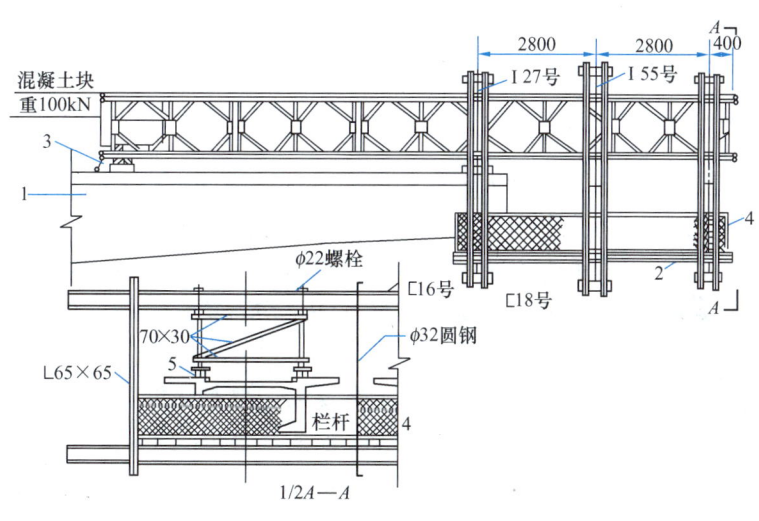

图 4-47 挂篮构造

1—已浇箱梁；2—纵梁；3—地锚；4—栏杆；5—垫木

当挂篮就位后，即可在上面进行梁段悬臂浇筑施工的各项作业，其施工工艺流程，如图 4-48 所示。

当桥墩宽度较小时，浇筑桥墩两侧的①号梁段，因挂篮拼装场地不足，往往采用托架支撑（图 4-49），然后再在其上安装脚手钢桁架（图 4-50a），供吊设挂篮和浇筑②号悬臂

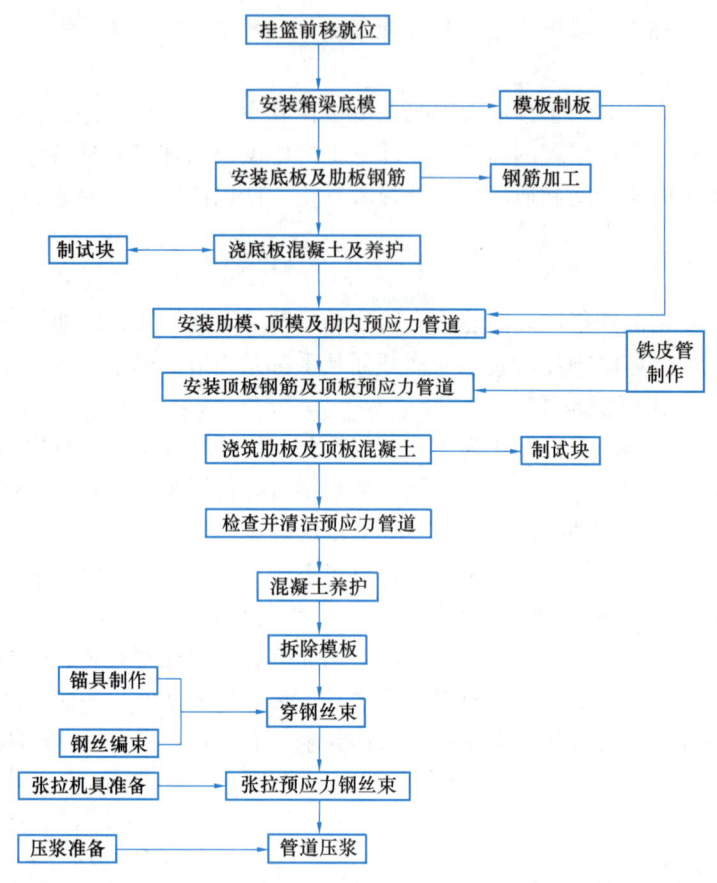

图 4-48 悬臂浇筑施工工艺流程图

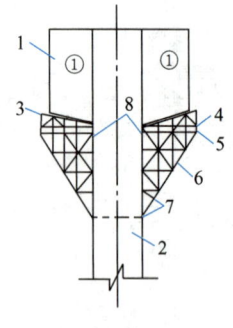

图 4-49 用托架支撑浇筑墩柱两侧的①号梁段

1—①号梁段；2—墩柱；
3—三角垫架；4—木楔；
5—工字钢；6—扇形托架；
7—垫块；8—预埋钢筋

梁段。待左右两侧的②号梁段浇好后，再延伸钢桁架，并移动挂篮位置至外端，供③号梁段浇筑（图 4-50）。浇筑几段后，将钢桁架分成两半浇筑，后端锚固或压重，以防止倾覆。

桥墩两侧梁段悬臂施工应对称、平衡。平衡偏差不得大于设计要求。

悬臂施工时，最重要的问题是悬臂的平衡。保持悬臂在桥墩两侧绝对平衡是不可能的，因此，常采用下列临时措施：

(1) 用预应力临时固结，完工后解除，以恢复原来的支承条件（图 4-51a）。

(2) 在桥墩两侧加设临时支墩（图 4-51b）。

(3) 在墩顶设扇形托架，以达到梁与墩的临时固结（图 4-51c）。

每段混凝土经养护达到设计强度的70%后，再经过孔道检查和修理孔口等工作，即可进行穿束、张拉、压浆和封锚。

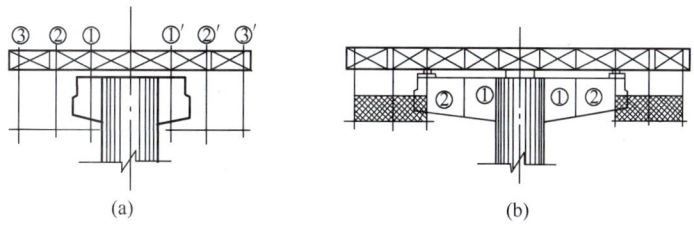

图 4-50 悬臂对称浇筑

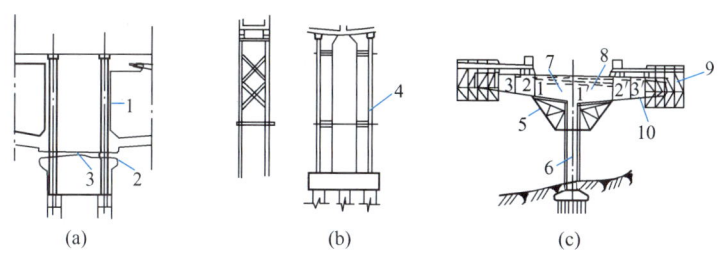

图 4-51 悬臂的平衡措施

1—穿在钢管内的临时预应力筋；2—临时混凝土垫块；3—支座；4—临时支墩；5—扇形托架；
6—桥墩；7—墩顶梁段；8—逐段施加的预应力筋；9—挂篮；10—梁段

4.6 其他体系桥梁施工

4.6.1 拱桥施工

拱桥施工从方法上可分为支架施工和无支架施工两大类。在我国，支架施工常用于石拱桥和混凝土预制块拱桥，后者多用于肋拱、双曲拱、箱形拱、桁架拱和钢管混凝土拱桥，也有采用两者结合的施工方法。本节着重叙述石拱桥施工和钢管混凝土拱桥施工。

1. 石拱桥施工

石拱桥上部结构施工按其程序可分为拱券放样、拱架设置、拱券和拱上建筑砌筑、拱架卸落等。

（1）拱券放样和拱石编号

拱券是拱桥的主要部分，它的各部尺寸必须和设计图纸严密吻合。为了做到这一点，最可靠的方法是按设计图先在地上放出 1:1 的拱券大样，然后按照大样制作拱架、制作拱块样板，因此，放样工作十分重要，应当做到精确细致。

样台宜位于桥位附近的平地上，先用碎石或卵石夯实，再铺一层 2~3cm 厚的水泥砂浆，也可采用三合土地坪，以保证放样期间不发生超过容许值的变形。对于左右对称的拱券，一般只需放出半孔即可。

拱券样板放样法有圆弧拱放样和悬链线拱券放样两种。

下面仅介绍圆弧拱放样常用的放样方法——圆心推磨法（图 4-52）。

1）在样台上用经纬仪放出 $x-x$、$y-y$ 坐标。

2）用校正好的钢尺在 y 轴上方量出 f_0，在轴下方量出 $(R-f_0)$，得 O' 点。

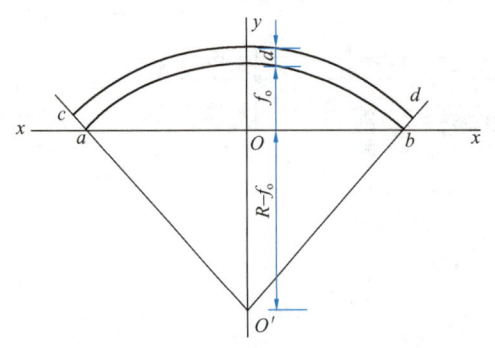

图 4-52 圆心推磨法

3) 以点 O' 为圆心，R 为半径画弧交 $x-x$ 轴于 a、b 两点，则 $\overset{\frown}{ab}$ 即为圆弧拱之拱腹线，并用钢尺校核 ab 是否与 L_0 值相等。

4) 以 O' 点为圆心，$(R+d)$ 为半径画弧交 $O'a$、$O'b$ 延长线于 c、d 两点，则 $\overset{\frown}{cd}$ 即为圆弧拱之拱背线。弧的圆心可在样台之外，但必须与样台在同一平面上。拉尺画弧时，应使尺身均匀移动，不能弯扭。

拱券的弧线画好后，可划分拱石。拱石宽度常为 30～40cm，灰缝宽度一般 1～2cm。灰缝过宽，将降低砌体强度，增加灰浆用量；灰缝过窄，灰浆不宜灌注饱满，影响砌体质量。

根据确定的拱石宽度和灰缝宽度，即可沿拱券内弧用钢尺定出每一灰缝中点，再经此点顺相应的内弧半径方向画线，即可定出外弧线上的灰缝中点。连接内外弧灰缝中点，垂直此线向两边各量出缝宽一半画线，即得灰缝边线。然后根据要求的高度和错缝长度可划分全部拱石。拱石划分后，应立即编号，如图 4-53(a) 所示。

拱石编号后，还要依样台上的拱石尺寸，做成样板（图 4-53b），写长度、块数。样板可用木板和镀锌薄钢板制成。

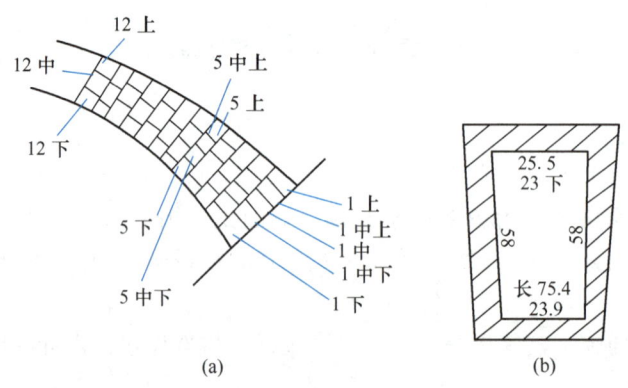

图 4-53 拱石编号及样板

当用片石、块石砌筑时，石料的加工程序大为简化，无需制作样板。但需对开采的石料进行挑选，将较好的留作砌筑拱券，并在安砌时稍加修凿。

(2) 拱架

拱架是拱桥在施工期间用来支承拱券、保证拱券能符合设计形状的临时构筑物。拱架应有足够的稳定性以及刚度和强度，不变形，并且构造简单，便于制作、拼装、架设和省工省料。

拱架的种类很多，按使用材料分为木拱架、钢拱架、竹拱架、竹木拱架及"土牛拱胎"等形式，其中木拱架最为常用。

木拱架按其构造形式可分为满布式拱架、拱式拱架及混合式拱架等几种。

满布式拱架通常由拱架上部（拱盔）（若无拱盔称为支架，常用于现浇整体式桥梁上部构造施工)、卸架设备、拱架下部三部分组成(图 4-54)。

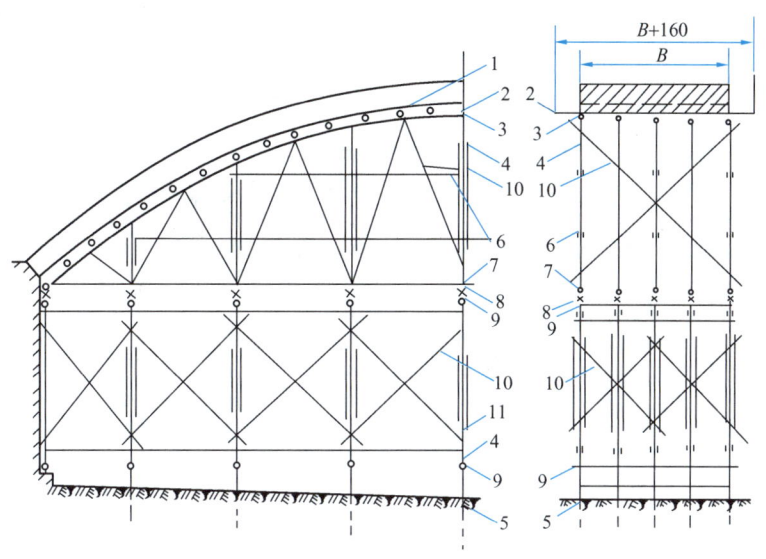

图 4-54　排架式满布拱架（cm）

1—模板；2—横梁；3—弓形木；4—立柱；5—桩；6—水平夹木；
7—大梁；8—拆架设备；9—帽木；10—斜向夹木；11—纵向夹木

卸架设备以上部分称为拱盔，一般是由斜梁、立柱、斜撑和拉杆组成的拱形桁架。在斜梁上钉以弧形垫木以适应拱腹曲线形状，故将斜梁和弧形垫木称为弓形木；弓形木支承在立柱或斜撑上，长度一般为 1.5～2.0m；在弓形木上设置横梁，其间距一般为 0.6～0.8m；上面再纵向铺设 2.5～4cm 厚的模板，就可在上面砌筑拱石。当拱架横向间距较密时，可不设横梁，而直接在弓形木上面横向铺设 6～8cm 厚的模板。

卸架设备在拱盔与支架之间，卸架设备以下部分为支架(拱架下部)。

立柱式支架是由立柱及横向联系(斜夹木和水平夹木)组成。立柱间距按桥梁跨径及承受拱券质量的不同，一般为 1.5～5m，拱架在横向的间距一般为 1.0～1.7m，为了增强横向稳定性，拱架之间应设置横向联系(水平及斜向夹木)。立柱式拱架的构造和制作都很简单。但立柱数目很多，只适合于跨径和高度都不大的拱桥。

撑架式拱桥是用少数框架式支架加斜撑来代替数目众多的立柱(图 4-55)。木材用量较立柱式拱架少，构造上也不复杂，且能在桥孔下留出适当的空间，减少洪水及漂流物的威胁，并在一定程度上满足通航要求。

与满布式拱架相比较，拱式拱架不受洪水、漂流物等的影响，在施工期间能维持通航，适用于墩高、水深、流急或要求通航的河流。

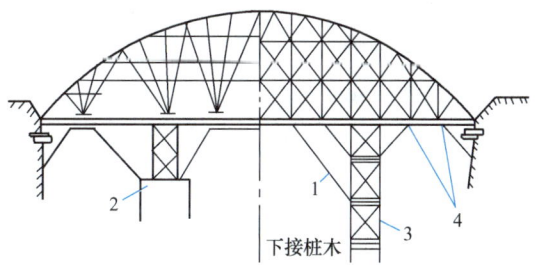

图 4-55　斜撑式满布拱架

1—斜撑；2—临时墩；3—框式支架；4—卸架设备

三铰桁式拱架是拱式木拱架中常用的一种形式，其材料消耗率低，但要求有较高的制作水平和架设能力。三铰木桁拱架的纵、横向稳定应特别注意。除在结构上需加强纵横联系外,还需设抗风缆索,以加强拱架的整体稳定。在施工中还应注意对称地、均衡地砌筑,并加强施工观测。桁架的结构形式按腹杆的布置有 N 式和 V 式,如图 4-56 所示。

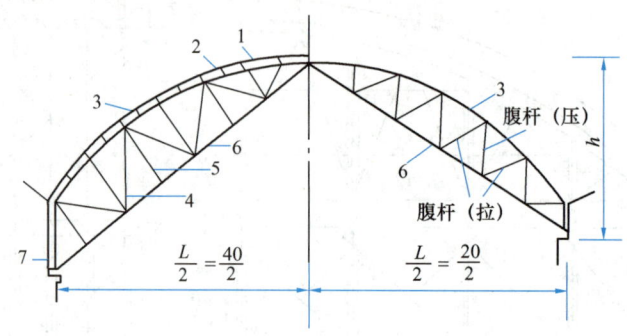

图 4-56 三铰桁式拱架
1—模板;2—横梁;3—上弦;4—斜杆;5—竖杆;6—下弦;7—垫块

支架的支承部分必须安装在坚实的地基上,用桩作基础的,应验算桩的承载能力;用枕木作基础的,应验算地基承载能力。同时,应保证支架不发生不允许的下沉。在湿陷性黄土地基上安装的支架,必须有防水措施。

为了使拱券在修建后,其拱轴线能符合设计要求,在施工时,必须在拱架上考虑预拱度。

(3) 拱券砌筑

跨径 10m 以下的拱券,当用满布式拱架砌筑时,可从两端拱脚同时对称、均衡地向拱顶方向砌筑,最后砌拱顶石;当用拱式拱架砌筑时,宜分段、对称地先砌拱脚段和拱顶段,最后砌 1/4 跨径段。

跨径 13~20m 的拱券,不论用何种拱架,每半跨均应分成三段砌筑,先砌拱脚段和拱顶段、后砌 1/4 跨径段,两半跨应同时对称地进行。

跨径大于 25m 的拱券砌筑,程序应符合设计规定,一般采用分段砌筑或分环分段相结合的方法砌筑,必要时应对拱架预加一定的压力。分环砌筑时,应待下环砌筑合龙后、砌缝砂浆强度达到设计强度 70% 以上后,再砌筑上环。

分段浇筑程序应对称于拱顶进行,且应符合设计要求。

多孔连续拱桥拱券的砌筑,应考虑连拱的影响,制定相应的砌筑程序。

(4) 拱券合龙

砌筑拱券时,在拱顶留一缺口,待拱券的所有缺口和空缝全部填封后,再封闭拱顶缺口称为合龙。

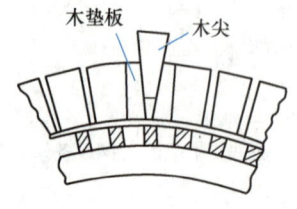

图 4-57 尖拱示意图

合龙时的温度,应按设计要求。当设计无规定时,应尽量接近当地的平均气温。

合龙的方法有尖拱法与千斤顶法。尖拱法一般只适用于中、小跨径拱桥,一些较大跨径的石拱桥有时也采用此种方法。

拱券砌缝都为辐射形,故拱顶缺口处形成上大下小的缺口,如图 4-57 所示。

(5) 拱上建筑的砌筑

拱上建筑的施工,应在拱顶石砌完,合龙砂浆达到设计强度30%后进行,一般不小于合龙后3d;当拱桥跨径较大时,最好在合龙后10d进行。实腹式拱上建筑,应由拱脚向拱顶对称地砌筑。当侧墙砌筑好以后,再填筑拱腹填料。

空腹式拱桥,一般是在腹拱墩砌完后就卸落拱架,然后再对称均衡地砌筑腹拱券,以免由于主拱券不均匀下沉而使腹拱券开裂。

(6) 拱架卸落

拱券砌筑完毕,砂浆强度达到设计要求强度后卸落拱架,设计未规定时,砂浆强度应达到设计标准值的80%以上。应施工要求必须提早拆除拱架时,应适当提高砂浆强度等级或采取其他措施。

为保证拱券(或拱上建筑已完成的整个上部结构)逐渐均匀地降落,以便使拱架所支承的桥跨结构质量逐渐转移给拱券自重来承担,拱架不能突然卸落,而应按卸架程序进行。

对于满布式拱架中、小跨径拱桥,可以将各节点处卸落量分几次,从拱顶向拱脚上对称卸落。靠近拱顶处的一般可分3~4次卸落。图4-58为满布式拱架的卸落步骤示意图,图中δ_0、δ_1、δ_2、δ_3、δ_4表示各节点处卸落量。

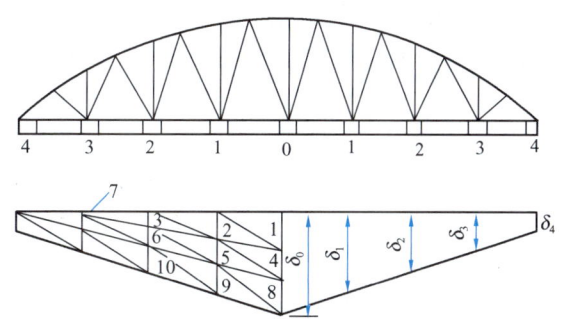

图4-58 满布式拱架的卸落步骤示意图

对于大跨径的悬链线拱券,为了避免拱券发生"M"形变形,也有从两边$L/4$处逐次对称地向拱脚和拱顶均衡地卸落。卸架宜在白天气温较高时进行。

2. 钢管混凝土拱桥施工

钢管混凝土拱桥的施工方法为少支架施工、无支架施工。施工方法中的关键是钢管肋拱的施工。由于吊杆、纵梁、横梁等构件类似于梁桥构件,在这里不再赘述。

(1) 少支架施工

简支钢管混凝土组合拱桥的少支架施工与构造、通航要求等因素密切相关。当纵梁足够高时,可以采取少支架施工。如果河流有通航要求,中间可预留通航孔以维持临时通航,在临时通航孔外搭设少量支架,以便搁置纵梁。一般用先筑纵梁后架拱的方法。对于先预制加劲梁,在支架上浇筑接缝及接头,而后架设钢管拱肋及浇筑拱肋混凝土的方案,其施工步骤如下:

1) 设置临时墩及主墩支撑浇筑端块及端横梁。

2) 吊装预制加劲梁节段,在支墩上现浇纵向连接梁,吊装部分横梁,现浇接头,形成平面框架,张拉横梁预应力及部分纵向预应力筋,在浇筑中预留吊杆的位置。

3) 架设其余横梁及钢管拱肋,浇筑横梁接头及张拉预应力筋,设置风撑及浇筑钢管混凝土;按设计要求张拉吊杆。

4) 铺设桥面空心板,张拉其余纵向预应力筋。拆除支架,浇筑桥面铺装。

5) 拆除临时墩。

(2) 无支架施工

无支架施工方法，指将整孔吊装，钢管吊装后锁定于拱座的铰上，或在拱座横梁上利用桥台、桥墩承担水平推力。当桥墩承担水平推力有困难时，可将钢管两端焊上临时锚箱，张拉临时拉杆，拉杆中间需设辅助吊杆；而后泵送混凝土及吊装横梁，张拉吊杆，利用横梁作为支点。张拉部分纵向索，以及浇筑桥面板及加劲纵梁现浇段；然后张拉全部预应力束。或将钢管分三段吊装，在桥台或桥墩上设独脚拔杆，设前后拉索，后拉索锚在地上，前拉索扣住钢管，吊装中段利用预埋螺栓孔将接头固定，待风撑安装后，各接头施焊，并用扣索将钢筋固定，防止失稳。施工步骤如下：

1）完成基础工作后，浇筑承台、横梁和纵梁端块（包括拱座）。

2）用前面所讲的钢管拱吊装方式，使钢管拱就位，并用吊杆及临时拉索预先安装好，就位后就可以焊接拱脚焊缝。

3）泵送混凝土，跨中吊一根横梁以压重。

4）对称吊挡吊杆，并挡上横梁，根据设计要求进行吊杆的张拉，张拉横向索。

5）现浇桥面板连接段，张拉全部纵向预应力索。

6）桥面铺装，并调整吊杆张拉力等。

(3) 钢管混凝土拱肋的施工

1）钢管加工

钢管混凝土拱所用钢管直径大，一般采用钢板卷制焊接管，其中对桁式钢管拱中直径较小的腹杆、横连管可直接采用无缝钢管。

钢板卷制焊接管采用工厂卷制和工地冷弯卷制。由于工厂卷制质量便于控制，检测手段齐全，推荐采用工厂卷制焊接管。根据不同的板厚和管径，可采用螺旋焊缝和纵向直焊缝两种形式。制管工艺程序包括钢板备料、卷管、焊缝检查与补焊、水压试验等工序。

2）钢管拱肋加工制作

成品钢管通常为8～12m长，一般经接头、弯制、组装后，形成拱肋。

在钢管拱肋加工制作前，首先应根据设计图的要求绘制施工详图。施工详图按工艺程序要求，绘成零件图、单元构件图、节段构成图及试装图。

加工前，首先在现场平台对1/2拱肋进行1：1放样，放样精度需达到设计和规范要求。根据大样按实际量取拱肋各构件的长度，取样下料和加工。量测时应考虑温度的影响。按拱肋加工段长度（一般为拱肋吊装分段长度）进行钢管接长。在可能的情况下均应作双面焊接或管外焊接，对不能进行管内施焊的小直径管可采用在进行焊缝封底焊后再进行焊接的方法。焊接完成后严格按设计要求进行焊缝外观质量检查和超声波与X射线检测。工地弯管一般采用加热方式，利用模架对弯管节施加作用，使之弯曲，直至成型。

3）拱肋的拼装

钢管拱肋具有各种形式，从断面看，可以是单管、双管或多管，从立面看，可以是管形或由管组成的桁构形。接装时按下列顺序进行：

① 精确放样与下料。一般按1：1进行放样，根据实际放样下料。

② 对用于拼装的钢管做除锈防护处理。

③ 在1：1放样台上组拼拱肋。先进行组拼，然后作固定性焊接，在拱肋初步形成后，对其几何尺寸做详细检查，发现问题，及时调整，使拼装精度达到设计要求。

④ 焊接。焊接是钢管混凝土拱桥施工中最重要的一环。施焊工艺必须符合设计要求，并需按要求进行检测（检测项目包括外观、超声波与 X 射线）。在拱肋一面焊接完后，对其进行翻身，以便焊接另一面，从而避免仰焊，确保焊接牢固。由于拱肋翻身是在未完全焊接情况下进行的，很容易造成拱肋结构杆件接头处的损坏，所以，必须正确设置吊点和严格按设计方案要求进行翻身。

⑤ 精度控制。桥跨整体尺寸的精度由节段精度来保证，所以，制作精度控制应着眼于节段的制作精度。在制作中，由于卷尺误差、温度变形、画线的粗细度以及焊接收缩量等误差大小在一定程度上可以推算，因而在制作中要尽量排除。把基准对合偏差、焰割气压变化时所产生的切割偏差、组装时对中心的误差、估计焊接收缩量误差等偶然误差作为基本误差来考虑，利用误差理论，分析出节段制作与结构拼装误差预测值，并根据不同的保证率和实际情况确定出容许误差，在施工时的精度控制按规范和设计要求执行。

⑥ 防护。钢管防护的好坏直接影响钢管混凝土拱桥的使用寿命。在拱肋段完全形成、焊缝质量检验合格后即可进行防护施工。首先对所有外露面做喷砂除锈处理，然后做防护处理，目前一般采用热喷涂，其喷涂方式、工艺以及厚度均应符合设计要求。在防护完成后即可将其堆放待用。

4) 钢管拱肋安装

钢管混凝土拱桥施工中最主要的工序之一就是拱肋安装，安装的方法有：无支架缆索吊装；少支架缆索吊装；整片拱肋或少支架浮吊安装；吊桥式缆索吊装；转体施工；支架上组装；千斤顶斜拉扣挂悬拼等。这里主要介绍千斤顶斜拉扣挂悬拼法。

钢管混凝土拱桥的拱券形成主要分两步，一是钢管拱券形成，二是在管内灌注混凝土形成最终拱券，钢管拱既是结构的一部分，又兼作浇筑管内混凝土的支架与模板。采用千斤顶斜拉扣挂悬拼法安装就是利用在吊装时用于扣挂钢管的斜拉索的索力调整，来控制吊装标高和调整管内混凝土浇筑时拱肋轴线变形。千斤顶斜拉扣挂悬拼安装系统包括吊运系统和斜拉扣挂系统两部分，如图 4-59(a) 所示。

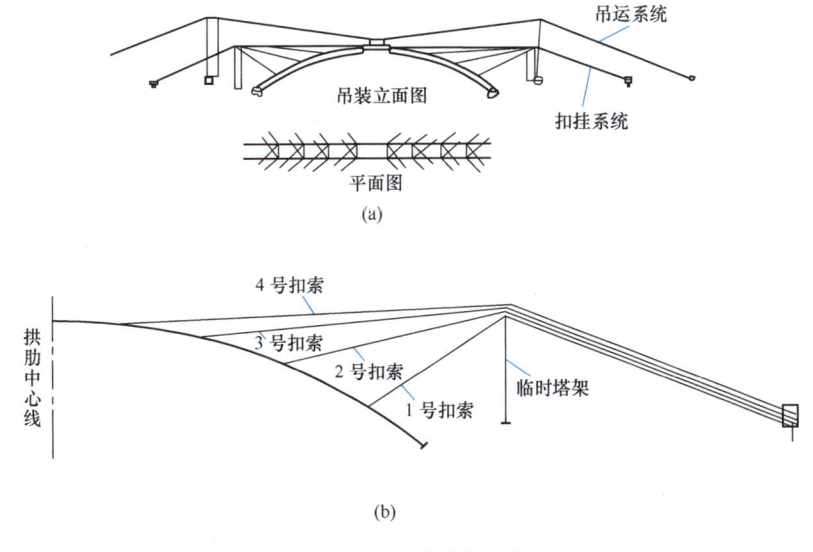

图 4-59 钢管拱肋安装

(a) 千斤顶斜拉扣挂悬拼示意图；(b) 扣索系统

吊运系统主要用于预制钢管拱肋段的运送。扣索系统中扣索采用钢绞线，各根扣索用多大的钢绞线或由几根组成，应根据扣力大小决定。扣索索力计算与拱桥悬拼施工相似。扣索经扣塔顶索鞍弯曲转向进入地锚张拉锚固，如图 4-59（b）所示。

拱肋的拼装顺序一般按设计要求进行。图 4-60 表示了某桥的拼装流程。

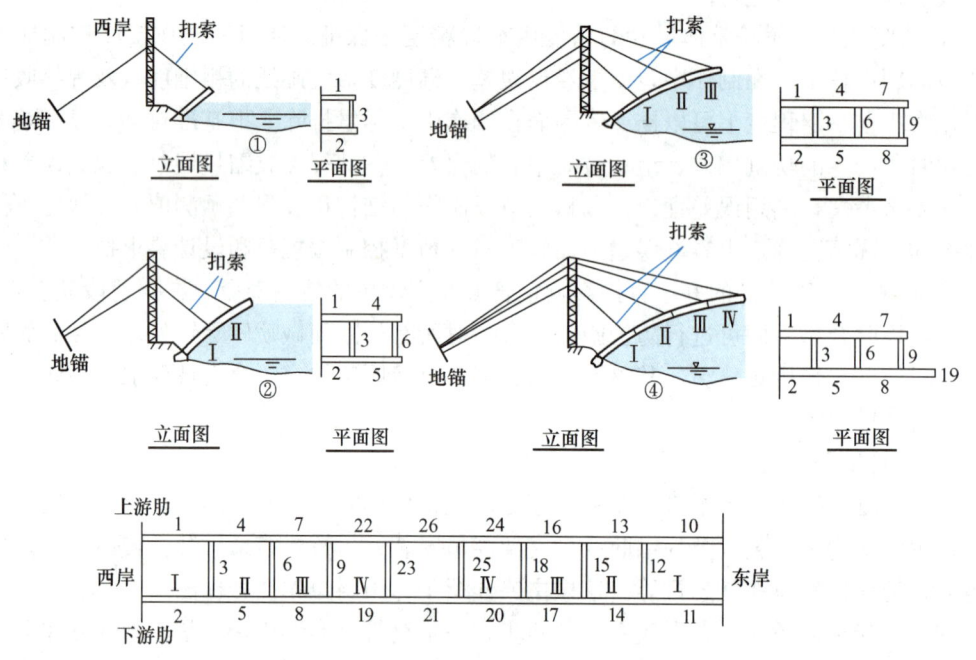

图 4-60　钢管拱肋拼装流程示例

注：①图中阿拉伯数字表示吊装就位顺序。
　　②图中罗马数字表示钢骨架分段。

空中接头处一般钢管拱肋处于悬臂状态（节点以外）。为保证钢管不产生整体变形，便于空中对接，都应设置固定架，待接头连接后拆除；另外应在前一已安装段管（多管截面时为下层管）外侧底部和内侧上部焊上临时支承板，以便于施工。悬臂拼装过程中，采用水准仪或全站仪控制标高，调整扣索索力以调整拱肋标高。

5）管内混凝土浇筑

管内混凝土浇筑可采用人工浇筑和泵送顶升压注两种方法。由于分段浇筑对密封的钢管来讲较为困难，且由此而产生的若干混凝土接缝对钢管混凝土拱肋质量不利。所以，一般采用自拱脚一次对称浇筑（或压注）至拱顶的方案，下面以泵送顶升压注施工为例，如图 4-61 所示。钢管混凝土压注工艺流程为：堵塞钢管法兰间隙→清洗管内污物，润湿内壁→安设压注头和闸阀→压注管内混凝土→从拱顶排浆孔振捣混凝土→关闭压注口处闸阀稳压→拆除闸阀完成

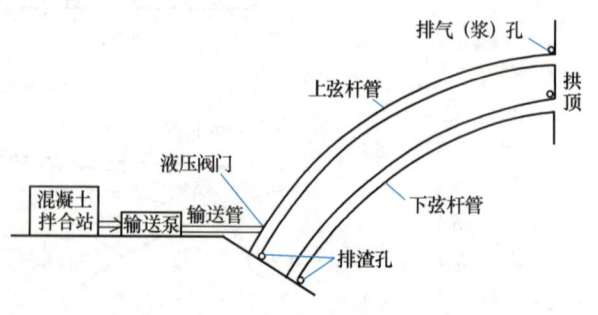

图 4-61　钢管混凝土压注施工示意图

压注。

4.6.2 斜拉桥施工

斜拉桥的施工方法多种多样。根据国内外的工程实践，斜拉桥基础、墩台和索塔施工与其他桥型基本相同，但上部结构施工，有其特殊性。一般大跨径斜拉桥上部结构主要采用悬臂浇筑或悬臂拼装的施工方法，对于中小跨径的斜拉桥，可根据桥址处的地形条件和结构的特点，采用支架法、顶推法等施工方法。下面针对斜拉桥的混凝土索塔施工、主梁施工和斜拉索施工作阐述。

1. 混凝土索塔

混凝土索塔的塔柱可分为下塔柱、中塔柱和上塔柱，一般采用支架法、滑模法、爬模法、翻转模板法分节段施工，施工节段大小的划分与塔柱构造、施工方法、施工环境条件、施工机具设备能力（起重设备能力）等多方面因素有关。常用的施工节段大致划分为1~6m不等，每节段典型的施工工艺流程如图4-62所示。

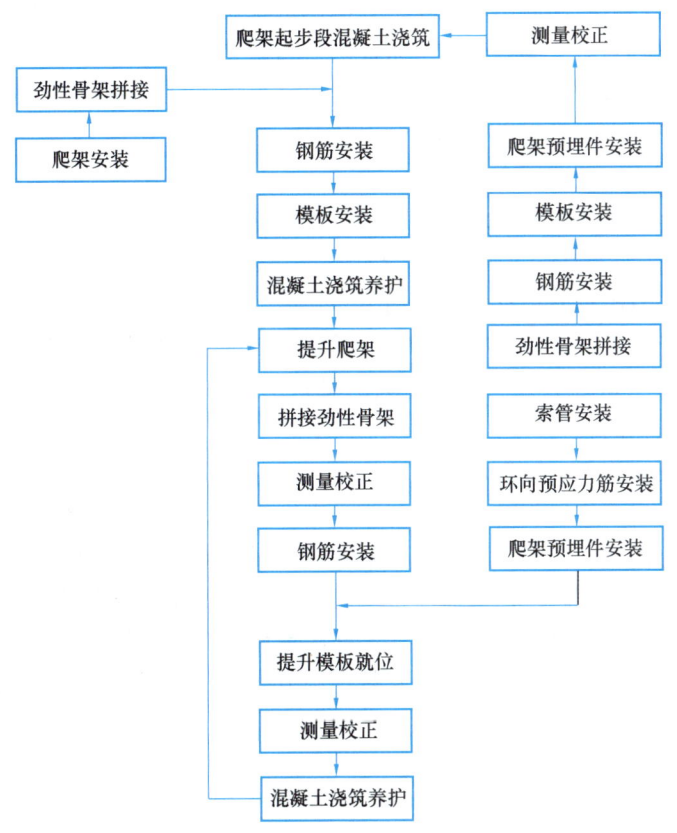

图 4-62 塔柱施工示例及工艺流程图

一般来讲，塔柱的塔壁内往往设有劲性骨架，劲性骨架在加工厂分节段加工，在现场分段超前拼接，精确定位。劲性骨架安装定位后，可供测量放样、立模、钢筋绑扎及斜拉索钢套管定位使用，也可承受部分施工荷载。劲性骨架在倾斜塔柱中，其功能作用更大，设计往往结合构件受力需要设置。当倾斜塔柱为内倾或外倾布置时，应考虑在两塔肢之间每隔一定的高度设置受压支架（塔柱内倾）或受拉拉杆（塔柱外倾）以保证斜塔柱的受力、变形和稳定性，具体的布置间跨应根据塔柱构造经过设计计算确定。

塔柱钢筋一般均采用加工厂预制成型、现场安装的办法施工。钢筋之间的连接包括绑扎连接、焊接连接、冷挤压连接及直螺纹连接等多种方法，其中冷挤压连接和直螺纹连接两种连接技术，因施工方便、快速、成本合理、质量可靠等特点越来越多地得到应用，特别是在进行大直径钢筋的连接施工时。

塔柱钢筋安装完成、模板就位后，即可进行混凝土的浇筑。塔柱混凝土浇筑一般采用卧式泵泵送的办法进行。

2. 主梁

斜拉桥主梁施工方法与梁式桥大致相同，一般可分为顶推法、平转法、支架法和悬臂法等四种。悬臂法因适用范围较广而成为目前斜拉桥主梁施工最常用的方法。

悬臂施工法分悬臂浇筑法和悬臂拼装法。悬臂浇筑法是在塔柱两侧用挂篮对称逐段浇筑主梁混凝土。悬臂拼装法是先在塔柱区现浇（对采用钢梁的斜拉桥为安装）一段放置起吊设备的起始梁段，然后用起吊设备从塔柱两侧依次对称拼装梁体节段。

施工过程中，必须对主梁各个施工阶段的拉索索力、主梁标高、塔梁内力以及索塔位移量等进行监测，并应及时将有关数据反馈给设计单位，分析确定下一施工阶段的拉索张拉量值和主梁线形、高程及索塔位移控制量值等，直至合龙。

（1）悬臂浇筑法施工

悬臂浇筑法是大部分混凝土斜拉桥主梁施工的主要方法，适用于任何跨径的斜拉桥主梁施工。

主梁悬臂浇筑节段长度根据斜拉索的节间长度、梁段质量进行划分，一个节段长度可采用一个索距或半个索距，但也有一个节段长度采用两个索距的。一般情况下，一个悬臂浇筑节段长度在4~8m左右。斜拉桥主梁的悬臂浇筑与一般预应力混凝土梁式桥悬臂浇筑的施工工序基本相同。

（2）悬臂拼装法施工

悬臂拼装法的主梁是预制的，墩塔与梁可平行施工，因此可以缩短施工周期，加快施工进度，减少高空作业。主梁预制混凝土龄期较长，收缩和徐变影响小，梁段的断面尺寸和浇筑质量容易得到保证。但该法需配备一定的吊装设备和运输设备，要有适当的预制场地和运输方法，安装精度要求较高。先在塔柱区现浇一段放置起吊设备的起始梁段，然后用适宜的起吊设备从塔柱两侧依次对称安装预制节段，使悬臂不断伸长直到合龙。

3. 斜拉索的安装

（1）放索

为便于运输及运输过程中索的保护，斜拉索起运前通常采用类似电缆盘的钢结构盘将拉索卷盘，然后运输。对于短索，也有采取自身成盘，捆扎后运输的情况。

在放索过程中，索盘自身的弹性和牵引产生的偏心力，会使转盘转动时产生加速度，导致散盘，危及施工人员的安全。所以，一般情况下要对转盘设刹车装置，或者以钢丝绳作尾索，用卷扬机控制放索。

（2）索在桥面上的移动

在放索和挂索过程中，要对斜拉索进行拖移，由于索自身弯曲，或者与桥面直接接触，在移动中就可能损坏拉索的防护层或损伤索股。为避免这些情况的发生，一般对索在移动时要进行保护。

（3）索在塔部安装

一般情况下，可根据斜拉索张拉方式确定拉索的安装顺序，拉索张拉端位于塔部时可先安装梁部拉索锚固端，后安装塔部拉索锚固端；反之，先安装塔部，后安装梁部。塔端拉索锚固端安装的方法一般有吊点法、吊机安装法、脚手架法、钢管法等。塔部拉索张拉端安装的方法一般有分步牵引法、桁架床法等。对于两端皆为张拉端的斜拉索，可选择其中适宜的方法。脚手架法、钢管法和桁架床法都要在悬挂斜拉索的位置搭设支架，安装复杂、速度慢，只适于低塔稀索的情况。现代化斜拉桥多为大跨、高跨、密索体系，常用吊点法、吊机安装法及分步牵引法安装斜拉索。

4.6.3 悬索桥施工

悬索桥梁施工的主要内容包括：主索、塔、锚碇、吊索和加劲梁等的制作安装。上部结构的施工顺序如图 4-63 所示。

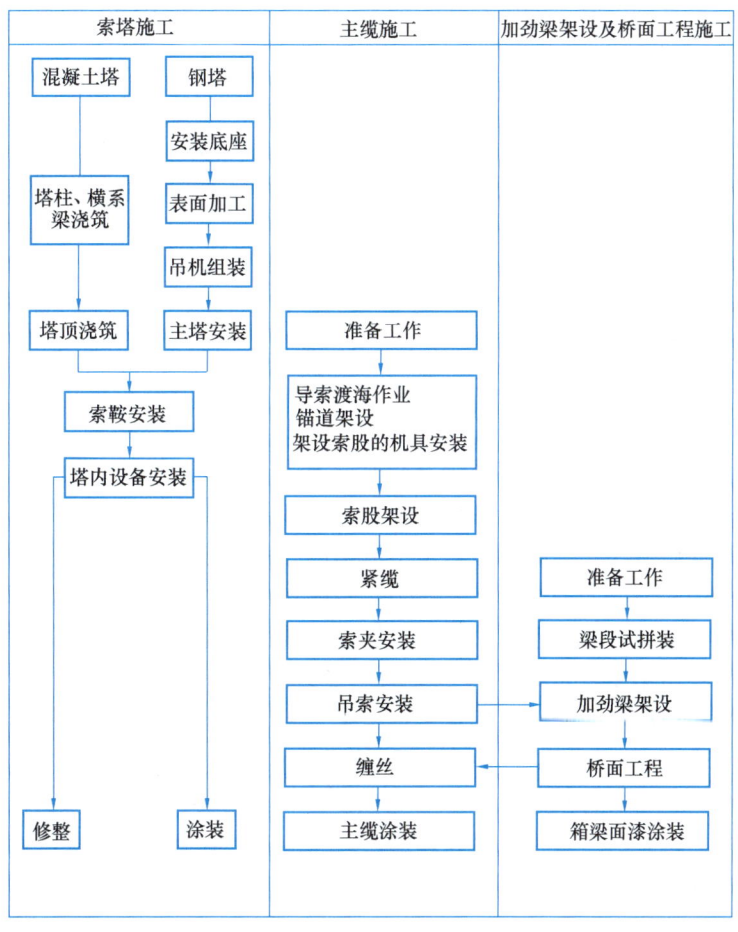

图 4-63 悬索桥上部结构施工顺序

1. 主索制作

大跨度悬索桥缆索的钢丝是互相平行的。架桥时，缆索由钢丝就地编成。平行钢丝索的施工，通常采用由一个移动的纺轮，在已架好的辅助缆索上来回移动架设每根钢丝。钢丝束被编成一股以后，每隔 2~3m 绕上镀锌软钢丝，以保证截面的紧密和截面的形式。为了防止钢丝锈蚀，通常采用镀锌的钢丝或在钢丝绳的空隙中填以红铅油、地沥青，也可在钢丝绳外面加一层柔性或刚性索套。

2. 塔的施工

吊桥桥塔通常做成空心断面，用钢结构或钢筋混凝土制成。当采用钢筋混凝土桥塔时，可使用滑模工艺施工。对于高度不大的桥塔，可采用设在塔旁的悬臂吊车来拼装塔架；当桥塔高度较大时，则需要使用能沿桥塔爬高的吊车，以便随桥塔的接装而逐步上升，继续拼装桥塔上一节段的构件。

3. 锚碇施工

锚碇是锚块基础、锚块、钢缆的固定装置等的总称。

锚块的形式大致分为重力式（图 4-64a）及隧道式（图 4-64b）。大部分吊桥都采用重力式锚块。隧道式锚块则用于锚碇附近为基岩外露的有利情况之外。锚碇的施工方法与一般钢筋混凝土施工方法类似。锚碇的施工可参照一般钢筋混凝土结构的施工方法。

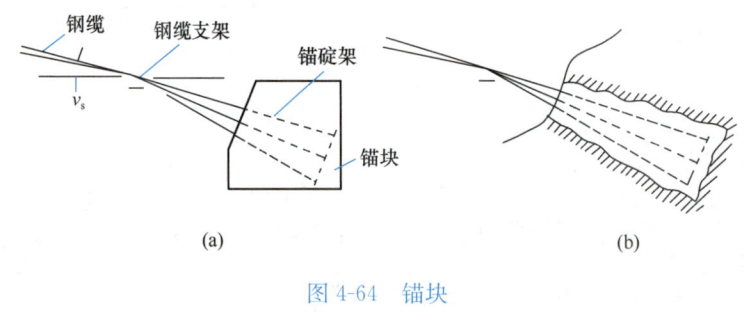

图 4-64 锚块
(a) 重力式；(b) 隧道式

4. 吊索制作

吊索可由圆钢、钢管或扭转式钢丝绳制成。当悬索吊装完毕后可利用工作缆索吊移吊篮来进行索夹与吊索的安装工作。索夹与吊索的安装顺序是从中跨的跨中向两侧对称地逐个安装。中跨完成后再安装边跨，边跨是由塔架侧向桥台方向逐个安装。索夹与吊索同时安装。

索夹为两个半六面体的铸钢件，靠螺钉拧合。索夹应先在地面配好，保证螺孔位置的对正，然后将索夹与吊索放入吊篮内，移动至安装位置。为了保证两个半索夹的顺利安装，可临时使用一个简单的索夹，用它先将悬索卡紧，然后再上索夹。待索夹上紧后，松开临时索夹，并将原先捆绑的钢丝剪断、抽出。装配完了一个索夹，即将相应的吊索安装到索夹上，然后再将吊篮移出。

吊索的上端通过套筒与索夹的吊耳相连接，下端通过套筒与调整眼杆连接，眼杆通过连接件与加劲梁连接。

5. 加劲梁

加劲梁通常采用钢桁梁、钢箱梁和钢板梁制成。加劲梁与主梁的连接多采用高强度螺栓的连接工艺。架设顺序可以从主跨跨中开始，向桥塔方向逐段吊装；也可以从桥塔开始，向主跨跨中及边跨岸边前进。施工过程中，应及时对成桥结构线形及内力进行监控，确保符合实际要求。

4.6.4 钢桥施工

钢桥是各种桥梁体系特别是大跨度桥梁常用的一种形式。钢桥的施工方法除了悬臂拼装法之外，还可采用拖拉架设法、整孔架设法、膺架拼装法等，以提高施工速度。

钢材经过放样、下料、切割、矫正、号孔、钻孔、焊接、结构试拼装、除锈和油漆等预制加工工艺，最后得到所需的钢构件。

1. 悬臂拼装法

悬臂拼装是在桥位上拼装钢梁时，不用临时膺架支承，而是将杆件逐根地依次拼装在平衡梁上或已拼好的部分钢梁上，形成向桥孔中逐渐增长的悬臂，直至拼至次一墩（台）上。这称为全悬臂拼装。

若在桥孔中设置一个或一个以上临时支承进行悬臂拼装时，称为半悬臂拼装。用悬臂法安装多孔钢梁时，第一孔钢梁多用半悬臂法进行安装。

钢梁在悬臂安装过程中，值得注意的关键问题是：①降低钢梁的安装应力；②伸臂端挠度的控制；③减少悬臂孔的施工荷载；④保证钢梁拼装时的稳定性。

悬臂安装钢梁的施工顺序为杆件预拼、钢梁杆件拼装、高强度螺栓施工、安装临时支承布置、钢梁纵移、钢梁横移。

高强度螺栓终拧完毕，必须当班检查。每栓群应抽查总数的5%，且不少于2套。抽查合格率不得小于80%，否则应继续抽查，直至合格率达到80%以上。对螺栓拧紧度不足者应补拧，对超拧者应更换、重新施拧并检查。

2. 拖拉架设法

采用纵向拖拉安装方案时，应按移梁时可能发生的竖向应力和施工区间内的风力验算钢梁杆件和临时连接件的强度和稳定性。钢梁的倾覆系数不小于1.3，必要时可在中间设临时支架或在钢梁前端设导梁。

(1) 半悬臂纵向拖拉

半悬臂纵向拖拉是根据被拖拉桥跨结构杆件的受力情况和结构本身稳定的要求，利用在永久性的墩、台之间设置临时性的中间墩架，以承托被拖拉的桥跨结构，如图4-65所示。

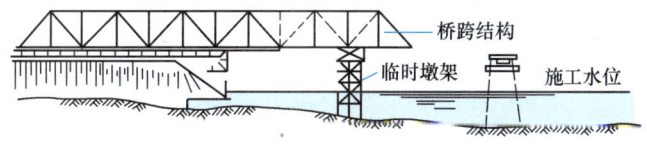

图4-65 中间临时墩架的纵向拖拉

(2) 全悬臂纵向拖拉

全悬臂的纵向拖拉指在两个永久性墩、台之间不设置任何临时中间支承的情况下的纵向拖拉架梁方法。如图4-66所示，用拆装式杆件组成导梁的全悬臂拖拉。拖拉钢桥梁的滑道，可以布置在纵梁下，也可以布置在主桁下。

3. 整孔架设法

用架桥机架梁有既快又省的效果。目前常用的架桥机主要有胜利型架桥机、红旗型窄式架桥机。

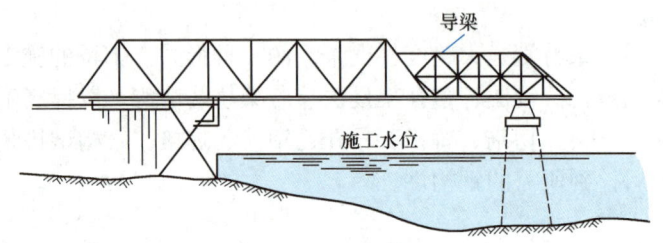

图 4-66 全悬臂的纵向拖拉

4. 膺架拼装法

在满布支架上拼组钢梁和在场地上拼组钢梁的技术要求基本一致。其工序可分为杆件预拼，场地及支架布置，钢梁拼装，钢梁铆合和栓合等几部分。

(1) 杆件预拼

首先应将工厂发送到工地的钢梁的单根杆件和有关的拼接件在场地上预拼，拼组成吊装单元。

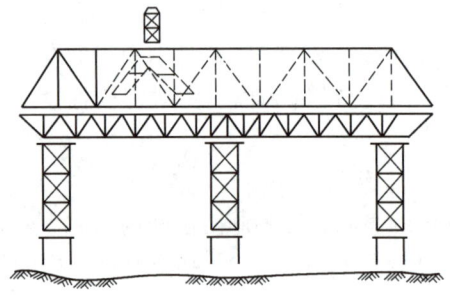

图 4-67 万能杆件组拼脚手架及龙门吊机

(2) 支架或拼装场地布置

支架最好用万能杆件拼装，如图 4-67 所示，支架基础可用木桩基础。

支架顶面铺木板，板面标高应低于支承垫石面，以便于梁落到支座上。根据钢梁设计位置，在每个钢梁节点处设木垛。木机构间留有千斤顶的位置，可供设置千斤顶调整节点的标高。木垛的最上一层用木楔，以便调整钢梁节点标高。

(3) 钢梁拼装

钢梁拼装用的吊机类型很多，在支架上和场地上拼装钢梁可用万能杆件组成的龙门吊机，也可用轨道吊机。

钢梁常用的拼装顺序有两种，一种是从梁的一端逐节向另一端拼装；另一种是先从一端拼装下弦桥面系和下平纵联到另一端，然后再从一端拼装桁架的腹杆、上弦杆、上平联及横联到另一端。

(4) 钢梁栓合

钢梁拼装完毕后应根据精度的要求，经过复测检查调整后才能进行栓合。

钢梁在支架上拼装组合完毕后，可落梁到支座上。落梁方法可用千斤顶的端横梁下将梁顶起，逐渐拆除节点下木垛，然后落梁到支座上。当落梁高度很小时，也可逐步将节点下木楔放松，使钢梁徐徐下落。

4.7 桥面及附属工程施工

4.7.1 支座安装

目前桥梁上使用较多的是橡胶支座，有板式橡胶支座和盆式橡胶支座。板式橡胶支座用于反力较小的中小跨径桥梁，盆式支座用于反力较大的大跨径桥梁。

1. 板式橡胶支座的安装

板式橡胶支座在安装前的检查和力学性能检验，包括支座长、宽、厚、硬度、容许荷载、容许最大温差以及外观检查等，如不符合设计要求，不得使用。支座安装时，支座中心应对准梁的计算支点，必须使整个橡胶支座的承压面上受力均匀。为此，应注意下列事项：

（1）支座下设置的承垫石，混凝土强度应符合设计要求，顶面标高准确、表面平整，在平坡情况下同一片梁两端支承垫石水平面应尽量处于同一平面内，其相对误差不得超过3mm，避免支座发生偏斜、不均匀受力和脱空现象。

（2）安装前应将墩台支座支垫处和梁底面清洗干净，去除油污，用水灰比不大于0.5的1∶3水泥砂浆抹平，使其顶面标高符合设计要求。

（3）支座安装尽可能安排在接近年平均气温的季节里进行，以减少由于温差变化大而引起的剪切变形。

（4）当墩台两端标高不同，顺桥向有纵坡时，支座安装方法应按设计规定办理。

（5）梁板安放时，必须细致稳妥，使梁、板就位准确且与支座密贴，就位不准或支座与梁板不密贴时，必须吊起，采取垫钢板措施，使支座位置限制在允许偏差内，不得用撬棍移动梁、板。

2. 盆式橡胶支座的安装

盆式橡胶支座顶、底面积大，支座下埋设在墩顶的钢垫板面积也较大，浇筑墩顶混凝土必须密实。盆式橡胶支座的规格和质量应符合设计要求，支座组装时其底面与顶面（埋置于墩顶和梁底面）的钢垫板，必须埋置密实。垫板与支座间平整密贴，支座四周探测不得有大于0.3mm的缝隙，严格保持清洁。活动支座的聚四氟乙烯板和不锈钢板不得有刮伤、撞伤。氯丁橡胶板密封在钢盆内，安装时应排除空气，保持紧密。施工时应注意下列事项：

（1）安装前应将支座的各相对滑移面用酒精或丙酮擦洗后，在四氟滑板的储油槽内注满硅脂类润滑剂并保洁。

（2）支座的顶板和底板可用焊接或锚固螺栓连接在梁底面和墩台顶面的预埋钢板上。采用焊接时，应防止烧坏混凝土；安装锚固螺栓时，其外露螺杆的高度不得大于螺母的厚度。支座安装顺序，宜先将上座板固定在大梁上，然后根据其位置确定底盘在墩台的位置，最后予以固定。

（3）支座的安装标高应符合设计要求，中心线要与梁的轴线重合，水平最大位置偏差不大于2mm。

（4）安装固定支座时，上下各部件的纵轴线必须对正；安装活动支座时，上下纵轴线必须对正，横轴线应根据安装时的温度与年平均温度的差，由计算确定其错位的距离；支座的上下导向挡块必须平行，最大偏差的交叉角不得大于5′。

4.7.2 桥面附属工程施工

桥面系的施工主要包括桥面伸缩缝、沉降缝、桥面防水、泄水管、桥面铺装、人行道、安全带、栏杆（防撞护栏和人行道栏杆）、灯柱、桥头搭板等。其施工质量不仅影响桥梁的外形美观，而且关系桥梁的使用寿命、行车安全及舒适性。

1. 伸缩缝施工

（1）梳形钢板伸缩缝：伸缩缝的位置、构造应符合设计要求。梳形钢板伸缩缝安装时的间隙，应按照安装时的梁体温度计算决定，梁体温度应测量准确。伸缩体横向高度应符合桥面线形，伸缩装置的槽内应清洁干净，如有顶头现象或缝宽不符合设计要求时应凿剔平整。现浇混凝土宜在接缝伸缩开放状态下浇筑，浇筑时应防止已定位的构件变位。伸缩缝两边的组件及桥面应平整无扭曲。梳形钢板伸缩缝所用的钢板的力学性能应符合规定。在施工中要加强锚固系统的锚固，防止锚固螺栓松动、螺母脱落，要注意养护，同时要设置橡胶封缝条防水。

（2）橡胶伸缩缝：采用橡胶伸缩缝时，材料的规格、性能应符合设计要求。应根据桥梁跨径大小或连续梁（包括桥面连续的简支梁）的每联长度，决定采用纯橡胶式、板式、组合式等。对于板式橡胶伸缩缝，应有成品解剖检验证明。安装时应根据气温对橡胶伸缩体进行必要的预压缩。气温在5℃以下时，不得进行橡胶伸缩缝的安装施工。采用后嵌式橡胶伸缩体时，应在桥面混凝土干缩完全且徐变也大部分完成后再进行安装。橡胶伸缩装置在安装时应注意下列事项：

1）要检查桥面板端部预留的空间尺寸、钢筋，注意不受损伤，若为沥青混凝土桥面铺装，宜采用后开槽工艺以提高缝与桥面的平顺度。

2）应根据安装时的环境温度计算橡胶伸缩装置模板的宽度和螺栓的间距。将准备好的加强钢筋与螺栓焊接就位，然后浇筑混凝土并养护。

3）将混凝土表面清洁干净后，涂防水胶粘材料，利用调整压缩的工具将伸缩装置安装就位。向伸缩装置螺栓孔内灌注防腐蚀剂，要注意及时盖好盖帽。

4）伸缩缝必须全部贯通，不得堵塞或变形。

5）橡胶板应安装平整密贴、旋紧螺栓，在螺孔内灌注密封胶，每段橡胶板拼接时，在企口形连接处涂刷密封胶，要求接缝平整严密不漏水。

2. 沉降缝施工

沉降缝的位置应符合设计要求，沉降装置必须垂直，从上到下竖直贯通桥涵结构物，缝的端面平整，缝的宽度一致，要按设计要求设置嵌缝材料。混凝土基础、压顶与挡墙墙身的沉降缝必须在同一垂直线上，并使其缝在基桩间隙中垂直通过。

3. 防水层施工

桥面防水层应在现浇桥面结构混凝土或垫层混凝土达到设计要求强度，经验收合格后方可施工。

防水层设在桥面铺装层下，它有多种铺设方法。粘贴式防水层（三油两毡）是先在桥面板上铺一层薄砂浆用以粘贴垫层；然后涂抹一层油膏，一层油毡（或其他防水材料），再一层油膏，一层油毡；最后一层油膏用以粘贴防水装置保护层。涂抹式是在桥面板或桥台背面涂抹数层沥青作防水层。特殊塑料薄膜作防水层，既可防止钢筋混凝土桥面裂缝，又能防水。防水混凝土作防水层，应振捣密实，施工接头处不能有空隙。

桥面防水层的铺设要符合设计要求，在铺设时应注意下列事项：

（1）防水层材料应经过检查，符合规定标准后方可使用。

（2）防水层通过伸缩缝或沉降缝时，要按设计规定铺设。

（3）防水层应横桥向闭合铺设，底层表面应平顺、干燥、干净；防水层严禁在雨天、夏天和5级（含）以上大风天气施工。气温低于-5℃时不宜施工。

（4）水泥混凝土桥面铺装层，当采用油毛毡或织物与沥青粘合的防水层时，应设置隔断缝。

（5）防水层与汇水槽、泄水口之间必须粘结牢固、封闭严密。

4. 泄水管施工

泄水管的施工要按照设计规定进行，泄水管应伸出结构物底面100~150mm；立交桥及高速公路上的桥梁，泄水管不宜直接挂在板下，可将泄水管通过纵向及竖向排水管道直接引向地面，或按设计要求办理，并且管道要有良好的固定装置。泄水管入水端应做好处理，与周边防水层密合，边缘要夹紧在管顶与泄水漏斗之间。泄水管施工时应注意下列事项：

（1）桥面的泄水管可预埋在梁内，位置应正确，泄水管顶面的标高如设计无规定时，可根据下列原则决定。

1）水泥混凝土桥面的泄水管道面标高，宜略低于该处的桥面标高，以便雨水汇入。

2）沥青混凝土桥面，采用防滑层结构时，泄水管盖面的标高略低于防滑层的顶面标高，但在防滑层厚度范围内的泄水管宜钻孔，使渗入防滑层的水排入泄水管。

（2）泄水管的顶盖应与泄水管及周围的桥面牢固连接。

（3）城市立交桥或跨河桥梁的岸边引桥的泄水管应有导流设施，并且泄水管与附近在桥墩（台）处的排水管接通时，宜留有一定的伸缩余量，使梁在伸缩时不会拉断泄水管。

汇水槽、泄水口顶面高程应低于桥面铺装层10~15mm。

5. 桥面铺装层施工

桥面防水层经验收合格后应及时进行桥面铺装层施工。雨天和雨后桥面未干燥时，不得进行桥面铺装层施工。

沥青混凝土桥面铺装应按设计要求施工：在铺装前应对桥面进行检查，桥面应平整、粗糙、干燥、整洁。桥面横坡应符合要求，否则应及时处理。铺装前应洒布粘层油，石油沥青洒布时为0.3~0.5L/m²。沥青混凝土的配合比设计、铺装、碾压等工序应符合沥青路面施工的规范要求。注意铺装后桥面的泄水孔的进水口应略低于桥面面层，保证排水顺畅。应注意下列事项：

（1）测设中线和边线的标高，根据最小厚度和最大厚度以及平均厚度计算沥青混凝土的数量，做好用料计划。

（2）在喷洒粘层油前宜在路缘石上方涂刷石灰水或粘贴保护纸张，以免沥青沾染缘石。

（3）在伸缩缝处宜以黄砂等松散材料临时铺垫与水泥混凝土顶面相平，沥青混凝土可连续铺筑，铺筑完成后，再根据所采用的伸缩缝装置的宽度，划线切割，挖去伸缩缝部分的沥青混凝土后，再安装伸缩装置。

（4）沥青混凝土面层应采用机械摊铺，应以伸缩缝的间距确定一次铺筑长度，要求在相邻的两个伸缩缝之间尽量不设施工缝。桥面的宽度宜在一天内铺筑完成。每次铺筑的纵向接缝宜在上次铺筑时的沥青混凝土的实际温度未降至100℃时予以接缝并碾压，铺装宜采用轮胎或钢筒式压路机碾压。

（5）沥青混凝土面层厚度大于6cm时宜采用两次铺筑，以提高沥青混凝土面层的平整度。

6. 人行道、安全带、栏杆、防撞护栏、灯柱施工

桥面的安全带、路缘石、人行道梁、人行道板、栏杆、扶手、灯柱等，在安装完工后，其竖向线形或坡度、断缝或伸缩缝必须符合设计规定。

（1）安全带和缘石施工应注意事项

1）悬臂式安全带构件必须与主梁横向连接。

2）安全带梁必须安放在未凝固的 M20 稠水泥砂浆上，以便形成顶面设计的横向排水坡。

3）为了减少从缘石与桥面铺装缝隙中渗水，缘石宜采用现浇混凝土，使其与桥面铺装的底层混凝土结合为整体。

（2）人行道施工应注意事项

1）悬臂式人行道构件必须与主梁横向连接。

2）人行道梁必须安装在未凝固的 M20 稠水泥砂浆上，并以此来形成人行道顶面的横向排水坡。

3）人行道板必须在人行道梁锚固后才可铺设，对设计无锚固的人行道梁、板的铺设，应按照由里到外的次序。

4）在安装有锚固的人行道梁时，应对焊缝认真检查，必须注意施工安全。

5）人行道板接缝处应用水泥砂浆嵌填，按规定绑扎钢筋网浇筑细石混凝土，于初凝前抹平。人行道面需划线分格，应在混凝土初凝前完成。

（3）栏杆施工应注意事项

1）栏杆块件必须在人行道板铺设完毕后才可安装，安装栏杆柱时，必须全桥对直、校平（弯桥、坡桥要平顺），竖直后用水泥砂浆填缝固定。

2）钢筋混凝土墙式护栏的高度必须在纵坡变化点处调整，以便线形流畅、美观。

3）钢筋混凝土柱式护栏、金属制护栏放栏前应选择桥梁伸缩缝附近的端部立柱等作为控制点，当距离出现零数时可用分配法使之符合规定的尺寸，支柱宜等间距设置。

4）轮廓标的安装高度宜尽量统一，连接要牢固。

5）栏杆的伸缩缝应同桥面的伸缩缝在同一直线上。

（4）防撞护栏施工应注意事项

1）边板（梁）预制时应在翼板上按设计位置预埋防撞护栏锚固钢筋，支设护栏模板时应先进行测量放样，确保位置准确。

2）绑扎钢筋时注意预埋防护钢管支撑钢板的固定螺栓，保证其牢固可靠。

3）在有伸缩缝处，防撞护栏应断开，依据选用的伸缩缝形式，安装相应的伸缩装置。

（5）灯柱安装应注意事项

1）灯柱应按照设计位置安装，必须牢固、线条顺直、整齐美观。

2）灯柱由钢管或钢筋混凝土管架立，并用钢筋固定在预埋的锚栓上。

3）灯柱线路必须安全可靠。

4）大型桥梁需配置照明控制电箱，固定在桥附近安全场所。

第 3 篇　排　水　工　程

第 5 章　排水管道构造与识图

5.1　排水工程的作用和组成

5.1.1　排水工程的作用

在城市，从居住区、公共建筑和工业企业中，不断地排出各种各样的生活污水和工业废水。随着城市居民生活水平的不断提高和工业企业的飞速发展，污水量日益增多，其污染成分也日趋复杂，如不加控制任其随意排放，大量有毒有害的物质就会随着污水排放到环境中，造成环境污染。同时，雨水和冰雪融化水如不及时排除，将会积水为害，妨碍交通，甚至危及城市居民的生命财产安全和日常生活。因此，现代化的城市就需要建设一整套的工程设施来收集、输送、处理和利用污水，此工程设施就称为排水工程。

排水工程具有以下几方面的作用：

（1）兴建完善的排水工程，将城市污水收集输送到污水处理厂经处理后再排放，可以起到改善和保护环境，消除污水危害的作用；

（2）保护环境是社会主义市场经济建设的先决条件，排水工程在我国经济建设中具有非常重要的作用；

（3）消除了污水危害，对预防和控制各种传染病和"公害病"，保障人民健康和造福子孙后代具有深远意义；

（4）污水经处理后可回用于城市，这是节约用水和解决水资源短缺的重要手段。

5.1.2　排水系统的组成

排水系统通常由排水管道系统和污水处理系统组成。

排水管道系统的作用是收集、输送污（废）水，由管渠、检查井、泵站等设施组成。在分流制排水系统中包括污水管道系统和雨水管道系统；在合流制排水系统中只有合流制管道系统。

污水管道系统是收集、输送综合生活污水和工业废水的管道及其附属构筑物；雨水管道系统是收集、输送、排放雨水的管道及其附属构筑物；合流制管道系统是收集、输送综合生活污水、工业废水和雨水的管道及其附属构筑物。

污水处理系统的作用是对污水进行处理和利用，包括各种水处理构筑物，本教材不作介绍。

1. 污水管道系统的组成

城市污水管道系统包括小区污水管道系统和市政污水管道系统两部分。

小区污水管道系统主要是收集小区内各建筑物排出的污水，并将其输送到市政污水管道系统中。一般由接户管、小区支管、小区干管、小区主干管和检查井、泵站等附属构筑物组成，如图 5-1 所示，与控制井相连的管道为小区主干管，与小区主干管相连的管道为小区干管，其余管道为小区支管。

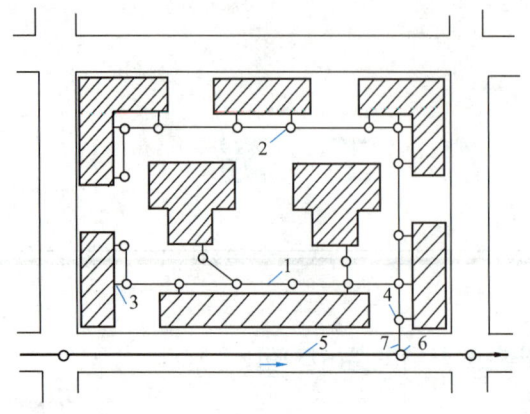

图 5-1 小区污水管道系统
1—小区污水管道；2—检查井；3—接户管；
4—控制井；5—市政污水管道；6—市政污水检查井；7—连接管

接户管承接某一建筑物出户管排出的污水，并将其输送到小区支管；小区支管承接若干接户管的污水，并将其输送到小区干管；小区干管承接若干个小区支管的污水，并将其输送到小区主干管；小区主干管承接若干个小区干管的污水，并将其输送到市政污水管道系统中。

市政污水管道系统主要承接城市内各小区的污水，并将其输送到污水处理系统，经处理后再排放利用。一般由支管、干管、主干管和检查井、泵站、出水口及事故排除口等附属构筑物组成，如图 5-2 所示。

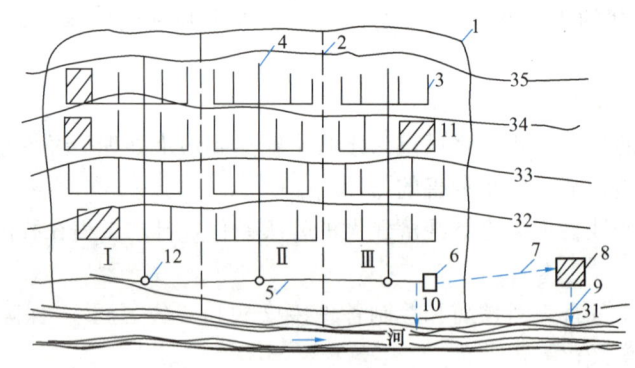

图 5-2 市政污水管道系统
Ⅰ、Ⅱ、Ⅲ—排水流域
1—城市边界；2—排水流域分界线；3—支管；4—干管；5—主干管；6—总泵站；
7—压力管道；8—城市污水处理厂；9—出水口；10—事故排除口；
11—工厂；12—检查井

支管承接若干小区主干管的污水，并将其输送到干管中；干管承接若干支管中的污水，并将其输送到主干管中；主干管承接若干干管中的污水，并将其输送到城市污水处理厂进行处理。

2. 雨水管道系统的组成

降落在屋面上的雨水由天沟和雨水斗收集，通过落水管输送到地面，与降落在地面上的雨水一起形成地表径流，然后通过雨水口收集，流入小区的雨水管道系统，经过小区的雨水管道系统流入市政雨水管道系统，然后通过出水口排放。因此雨水管道系统包括小区雨水管道系统和市政雨水管道系统两部分，如图5-3所示。

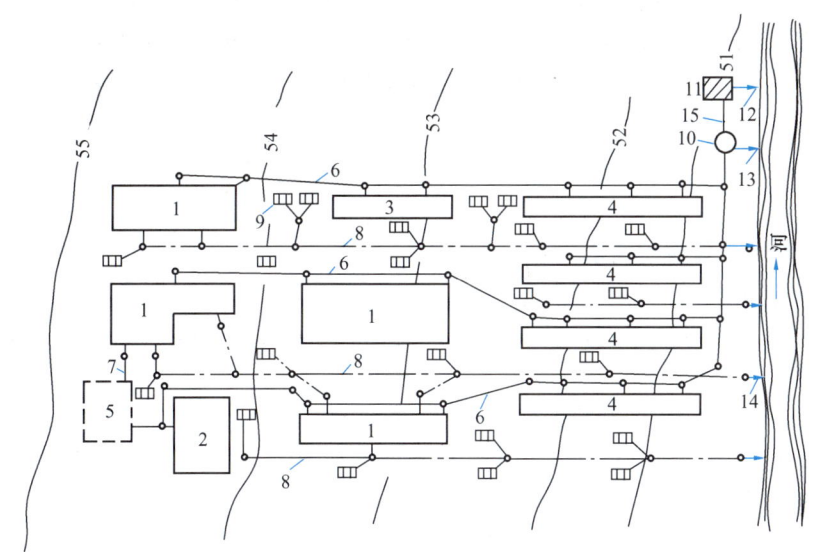

图5-3 雨水管道系统

1、2、3、4、5—建筑物；6—生活污水管道；7—生产污水管道；8—生产废水与雨水管道；9—雨水口；10—污水泵站；11—废水处理站；12—出水口；13—事故排除口；14—雨水出水口；15—压力管道

小区雨水管道系统是收集、输送小区地表径流的管道及其附属构筑物，包括雨水口、小区雨水支管、小区雨水干管、雨水检查井等。

市政雨水管道系统是收集小区和城市道路路面上的地表径流的管道及其附属构筑物。包括雨水支管、雨水干管、雨水口、检查井、雨水泵站、出水口等附属构筑物。

雨水支管承接若干小区雨水干管中的雨水和所在道路的地表径流，并将其输送到雨水干管；雨水干管承接若干雨水支管中的雨水和所在道路的地表径流，并将其就近排放。

3. 合流制管道系统

合流管道系统是收集输送城市综合生活污水、工业废水和雨水的管道及其附属构筑物，包括小区合流管道系统和市政合流管道系统两部分，由污水管道系统和雨水口构成。雨水经雨水口进入合流管道，与污水混合后一同经市政合流支管、合流干管、截流主干管进入污水处理厂，或通过溢流井溢流排放。

5.1.3 城市新型排水体制

催生新型排水体制发展的主要因素是城市雨水控制利用、中水回用的发展。

新型排水体制指在合流制和分流制中利用源头控制和末端控制技术使雨水渗透、回用、调蓄排放的体制。

对于新型分流制排水系统，强调雨水的源头分散控制与末端集中控制结合，减少进入城市管网中的径流量和污染物总量，同时提高城市内涝防治标准和雨水资源化回用率。雨水源头控制利用技术有雨水下渗、净化和收集回用几种，末端集中控制技术包括雨水湿地、塘体及多功能调蓄等。

对于新型合流制排水系统，源头雨水控制利用可有效减少合流制溢流频率、溢流水量和溢流污染物总量；通过在合流干管上设置贮存池或调蓄池，实现合流制污水的完全处理，合流制溢流首先进入贮存池，待雨后送到污水处理厂处理，合流制溢流较大时，超过贮存池贮存能力的溢流水经过简单处理（如旋流分离、沉淀、消毒）后排放。

5.2 排水管道材料

5.2.1 对排水管材的要求

排水管材应满足以下要求：

（1）必须具有足够的强度，以承受外部的荷载和内部的水压，并保证在运输和施工过程中不致破裂；

（2）应具有抵抗污水中杂质的冲刷磨损和抗腐蚀的能力；

（3）必须密闭不透水，以防止污水渗出和地下水渗入；

（4）内壁应平整光滑，以尽量减小水流阻力；

（5）应就地取材，以降低施工费用。

5.2.2 常用排水管材

1. 混凝土管和钢筋混凝土管

适用于排除雨水和污水，分混凝土管、轻型钢筋混凝土管和重型钢筋混凝土管三种，管口有承插式、平口式和企口式三种形式，如图 5-4 所示。

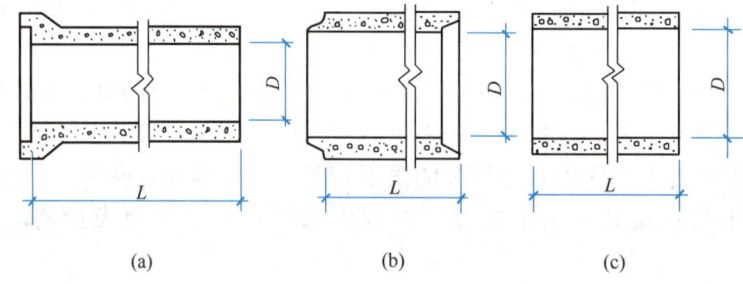

图 5-4 混凝土管和钢筋混凝土管
（a）承插式；（b）企口式；（c）平口式

混凝土管的管径一般小于 450mm，长度多为 1m，一般在工厂预制，也可现场浇制。

当管道埋深较大或敷设在土质不良地段，以及穿越铁路、城市道路、河流、谷地时，通常采用钢筋混凝土管。钢筋混凝土管按照承受的荷载要求分轻型钢筋混凝土管和重型钢筋混凝土管两种。

混凝土管和钢筋混凝土管便于就地取材，制造方便，在排水管道工程中得到了广泛应用。其缺点是抵抗酸、碱侵蚀及抗渗性能差；管节短、接头多、施工麻烦；自重大、搬运不便。

2. 金属管

金属管质地坚固，强度高，抗渗性能好，管壁光滑，水流阻力小，管节长，接口少，施工运输方便。但价格昂贵，抗腐蚀性差。因此，在市政排水管道工程中很少用。只有在抗震设防烈度大于8度或地下水位高、流砂严重的地区，或承受高内压、高外压及对渗漏要求特别高的地段才采用金属管。

常用的金属管有铸铁管和钢管。排水铸铁管耐腐蚀性好，经久耐用；但质地较脆、不耐振动和弯折，自重较大。钢管耐高压、耐振动、质量比铸铁管轻，但抗腐蚀性差。

3. 新型管材

随着新型建筑材料的不断研制，用于制作排水管道的材料也日益增多，新型排水管材不断涌现。在国内，口径在500mm以下的排水管道被UPVC加筋管代替，口径在1000mm以下的排水管道被PVC管代替，口径在900~2600mm的排水管道正在推广使用塑料螺旋管（HDPE管），口径在300~1400mm的排水管道正在推广使用玻璃纤维缠绕增强热固性树脂夹砂压力管（玻璃钢夹砂管）。但新型排水管材价格昂贵，使用受到了一定程度的限制。

5.2.3 排水管材的选择

选择排水管渠材料时，应在满足技术要求的前提下，尽可能就地取材，以降低施工费用。

根据排除的污水性质，一般情况下，当排除生活污水及中性或弱碱性（pH＝8~11）的工业废水时，上述各种管材都能使用。排除碱性（pH＞11）的工业废水时可用砖渠，或在钢筋混凝土渠内做塑料衬砌。排除弱酸性（pH＝5~6）的工业废水时可用陶土管或砖渠。排除强酸性（pH＜5）的工业废水时可用耐酸陶土管、耐酸水泥砌筑的砖渠或用塑料衬砌的钢筋混凝土渠。

根据管道受压情况、埋设地点及土质条件，压力管段一般采用金属管、玻璃钢夹砂管、钢筋混凝土管或预应力钢筋混凝土管。在地震区、施工条件较差的地区以及穿越铁路、城市道路等地区，可采用金属管。

一般情况下，市政排水管道经常采用混凝土管、钢筋混凝土管。

5.3 排水管道的构造

排水管道为重力流，由上游至下游管道坡度逐渐增大，一般情况下管道埋深也会逐渐增加，除需在施工时保证管材及其接口强度满足要求外，还应保证在使用中不致因地面荷载引起损坏。排水管道的管径大，质量大，埋深大，这就要求排水管道的基础要牢固可靠，以免出现地基的不均匀沉陷，使管道的接口或管道本身损坏，造成漏水现象。因此，排水管道的构造一般包括基础、管道、覆土三部分。管道前已述及，本节不再重述。

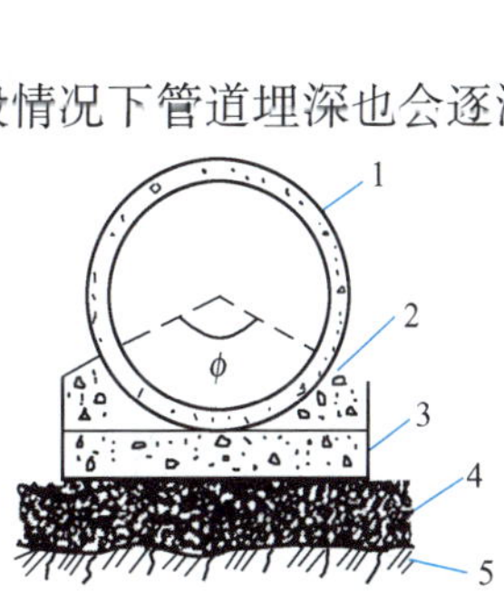

5.3.1 排水管道的基础

排水管道的基础包括地基、基础和管座三部分，如图5-5所示。地基是沟槽底的土层，它承受管道和基础的质量、管内

图5-5 排水管道基础

1—管道；2—管座；3—基础；
4—垫层；5—地基

水重、管上土压力和地面上的荷载。基础是地基与管道之间的设施,当地基的承载力不足以承受上面的压力时,要靠基础增加地基的受力面积,把压力均匀地传给地基。管座是管道底侧与基础顶面之间的部分,使管道与基础连成一个整体,以增加管道的刚度和稳定性。

一般情况下,排水管道有四种基础:

1. 砂土基础

砂土基础又叫素土基础,包括弧形素土基础和砂垫层基础两种,如图 5-6 所示。砂土基础适用于管道直径小于 600mm 的混凝土管和钢筋混凝土管;管道覆土厚度在 0.7～2.0m 之间的小区污水管道、非车行道下的市政次要管道和临时性管道。

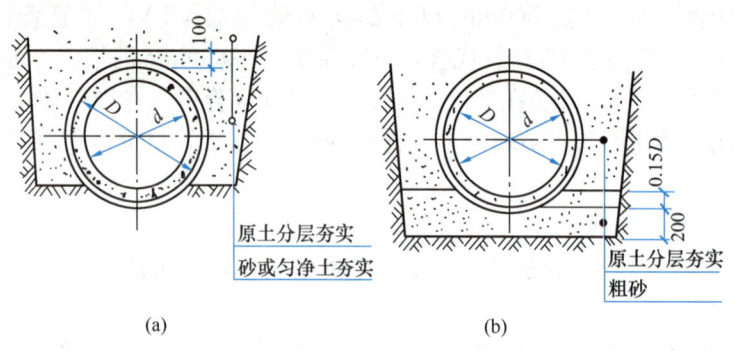

图 5-6 砂土基础
(a) 弧形素土基础;(b) 砂垫层基础

弧形素土基础是在沟槽槽底原土上挖一个弧形管槽,管道敷设在弧形管槽里。这种基础适用于无地下水、原土能挖成弧形(通常采用 90°弧)的干燥土层。

砂垫层基础是在挖好的弧形管槽里,填 100～200mm 厚的粗砂作为垫层。这种基础适用于无地下水的岩石或多石土层。

2. 混凝土枕基

混凝土枕基是只在管道接口处才设置的管道局部基础,如图 5-7 所示。通常在管道接口下用 C10 混凝土做成枕状垫块,垫块常采用 90°或 135°管座。这种基础适用于干燥土层中的雨水管道及不太重要的污水支管,常与砂土基础联合使用。

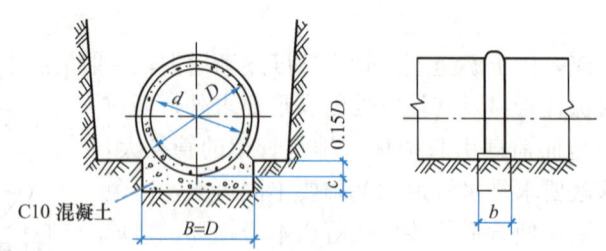

图 5-7 混凝土枕基

3. 混凝土带形基础

混凝土带形基础是沿管道全长铺设的基础,分为 90°、135°、180°三种管座形式,如图 5-8 所示。

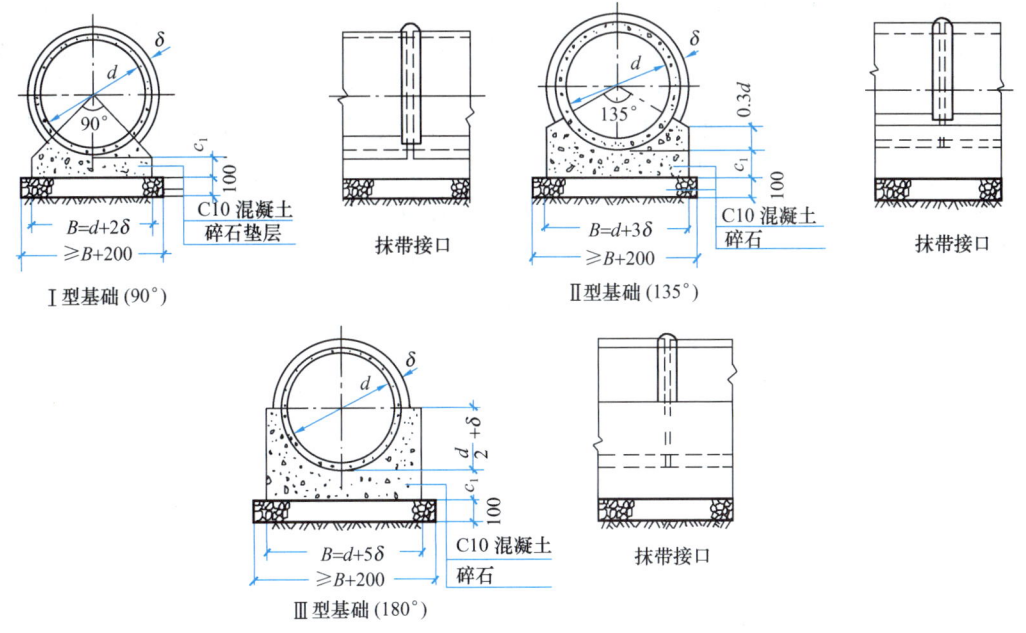

图 5-8 混凝土带形基础

混凝土带形基础适用于各种潮湿土层及地基软硬不均匀的排水管道，管径为200～2000mm。

无地下水时常在槽底原土上直接浇筑混凝土；有地下水时在槽底铺100～150mm厚的卵石或碎石垫层，然后在上面再浇筑混凝土。根据地基承载力的实际情况，可采用强度等级不低于C10的混凝土。当管道覆土厚度在0.7～2.5m时，采用90°管座；覆土厚度在2.6～4.0m时，采用135°管座；覆土厚度在4.1～6.0m时，采用180°管座。

4. 钢筋混凝土基础

钢筋混凝土基础的钢筋一般都是双向、双层配置的，也有配置双向单层钢筋的，如是单层钢筋，其位置应在近混凝土基础的顶部，施工时应注意采取措施保持这个位置，不能让其下沉到底部。

在地震区或土质特别松软和不均匀沉陷严重的地段，最好采用钢筋混凝土带形基础。

5.3.2 排水管道的覆土厚度

排水管道埋设在地面以下，其管顶以上应有一定厚度的覆土，以保证管道内的水在冬季不会因冰冻而结冰；在正常使用时管道不会因各种地面荷载作用而损坏；同时要满足管道衔接的要求，保证上游管道中的污水能够顺利排除。排水管道的覆土厚度，如图5-9所示。

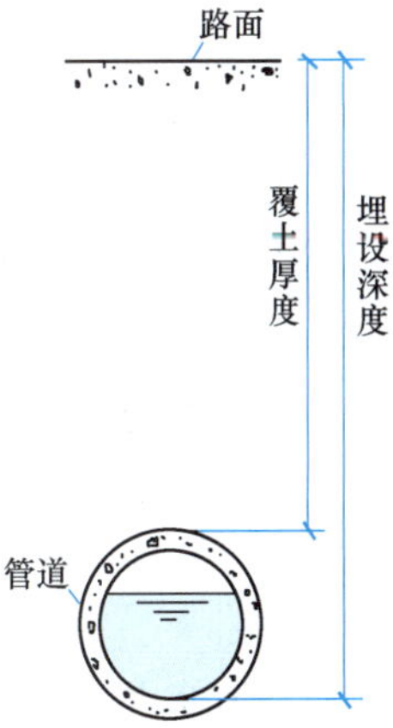

在非冰冻地区，管道覆土厚度的大小主要取决于地面荷载、管材强度、管道衔接情况以及敷设位置等因素，以保证管道不受破坏为主要目的。一般情况下排水管道的最小覆土厚度在车行道下为0.7m，在人行道下为0.6m。

图 5-9 管道覆土厚度与埋设深度

在冰冻地区，除考虑上述因素外，还要考虑土层的冰冻深度。一般污水管道内污水的温度不低于4℃，污水以一定的流量和流速不断流动。因此，污水在管道内是不会冰冻的，管道周围的土层也不会冰冻，管道不必全部埋设在土层冰冻线以下。但如果将管道全部埋设在冰冻线以上，则可能会因土层冰冻膨胀损坏管道基础，进而损坏管道。一般在土层冰冻深度不太大的地区，可将管道全部埋设在冰冻线以下；在土层冰冻深度很大的地区，无保温措施的生活污水管道或水温与生活污水接近的工业废水管道，管底可埋设在冰冻线以上0.15m；有保温措施或水温较高的管道，管底在冰冻线以上的距离可以加大，其数值应根据该地区或条件相似地区的经验确定，但要保证管道的覆土厚度不小于0.7m。

5.4 排水管道系统上的附属构筑物

5.4.1 检查井

在排水管道系统上，为便于管渠的衔接以及对管道进行定期检查和清通，必须设置检查井。检查井通常设在管道交汇、转弯、管渠尺寸或坡度改变、跌水等处以及相隔一定距离的直线管道段上。

根据检查井的平面形状，可将其分为圆形、方形、矩形或其他不同的形状。方形和矩形检查井用在大直径管道上，一般情况下均采用圆形检查井。检查井由井底（包括基础）、井身和井盖（包括盖座）三部分组成，如图5-10所示。

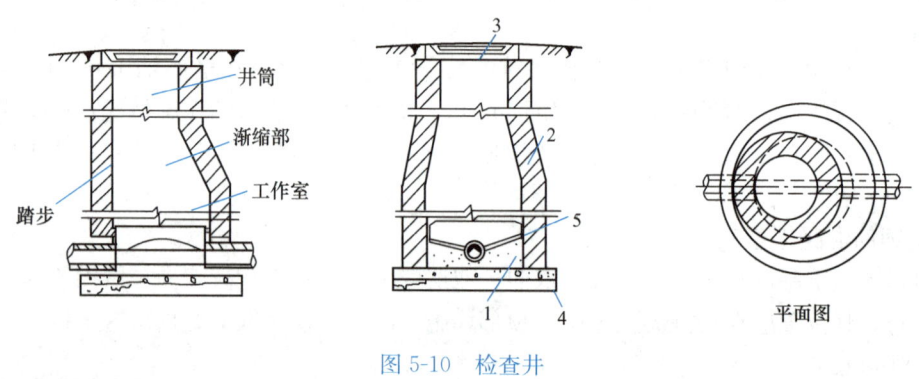

图 5-10 检查井
1—井底；2—井身；3—井盖及盖座；4—井基；5—沟肩

1. 检查井基础

井底一般采用低强度等级的混凝土，基础采用碎石、卵石、碎砖夯实或低强度等级混凝土。为使水流通过检查井时阻力较小，井底宜设半圆形或弧形流槽，流槽直壁向上伸展。污水管道的检查井流槽顶与上、下游管道的管顶相平，或与0.85倍大管管径处相平；雨水管渠和合流管渠的检查井流槽顶可与0.5倍大管管径处相平。流槽两侧至检查井井壁间的底板（称为沟肩）应有一定宽度，一般不小于200mm，以便养护人员下井时立足，并应有2%~5%的坡度坡向流槽，以防检查井积水时淤泥沉积。在管渠转弯或几条管渠交汇处，为使水流畅通，流槽中心线的弯曲半径应按转角大小和管径大小确定，但不得小于大管的管径。有些检查井井底做成落底井，即井底面标高比出水管管内底标高低0.3~0.5m的沉泥槽，便于密度大的颗粒沉淀减少管内淤积。

检查井井底各种流槽的平面形式，如图 5-11 所示。

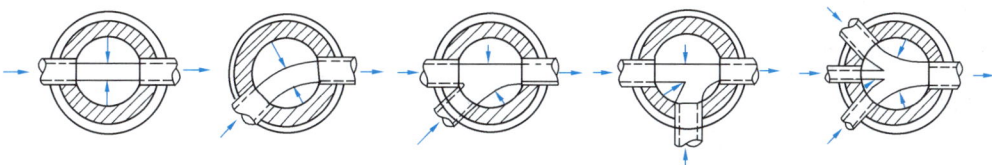

图 5-11　检查井井底流槽形式

2. 井身

检查井井身包括井室与井筒，井筒为圆形，内径 700mm，井室是根据管道大小确定的。

井身用砖、石砌筑，也可用混凝土或钢筋混凝土现场浇筑，其构造与是否需要工人下井有关系。不需要工人下井的浅检查井，井身为直壁圆筒形；需要工人下井的检查井，井身在构造上分为工作室、渐缩部和井筒三部分，如图 5-10 所示。工作室是养护人员下井进行临时操作的地方，不能过分狭小，其直径不能小于 1m，其高度在埋深允许时一般采用 1.8m。为降低检查井的造价，缩小井盖尺寸，井筒直径一般比工作室小，但为了工人检修时出入方便，其直径不应小于 0.7m。井筒与工作室之间用锥形渐缩部连接，渐缩部的高度一般为 0.6～0.8m，也可在工作室顶偏向出水管渠一侧加钢筋混凝土盖板梁，井筒则砌筑在盖板梁上。为便于养护人员上下，井身在偏向进水管渠的一边应保持一壁直立。

3. 井盖

位于行车道的检查井，必须在任何车辆荷重下，确保井盖、井盖座牢固安全，同时应具有良好的稳定性，防止车速过快造成井盖振动。

井盖可采用铸铁、钢筋混凝土、新型复合材料或其他材料，在车行道上一般采用铸铁。为防止雨水流入，盖顶应略高出地面。盖座采用与井盖相同的材料。检查井井盖同时应有防盗功能，保证井盖不被盗窃丢失，避免发生伤亡事故。例如由聚合物基废弃物复合材料制成的新型防盗井盖及井盖座，已经普遍应用于城市道路排水工程。井盖和盖座均为厂家预制，施工前购买即可，其形式如图 5-12 所示。

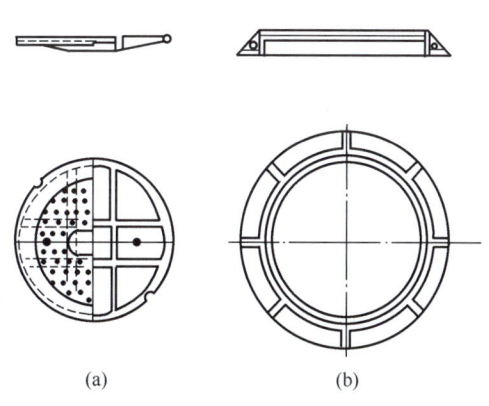

图 5-12　轻型铸铁井盖和盖座
(a) 井盖；(b) 盖座

检查井的构造和各部位的尺寸详见《市政工程设计施工系列图集》(给水排水工程册)或其他相关资料。

5.4.2　雨水口

雨水口是在雨水管渠或合流管渠上设置的收集地表径流的雨水的构筑物。地表径流的雨水通过雨水口连接管进入雨水管渠或合流管渠，使道路上的积水不至漫过路缘石，从而保证城市道路在雨天时正常使用，因此雨水口俗称收水井。

雨水口一般设在道路交叉口、路侧边沟的一定距离处以及设有道路缘石的低洼地方，在直线道路上的间距一般为 25～50m，在低洼和易积水的地段，要适当缩小雨水口的间距。当道路纵坡大于 0.02 时，雨水口的间距可大于 50m，其形式、数量和布置应根据具体情况和计算确定。

雨水口的构造包括进水箅、井筒和连接管三部分，如图 5-13 所示。

进水箅可用铸铁、钢筋混凝土或其他材料做成，其箅条应为纵横交错的形式，以便收集从路面上不同方向上流来的雨水，如图 5-14 所示。

井筒一般用砖砌或钢筋混凝土制成，深度不大于 1m，在有冻胀影响的地区，可根据经验适当加大。

雨水口的构造和各部位的尺寸详见《市政工程设计施工系列图集》（给水排水工程册）或其他相关资料。

雨水口通过连接管与雨水管渠或合流管渠的检查井相连接。连接管的最小管径为 200mm，坡度一般为 0.01，长度不宜超过 25m。

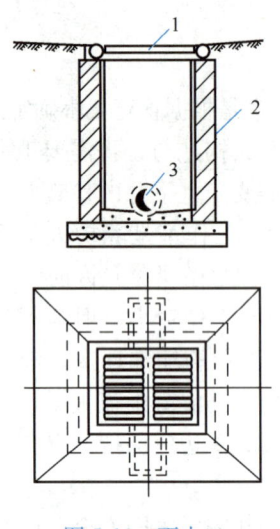

图 5-13 雨水口

1—进水箅；2—井筒；3—连接管

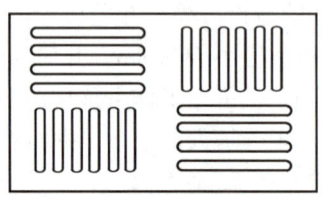

图 5-14 进水箅

根据需要，在路面等级较低、积秽很多的街道或菜市场附近的雨水管道上，可将雨水口做成有沉泥槽的雨水口，以避免雨水中挟带的泥砂淤塞管渠，但需经常清掏，增加了养护工作量。

5.4.3 出水口

市政排水管道出水口的位置和形式，应根据污水的水质、受纳水体的水位、水流方向和下游用水情况等因素综合考虑确定。出水口与受纳水体的岸边应采取防冲和加固等措施，在受冻胀影响的地区，还应采取防冻措施。

常见出水口形式有淹没式出水口和非淹没式出水口两种，污水出水口常采用淹没式，雨水出水口常采用非淹没式。

1. 污水出水口

为使污水与河水较好混合，同时为避免污水沿河滩流泻造成环境污染，污水出水口一般采用淹没式，即出水管的管底标高低于水体的常水位。

常见的出水口有江心分散式出水口，如图 5-15(c) 所示。出水口与水体岸边连接采取防冲加固措施，以浆砌块石做护墙和铺底，在冰冻地区，出水口区应考虑用耐冻胀材料砌筑，出水口的基础必须设在冰冻线以下，如图 5-15(d)、(e) 所示。

2. 雨水出水口

雨水出水口主要采用非淹没式，即出水管的管底标高高于水体最高水位以上或高于常水位以上，如图 5-15(a)、(b) 所示。

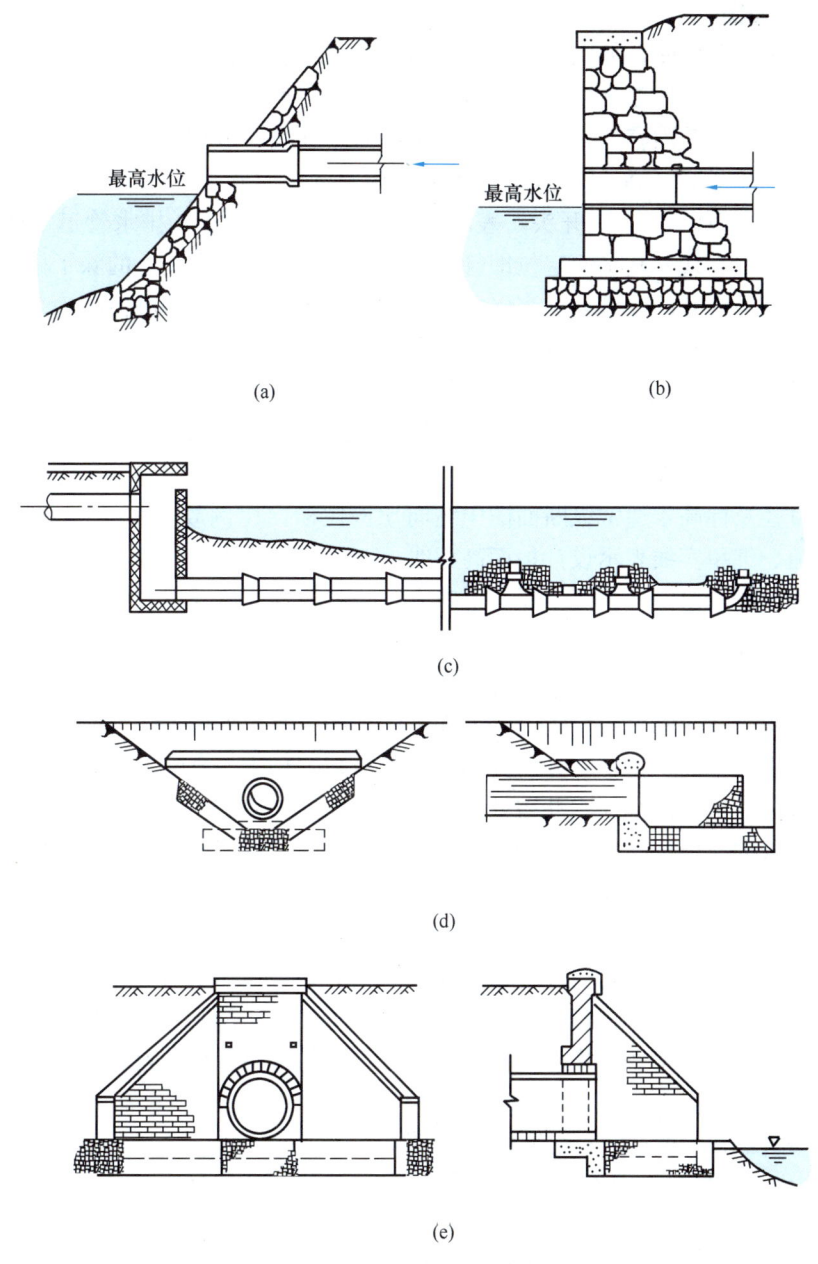

图 5-15 出水口形式
(a) 护坡式出水口；(b) 挡土墙式出水口；(c) 江心分散式出水口；
(d) 一字式出水口；(e) 八字式出水口

5.5 排水管道工程图识读

排水管道工程图主要表示排水管道的平面位置及高程布置情况，一般由平面图、纵断面图、管道结构详图及管道附属构筑物结构图等组成。

5.5.1 平面图

排水管道工程平面图，如图 5-16 所示，表现的主要内容有：排水管道平面位置、管道直径、管道长度、管道坡度、桩号、转弯处坐标、管道中心线的方位角、检查井布置位置、编号及水流方向等内容。一般雨水管道采用粗点画线、污水管道采用粗虚线表示，也可在检查井边标注"Y""W"字样以分别表示雨水、污水管道，上方通常会标注该段管道的管径大小，一般以 d 或 D 开头，表示内径或公称直径大小；排水管道平面图上的管道位置均为管道中心线，其平面定位即管道中心线的位置。引出线上的除了标注检查井的编号，还标明该检查井的井道处标高（一般标于引出线上方）和井底标高（一般标于引出线下方），以确定井深。平面图上还附有主要材料明细表等。

5.5.2 纵断面图

排水管道工程纵断面图，如图 5-17 所示，主要表示：管道敷设的深度、管道管径及坡度、路面标高及与其他管道交叉情况等。纵断面图中水平方向表示管道的长度、垂直方向表示管道直径及标高，通常纵断面图中纵向比例比横向比例放大 10 倍；图中横向粗双实线表示管道、细单实线表示设计地面高程线、两根平行竖线表示检查井，若竖线延伸至管内底以下，则表示落底井；图中还可反映支管接入检查井情况以及与管道交叉的其他管道管径、管内底标高等。如支管标注中"SYD400"分别表示方位（由南向接入）、代号（雨水）、管径（400mm）。

下面以雨水管道纵断面图中 Y54~Y55 管段为例说明图中所示的内容：

(1) 自然地面标高。指检查井盖处的原地面标高，Y54 井自然地面标高为 5.700。

(2) 设计路面标高。指检查井盖处的设计路面标高，Y54 井设计路面标高为 7.238。

(3) 设计管内底标高。指排水管在检查井处的管内底标高，Y54 井的上游管内底标高为 5.260，下游管内底标高为 5.160，为管顶平接。

(4) 管道覆土深度。指管顶至设计路面的土层厚度，Y54 处管道覆土深度为 1.678m。

(5) 管径及坡度。指管道的管径大小及坡度，Y54~Y55 管段管径为 400mm，坡度为 2‰。

(6) 平面距离。指相邻检查井的中心间距，Y54~Y55 平面距离为 40m。

(7) 道路桩号。指检查井中心对应的桩号，一般与道路桩号一致，Y54 井道路桩号为 8+180.000。

(8) 检查井编号。Y54、Y55 为检查井编号。

5.5.3 排水构筑物详图

1. 检查井详图

图 5-18 表示排水矩形检查井详图，其井室尺寸为 1100mm，壁厚为 370mm；井筒为 ϕ700mm，壁厚 240mm。井盖座采用铸铁井盖、井座。图中检查井为落底井，落底深度为 500mm。井室及井筒均为砖砌，并用水泥砂浆抹面，厚度为 20mm。基础采用 C20 钢筋混凝土底板及 C10 素混凝土垫层。

2. 雨水口详图

图 5-19 为单箅式雨水口，内部尺寸为 510mm×390mm，井壁厚为 240mm，为砖砌结构，采用铸铁成品雨水箅；雨水口连接管直径为 200mm，管内底距底板 300mm，并按规定设置一定坡度坡向雨水检查井，井底基础采用 100mm 厚 C15 素混凝土及 100mm 厚碎石垫层。

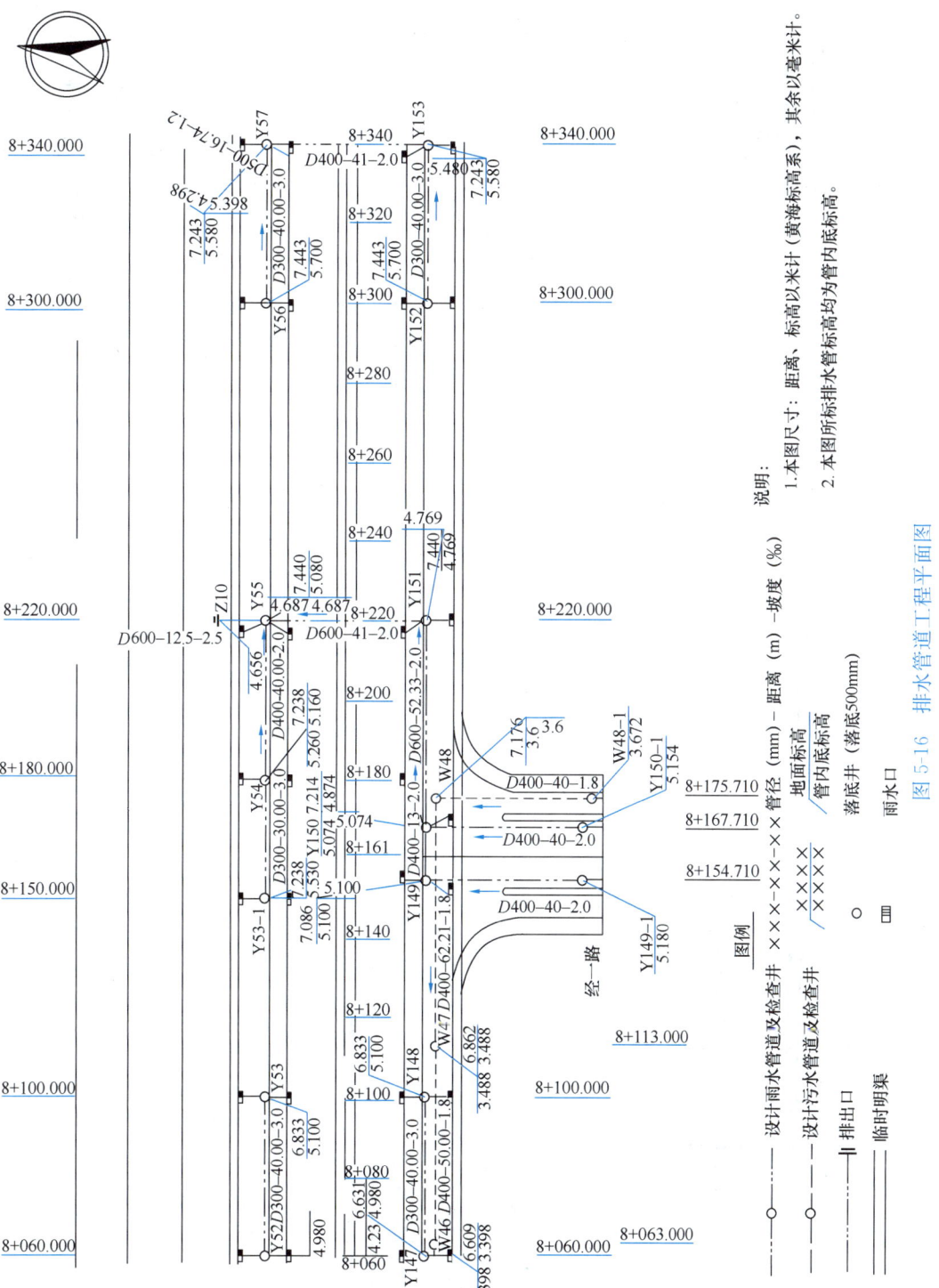

图 5-16 排水管道工程平面图

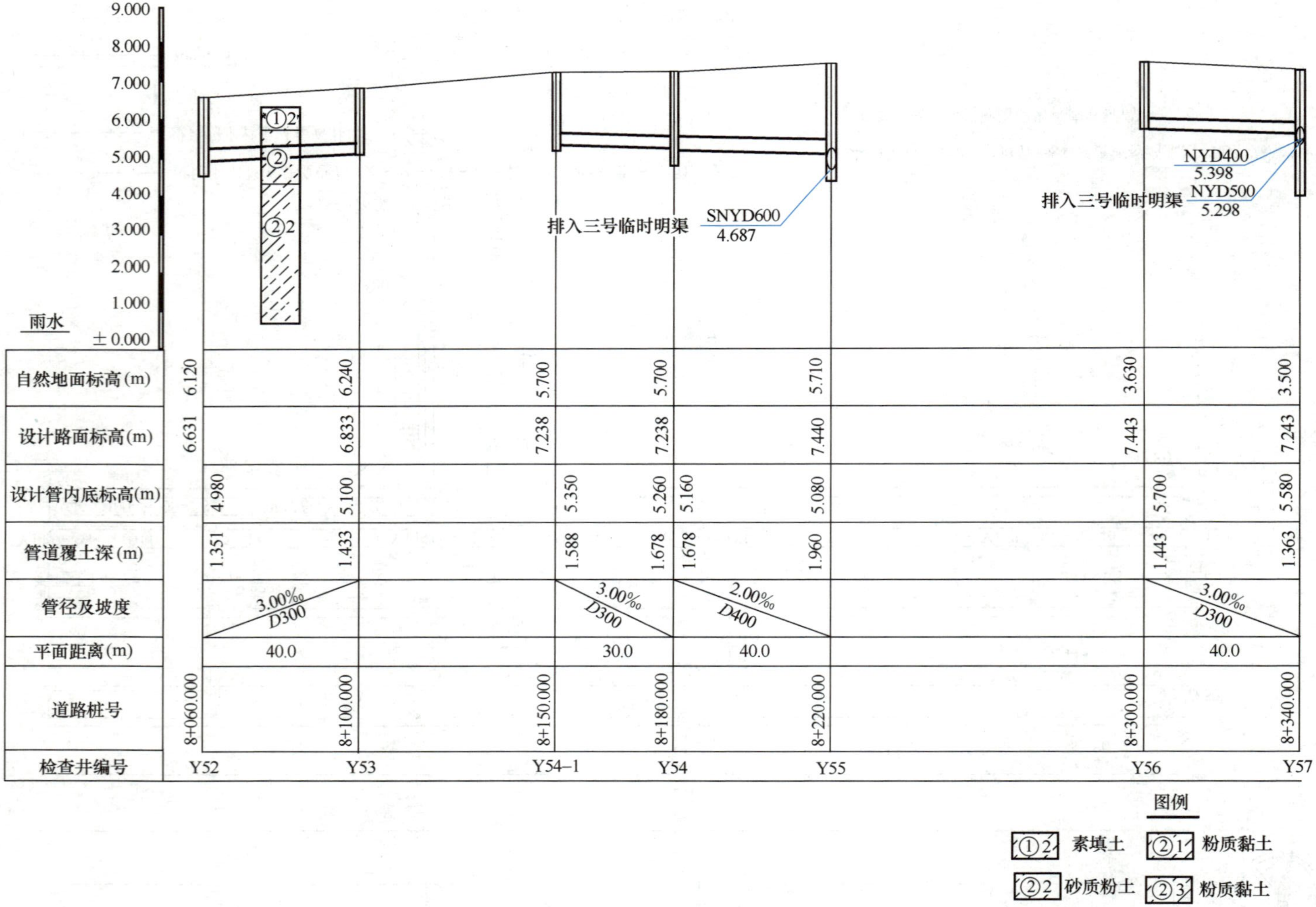

图 5-17 道路北侧雨水管道纵断面图

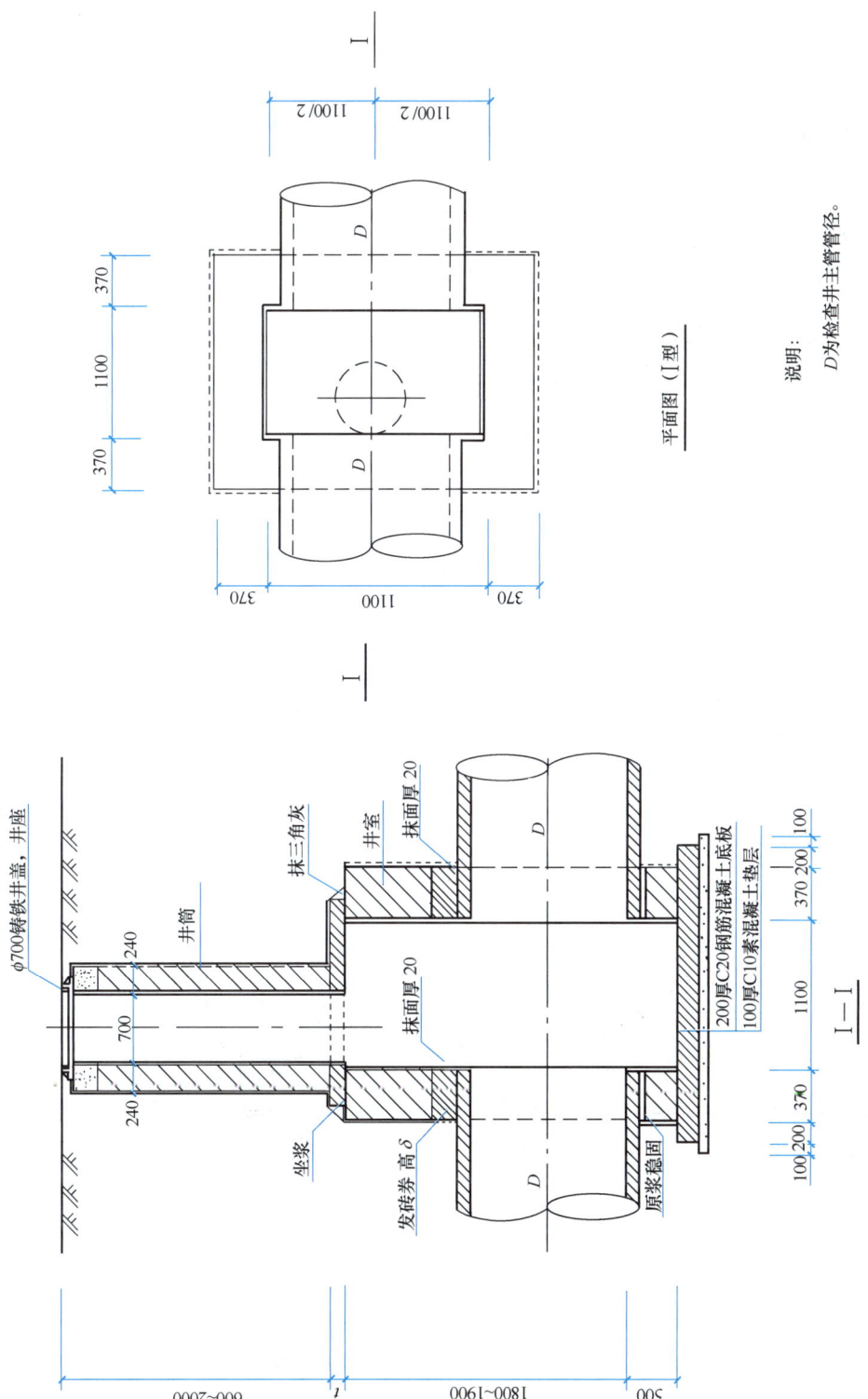

图 5-18 矩形排水检查井（井筒总高度不大于 2.0m，落底井）平面、剖面图

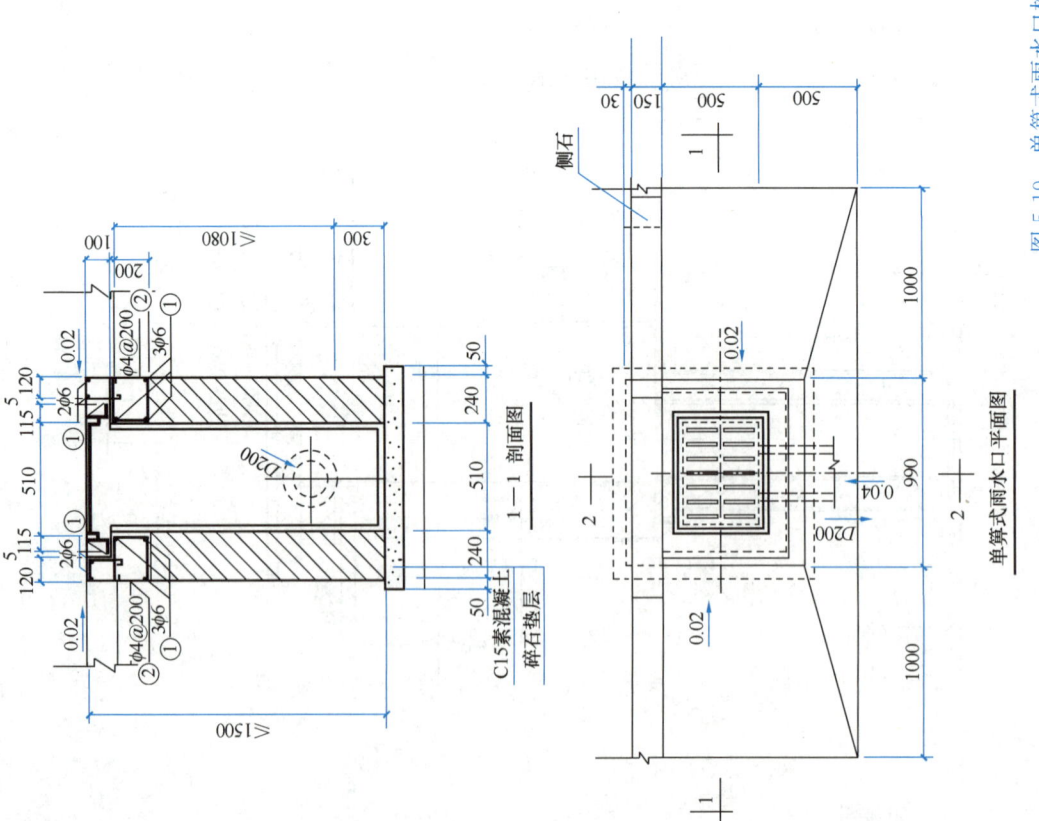

图 5-19 单箅式雨水口构造图

第6章 排水管道工程施工

6.1 排水施工准备工作

6.1.1 现场调查

施工单位应按照合同文件、设计文件和有关规范、标准要求，根据建设单位提供的施工界域内地下管线等构（建）筑物资料、工程水文地质资料，组织有关施工技术管理人员深入沿线调查，掌握现场实际情况，做好施工准备工作。

6.1.2 工程交底

工程开工前，施工单位应组织有关人员认真熟悉施工图纸和有关文件，掌握设计意图和要求，实行自审、会审（交底）和签证制度，发现施工图有疑问、差错时，应及时提出意见和建议；如需变更设计，应按照相应程序报审，经相关单位签证认定后实施。编制施工组织设计并进行技术交底，对关键的分项、分部工程应分别编制专项施工方案。使参与施工的人员对施工任务、工期、质量要求等都有一个明确的认识，并明确自己的任务。

6.1.3 桩橛交接

工程开工前，建设单位应组织设计单位与施工单位进行现场交接桩工作。交接时，由设计单位备齐有关图表，并按图表逐个桩橛进行交点。交接桩完毕后，施工单位应立即组织人员进行复测，并根据实际情况设置护桩，原测桩有遗失或变位时，应及时补钉桩校正，并应经相应的技术质量管理部门和人员认定。

6.1.4 设置临时水准点

工程开工前，施工单位应根据施工图纸和建设单位指定的水准点设置临时水准点，临时水准点应设置在不受施工影响的固定构筑物上，间距不大于200m，并应妥善保护，详细记录在测量手册上。

6.1.5 工程复测

排水管道施工测量的主要工作是进行中心线测量和高程测量。中心线测量应以建设单位提供的中心控制桩或道路中心线为依据；高程测量应以施工单位自己设置的临时水准点为依据。因此，施工前应对各种桩点进行复测。

复测时，允许偏差为：

(1) 高程闭合差在平地为 $\pm 20\sqrt{L}$（mm）（L 为水准测量闭合线路的长度，km）；在山地为 $\pm 6\sqrt{n}$（mm）（n 为水准测量的测站数）。

(2) 导线测量的方位角闭合差为 $\pm 40\sqrt{n}$（n 为导线测量的测站数）。

(3) 导线测量的相对闭合差为 $\dfrac{1}{3000}$（对于开槽施工管道为 $\dfrac{1}{1000}$）。

(4) 直线丈量测距两次校差为 $\frac{1}{5000}$。

6.1.6 管材的质量检查

施工前，必须对管材进行质量检验，保证其质量符合设计要求，确保不合格或已经损坏的管道不予使用。

在排水管道工程施工中，管道的质量直接影响到工程的质量。因此，必须做好管道的质量检查工作，检查的内容主要有：

(1) 管道必须有出厂质量合格证，管道工程所用的原材料、半成品、成品等产品的品种、规格、性能必须符合国家有关标准的规定和设计要求。

(2) 应按设计要求认真核对管道的规格、型号、材质等。

(3) 应进行外观质量检查。管道内外表面应平整、光洁，不得有裂纹、凹凸不平、露筋、残缺、蜂窝、空鼓、剥落、浮渣、露石、碰伤等缺陷。承插口部分不得有粘砂及凸起，其他部分不得有大于2mm厚的粘砂和5mm高的凸起。承插口配合的环向间隙，应满足接口嵌缝的需要。

(4) 工程所用的管材、管道附件、构（配）件和主要原材料等产品进入施工现场时必须进行验收并妥善保管。进场验收时应检查每批产品的订购合同、质量合格证书、性能检验报告、使用说明书、进口产品的商检报告及证件等，并按国家有关标准规定进行复验，验收合格后方可使用。

6.2 排水管道开槽施工

开槽施工程序：

测量放线→降排水（如地下水位较高，渗透系数较大）→沟槽开挖（排水）→沟槽支撑→验槽→做垫层→做管基→下管→管道安装（稳管）→接口→做管座→无压力管道严密性试验（闭水试验）→沟槽回填。

6.2.1 测量放线（略）

6.2.2 排水

1. 明沟排水

市政排水管道开槽施工时，经常遇到地下水，使施工条件恶化，影响沟槽内的施工。因此，在管道开槽施工时必须做好施工排水工作，将地下水位降到槽底以下一定深度，以改善槽底的施工条件，稳定边坡和槽底，为施工创造有利条件。

沟槽开挖时，排除渗入沟槽内的地下水和流入沟槽内的地表水、雨水，一般采用明沟排水的方法。

明沟排水是将从槽壁、槽底渗入沟槽内的地下水以及流入沟槽内的地表水和雨水，经沟槽内的排水沟汇集到集水井内，然后用水泵抽走的排水方法，如图6-1所示。

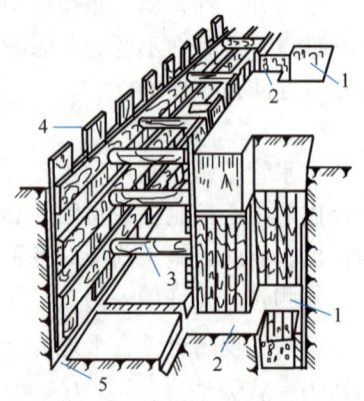

图 6-1 明沟排水系统

1—集水井；2—进水口；3—撑杠；
4—竖撑板；5—排水沟

明沟排水通常是当沟槽开挖到接近地下水位时，修建集水井并安装排水泵，然后继续开挖沟槽至地下水位后，先在沟槽中心线处开挖排水沟，使地下水不断渗入排水沟后，再开挖排水沟两侧的土。如此一层一层地反复下挖，地下水便不断地由排水沟流至集水井，当挖深接近槽底设计标高时，将排水沟移至槽底两侧或一侧，如图6-2所示。

明沟排水是一种常用的降水方法，适用于槽内少量的地下水、地表水和雨水的排除。在软土、淤泥层或土层中含有砂土的地段以及地下水量较大的地段均不宜采用。

2. 人工降低地下水位

人工降低地下水位是在含水层中布设井点进行抽水，地下水位下降后形成降落漏斗。如果槽底标高位于降落漏斗以上，就基本消除了地下水对施工的影响。地下水位是在沟槽开挖前人为预先降落的，并维持到沟槽土方回填，因此这种方法称为人工降低地下水位，如图6-3所示。

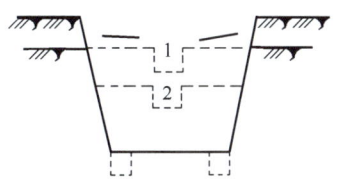

图6-2 排水沟开挖示意图

1、2—排水沟开挖顺序

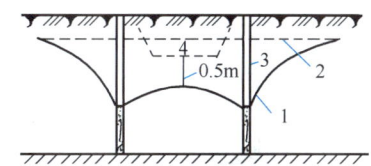

图6-3 人工降低地下水位示意图

1—抽水时水位；2—原地下水位；
3—井点管；4—沟槽

人工降低地下水位一般有轻型井点、喷射井点、电渗井点、管井井点、深井井点等方法。

（1）轻型井点

轻型井点是目前广泛应用的降水系统，并有成套设备可选用，根据地下水位降深的不同，可分为单层轻型井点和多层轻型井点两种。在市政排水管道的施工降水时，一般采用单层轻型井点系统，有时可采用双层轻型井点系统，三层及三层以上的轻型井点系统则很少采用。

轻型井点系统适用于渗透系数为0.1~50m/d，降深小于6m的砂土等土层。

1）轻型井点系统组成

轻型井点系统由井点管、弯联管、总管和抽水设备四部分组成。

① 井点管

井点管包括滤水管和直管，如图6-4所示。

A. 滤水管。滤水管也称过滤管，是轻型井点的重要组成部分。一般采用直径38~55mm，长1~2m的镀锌钢管制成，管壁上呈梅花状开设直径为5.0mm的孔眼，孔眼间距为30~40mm，常用定型产品有1.0m、1.2m、2.0m三种规格。滤水管埋设在含水

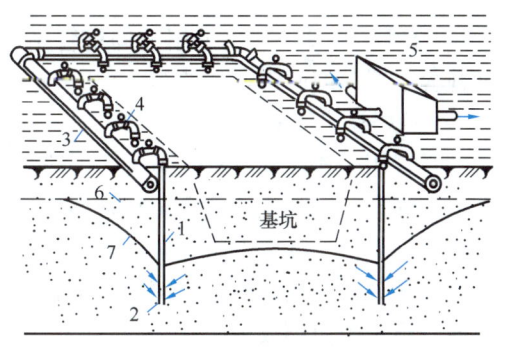

图6-4 轻型井点系统组成

1—直管；2—滤水管；3—总管；4—弯联管；5—抽水设备；6—原地下水位线；7—降低后地下水位线

层中，地下水经孔眼涌入管内。

滤水管外壁应包扎滤水网，以防止土颗粒进入滤水管内。滤水网的材料和网眼规格应根据含水层中土颗粒粒径和地下水水质而定。一般可用黄铜丝网、钢丝网、尼龙丝网、玻璃丝网等。滤水网一般包扎两层，内层滤网网眼为30～50个/cm²，外层滤网网眼为3～10个/cm²。为使水流通畅避免滤孔堵塞，在滤水管与滤网之间用10号钢丝绕成螺旋形将其隔开，滤网外面再围一层6号钢丝。也可用棕皮代替滤水网包裹滤水管，以降低造价。

滤水管下端应用管堵封闭，也可安装沉砂管，使地下水中夹带的砂粒沉积在沉砂管内。滤水管的构造，如图6-5所示。

为了防止土颗粒涌入井内，提高滤水管的进水面积和土的竖向渗透性，可在滤水管周围建立直径为400～500mm的过滤层（也称为过滤砂圈），如图6-6所示。

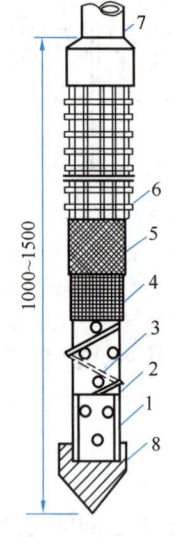
图6-5 滤水管构造
1—钢管；2—孔眼；3—缠绕的塑料管；
4—细滤网；5—粗滤网；6—粗钢丝保
护网；7—直管；8—铸铁堵头

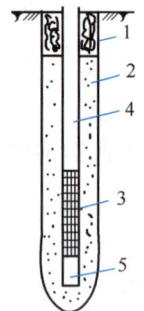
图6-6 井点的过滤砂层
1—黏土；2—填料；3—滤水管；
4—直管；5—沉砂管

B. 直管。直管一般也采用镀锌钢管制成，管壁上不设孔眼，直径与滤水管相同，其长度视含水层深度而定，一般为5～7m，直管与滤水管间用管箍连接。

② 弯联管

弯联管用于连接井点管和总管，一般采用长度为1.0m、内径38～55mm的加固橡胶管，内有钢丝，以防止井点管与总管不均匀沉陷时被拉断。弯联管安装和拆卸方便，允许偏差较大，套接长度应大于100mm，套接后应用夹子箍紧。有时也可用透明的聚乙烯塑料管，以便观察井点管的工作情况。金属管件也可作为弯联管，虽然气密性较好，但安装不方便，施工中使用较少。

③ 总管

总管一般采用直径为100～150mm的钢管，每节长为4～6m，总管之间用法兰盘连接。在总管的管壁上开设三通以连接弯联管，三通的间距应与井点布置间距相同。但由于不同的土质、不同的降水要求，所计算的井点间距与三通的间距可能不同。因此，应根据实际情况确定三通间距。总管上三通间距通常按井点间距的模数确定，一般为1.0～1.5m。

④抽水设备

轻型井点通常采用射流式抽水设备，也可采用自引式抽水设备。

射流式抽水设备包括射流器和离心水泵，其设备组成简单，使用方便，工作安全可靠，便于设备的保养和维修。

射流式抽水设备的工作原理为：如图6-7所示，运行前将水箱加满水，离心水泵2从水箱抽水，水经水泵加压后，高压水在射流器3的喷口流出形成射流，产生真空，使地下水经井点管、弯联管和总管进入射流器，经过能量变换，将地下水提升到水箱内，一部分水经过水泵加压，使射流器工作，另一部分水经出水口排出。

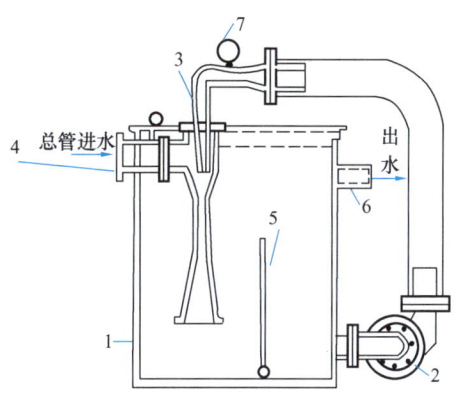

图6-7 射流泵系统
1—水箱；2—离心水泵；3—射流器；4—总管；
5—隔板；6—出水口；7—压力表

自引式抽水设备是用离心水泵直接自总管抽水，地下水位降落深度仅为2～4m，适用于降水深度较小的情况。

为了提高水位降落深度，保证抽水设备的正常工作，无论采用哪种抽水设备，除保证整个系统连接的严密性外，还要在井点管外地面下1.0m深度处填黏土密封，避免井点与大气相通，破坏系统的真空。

常用抽水设备为离心泵，应根据流量和扬程确定其型号。

2) 轻型井点系统布置

沟槽降水时，井点系统一般为线状布置，通常应根据沟槽宽度、涌水量、施工方法、设备能力、降水深度等实际情况确定。一般当槽宽小于2.5m、水量不大且要求降深不大于4.5m时，布置单排井点，井点宜布置在地下水来水方向的一侧，如图6-8所示；当沟槽宽度大于2.5m，且水量较大时，采用双排井点，如图6-9所示；当降水深度在6～8m时，布置双层井点，如图6-10所示。

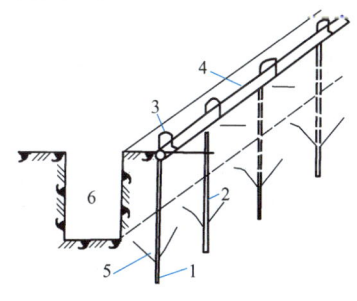

图6-8 单排井点系统
1—滤水管；2—直管；3—弯联管；
4—总管；5—降水曲线；6—沟槽

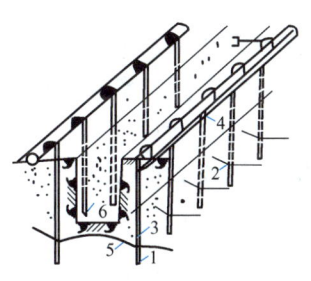

图6-9 双排井点系统
1—滤水管；2—直管；3—弯联管；
4—总管；5—降水曲线；6—沟槽

① 井点的布置。井点应布置在沟槽上口边缘外1.0~1.5m，布置过近，影响施工，而且可能使空气从槽壁进入井点系统，破坏抽水系统的真空，影响正常运行。井点布置时，应超出沟槽端部10~15m，以保证降水的可靠性。

② 总管布置。为了增加井点系统的降水深度，总管的设置高程应尽可能接近原地下水位，并应有1‰~2‰的上倾坡度，最高点设在抽水机组的进水口处，标高与水泵标高相同。当采用多个抽水设备时，应在每个抽水设备所负担的总管长度分界处设阀门或断开，将总管分段，以便分组抽吸。

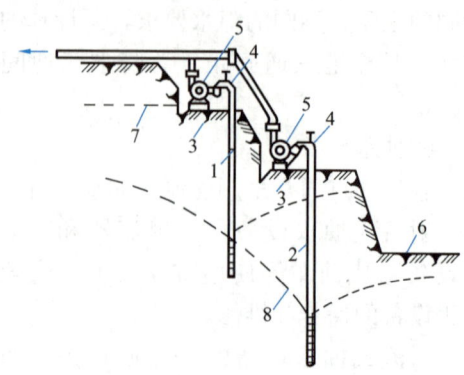

图6-10 双层轻型井点降水示意
1—第一层井点；2—第二层井点；3—集水总管；
4—弯联管；5—水泵；6—沟槽；7—原地下水位线；
8—降水后地下水位线

③ 抽水设备的布置。抽水设备通常布置在总管的一端或中部，水泵进水管的轴线尽量与地下水位接近，常与总管在同一标高上，使水泵轴心与总管齐平。

④ 观察井的布置。为了观测水位降落情况，应在降水范围内设置一定数量的观察井，观察井的位置及数量视现场的实际情况而定，一般设在总管末端、局部挖深等控制点处。观察井与井点管完全一致，只是不与总管连接。

⑤ 双层轻型井点的布置。双层轻型井点系统是由两个单层轻型井点系统组合而成的，下层井点系统应埋设在上层井点系统抽水稳定后的稳定水位以上，而且下层井点系统应在上层井点系统已把水位降落，土方挖掘后才能埋设。埋设时的平台宽度一般为1.0~1.5m。

3）轻型井点系统施工、运行和拆除

① 轻型井点系统施工

轻型井点系统的施工顺序是测量定位、埋设井点管、敷设集水总管、用弯联管将井点管与集水总管相连、安装抽水设备、试抽后正式运行。

② 轻型井点系统运行

井点系统运行过程中，应经常检查各井点出水是否澄清，滤网是否堵塞造成死井现象，并随时做好降水记录。井点系统从开始抽水要连续不断地运行，直至管道工程验收合格，土方回填至原来的地下水位以上不小于50cm时方可停止运行。

③ 高程布置

井点管的埋设深度是指滤水管底部到井点埋设地面的距离，应根据降水深度、含水层所在位置、集水总管的标高等因素确定。

④ 轻型井点系统的拆除

拆除时用起重机拔出井点管。井点管拔除后的孔一般用砂石填实，地下静水位以上部分可用黏土填实。

（2）喷射井点

当沟槽开挖较深、降水深度大于6.0m时，单层轻型井点系统不能满足要求，此时可采用多层轻型井点系统，但多层轻型井点系统存在着设备多、施工复杂、工期长等缺点，此时宜采用喷射井点降水。喷射井点降水深度可达8~12m，在渗透系数为3~20m/d的砂土中最为有效；在渗透系数为 0.1～3.0m/d 的砂质粉土或黏土中效果也较显著。

根据工作介质的不同，喷射井点可分为喷气井点和喷水井点两种，目前多采用喷水井点。

喷射井点主要由井点管、高压水泵（或空气压缩机）和管路系统组成，如图 6-11 所示。

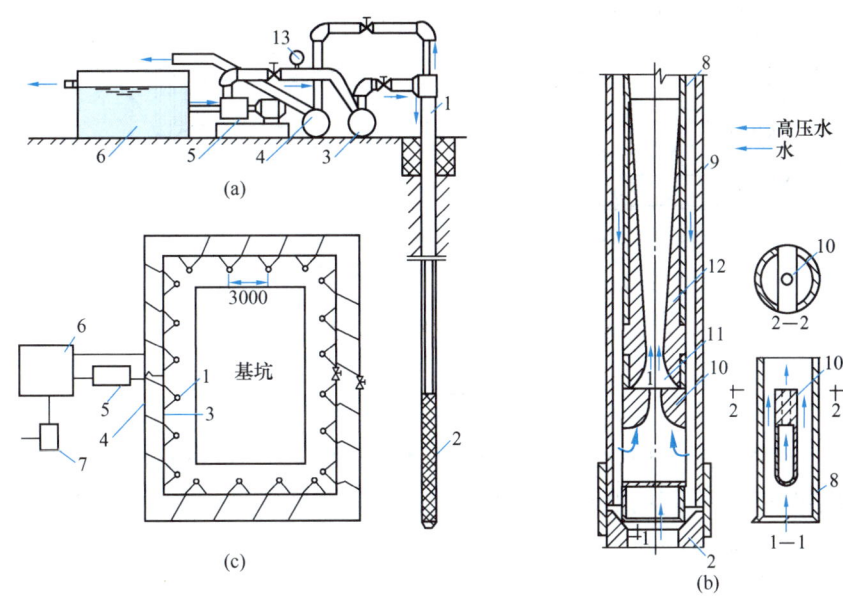

图 6-11 喷射井点
(a) 喷射井点设备简图；(b) 喷射扬水器详图；(c) 喷射井点平面布置
1—喷射井管；2—滤管；3—进水总管；4—排水总管；5—高压水泵；6—集水池；
7—水泵；8—内管；9—外管；10—喷嘴；11—混合室；12—扩散室；13—压力表

喷射井管由内管和外管组成，内管下端装有喷射器，并与滤管相连。喷射器由喷嘴、混合室、扩散室等组成。如图 6-11（b）所示，喷射井点工作时，高压水经过内外管之间的环形空隙进入喷射器，由于喷嘴处截面突然缩小，高压水高速进入混合室，使混合室内压力降低，形成一定的真空，这时地下水被吸入混合室与高压水汇合，经扩散室由内管排出，流入集水池中，用水泵抽走一部分水，另一部分由高压水泵压入井管内循环使用。如此不断地供给高压水，地下水便不断地被抽出。

喷射井点的平面布置、高程布置、涌水量计算、确定井点管数量与间距、抽水设备选型等均与轻型井点相同。

（3）电渗井点

在饱和黏土或含有大量黏土颗粒的砂性土中，土分子引力很大，渗透性较差，采用轻型井点或喷射井点降水，效果很差。此时，宜采用电渗井点降水。

电渗井点适用在渗透系数小于 0.1m/d 的黏土、粉质黏土等土质中降低地下水位，一般与轻型井点或喷射井点配合使用。降深也因选用的井点类型不同而异。使用轻型井点与之配套时，降深小于 8m；用喷射井点时，降深大于 8m。

电渗井点的工作原理缘于胶体化学的双电层理论。在含水的细土颗粒中，插入正负电极并通以直流电后，土颗粒即自负极向正极移动，水自正极向负极移动，这样把井点沿沟槽外围埋入含水层中，并作为负极，导致弱渗水层中的黏滞水移向井点中，然后用抽水设备将水排出，以使地下水位下降。电渗井点布置，如图6-12所示。

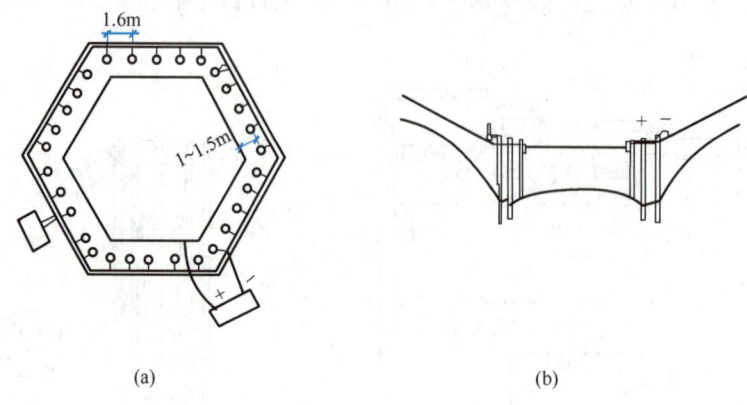

图6-12　电渗井点布置示意

（a）平面布置；（b）高程布置

正负极一般选用直径6～10mm的钢筋，用电线或钢筋连成电路，与电源相应电极相接，形成闭合回路。一般情况下，正负极的间距，采用轻型井点时，为0.8～1.0m；采用喷射井点时，为1.2～1.5m。

（4）管井井点

管井井点适用于在砂土、砾石等渗透系数大于200m/d，地下水含量丰富的土层中降低地下水位。

管井井点系统由井管、滤水管和抽水设备组成，如图6-13所示。

井管一般采用钢管、混凝土管或塑料管，其内径应比水泵的外径大50mm。滤水管长度为1～2m，管壁孔隙率为35％左右，用12号镀锌钢丝缠绕，丝距为1.5～2.5mm，缠丝前应垫筋使钢丝与井管壁间有3mm以上的缝隙以利通水。滤管的下部装沉砂管。抽水设备多采用深井泵或深井潜水泵。

管井井点排水量大，降水深，可以沿沟槽的一侧或两侧作直线布置。井中心距沟槽边缘的距离为：采用冲击式钻孔用泥浆护壁时为0.5～1.0m；采用套管法时不小于3m。管井埋设的深度与间距，根据降水面积、深度及含水层的渗透系数而定，最大埋深可达10余米，间距为10～50m。

井管的埋设可采用冲击钻进或螺旋钻进，泥浆或套管护壁。钻孔直径应比井管管径大200mm以上。井管下沉前应进行清洗，并保持滤网的畅通，井管垂直居中放于孔中心，并用圆木堵塞临时封堵管口。孔壁与井管间用3～15mm砾石填充作过滤层，滤料填入高度

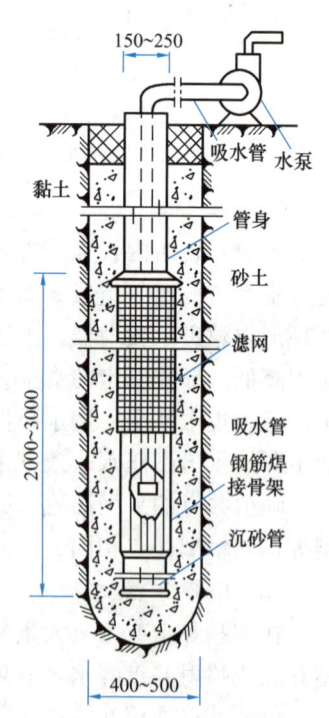

图6-13　管井井点构造

应高出含水层0.5~0.7m。地面下0.5m以内用黏土填充夯实,高度不小于2m。洗井完毕后即可进行试抽和运行。

管井井点抽水过程中应经常对抽水设备的电机、传动轴、电流、电压等做检查,对管井内水位下降和流量进行观测和记录。

管井使用完毕,采用人工拔杆,用钢丝绳捯链将管口套紧慢慢拔出,洗净后供再次使用,所留孔洞用砂土回填夯实。

(5)深井井点

当土的渗透系数大于20~200m/d,地下水比较丰富,要求地下水位降深较大时,宜采用深井井点。

深井井点构造,如图6-14所示。

深井井点系统的主要设备、布置、施工方法均与管井井点相同,只是比管井井点深,在此不作重述。

6.2.3 沟槽开挖

沟槽降水进行一段时间,水位降落达到一定深度,为沟槽开挖创造了一定的便利条件后,即可进行沟槽的开挖工作。

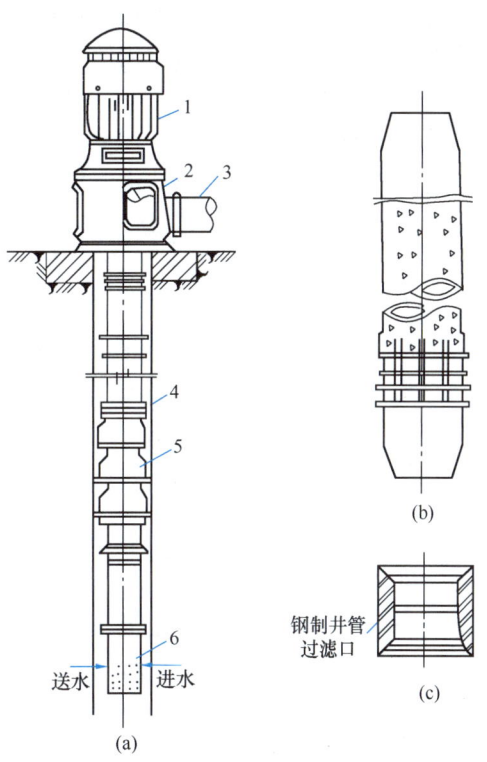

图6-14 深井井点示意

(a)深井泵抽水设备系统;(b)滤网骨架;(c)滤管大样
1—电机;2—泵座;3—出水管;4—井管;5—泵体;6—滤管

1. 沟槽断面形式

常用的沟槽断面形式有直槽、梯形槽、混合槽和联合槽四种,如图6-15所示。

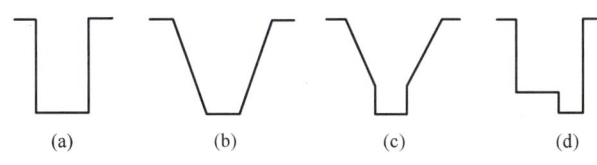

图6-15 沟槽断面形式
(a)直槽;(b)梯形槽;(c)混合槽;(d)联合槽

选择沟槽断面形式,应综合考虑土的种类、地下水情况、管道断面尺寸、管道埋深、施工方法和施工现场环境等因素,结合具体条件确定。

2. 沟槽断面尺寸的确定

如图6-16所示,以梯形槽为例,沟槽断面各部位的尺寸按如下方法确定。

(1)沟槽的下底宽度

$$W_下 = B + 2b \quad (6-1)$$

式中 $W_下$——沟槽下底宽度,m;
B——基础结构宽度,m;
b——工作面宽度,m。

每侧工作面宽度b取决于管道断面尺寸和施工方法,一般不大于0.8m,可按表6-1确定。

管道基础结构宽度根据管径大小确定，对排水管道，可直接采用《全国通用给水排水标准图集》S_2 中规定的各部位尺寸。

(2) 沟槽开挖深度的确定

沟槽开挖深度按管道设计纵断面确定，通常按式（6-2）计算：

$$H = H_1 + h_1 + l_1 + t \tag{6-2}$$

式中　H——沟槽开挖深度，m；

　　　H_1——管道设计埋设深度，m；

　　　h_1——管道基础厚度，m；

　　　l_1——管座厚度，m；

　　　t——管壁厚度，m。

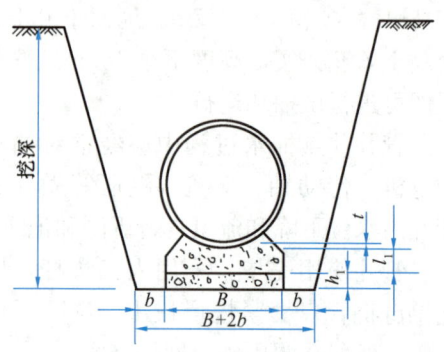

图 6-16　沟槽尺寸确定

B—管道基础宽度；b—工作面宽度；t—管壁厚度；l_1—管座厚度；h_1—基础厚度

沟槽底部每侧工作面宽度　　　　　　　表 6-1

管道结构宽度 (mm)	每侧工作面宽度（mm）		
	混凝土管道	新型塑料管	金属管道或砖沟
200～500	400	200	300
600～1000	500	300	400
1100～1500	600	300	600
1600～2500	800	300	800

注：1. 管道结构宽度，无管座时，按管道外皮计；有管座时，按管座外皮计；砖砌或混凝土管沟按管沟外皮计。
　　2. 沟底需设排水沟时，工作面应适当增加。
　　3. 有外防水的砖沟或混凝土沟，每侧工作面宽度宜取 800mm。

施工时，如沟槽地基承载力较低，需要加设基础垫层时，沟槽的开挖深度尚需考虑垫层的厚度。

(3) 沟槽上口宽度的确定

沟槽上口宽度按式（6-3）计算：

$$W_\text{上} = W_\text{下} + 2nH \tag{6-3}$$

式中　$W_\text{上}$——沟槽的上口宽度，m；

　　　$W_\text{下}$——沟槽的下底宽度，m；

　　　H——沟槽的开挖深度，m；

　　　n——沟槽槽壁边坡率。

为了保持沟槽侧壁的稳定，开挖时必须有一定的边坡。在天然土层中开挖沟槽，如果槽底标高高于地下水位，可以考虑开挖直槽。不需加设支撑的直槽边坡一般采用 1：0.05。

当采用梯形槽时，其边坡的选定，应按土的类别并符合表 6-2 的规定。

梯形槽的边坡　　　　　　　表 6-2

土的类别	人工开挖	机械开挖	
		在槽底开挖	在槽边上开挖
一、二类土	1：0.5	1：0.33	1：0.75
三类土	1：0.33	1：0.25	1：0.67
四类土	1：0.25	1：0.10	1：0.33

3. 沟槽土方量计算

沟槽土方量通常根据沟槽的断面形式，采用平均断面法进行计算。由于管径的变化和地势高低的起伏，要精确地计算土方量，需沿长度方向分段计算。一般排水管道以敷设坡度相同的管段作为一个计算段计算土方量，将各计算段的土方量相加，即得总土方量。每一计算段的土方量按下式计算：

$$V_i = \frac{1}{2}(F_1 + F_2)L_i \tag{6-4}$$

式中　V_i——各计算段的土方量，m^3；

　　　L_i——各计算段的沟槽长度，m；

　　　F_1、F_2——各计算段两端断面面积，m^2。

4. 沟槽土方开挖与运输

（1）沟槽放线

沟槽开挖前，应测设管道中心线、沟槽边线及附属构筑物位置。沟槽边线测设好后，用白灰放线，作为开槽的依据。根据测设的中心线，在沟槽两端埋设固定的中线桩，作为控制管道平面位置的依据。

（2）土方开挖的一般原则

沟槽开挖时应遵循下列原则：

1) 开挖前应认真解读施工图，合理确定沟槽断面形式，了解土质、地下水位等施工现场环境，结合现场的水文、地质条件，合理确定开挖顺序和方法，并制定必要的安全措施。还应进行书面技术交底，技术交底的交接双方均要签字。技术交底内容包括底宽、沟底高程边坡坡度、支撑形式与安全注意事项等。

2) 为保证沟槽槽壁稳定和便于排管，挖出的土应堆置在沟槽一侧，堆土坡脚距沟槽上口边缘的距离应不小于 1.0m，堆土高度不应超过 1.5m。

3) 土方开挖不得超挖，以减小对地基土的扰动。采用机械挖土时，可在槽底设计标高以上预留 200mm 土层不挖，待人工清理。即使采用人工挖土也不得超挖。如果挖好后不能及时进行下一工序时，可在槽底标高以上留 150mm 的土层不挖，待下一工序开始前再挖除。

4) 采用机械开挖沟槽时，应由专人负责掌握挖槽断面尺寸和标高。机械离沟槽上口边缘应有一定的安全距离；挖土机械应距高压线有一定的安全距离，距电缆 1.0m 处，严禁机械开挖。

5) 软土、膨胀土地区开挖土方或进入季节性施工时，应遵照有关规定。

（3）开挖方法

土方开挖分为人工开挖和机械开挖两种方法。为了加快施工速度，提高劳动生产率，凡是具备机械开挖条件的现场，均应采用机械开挖。

沟槽机械开挖常用的施工机械有单斗挖土机和液压挖掘装载机。具体详见第 3 章第 3.7 节。

（4）开挖质量要求

1) 严禁扰动槽底土层，如发生超挖，严禁用土回填。

2) 槽壁平整，边坡符合设计要求。

3) 槽底不得受水浸泡或受冻。

4）施工偏差应符合施工验收规范要求。

(5) 开挖安全施工技术

1）土方开挖时，人工操作间距不应小于2.5m，机械操作间距不应小于10m。

2）挖土应由上而下逐层进行，禁止逆坡挖土或掏洞。

3）应严格按要求放坡。

4）沟槽开挖深度超过3m时，应使用吊装设备吊土，坑内人员应离开起吊点的垂直正下方，并戴安全帽，工人上下应借助靠梯。

5）堆土距沟槽边缘不小于0.8m，且高度不应超过1.5m。

6）应设置路挡、便桥或其他明显标志，夜间应有照明设施。

7）必要时应加设支撑。

(6) 土方运输

土方运输按作业范围可分为场内运输与场外运输。场内运输一般指边挖边运或挖填平衡调配。场外运输一般指多余土运往场外指定的地点。

余土外运应尽量采用汽车运输与机械挖土配合施工，以减少二次装载搬运。搞好土方平衡调配，尽量减少土方外运，以降低施工费用。为了保证挖掘机连续作业，应根据运距最短、施工现场及交通情况，配合足够数量的自卸汽车。

6.2.4 沟槽支撑

1. 支撑的目的和要求

(1) 支撑的目的

支撑是由木材或钢材做成的一种防止沟槽土壁坍塌的临时性挡土结构。支撑的荷载是原土和地面上的荷载所产生的侧土压力。支撑加设与否应根据土质、地下水情况、槽深、槽宽、开挖方法、排水方法、地面荷载等因素确定。一般情况下，当沟槽土质较差、深度较大而又挖成直槽时，或高地下水位砂性土质并采用明沟排水措施时，均应支设支撑。当沟槽土质均匀并且地下水位低于管底设计标高时，直槽不加支撑的深度不宜超过表6-3的规定。

不加支撑的直槽最大深度　　　　　　表6-3

土质类型	直槽最大深度（m）
密实、中密的砂土和碎石类土	1.0
硬塑、可塑的黏质粉土及粉质黏土	1.25
硬塑、可塑的黏土和碎石土	1.5
坚硬的黏土	2.0

支设支撑可以减少土方开挖量和施工占地面积，减少拆迁。但支撑增加材料消耗，有时会影响后续工序的操作。

(2) 支撑结构应满足下列要求：

1）牢固可靠，材料质地和尺寸合格，保证施工安全。

2）在保证安全的前提下，尽可能节约用料，宜采用工具式钢支撑。

3）便于支设、拆除，不影响后续工序的操作。

2. 支撑方法及其适用条件

在排水管道工程施工中，常用的沟槽支撑有横撑、竖撑和板桩撑三种形式。

（1）横撑由撑板、立柱和撑杠组成，可分为疏撑和密撑两种。疏撑的撑板之间有间距，密撑的各撑板间则密接铺设。

1）疏撑又叫断续式支撑，如图6-17所示，适用于土质较好、地下水含量较小的黏性土且挖土深度小于3m的沟槽。

2）密撑又叫连续式支撑，如图6-18所示，适用于土质较差且挖深在3~5m的沟槽。

3）井字撑是疏撑的特例，如图6-19所示。一般用于沟槽的局部加固，如地面上建筑物距沟槽较近处。

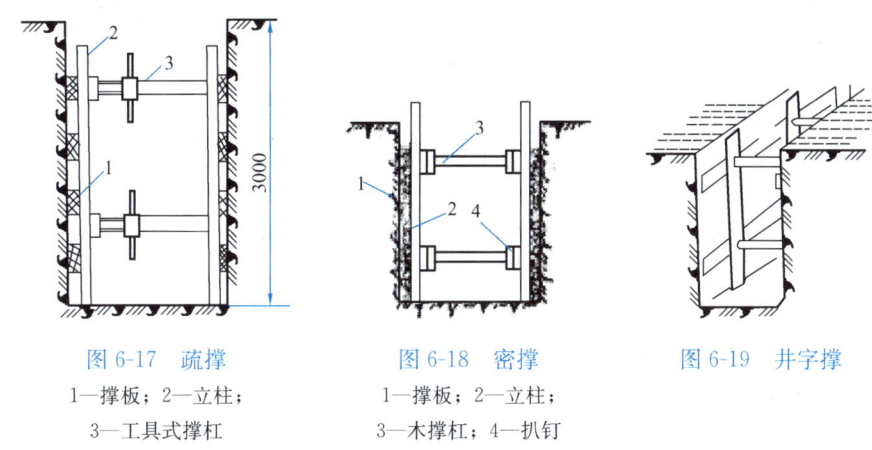

图6-17 疏撑　　　　图6-18 密撑　　　　图6-19 井字撑
1—撑板；2—立柱；　　1—撑板；2—立柱；
3—工具式撑杠　　　　3—木撑杠；4—扒钉

（2）竖撑由撑板、横梁和撑杠组成，如图6-20所示。用于沟槽土质较差，地下水较多或有流砂的情况。竖撑的特点是撑板可先于沟槽挖土而插入土中，回填以后再拔出。因此，竖撑便于支设和拆除，操作安全，挖土深度可以不受限制。

（3）板桩撑一般有钢板桩和木板桩两种，是在沟槽土方开挖前就将板桩打入槽底以下一定深度。其优点是土方开挖及后续工序不受影响，施工条件良好，适用于沟槽挖深较大、地下水丰富、有流砂现象或砂性饱和土层以及采用一般支撑不能奏效的情况。

1）目前常用的钢板桩有槽钢、工字钢或特制的钢板桩，其断面形式如图6-21所示。

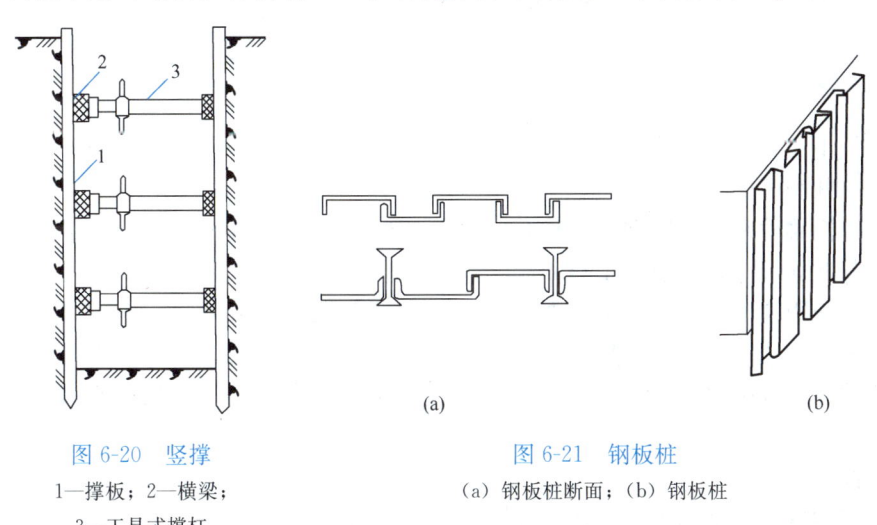

图6-20 竖撑　　　　　图6-21 钢板桩
1—撑板；2—横梁；　　（a）钢板桩断面；（b）钢板桩
3—工具式撑杠

钢板桩的桩板间一般采用啮口连接,以提高板桩撑的整体性和水密性。钢板桩适用于砂土、黏性土、碎石类土层,开挖深度可达 10m 以上。钢板桩可不设横梁和撑杠,但如入土深度不足,仍需要辅以横梁和撑杠。

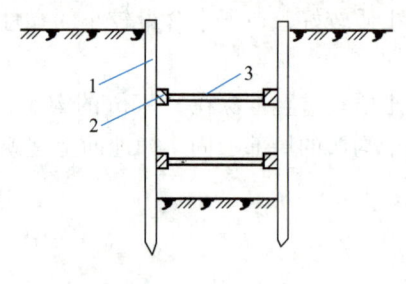

图 6-22 木板桩
1—木板桩;2—横梁;3—木撑杠

2) 木板桩如图 6-22 所示,所用木板厚度应符合强度要求,允许偏差为 20mm。为了保证木板桩的整体性和水密性,木板桩两侧由榫口连接。板厚小于 80mm 时,常采用人字形榫口,厚度大于 80mm 的板桩,常采用凹凸企口形榫口,凹凸榫相互吻合。桩底部为双斜面形桩脚,一般应增加铁皮桩靴。木板桩适用于不含卵石的土层,且深度在 4m 以内的沟槽或基坑。

木板桩虽然打入土中一定深度,尚需要辅以横梁和撑杠。

在各种支撑中,板桩撑是安全度最高的支撑。因此,在弱饱和土层中,经常选用板桩撑。

3. 支撑的材料

支撑材料的尺寸应满足强度和稳定性的要求。一般取决于现场已有材料的规格,施工时常根据经验确定。

(1) 撑板

撑板有金属撑板和木撑板两种。

金属撑板由钢板焊接于槽钢上拼成,槽钢间用型钢连系加固,每块撑板长度有 2m、4m、6m 等种类,如图 6-23 所示。

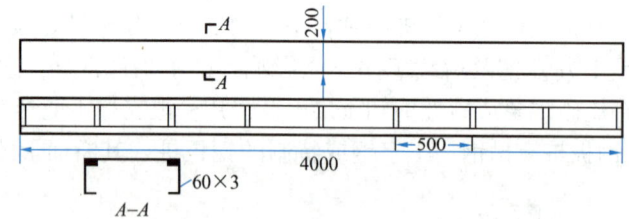

图 6-23 金属撑板

木撑板不应有裂纹等缺陷,一般长 2~6m,宽度 200~300mm,厚 50mm。

(2) 立柱和横梁

立柱和横梁通常采用槽钢,其截面尺寸为 100mm×150mm~200mm×200mm。如采用方木,其断面尺寸不宜小于 150mm×150mm。

立柱的间距视槽深而定。槽深在 4m 以内时,间距为 1.5m 左右;槽深为 4~6m 时,在疏撑中间距为 1.2m,在密撑中间距为 1.5m;槽深为 6~10m 时,间距为 1.2~1.5m。横梁的间距也是根据开槽深度而定,一般为 1.2~1.5m。沟槽深度小时取大值;反之,取小值。

(3) 撑杠

撑杠有木撑杠和金属撑杠 2 种。木撑杠为 100mm×100mm~150mm×150mm 的方木

或 φ150mm 的圆木,长度根据具体情况而定。金属撑杠为工具式撑杠,由撑头和圆套管组成,如图 6-24 所示。

撑头为一丝杠,以球铰连接于撑头板上,带柄螺母套于丝杠上。使用时,将撑头丝杠插入圆套管内,旋转带柄螺母,柄把止于套管端,丝杠伸长,则撑头板就紧压立柱或横梁,使撑板固定。丝杠在套管内的最短长度应为 200mm,以保证安全。这种工具式撑杠的优点是支设方便,而且可更换圆套管长度,适用于各种不同的槽宽。撑杠间距一般为 1.0~1.2m。

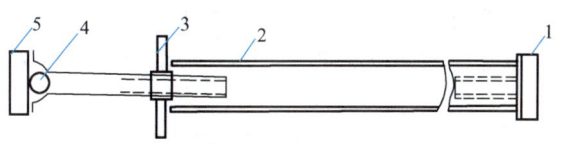

图 6-24 工具式撑杠

1—撑头板;2—圆套管;3—带柄螺母;
4—球铰;5—撑头板

4. 支撑的支设与倒撑

(1) 沟槽支撑与反水

当沟槽开挖到一定深度后,就要整平槽壁进行支撑,在软土或其他不稳定土层中用横排支撑时,开始支撑的沟槽开挖深度不得超过 1.0m。支撑前先检测沟槽开挖断面是否符合设计要求。支撑时先将撑板均匀紧贴于槽壁,再将纵梁或横梁紧贴撑板,然后将横撑支设在纵梁或横梁上。安装时撑板应紧靠贴实,横梁应水平,纵梁应垂直,横撑应水平,并与横梁或纵梁垂直。连接固定可应用扒钉、木楔、木托等,使相互间连接牢固可靠。撑板支撑应随挖土及时安装,开挖与支撑交替进行,每次交替深度宜为 0.4~0.8m。

1) 撑板支撑的横梁、纵梁和横撑的布置应符合下列规定:

横撑必须支承横梁或纵梁;每根横梁或纵梁不得少于 2 根横撑;横撑的水平间距一般宜为 1.5~2.0m。当管节长度大于横撑的水平间距影响下管时,应有相应的替撑措施或采用其他有效的支撑结构。

横撑的垂直间距一般不宜大于 1.5m。槽底横撑的垂直间距不宜超过 2.5m。横撑长度稍差时,可在两端或一端用木楔打紧或钉木垫板。当横撑长度超过 4m 时,应考虑加斜撑。

2) 撑板的安装应符合下列规定:

撑板应与沟槽槽壁紧贴。当有空隙时,宜用土填实;撑板垂直方向的下端应达到沟槽槽底;横排撑板应水平,立排撑板应垂直,撑板板端应整齐;密撑的撑板接缝应严密。

采用横排撑板支撑时,遇有柔性管道横穿沟槽时,管道下面的撑板上缘应紧贴管道安装,管道上面的撑板下缘距管道顶面不宜小于 100mm。

当立排撑板底端高于挖掘槽底时,应边挖边用大锤将撑板一一打下,保证沟槽挖多深,撑板下多深。每挖深 0.4~0.8m,将撑板打下一次,撑板打至槽底或排水沟底为止。撑板每打下 1.2~1.5m,再加一道横撑。

沟槽随挖随支撑,雨期施工时不得空槽过夜。

3) 沟槽支撑在下列情况下应加强:

距建筑物、地下管线或其他设施较近;施工便桥的桥台部位;地下水排除不彻底时;雨期施工等情况。

沟槽土方开挖及后续各项施工过程中应经常检查支撑情况。发现横撑有弯曲、松动、劈裂或位移等迹象时,必须及时加固或倒换横撑。雨期及春季解冻时期应加强检查。人员上下沟槽时，不得攀登支撑，施工人员应由安全梯上下沟槽。承托翻土板的横撑必须加固。翻土板的铺设应平整，并且与横撑的连接必须牢固。

（2）倒撑

施工过程中，更换纵梁和横撑位置的过程称为倒撑。例如：当原支撑妨碍下一工序进行时、原支撑不稳定时、一次拆撑有危险时或因其他原因必须重新安设支撑时，均应倒撑。倒撑时应先撑后拆。

（3）钢板桩的支设及要求

钢板桩的支设是用打桩机将板桩打入沟槽底以下。

钢板桩支撑可采用槽钢、工字钢或特制的钢桩板；钢板桩支撑按具体条件可设计为悬臂、单锚或多层横撑的形式，并通过计算确定其入土深度和横撑的位置与断面。

钢板桩的平面布置形式，宜根据土质和沟槽深度等情况确定。稳定土层采用间隔排列。不稳定土层，无地下水时采用密排；有地下水时采用咬口排列。

钢板桩支撑采用槽钢作横梁时，横梁与钢板桩之间的缝隙应用木板垫实，并将钢板桩与横梁和横撑连接牢固。

合理选择打桩方式、打桩机械，保证打入后的板桩有足够的刚度，且板桩面平直，板桩间相互啮合紧密，对封闭式板桩墙要封闭合龙。

沟槽较深的板桩，一般应在基坑或沟槽内设横梁、横撑来加强支撑强度。若沟槽或基坑施工中不允许设横撑时，可在桩板顶端设横梁，用水平锚杆将其固定。

5. 支撑的拆除

沟槽内管道全部工序施工完毕并经严密性试验、隐蔽工程验收合格后，应将支撑拆除。拆除支撑作业的基本要求如下：

（1）拆除支撑前应对沟槽两侧的建筑物、构筑物、沟槽槽壁及两侧地面沉降、裂缝、支撑的位移、松动等情况进行检查。如果需要，应在拆除支撑前采取必要的加固措施。

（2）根据工程实际情况制定拆撑具体方法、步骤及安全措施。进行技术交底，确保施工顺利进行。支撑的拆除应与回填土的填筑高度配合进行。

（3）横排撑板支撑拆除应按自下而上的顺序进行。当拆除尚感危险时，应考虑倒撑。用横撑将上半槽加固撑好，然后将下半槽横撑、撑板依次拆除，还土夯实后，用同样方法继续再拆除上部支撑，还土夯实。

（4）立排撑板支撑和板桩拆除时，宜先填土夯实至下层横撑底面，再将下层横撑拆除，而后回填至半槽后再拆除上层横撑和撑板。最后用吊车或捯链将撑板拔出，拔除撑板所留孔洞及时用砂填实。对控制地面沉降有要求时，宜采取边拔桩边注浆的措施。采用排水沟的沟槽，应从两座相邻排水井的分水岭的两端延伸拆除。

（5）拆除支撑时，应继续排除地下水。

（6）尽量避免或减少材料的损耗。拆下的撑板、横撑、横梁、纵梁、板桩等材料应及时清理、修整并整齐堆放待用。

6. 深基坑工程专项方案

当基坑开挖深度超过5m（含5m）或深度虽未超过5m（含5m）但地质条件和周围环境及地下管线极其复杂的工程，需做专项施工方案，专项方案要有计算书，并需专家组论证，由企业总工审核签字后实施。

6.2.5 验槽及槽底处理

1. 验槽

沟槽槽底（即管道地基）其强度稳定性等应满足设计要求。沟槽开挖好后在做管道垫层及基础前应进行验槽。验槽时施工单位、设计单位、建设单位、监理单位均应参加，必要时还要有勘察单位参加。验槽主要是检验槽底工程地质情况，判断地基的承载力、土质的均匀性及稳定性等。一般是通过目测或用竹签扦插凭手感等判断。如凭手感难以确定时，就要由勘察单位采用 N10 轻便触探方法来确定其承载力。除检验地质情况外，还要检查沟槽的平面位置、断面尺寸及槽底高程。验槽合格，应填写书面验槽记录，各参与方均应进行隐蔽工程验收签字。

2. 槽底处理

槽底（即地基）处理，应根据验槽结果，地基的强度不能满足设计要求时，应对地基进行处理使其满足设计的要求，也可以用加深沟槽或加宽管道基础的方法来解决问题，主要看哪个方案更能满足成本和进度的要求。

此外，如槽底局部超挖、槽底被水浸泡发生扰动时，也应对地基进行处理。处理方法：如局部超挖深度不超过 150mm 时，可用原土回填夯实到压实度达原地基土的密实度。原地基如含水量过大或沟槽底被水浸泡过，如扰动深度在 100mm 以内，宜填天然级配砂石或砂砾处理；深度在 300mm 以内，宜填卵石或块石再用砾石填充空隙并找平；也可以采用换填法或砂桩、搅拌桩等复合地基方式处理。

6.2.6 排水管道的铺设

市政排水管道属重力流管道，铺设的方法通常有平基法、垫块法、"四合一"法，应根据管道种类、管径大小、管座形式、管道基础、接口方式等进行选择。

1. 平基法铺设

平基法铺设排水管道，就是先进行地基处理，浇筑混凝土带形基础，待基础混凝土达到一定强度后，再进行下管、稳管、浇筑管座及抹带接口的施工方法。这种方法适用于地质条件不良的地段或雨期施工的场合。

平基法的施工程序为：支平基模板→浇筑平基混凝土→下管→安管（稳管）→支管座模板→浇筑管座混凝土→抹带接口及养护。

（1）软弱地基加固处理基础

地基处理就是对软弱地基进行加固。加固的方法主要有换填法、木桩法、排水固结法和粉喷桩法等。

1）换填法是将淤泥层挖除后换填干土、塘渣、砂石料等，并夯实到要求的密实度。

2）短木桩加固法是用长 0.8～1.2m 的木桩，每隔 1.0m 左右，打入 2～3 根木桩将土层挤密，以增加其承载能力。

长木桩加固法是通过打入长 2.0m 以上的木桩，将荷载传递到深层地基中去。

3）排水固结法（砂井）是利用各种打桩机打入钢管，或用高压射水等方法在地基中获得按一定规律排列的孔眼，再灌入中、粗砂振实后形成砂桩（井），起到排水和提高地基强度作用。

4）粉喷桩法是一钻机钻孔，采用水泥粉体作为固化剂，送灰至喷灰口，边喷边搅拌边提至桩顶，使灰土硬结形成具有整体性、稳定性和一定强度的柱状固体。

(2) 混凝土基础施工

混凝土带形基础的施工,包括支模、浇筑混凝土、养护等工序,本教材不作详细讲述。

(3) 排管

排管应在沟槽和管材质量检查合格后进行。根据施工现场条件,将管道在沟槽堆土的另一侧沿铺设方向排成一长串称为排管。排管时,要求管道与沟槽边缘的净距不得小于0.5m。

排管时,对承插接口的管道,宜使承口迎着水流方向排列,并满足接口环向间隙和对口间隙的要求。不管何种管口的排水管道,排管时均应扣除沿线检查井等构筑物所占的长度,以确定管道的实际用量。

当施工现场条件不允许排管时,亦可以集中堆放。但管道铺设安装时需在槽内运管,施工不便。

按设计要求经过排管,核对管节,位置无误后方可下管。

(4) 下管

平基混凝土的强度达到5MPa以上时开始下管、铺管。下管前,应按设计要求对开挖好的沟槽进行复测,检查其开挖深度、断面尺寸、边坡、平面位置和槽底标高等是否符合设计要求;槽底土层有无扰动;槽底有无软泥及杂物;设置管道基础的沟槽,应检查基础的宽度、顶面标高和两侧工作宽度是否符合设计要求;基础混凝土是否达到了规定的设计抗压强度等。

此外,还应检查沟槽的边坡或支撑的稳定性。槽壁不能出现裂缝,有裂缝隐患处要采取措施加固,并在施工中注意观察,严防出现沟槽坍塌事故。如沟槽支撑影响管道施工,应进行倒撑,并保证倒撑的质量。槽底排水沟要保持畅通,尺寸及坡度要符合施工要求,必要时可用木板撑牢,以免发生塌方,影响降水。

下管方法分为人工下管和机械下管两种。应根据管材种类、单节质量和长度以及施工现场情况选用。不管采用哪种下管方法,一般宜沿沟槽分散下管,以减少在沟槽内的运输工作量。

1) 人工下管适用于管径小、质量轻、沟槽浅、施工现场狭窄、不便于机械操作的地段。目前常用的人工下管方法是压绳下管法。

压绳下管法有撬棍压绳下管法和立管压绳下管法两种。

图6-25 撬棍压绳下管法

撬棍压绳下管法是在距沟槽上口边缘一定距离处,将两根撬棍分别打入地下一定深度,然后用两根大绳分别套在管道两端,下管时将大绳的一端缠绕在撬棍上并用脚踩牢,另一端用手拉住,控制下管速度,两大绳用力一致,听从一人号令,徐徐放松绳子,直至将管道放至沟槽底部就位为止,如图6-25所示。

立管压绳下管法是在距沟槽上口边缘一定距离处,直立埋设一节或二节混凝土管道,

埋入深度为 $\frac{1}{2}$ 管长，管内用土填实，将两根大绳缠绕（一般绕一圈）在立管上，绳子一端固定，另一端由人工操作，利用绳子与立管管壁之间的摩擦力控制下管速度，操作时两边要均匀松绳，防止管道倾斜，如图 6-26 所示。该法适用于较大直径的管道集中下管。

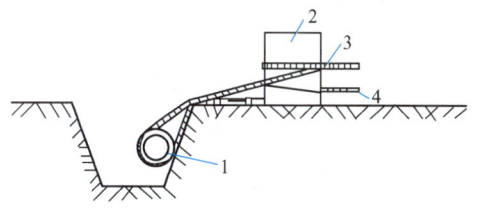

图 6-26　立管压绳下管法

1—管道；2—立管；3—放松绳；4—固定绳

2）机械下管适用于管径大、沟槽深、工程量大且便于机械操作的地段。

机械下管速度快、施工安全，并且可以减轻工人的劳动强度，提高生产效率。因此，只要施工现场条件允许，就应尽量采用机械下管法。

机械下管时，应根据管道质量选择起重机械。常采用轮胎式起重机、履带式起重机和汽车式起重机。

下管时，起重机一般沿沟槽开行，距槽边应有 1m 以上的安全距离，以免槽壁坍塌。行走道路应平坦、畅通。当沟槽必须两侧堆土时，应将某一侧堆土与槽边的距离加大，以便起重机行走。

机械下管一般为单节下管，起吊或搬运管材时，对非金属管材承插口工作面应采取保护措施，找好重心采用两点起吊，吊绳与管道的夹角不宜小于 45°。起吊过程中，应平吊平放，勿使管道倾斜，以免发生危险。如使用轮胎式起重机，作业前应将支腿撑好，支腿距槽边要有 2m 以上的距离，必要时应在支腿下垫木板。

（5）稳管

稳管是将管道按设计的高程和平面位置稳定在地基或基础上，一般由下游向上游进行稳管。

稳管要借助于坡度板进行，坡度板埋设的间距，一般为 10m。在管道纵向标高变化、管径变化、转弯、检查井等处应埋设坡度板。坡度板距槽底的垂直距离一般不超过 3m。坡度板应在人工清底前埋设牢固，不应高出地面，上面钉管线中心钉和高程板，高程板上钉高程钉，以便控制管道中心线和高程。

稳管通常包括对中和对高程两个环节。

1）对中作业是使管道中心线与沟槽中心线在同一平面上重合。如果中心线偏离较大，则应调整管道位置，直至符合要求为止。通常可按下述两种方法进行。

① 中心线法。该法借助坡度板上的中心钉进行对中作业，如图 6-27 所示。当沟槽挖到一定深度后，沿着挖好的沟槽埋设坡度板，根据开挖沟槽前测定管道中心线时所预设的中线桩（通常设置在沟槽边的树下或电杆下等可靠处）定出沟槽中心线，并在每块坡度

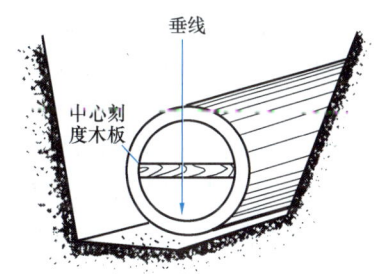

图 6-27　中心线法

板上钉上中心钉，使各中心钉的连线与沟槽中心线在同一铅垂面上。对中时，将有二等分刻度的水平尺置于管口内，使水平尺的水泡居中。同时，在两中心钉的连线上悬挂垂球，如果垂线正好通过水平尺的二等分点，表明管子中心线与沟槽中心线重合，对中完成。否

则应调整管道使其对中。

②边线法。如图6-28所示，边线法进行对中作业是将坡度板上的中心钉移至与管外径相切的铅垂面上。操作时，只要向左或向右移动管子，使两个钉子之间连线的垂线恰好与管外径相切即可。边线法对中速度快，操作方便，但要求各节管的管壁厚度与规格均应一致。

2) 对高程作业是使管内底标高与设计管内底标高一致，如图6-29所示。在坡度板上标出高程钉，相邻两块坡度板的高程钉到管内底的垂直距离相等，则两高程钉之间连线的坡度就等于管内底坡度。该连线称为坡度线。坡度线上任意一点到管内底的垂直距离为一个常数，称为对高数（或下反数）。进行对高作业时，使用丁字形对高尺，尺上刻有坡度线与管底之间的距离标记，即对高数。将对高尺垂直置于管端内底，当尺上标记线与坡度线重合时，对高即完成，否则需调整。

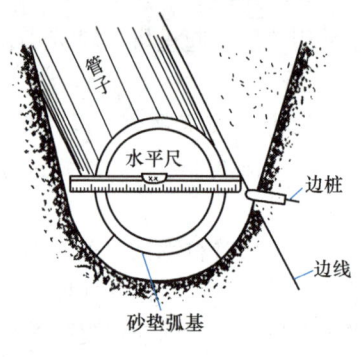
图 6-28　边线法

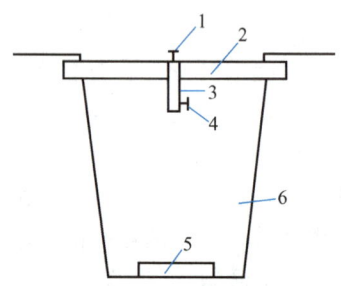
图 6-29　对高程作业

1—中心钉；2—坡度板；3—高程板；
4—高程钉；5—管道基础；6—沟槽

调整管道标高时，所垫石块应稳固可靠，以防管道从垫块上滚下伤人。为便于混凝土管道勾缝，当管径 $d \geqslant 700\text{mm}$ 时，对口间隙为10mm；$d < 700\text{mm}$ 时，可不留间隙；$d > 800\text{mm}$ 时，需进入管内检查对口，以免出现错口现象。

稳管作业应达到平、直、稳、实的要求，其管内底标高允许偏差为±10mm，管中心线允许偏差为10mm。

平基法铺设管道时，基础顶面标高要满足设计要求，误差不超过±10mm。管道设计中心线可在基础顶面上弹线进行控制。严格控制管道对口间隙，铺设较大的管道时，宜进入管内检查对口，以减少错口现象。稳管以管内底标高偏差在±10mm之内，中心线偏差不超过10mm，相邻管内底错口不大于3mm为合格。稳管合格后，在管道两侧用砖块或碎石卡牢，并立即浇筑混凝土管座。浇筑管座前，平基应进行凿毛处理，并冲洗干净。为防止挤偏管道，在浇筑混凝土管座时，应两侧同时进行，注意管身下要填塞饱满，避免窝气形成空洞。

2. 垫块法铺设

垫块法铺设排水管道，是在预制的混凝土垫块上安管和稳管，然后再浇筑混凝土基础和接口的施工方法。这种方法可以使平基和管座同时浇筑，缩短了工期，是污水管道常用的施工方法。

垫块法的施工程序为：预制垫块→安垫块→下管→在垫块上安管→支模→浇筑混凝土

基础→浇筑管座→养护。

(1) 安置垫块

垫块法施工时，预制混凝土垫块的强度等级应与基础混凝土相同，垫块的长度为管径的0.7，高度等于平基厚度，宽度不小于高度；每节管道应设两个垫块，一般放在管道两端；垫块应放置平稳，高程符合设计要求。

(2) 铺管

铺管时，管两侧应立保险杠，防止管道从垫块上滚下伤人。平口管的间隙一般按10mm左右控制；安装较大的管子时，宜进入管内检查对口，减少错口现象。稳管后一定要用干净石子或碎石在管道两侧卡牢，并及时浇筑混凝土管座。

(3) 混凝土管座浇筑

浇筑管座时，为了使管底的空气排出，避免出现蜂窝凹洞，必须先从一侧灌注混凝土，当对侧的混凝土与灌注一侧混凝土高度大致相同时，两侧再同时浇筑，并保持两侧混凝土高度一致。

3. "四合一"法铺设

"四合一"施工法是将混凝土平基、稳管、管座、抹带四道工序合在一起施工的方法。这种方法施工速度快，管道安装后整体性好，但质量不容易控制，要求操作技术熟练，适用于管径为500mm以下的管道安装。

其施工程序为：验槽→支模→下管→排管→"四合一"施工→养护。

(1) 支模、排管

"四合一"法施工时，首先要支模，模板材料一般采用150mm×150mm的方木，支设时模板内侧用支杆临时支撑，外侧用支架支牢，为方便施工可在模板外侧钉铁钎。根据操作需要，模板应略高于平基或90°管座基础高度。下管后，利用模板作导木，在槽内将管道滚运到安管处，然后顺排在一侧方木上，使管道重心落在模板上，倚靠在槽壁上，并能容易地滚入模板内，如图6-30所示。

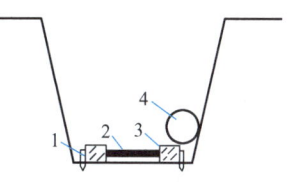

图6-30 "四合一"支模排管示意

1—铁钎；2—临时支撑；
3—方木；4—管道

若采用135°或180°管座基础，模板宜分两次支设，上部模板待管道铺设合格后再支设。

(2) 平基混凝土施工

浇筑平基混凝土时，一般应使基础混凝土面比设计标高高20~40mm（视管径大小而定），稳管时轻轻揉动管道，使管道落到略高于设计标高处，以备安装下一节管道时的微量下沉。当管径在400mm以下时，可将管座混凝土与平基一次浇筑。

(3) 铺管

稳管操作时，将管身润湿，从模板上滚至基础混凝土面，边轻轻揉动边找中心和高程，将管道揉至高于设计高程1~2mm处，同时保证中心线位置准确。如管节高程低于设计要求，应将管节推开后补填混凝土，严禁在管子两侧填充造成管底虚空。

(4) 浇筑管座

完成稳管后，立即支设管座模板，浇筑两侧管座混凝土，捣固管座两侧三角区，补填对口砂浆，抹平管座两肩。管座混凝土浇筑完毕后，立即进行抹带，使管座混凝土与抹带砂浆结合成一体，但抹带与稳管至少要相隔2～3个管口，以免稳管时不小心碰撞管子，影响抹带接口的质量。如管道接口采用钢丝网水泥砂浆抹带接口时，混凝土的捣固应注意钢丝网位置的正确。

6.2.7 排水管道接口的施工

市政排水管道现采用有普通钢筋混凝土管、预应力钢筋混凝土管、硬聚氯乙烯管、聚乙烯管（HDPE）。普通钢筋混凝土管和预应力钢筋混凝土管的接口形式有刚性、柔性和半柔半刚性三种。刚性接口施工简单，造价低廉，应用广泛，但抗振性差，不允许管道有轴向变形。柔性接口抗变形效果好，但施工复杂，造价较高。

1. 钢筋混凝土管接口的施工

（1）刚性接口

目前常用的刚性接口有水泥砂浆抹带接口和钢丝网水泥砂浆抹带接口两种。

1）水泥砂浆抹带接口

水泥砂浆抹带接口是在管道接口处用1：（2.5～3）的水泥砂浆抹成半椭圆形或其他形状的砂浆带，带宽为120～150mm，如图6-31所示。一般适用于地基较好或具有带形基础、管径较小的雨水管道和地下水位以上的污水支管。企口管、平口管和承插管均可采用此种接口。

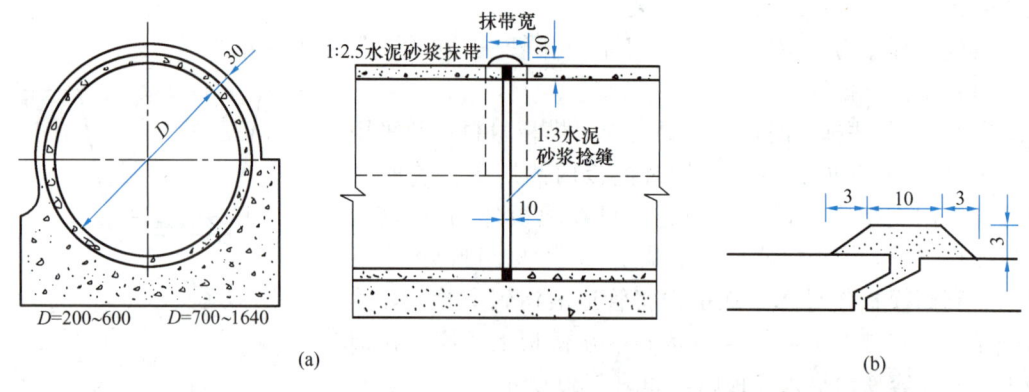

图6-31 水泥砂浆抹带接口
(a) 弧形水泥砂浆抹带接口；(b) 梯形水泥砂浆抹带接口

水泥砂浆抹带接口的工具有浆桶、刷子、铁抹子、弧形抹子等。材料的质量配合比为水泥：砂＝1：（2.5～3），水灰比一般不大于0.5。水泥采用42.5级普通硅酸盐水泥，砂子应用2mm孔径的筛子过筛，含泥量不得大于2%。

抹带前将接口处的管外皮洗刷干净，并将抹带范围的管外壁凿毛，然后刷水泥浆一遍；抹带时，管径小于400mm的管道可一次完成；管径大于400mm的管道应分两次完成；抹第一层水泥砂浆时，应注意调整管口缝隙使其均匀，厚度约为带厚的$\frac{1}{3}$，压实表面后划成线槽，以利于与第二层结合；待第一层水泥砂浆初凝后再用弧形抹子抹第二层，由下往上推抹形成一个弧形接口，初凝后赶光压实，并将管带与基础相接的三角区用混凝土填捣密实。

抹带完成后，用湿纸覆盖管带，3～4h后洒水养护。

管径不小于 700mm 时，应在管带水泥砂浆终凝后进入管内勾缝，勾缝时，人在管内用水泥砂浆将内缝填实抹平，灰浆不得高出管内壁；管径小于 700mm 时，用装有黏土球的麻袋或其他工具在管内来回拖动，将流入管内的砂浆拉平。

2) 钢丝网水泥砂浆抹带接口

钢丝网水泥砂浆抹带接口，是在抹带层内埋置钢丝网，钢丝网规格为 20 号镀锌钢丝，网孔为 10mm×10mm 的孔眼。两端插入基础混凝土中，如图 6-32 所示。这种接口的强度高于水泥砂浆抹带接口，适用于地基较好，或具有带形基础的雨水管道和污水管道。

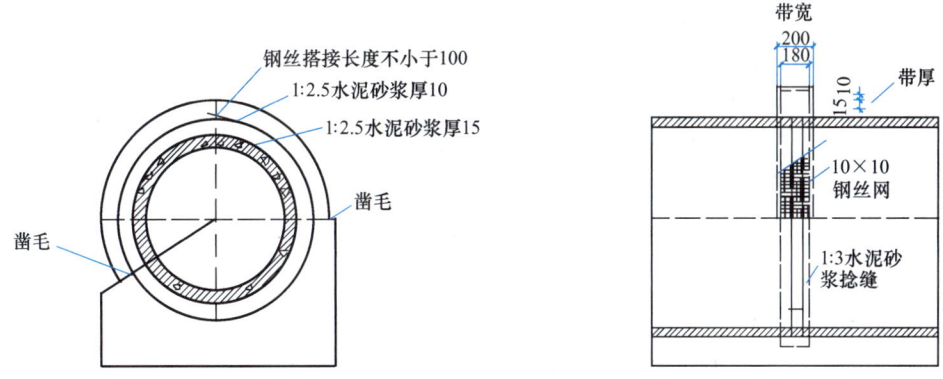

图 6-32 钢丝网水泥砂浆抹带接口

施工时先将管口凿毛，抹一层 1∶2.5 的水泥砂浆，厚度为 15mm 左右，待其与管壁粘牢并压实后，将两片钢丝网包拢挤入砂浆中，搭接长度不小于 100mm，并用绑丝扎牢，两端插入管座混凝土中。第一层砂浆初凝后再抹第二层砂浆，并按抹带宽度和厚度的要求抹光压实。

抹带完成后，立即用湿纸养护，炎热季节用湿草袋覆盖洒水养护。

(2) 半柔半刚性接口

半柔半刚性接口通常采用预制套环石棉水泥接口，适用于地基不均匀沉陷不严重地段的污水管道或雨水管道的接口。

套环为工厂预制，石棉水泥的质量配合比为水∶石棉∶水泥＝1∶3∶7。施工时，先将两管口插入套环内，然后用石棉水泥在套环内填打密实，确保不漏水。

(3) 柔性接口

通常采用的柔性接口有沥青麻布（或玻璃布）接口、沥青砂浆接口、承插管沥青油膏接口等，适用于地基不均匀沉陷较严重地段的污水管道和雨水管道的接口。

1) 沥青麻布（或玻璃布）接口

沥青麻布（或玻璃布）接口适用于无地下水、地基不均匀沉降不太严重的平口或企口排水管道。接口时，先用 1∶3 的水泥砂浆捻缝，并将管口清刷干净，在管口上刷一层冷底子油，然后以热沥青为胶粘剂，做四油三布防水层，并用钢丝将沥青麻布或沥青玻璃布绑扎牢固即可。

2) 沥青砂浆接口

这种接口的使用条件与沥青麻布（或玻璃布）接口相同，但不用麻布（或玻璃布），可降低成本。沥青砂浆的质量配合比为石油沥青∶石棉粉∶砂＝1∶0.67∶0.67。制备时，将10号建筑沥青在锅中加热至完全熔化（超过220℃）后，加入石棉（纤维占$\frac{1}{3}$左右）和细砂，不断搅拌使之混合均匀。接口时，将沥青砂浆温度控制在200℃左右，使其具有良好的流动性，直接涂抹即可。

3）承插管沥青油膏接口

沥青油膏具有粘结力强、受温度影响小等特点，接口施工方便。沥青油膏可自制，也可购买成品。自制沥青油膏的质量配合比为6号石油沥青∶重松节油∶废机油∶石棉灰∶滑石粉＝100∶11.1∶44.5∶77.5∶119。这种接口适用于承插口排水管道。

施工时，将管口刷洗干净并保持干燥，在第一根管道的承口内侧和第二根管道的插口外侧各涂刷一道冷底子油；然后将油膏捏成膏条，接口下部用膏条的粗度为接口间隙的2倍，上部用膏条的粗度与接口间隙相同；将第一根管道按设计要求稳管，并用喷灯把承口内侧的冷底子油烤热，使之发黏，同时将粗膏条也烤热发黏，垫在接口下部135°范围内，厚度高出接口间隙约5mm；将第二根管道插入第一根管道承口内并稳管；最后将细膏条填入接口上部，用錾子填捣密实，使其表面平整。

4）橡胶圈接口

对新型混凝土和钢筋混凝土排水管道，现已推广使用橡胶圈接口。

施工时，先将承口内侧和插口外侧清洗干净，把胶圈套在插口的凹槽内，外抹中性润滑剂，起吊管子就位即可。如为企口管，应在承口断面预先用氯丁橡胶胶水粘接4块多层胶合板组成的衬垫，其厚度约为12mm，按间隔90°均匀分布，如图6-33所示。

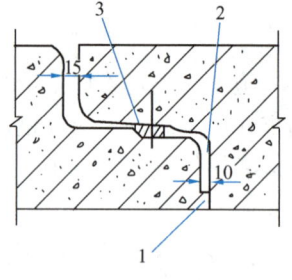

图6-33 企口管胶圈接头
1—水泥砂浆；2—垫片；
3—橡胶圈

对钢筋混凝土平口管采用"T"形接口或"F"形接口。"T"形接口是借助钢套管和橡胶圈起连接密封作用。施工时先在两管端的插入部分套上橡胶圈，然后插入"T"形钢套管，即完成接口操作，如图6-34所示。

对大中管径的钢筋混凝土管，现在偏向于采用"F"形钢套环接口。"F"形钢套环接口的钢套环是一个钢筒，钢筒的一端与管道的一端牢固地固定在一起，形成插口，管端的另一端混凝土做成插头，插头上有安装橡胶圈的凹槽。相邻两管段连接时，先在插头上安装好橡胶圈，在插口上安装好垫片，然后将插头插入插口即完成连接，如图6-35所示。施工时一定要注意插口的方向，使插口始终朝向下游，避免接口漏水。

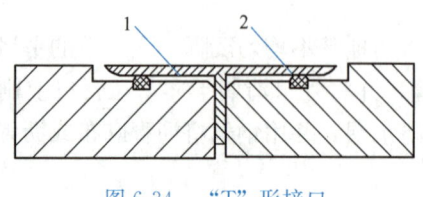

图6-34 "T"形接口
1—"T"形套管；2—橡胶圈

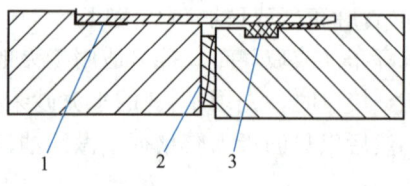

图6-35 "F"形接口
1—钢套管；2—垫片；3—橡胶圈

"F"形钢套环接口适用于管径为2700mm、3000mm的大管道的开槽施工。

钢套环在接头中主要起连接作用。其外径比混凝土管的外径小2～3mm，壁厚约为6～10mm，宽度为250～300mm。钢套环由耐腐蚀的条形钢板卷制而成，一端应有坡口，便于压入橡胶圈，另一端与混凝土浇筑成一体，内外均涂防腐涂料。

橡胶圈在接头中主要起密封作用，常用的橡胶圈有"O"形、楔形和锯齿形。"O"形橡胶圈形状简单、成本低，主要用于无地下水或地下水压力较小的地段。楔形橡胶圈的压缩率最大可达到57%，装配间隙宽、容量大、滑动侧留有唇边、密封性能好。锯齿形橡胶圈在日本应用较多，其压缩率大、装配间隙宽、容量大、密封性好、能承受较大的水压力，主要用于地下水压力较大的地段，但其断面形状复杂，制造比较困难。

此外，对聚乙烯双壁波纹管、硬聚氯乙烯双壁波纹管和塑料螺旋管等新型塑料排水管道，若为平口管可采用热熔承插连接或热熔对接连接，也可采用电熔承插连接或电熔鞍形连接。若为承插管，一般采用承插式橡胶圈连接。

2.硬聚氯乙烯管施工

（1）管道安装

硬聚氯乙烯管接口有：承插式橡胶圈接口和普通粘接接口。承插式橡胶圈接口属于柔性连接，接口密封性能好、对地基的不均匀沉降适应性强，施工安装方便。排水管道上一般多采用承插式橡胶圈接口。普通粘接接口只适用于小管径管子，市政工程基本不用。还有一种肋式卷绕管必须使用生产厂特制的管接头和胶粘剂以确保接口质量，市政工程上也较少采用。

管道安装可采用人工安装。槽深不大时可由人工抬管入槽，槽深大于3m或管径大于公称直径DN400时，可用非金属绳索溜管入槽，依次平稳地放在砂砾基础管位上。严禁用金属绳索勾住两端管口或将管材自槽边翻滚抛入槽中。混合槽或支撑槽，可采用从槽的一端集中下管，在槽底将管材运送到位。

承插口管安装时应将插口顺水流方向，承口逆水流方向由下游向上游依次安装。管材的长短可用手锯切割，但应保持断面垂直平整不得损坏，并在插口端另行坡口。接口作业时，应先将承口的内工作面和插口的外工作面用棉纱清理干净，不得有泥土等杂物；然后将橡胶圈嵌入承口槽内，用毛刷将润滑剂均匀涂在嵌入承口槽内的橡胶圈和管插口端外表面，不得将润滑剂涂到承口的橡胶圈沟槽内；润滑剂可采用V型脂肪酸盐，禁止用钙基脂或其他油类作润滑剂。润滑剂涂抹完成后，立即将连接管段的插口中心对准承口的中心轴线就位。小口径管的安装可用人力，在管端设木挡板用撬棍使被安装的管子对准轴线插入承口。直径大于DN400的管子可使用捯链等工具，但不得用施工机械强行推顶管子就位。承插式柔性接口连接宜在当日气温高时进行，不宜在－10℃以下施工。插口端不宜插到承口底部，要留有不小于10mm的伸缩空隙，插入前应在插口端外壁做出插入深度的标记，插入完成后，应用塞尺顺承插口间隙检查周围空隙的均匀性，检查连接管道的顺直。

承插式橡胶圈接口虽然密封性好，但应注意橡胶圈的断面形式和密封效果。圆形胶圈的密封效果欠佳，而变形阻力小又能防止滚动的异形橡胶圈的密封效果则比较好。目前施工的硬聚氯乙烯承插式橡胶圈接口管径已达1000mm。

（2）管道基础及与检查井的连接处理

PVC-U管道除应遵守前述有关规定外，为保证管底与基础紧密接触，PVC-U管道仍应做垫层基础。对一般土质通常只做一层 0.1m 厚的砂垫层即可。对软土地基，当槽底处在地下水位以下时，宜铺一层砂砾或碎石，厚度不小于 0.15m，碎石粒径5～40mm，上面再铺一层厚度不小于 50mm 的砂垫层，以利基础的稳定。基础在承插口连接部位应预先留出凹槽便于安放承口，安装后随即用砂回填。管底与基础相接的腋角，必须用粗砂或中砂填实（图 6-36），紧紧包住管底角部，形成有效的支撑。

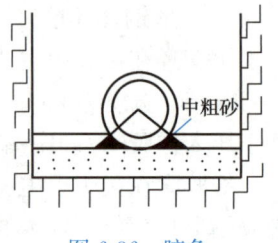

图 6-36　腋角

水泥砂浆与 PVC-U 的结合性能不好，不宜将管材或管件直接砌筑在检查井壁内。管道与检查井的连接有刚性连接与柔性连接两种。

刚性连接，宜采用承插管件连接，用中介层做法，即在 PVC-U 管与检查井接合部分的管道外表面清理干净后，用能与管材良好粘结的塑料胶粘剂均匀涂抹，紧接着在上面撒一层干燥的粗砂，固化 20min 后，形成表面粗糙的中介层，砌入检查井内可保证与水泥砂浆的良好结合，防止渗漏，如图 6-37 所示。

柔性连接，采用预制混凝土套环连接，将混凝土套环砌在检查井井壁内，套环应在管道安装前预制好，套环的内径按相应管径的承口尺寸确定。套环的混凝土强度等级应不低于 C20，最小壁厚不应小于 60mm，长度不应小于 240mm，套环内壁必须平滑，无孔洞、鼓包。混凝土外套环必须用水泥砂浆砌筑。在井壁内其中心位置必须与管道轴线相一致，安装时，可将橡胶圈先套在管材插口指定的部位与管端一起插入套环内。

套环内壁与管材之间用橡胶圈密封，形成柔性连接，如图 6-38 所示。

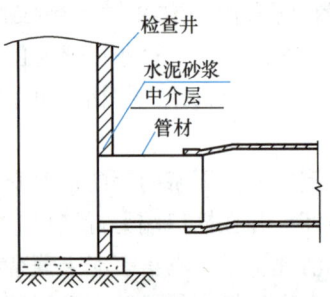

图 6-37　与检查井的刚性连接

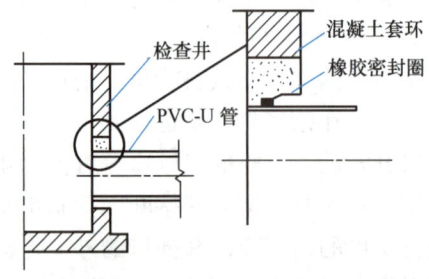

图 6-38　与检查井的柔性连接

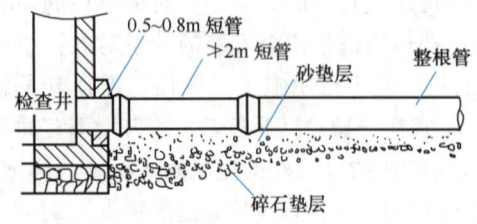

图 6-39　软土地基上管道与检查井连接

检查井底板基底砂石垫层应与管道基础垫层平缓顺接。在坑塘和软土地带，为减少管道与检查井的不均匀沉降，检查井与管道的连接宜先采用长 0.5～0.8m 的短管，后面接一根长度不大于 2m 的短管，然后再与上下游标准管长的管段连接，使检查井与管道的沉降差形成平缓过渡，如图 6-39 所示。

(3) 沟槽回填

柔性管是按管土共同工作来承受荷载，沟槽回填材料回填的密实程度对管道的变形和承载能力有很大影响。回填土的变形模量越大、压实程度越高，则管道的变形越小、承载能力越大，施工应根据具体条件认真实施。沟槽回填除应遵照管道工程的一般规定外，还必须根据PVC-U管的特点采取相应的必要措施，管道安装完毕应立即回填，不宜久停。从管底到管顶以上0.4m范围内的回填材料必须严格控制，可采用碎石屑、砂砾、中粗砂或开挖出的优质土。管道位于车行道下，且铺设后立即修筑路面时，应考虑沟槽回填沉降对路面结构的影响，管底至管顶0.4m范围内需用中、粗砂或石屑分层回填夯实。为保证管道安全，对管顶以上0.4m范围内不得用夯实机具夯实。回填的压实度应遵守前述有关规定。雨期施工还应注意防止沟槽积水和管道漂浮。

3. 聚乙烯管（HDPE）施工

聚乙烯管道的连接有橡胶圈连接、电熔连接、热熔连接、塑料焊条焊接与法兰连接。聚乙烯管的熔接连接，一般管径较小及压力高的管道以电熔连接较多，管径较大的以热熔连接为多。法兰连接只有在塑料管与铸铁管等其他管材阀件的连接时才用。无压力聚乙烯排水管目前设计、施工双壁波纹管的最大直径为$DN1200$；缠绕结构壁管的最大直径为$DN2500$（目前已突破至$DN2600$）。

（1）橡胶圈连接

承插口橡胶圈连接的方法与PVC-U管类似，较多采用双壁波纹管，其所用密封圈为异形橡胶圈或遇水膨胀橡胶圈。目前施工的管径已达1000mm。

（2）管道的电熔连接

1）承插式电熔连接

承插式电熔连接是在生产管材时，在承口端埋入电热元件。连接前，应先清除承插口工作面的污垢，检查电热网焊线是否完好，并确认插口应插入承口的深度。通电前先用锁紧扣带在承口外扣紧，然后根据不同型号的管道设定电流及通电时间。接通电源期间，不得移动管道或在连接件上施加任何外力，通电时要特别注意连接电缆线不能受力，以防短路。通电完成后，适当收紧扣带，并保持一定的冷却时间。在自然冷却期间，不得移动管道。

2）电熔管件的要求

在聚乙烯管道系统的构成中，电熔管件是必不可少的组成部分，电熔管件必须符合相关规定的要求。

3）电熔焊机的要求

电熔焊机的作用是将电网或发电机电源经过降压变换控制后，输入到电熔管件电阻丝的一种电力电子设备。目前的管道焊接基本上都采用自动焊接，这种方法可以减少人为因素对焊接质量的影响。因此，要求电熔焊机的外壳防护应具有防止碰撞的保护措施和安全防护措施；性能指标符合要求；焊接机具在完成2000个焊口或最长不超过12个月，必须进行校准和检定。

4）电熔焊接规则

聚乙烯管道元件制造单位或者管道安装单位，应当取得特种设备制造或者安装许可证；聚乙烯管道焊接作业人员，必须取得质量技术监督部门颁发的特种设备作业人员证。

5）电熔管件的焊接操作过程

A. 焊接前准备：测量电源电压，确认焊机工作时的电压符合要求；清洁电源输出接头，保证有良好的导电性。

B. 管材截取：管材的端面应垂直轴线，其长度误差应小于5mm。

C. 焊接面清理：测量电熔管材的长度或者中心线，在焊接的管材表面上画线标志，将大于画线区域约 5mm 内的焊接面刮削约 0.2 mm 厚，以去除氧化层。

D. 管材与管件承插：将清洁的电熔管件与需要焊接的管材承插，保持管件外侧边缘与标记线平齐；安装电熔夹具，不得使电熔管件承受外力，管材与管件的不同轴度应当小于管材外径尺寸的 1.5%。

E. 输出接头连接：焊机输出端与管件接线柱牢固连接，不得虚接。

F. 焊接模式设定及数据输入：按焊机说明书要求，将焊机调整到自动或手动模式，然后输入焊接数据。

G. 焊接：启动焊接开关，开始计时；手动模式下焊接参数应当按管件产品说明书确定。

H. 自然冷却：冷却时间应当按管件产品说明书确定，冷却过程中不得向焊接件施加任何外力，必须在完成冷却后，才能拆卸夹具。

(3) 管道热熔连接

1) 热熔对接焊接

① 工艺

热熔对接焊的主要工艺过程，如图 6-40 所示。

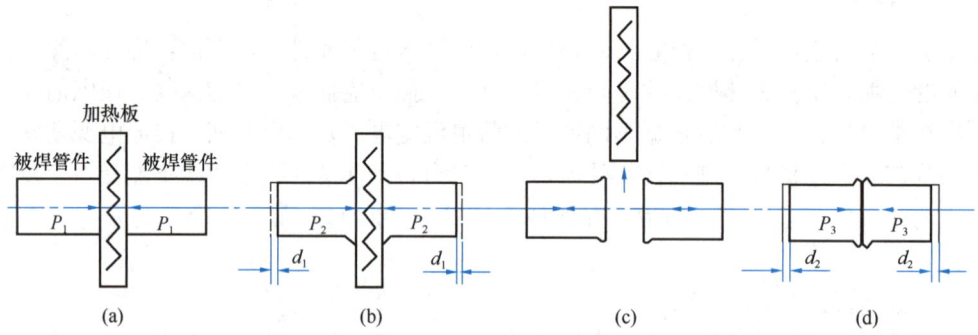

图 6-40　热熔对接焊的主要工艺过程

② 连接施工

A. 施工前的准备：焊机应与产品相匹配，施工前应对操作工进行专门的培训及交底。

B. 施工操作：a. 将待连接管材置于焊机夹具上并夹紧；b. 清洁管材待连接端并铣削连接面；c. 校直两对接件，使其错位量不大于壁厚的 10%；d. 放入加热板加热，加热完毕，取出加热板；e. 迅速接合两加热面，升压至熔接压力并保压冷却。

C. 施工注意事项：a. 每次连接完成后，应进行外观质量检验，不符合要求的必须切开返工；b. 每次收工时，管口应临时堵封；c. 在寒冷气候（-5℃以下）和大风环境下进行连接操作时，应采取保护措施或调整施工工艺。

2) 热熔套接施工

① 管道组对

A. 先在管沟内预排管道，按照从下游到上游的顺序进行排列，组对前要对承插口进行清理，保证焊接面干净。

B. 管道组对是施工的重点，特别是直径大于 1000mm 的管道，需要人工和吊车配合进行。用两根合适的吊带在管中间缠上一周，并在管对称两侧加上两个捯链，组对时两个捯链同时拉紧，使其匀速向另一根管移动，如图6-41所示。

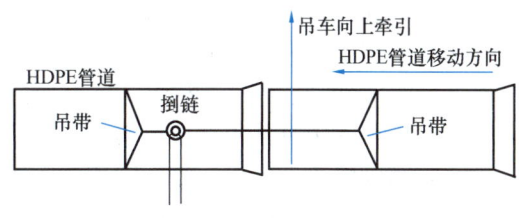

图6-41 管道组对示意图

C. 在组对管的一端，用吊车微微吊起，以控制管的高度，施工人员共同配合使管的插口端全部插入承口。

D. 当插口难以插入时，可用磨光机在插口外稍加打磨，必要时还可在管口涂抹黄油，以减少摩擦力，方便组对。组对时，还要准备两把手锤，对管口的部分变形区域进行敲打，以使管道顺利组对。管道组对连接如图6-41所示。

E. 管道组对完成后，捯链暂不能松，要等到熔接完成以后才能松。熔接时要在管内接口处加合适的管道胀紧圈，管外接口处加紧固带，把接口胀紧才能进行下一步热熔焊接。

② 管道热熔

HPDE管的熔接要用专用的热熔焊机进行，根据管径的大小设置好焊接温度和焊接时间。HDPE管在190～240℃将被熔化。利用这一特性，将管材接触面熔化，充分接触，并保持适当压力（内用胀紧圈，外用紧固带进行紧固），冷却后两管便可牢固地融为一体。

（4）焊接连接

焊接连接是用专用的挤出式焊枪，使用与管材同材质的焊条，在管道对接处进行均匀焊接，连接形式包括承插式、平口式和V形焊接连接。

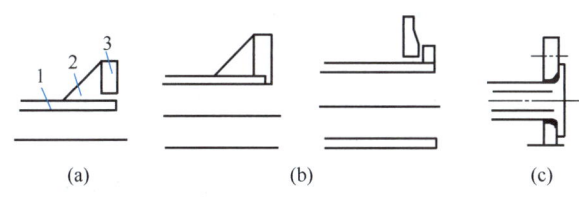

图6-42 塑料管法兰接口的法兰盘与管口连接
(a) 焊接；(b) 凸缘接；(c) 翻边接
1—管子；2—加劲肋；3—法兰盘

（5）法兰连接

法兰连接是采用螺栓紧固方法将相邻管端连成一体的连接方法。一般适用于塑料管与铸铁管等其他管材阀件的连接。法兰一般由塑料制成，垫圈材料常采用橡胶垫圈。常见的连接形式有焊接、凸缘接、翻边接等，如图6-42所示。

（6）管道与检查井的连接

塑料管道与检查井的连接，做法与PVC-U管相同。当管径较大时也可先施工管道，留出检查井的位置，然后在检查井的位置现浇钢筋混凝土检查井，与管道刚性连接。具体采用哪种做法应由设计根据地质条件、当地施工技术力量和施工环境来决定。

（7）管道基础处理与土方回填

HDPE管材属于柔性管材，对地基的适应性很强，即使是较松软的土质只要处理好也能给管道提供足够的支承，但不宜铺设在刚性基础上。通常管体周围由密实的中砂填充，包覆层产生的支承力的大小与回填土的刚性成正比，因此回填材料必须回填密实。在施工中遇到不稳定土质和淤泥时，必须清淤更换基础土层，通常换填材料为粒径5～32mm的砂砾或碎石，厚15cm，再加15cm厚的中、粗砂垫层，这样有效地增强了管基的支承条件，增强了土的抗剪切性能。

管道基础在接口部位下的基底应设凹槽（俗称工作坑），长度按管径大小而定，一般为40～60cm，深度为基底以下5～10cm，宽度为管外径的1.1倍，在管道铺设时随铺随挖，在接口施工完毕时再用砂土填实。

防止管道轴向垂直变形，管沟回填前应对管道内部进行支撑，每节管（管长6m）支撑3处，间距2.5m。支撑一般采用圆木。

4. 玻璃钢管施工

（1）玻璃钢夹砂管的接口

玻璃钢夹砂管是以玻璃纤维及其制品作增强材料，以不饱和聚酯树脂、环氧树脂等为基体材料做成内外层，中间以价廉的石英砂和树脂、碳酸等作芯层填料按一定工艺方法制成的管道，再辅以韧性的、耐酸碱腐蚀的内衬层构成的复合管壁结构。玻璃钢夹砂管是一种半刚、半柔的管材，管壁较厚，环刚度较大，能较好地承受外部荷载，接口性能好，能承受较大的内、外压力。其管径从200～3000mm，工作压力常制成0.1～0.6MPa，如有需要最大可达1.0～2.5MPa。

玻璃钢夹砂管采用双橡胶圈接口，为强化管道施工过程的中间控制，对管道双橡胶圈接口逐一试压，接口试压合格方可进入后续管道安装，能有效保证管道接口安装质量，减少管道安装过程中发生返工现象。

在玻璃钢夹砂管的插口端外壁加工两道凹槽，将两条"O"形橡胶圈嵌入凹槽内，然后将插口端插入承口端，使双橡胶圈与承口内壁和插口外壁紧密接合，形成接口处密封区域，对逐个接口独立进行水密性试验，确保管道接口连接紧密，如图6-43所示。

（2）管道安装

1）下管。在沟槽地基质量检验合格，并核对管节、管件位置无误后及时下管。下管采用吊装设备与人工配合。下管对口前应在沟槽底部逐节挖接口工作坑，这样既便于接口操作，又能使管基均匀承受管体质量，增加其稳定性。因管基采用砂石垫层，留出的工作坑同时考虑填垫层厚度。

在下节管时保证其轴线、标高、位置与设计的一致，承口朝向与水流方向相反，如图6-44所示。

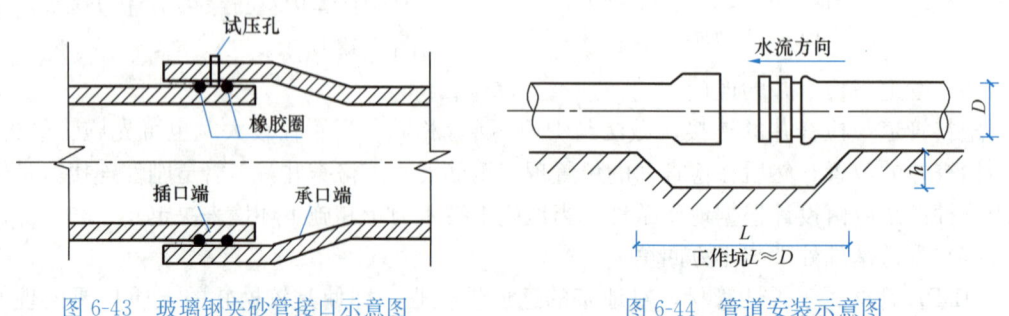

图6-43 玻璃钢夹砂管接口示意图　　图6-44 管道安装示意图

2）管道接口操作程序为：①待装管根据管径选择相应橡胶圈，将管道承插口及橡胶圈清理洁净，管道的承口、插口与橡胶圈接触的表面应平整光滑、无划痕、无气孔，插口套橡胶圈时，使橡胶圈由内向外分别套在插口处的槽内，并用手压实，确保各个部位不翘不扭，橡胶圈与凹槽、管壁均匀贴合；承口内沿及插口胶圈部位均匀涂刷润滑剂，橡胶圈润滑剂应由配套厂商提供，不得用石油制成的润滑剂，并与承口内沿均匀接触。②管道就位时，将插口对承口找正，试压孔朝上，套帆布绳，调整起吊机械，对待装管施加轴向力，施加方法：可在管的后端放一块比管口稍大的厚木板用挖掘机的挖斗将管子慢慢顶入，也可利用捯链（与承插混凝土管及聚乙烯管相同的方法）将插口端推入承口。胶圈在插口工作面上。③插口进入承口，胶圈同时进入承口工作面，从而达到密封作用。经检查确认接口安装符合要求后，用砂袋固定管道。

在前节管未被回填或固定好之前，禁止下节管接口施工。

3）管道安装或铺设中断时，应临时用木板等材料封堵管口，不得敞口搁置。

（3）接口严密性试验

接口严密性试验工艺流程见图 6-45。

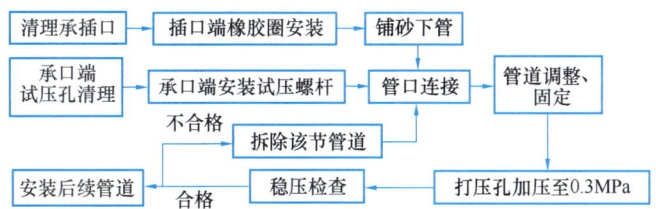

图 6-45　接口严密性试验工艺流程图

1）试验用手摇打压机，试验只在接口双胶圈之间进行，要求检验合格后方能使用。

2）试压时先把承口上试压嘴的密封帽拧开，接上试压管道和压力表，连接手动打压机，然后往内注水打压，试验压力 0.3MPa。观察 3～5min，压力保持稳定不变为合格。也有用空气做气压试验的，将气体打入两个橡胶圈与管壁形成的密闭空间，然后缓慢分级加压至规定值，在规定时间内不降压为合格。

3）在观察时间内，当压力下降时，应查明漏气原因，重新安装或调整管道后再试验，直到合格为止，方可进行后续管道安装。

接口严密性试验目的是检验两道橡胶圈与管壁接合是否紧密，是否漏水。

（4）基础处理及其与检查井的连接

基础处理及其与检查井的连接与塑料管相同。

6.2.8　检查井和雨水口的施工

1. 检查井的施工要点

我国目前应用最多的是砖砌检查井，检查井的井壁厚度为 240mm，采用全丁式或一顺一丁式砌筑。砌筑时应注意以下几点：

（1）井室的混凝土基础应与管道基础同时浇筑；检查井的流槽宜与井壁同时进行砌筑。当采用砖、石砌筑时，表面应用水泥砂浆分层压实抹光，流槽应与上下游管道底部接顺。

（2）井室砌筑时应同时安装踏步，其尺寸要符合设计规定，踏步安装后在砌筑砂浆未达到规定抗压强度前不得踩踏。

（3）各种预留支管应随砌随安，管口应与井内壁平齐，其管径、方向和标高均应符合设计要求，管与井壁衔接处应严密不得漏水。如用截断的短管，其断管破茬不得朝向井内。

（4）砖砌圆形检查井时，应随时检测直径尺寸。砌块应垂直砌筑，当需要收口时，如为四面收口，则每层收进不应大于30mm；偏心收口，则每层收进不超过50mm。

（5）检查井接入较大直径圆管时，管顶应砌砖券加固。当管径不小于1000mm时，拱券高应为250mm；管径小于1000mm时，拱券高应为125mm。

（6）检查井的井室、井筒内壁应用原浆勾缝。如有抹面要求时，内壁抹面应分层压实，外壁应用砂浆搓缝挤压密实。并且，盖座与井室相接触的一层砖必须是丁砖。

（7）检查井应边砌边四周同时回填土，每层填土高度不宜超过300mm，必要时可填灰土或砂。砌筑时，井壁不得有通缝，砂浆要饱满，灰缝平整，抹面压光，不得有空鼓、裂缝等现象。井内流槽应平顺，踏步安装应牢固准确，井内不得有建筑垃圾等杂物。井盖要完整无损，安装平稳，位置正确。内外井壁应采用水泥砂浆勾缝；有抹面要求时，抹面应分层压实。

（8）检查井砌筑至规定高程后，应及时安装或浇筑井圈，安装盖座，盖好井盖。安置井圈时砖墙顶面应用水冲刷干净，并铺砂浆。按设计高程找平，井圈安装就位后，井圈四周用水泥砂浆嵌填牢固，用砂浆抹成45°三角形。安装铸铁盖座时校正标高后，盖座周围用细石混凝土坞牢。

2. 雨水口的施工要点

雨水口的施工通常采用砌筑作业。砌筑前按道路设计边线和支管位置，定出雨水口的中心线桩，使雨水口的一条长边必须与道路边线重合。按雨水口中心线桩开槽，注意留出足够的肥槽，开挖至设计深度。槽底要仔细夯实，遇有地下水时应排除地下水并浇筑C10混凝土基础。如井底为松软土时，应夯筑3∶7灰土基础，然后砌筑井墙。

砌井墙时，应按如下工艺进行：

（1）按井墙位置挂线，先砌筑井墙一层，然后核对方正。一般井墙内口为680mm×380mm时，对角线长779mm；内口尺寸为680mm×410mm时，对角线长794mm；内口尺寸为680mm×415mm时，对角线长797mm。

（2）砌筑井墙。井墙厚240mm，采用MU10砖和M10水泥砂浆按一顺一丁的形式组砌。砌筑时随砌随刮平缝，每砌高300mm应将墙外肥槽及时回填夯实。砌至雨水连接管或支管处应满卧砂浆，砌砖已包满管道时应将管口周围用砂浆抹严抹平，不能有缝隙，管顶砌半圆砖券，管口应与井墙面齐平。当支管与井墙必须斜交时，允许管口入墙20mm，另一侧凸出20mm，超过此限值时，必须调整雨水口位置。井口应与路面施工配合同时升高，井底用C10细石混凝土抹出向雨水口连接管集水的泛水坡。

（3）井墙砌筑完毕后安装雨水箅时，内侧应与边石或路边成一直线，满铺砂浆，找平坐稳。雨水箅顶与路面齐平或稍低，但不得凸出。雨水箅安装好后，应用木板或铁板盖住，以防止在道路面层施工时压坏。

雨水口砌筑完毕后，内壁抹面必须平整，不得起壳裂缝，支管必须直顺，不得有错口，管口应与井壁平齐，井周围回填土必须密实。

6.2.9 排水管道的严密性检查

污水、雨污水合流管道及湿陷土、膨胀土、流砂地区的雨水管道，必须经严密性试验合格后方可投入运行。

排水管道的严密性一般通过闭水试验进行检查，闭水试验的方法和有关规定如下。

1. 试验规定

（1）污水管道、雨污合流管道、倒虹吸管及设计要求闭水的其他排水管道，回填前应采用闭水法进行严密性试验。试验管段应按井距分隔，长度不大于500m，带井试验。雨水和与其性质相似的管道，除大孔性土层及水源地区外，可不做闭水试验。

（2）闭水试验管段应符合下列规定：管道及检查井外观质量已验收合格；管道未回填，且沟槽内无积水；全部预留孔（除预留进出水管外）应封堵坚固，不得渗水；管道两端堵板承载力经核算应大于水压力的合力。

（3）闭水试验应符合下列规定：试验段上游设计水头不超过管顶内壁时，试验水头应以试验段上游管顶内壁加2m计；当上游设计水头超过管顶内壁时，试验水头应以上游设计水头加2m计；当计算出的试验水头小于10m，但已超过上游检查井井口时，试验水头应以上游检查井井口高度为准。

2. 试验方法

在试验管段内充满水，并在试验水头作用下进行泡管（泡管时间不小于24h，CU-PVC管浸泡12h以上），然后再加水达到试验水头，观察30min的漏水量，观察期间应不断向试验管段补水，以保持试验水头恒定，该补水量即为漏水量。将该漏水量转化为每千米管道每昼夜的渗水量，如果该渗水量小于规范规定的允许渗水量，则表明该管道严密性符合要求。其渗水量的转化公式为：

$$Q = 48q \times \frac{1000}{L} \tag{6-5}$$

式中　Q——每千米管道每昼夜的渗水量，$m^3/(km \cdot d)$；

　　　q——试验管段30min的渗水量，m^3；

　　　L——试验管段长度，m。

6.2.10　土方回填

市政管道施工完毕并经检验合格后，应及时进行土方回填，以保证管道的位置正确，避免沟槽坍塌，尽早恢复地面交通。

回填前，应建立回填制度。回填制度是为了保证回填质量而制定的回填操作规程。如根据管道特点和回填密实度要求，确定回填土的土质、含水量、还土虚铺厚度、压实后厚度、夯实工具、夯击次数及走夯形式等。

回填施工一般包括还土、摊平、夯实、检查四道工序。

1. 还土

管道应在该管段施工全部完成，并经严密性试验和分部工程、隐蔽工程验收合格后及时回填土方。回填时沟槽内砖、石、木块等杂物应清除干净，沟槽内不得有积水。

用土回填时，槽底至管顶以上500mm内，不得回填淤泥、腐殖土、有机物、冻土及大于50mm砖、石等硬块；在抹带接口处、防腐绝缘层周围应用细粒土回填。

冬期回填时，管顶以上500mm范围以外可均匀掺入冻土，其数量不得超过填土总体积的15%，且冻块尺寸不得大于10cm，回填土的含水量，宜按土类和采用的压实工具控制在最佳含水率±2%范围内。高含水量时可采用晾晒或加白灰掺拌等方法使其达到最佳含水量；低含水量时则应洒水。

采用石灰土、砂、砂砾等材料回填时，其质量要符合设计要求或有关标准规定。

管道两侧和管顶以上500mm范围内的回填材料，应由沟槽两侧同时对称均匀分层回填，填土时不得将土直接回填在管道上，更不得直接砸在管道抹带接口上；还土不应带水进行，沟槽应继续降水，防止出现沟槽坍塌和管道漂浮事故。采用明沟排水时，还土应从两相邻集水井的分水岭处开始向集水井延伸。雨期施工时，必须及时回填。

2. 摊平

每还土一层，都要采用人工将土摊平，每一层都要接近水平，每次还土厚度应尽量均匀。每层土的虚铺厚度应根据表6-4的规定选取。

回填土每层的虚铺厚度　　　　　　　　表6-4

压实机具	虚铺厚度（mm）	压实机具	虚铺厚度（mm）
木夯、铁夯	≤200	压路机	200～300
轻型压实设备	00～250	振动压路机	≤400

3. 夯实

沟槽回填土压实时，管道两侧应对称逐层进行，分段回填时，相邻段的接槎应呈台阶形。

刚性管道两侧和管顶以上500mm范围内胸腔夯实，应采用轻型压实机具，管道两侧压实面的高差不应超过300mm；柔性管道从管底基础部位开始到管顶以上500mm范围内，必须用人工回填，管顶500mm以上部位，可用机械从管道轴线两侧同时夯实；每层回填厚度应不大于200mm。

管道基础为弧土基础时应填实管道支撑角范围内腋角部位，联合槽双排管基础底面高程不同时，先回填基底较低的沟槽。

压实通常采用人工夯实和机械夯实两种方法。

（1）人工夯

人工夯实主要采用木夯和铁夯两种。人工夯实每次虚铺厚度不宜超过20cm。人工夯实劳动强度高，效率低，目前已不采用，只有在工程量小或工作面小、机械不便操作时才采用。

（2）机械夯

机械夯实有：蛙式夯、内燃打夯机、履带式打夯机、振动压实机、轻型压路机和振动压路机等。

1) 蛙式夯

蛙式打夯机由夯头架、拖盘、电动机和传动减速机构组成，如图6-46所示。蛙式夯构造简单、轻便，在施工中广泛使用。

夯土时电动机经皮带轮二级减速，使偏心块转动，摇杆绕拖盘上的连接铰转动，使拖盘上下起落。夯头架也产生惯性力，使夯板作上下运动，夯实土方。同时

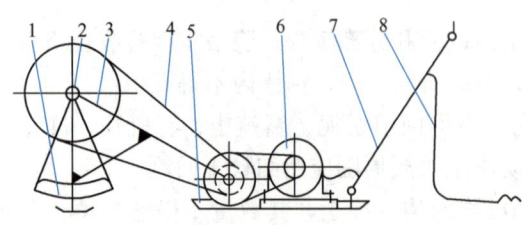

图6-46　蛙式夯构造示意

1—偏心块；2—前轴装置；3—夯头架；4—传动装置；
5—托盘；6—电动机；7—操纵手柄；8—电器控制设备

蛙式夯利用惯性作用自动向前移动。一般而言，采用功率2.8kW的蛙式夯，在最佳含水量条件下，虚铺厚度200mm，夯击3~4遍，回填土密实度便可达到95%左右。

2) 振动压实机、振动压路机

当回填土至管顶以上500mm时，可用振动压实机、振动压路机进行碾压，碾压时行驶速度不得超过2km/h。有关压实方案及要求与道路相同。

4. 检查

主要是检查回填土的密实度。

每层土夯实后，均应检测密实度。多采用环刀法和灌砂法进行检测。检测时，应确定取样的数目和地点。由于表面土常易夯碎，每个土样应在每层夯实土的中间部分切取。土样切取后，根据自然密度、含水量、干密度等数值，即可算出密实度。沟槽回填土的密实度要求如图6-47所示。

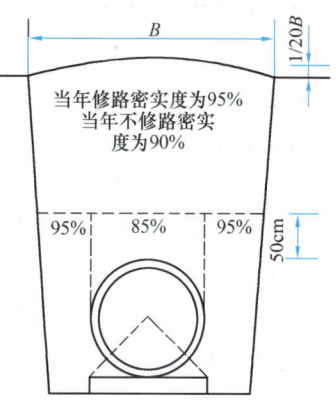

图6-47 沟槽回填土密实度要求

6.2.11 管道工程施工质量控制应符合下列规定

(1) 各分项工程应按照施工技术标准进行质量控制，每分项工程完成后，必须进行检验；

(2) 相关各分项工程之间，必须进行交接检验，所有隐蔽分项工程必须进行隐蔽验收，未经检验或验收不合格不得进行下道分项工程；

(3) 通过返修或加固处理仍不能满足结构安全或使用功能要求的分部（子分部）工程、单位（子单位）工程，严禁验收。

6.3 排水管道不开槽施工

6.3.1 概述

排水管道穿越障碍物或城市干道而又不能中断交通时，常采用不开槽法施工。不开槽铺设的排水管道多为圆形预制管道，也可为方形、矩形和其他非圆形的预制钢筋混凝土管沟。

管道不开槽施工与开槽施工法相比，不开槽施工减少了施工占地面积和土方工程量，不必拆除地面上和浅埋于地下的障碍物；管道不必设置基础和管座；不影响地面交通和河道的正常通航；工程立体交叉时，不影响上部工程施工；施工不受季节影响且噪声小，有利于文明施工；降低了工程造价。因此，不开槽施工在排水管道工程施工中得到了广泛应用。

不开槽施工一般适用于非岩性土层。在岩石层、含水层施工，或遇有地下障碍物时，都需要采取相应的措施。因此，施工前应详细地勘察施工地段的水文地质条件和地下障碍物等情况，以便操作和安全施工。

排水管道的不开槽施工，常采用掘进顶管法。此外，还有挤压施工、牵引施工、盾构施工、定向钻等方法，应根据管道的材料、尺寸、土层性质、管线长度等因素确定。掘进顶管法的施工过程，如图6-48所示。施工前先在管道两端开挖工作坑，再按照设计管线的位置和坡度,在起点工作坑内修筑基础、安装导轨,把管道安放在导轨上顶进。顶进前,在管前端开挖坑道,然后用千斤顶将管道顶入。一节顶完,再连接一节管道继续顶进,直到将管道顶入终点工作坑为止。在顶进过程中,千斤顶支承于后背,后背支承于原土后座墙或人工后座墙上。

根据管道前端开挖坑道的不同方式,掘进顶管法可分为人工取土掘进顶管和机械取土掘进顶管两种方法。

6.3.2 人工取土掘进顶管法

人工取土掘进顶管法是依靠人力在管内前端掘土,然后在工作坑内借助顶进设备,把敷设的管道按设计中线和高程的要求顶入,并用小车将前方挖出的土从管中运出,如图 6-48 所示。这是目前应用较为广泛的施工方法,适用于管径不小于 800mm 的大口径管道的顶进施工,否则人工操作不便。

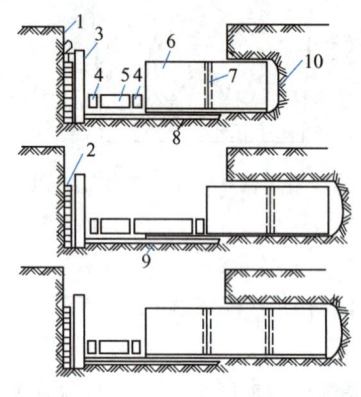

图 6-48　掘进顶管示意

1—后座墙；2—后背；3—立铁；4—横铁；5—千斤顶；6—管子；7—内胀圈；8—基础；9—导轨；10—掘进工作面

1. 顶管施工的准备工作

(1) 制定施工方案

施工前,应对施工地带进行详细的勘察研究,进而编制可行的施工方案。其内容有:

1) 确定工作坑的位置和尺寸,进行后背的结构计算;

2) 确定掘进和出土方法、下管方法、工作平台的支搭形式;

3) 进行顶力计算,选择顶进设备以及考虑是否采用长距离顶进措施以增加顶进长度;

4) 遇有地下水时,采用的降水方法;

5) 工程质量和安全保证措施。

(2) 工作坑的布置

工作坑是掘进顶管施工的工作场所,应根据地形、管道设计、地面障碍物等因素布置。尽量选在有可利用的坑壁原状土作后背处和检查井处;与被穿越的障碍物应有一定的安全距离且距水源和电源较近处;以便于排水、出土和运输,并具有堆放少量管材和暂时存土的场地;单向顶进时应选在管道下游以利排水。

(3) 工作坑的种类及尺寸

工作坑有单向坑、双向坑、转向坑、多向坑、交汇坑、接收坑之分,如图 6-49 所示。

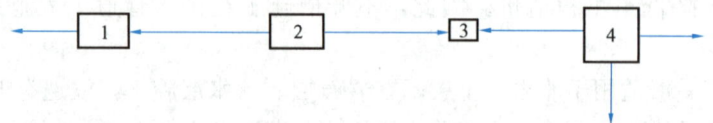

图 6-49　工作坑种类

1—单向坑；2—双向坑；3—交汇坑；4—多向坑

只向一个方向顶进管道的工作坑称为单向坑。向一个方向顶进而又不会因顶力增大而导致管端压裂或后背破坏所能达到的最大长度,称为一次顶进长度。双向坑是向两个方向顶进管道的工作坑,因而可增加从一个工作坑顶进管道的有效长度。转向坑是使顶进管道改变方向的工作坑。多向坑是向多个方向顶进管道的工作坑。接收坑是不顶进管道,只用于接收管道的工作坑。若几条管道同时由一个接收坑接收,则这样的接收坑称为交汇坑。

工作坑的平面形状一般有圆形和矩形两种。圆形工作坑的占地面积小,一般采用沉井法施工,竣工后沉井可作为管道的附属构筑物,但需另外修筑后背。矩形工作坑是顶管施工中常用的形式,其短边与长边之比一般为2∶3。此种工作坑的后背布置比较方便,坑内空间能充分利用,覆土厚度深浅均可使用。

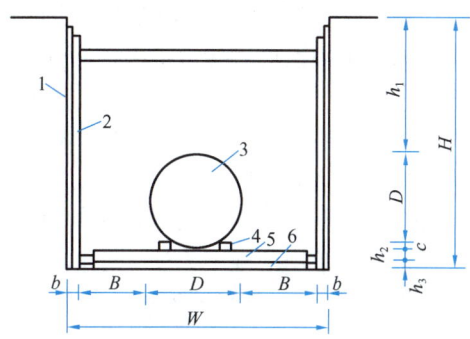

图 6-50　工作坑的底宽和深度
1—撑板;2—支撑立木;3—管道;
4—导轨;5—基础;6—垫层

工作坑应有足够的空间和工作面,以保证顶管工作正常进行。工作坑的底宽 W 和深度 H,如图 6-50 所示。

工作坑的底宽按式(6-6)计算:

$$W = D + 2(B+b) \tag{6-6}$$

式中　W——工作坑底宽,m;
　　　D——被顶进管道的外径,m;
　　　B——管道两侧操作宽度,m,一般每侧为 1.2~1.6m;
　　　b——撑板与立柱厚度之和,m,一般采用 0.2m。

工程施工中,可按式(6-7)估算工作坑的底宽(均以"m"为单位):

$$B \approx D + (2.5 \sim 3.0) \tag{6-7}$$

工作坑的深度按式(6-8)计算:

$$H = h_1 + D + c + h_2 + h_3 \tag{6-8}$$

式中　H——工作坑开挖深度,m;
　　　h_1——管道覆土厚度,m;
　　　D——管道外径,m;
　　　c——管道外壁与基础顶面之间的空隙,一般为 0.01~0.03m;
　　　h_2——基础厚度,m;
　　　h_3——垫层厚度,m。

工作坑的坑底长度如图 6-51 所示,按式(6-9)计算:

$$L = a + b + c + d + e + f + g \tag{6-9}$$

式中　L——工作坑坑底长度,m;
　　　a——后背宽度,m;
　　　b——立铁宽度,m;
　　　c——横铁宽度,m;
　　　d——千斤顶长度,m;

e——顺铁长度,m;

f——单节管长,m;

g——已顶进的管节留在导轨上的最小长度,混凝土管取 0.3m。

工程施工中,可按式(6-10)估算工作坑的长度(均以"m"为单位):

$$L \approx f + 2.5 \qquad (6\text{-}10)$$

(4) 工作坑的基础与导轨

工作坑的施工一般采用开槽法、沉井法和连续墙法等。

开槽法是常用的施工方法。根据操作要求,工作坑最下部的坑壁应为直壁,其高度一般不少于3.0m。如需开挖斜槽,则管道顶进方向的两端应为直壁。土质不稳定的工作坑,坑壁应加设支撑,如图 6-52 所示。撑杠到工作坑底的距离一般不小于 3.0m,工作坑的深度一般不超过 7.0m,以便操作施工。

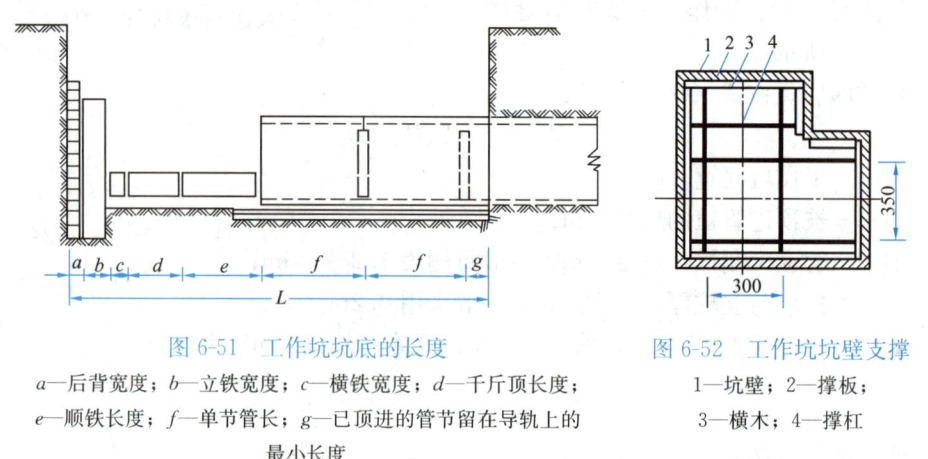

图 6-51 工作坑坑底的长度

a—后背宽度;b—立铁宽度;c—横铁宽度;d—千斤顶长度;
e—顺铁长度;f—单节管长;g—已顶进的管节留在导轨上的最小长度

图 6-52 工作坑坑壁支撑

1—坑壁;2—撑板;
3—横木;4—撑杠

在地下水位下修建工作坑,如不能采取措施降低地下水位,可采用沉井法施工。即首先预制不小于工作坑尺寸的钢筋混凝土井筒,然后在钢筋混凝土井筒内挖土,随着不断挖土,井筒靠自身的重力不断下沉,当沉到要求的深度后,再用钢筋混凝土封底。在整个下沉的过程中,依靠井筒的阻挡作用,消除地下水对施工的影响。

连续墙式工作坑,即先钻深孔成槽,用泥浆护壁,然后放入钢筋网,浇筑混凝土时将泥浆挤出来形成连续墙段,再在井内挖土封底而形成工作坑。连续墙法比沉井法工期短,造价低。

为了防止工作坑地基沉降,导致管道顶进误差过大,应在坑底修筑基础或加固地基。基础的形式取决于坑底土质、管节重量和地下水位等因素。一般有以下三种形式:

1) 土槽木枕基础。适用于土质较好、又无地下水的工作坑。这种基础施工操作简便、用料少,可在方木上直接铺设导轨,如图 6-53 所示。

2) 卵石木枕基础。适用于砂质粉土地基并有少量地下水时的工作坑。为了防止施工过程中扰动地基,可铺设厚为 100~200mm 的卵石或级配砂石,在其上安装木轨枕,铺设导轨,如图 6-54 所示。

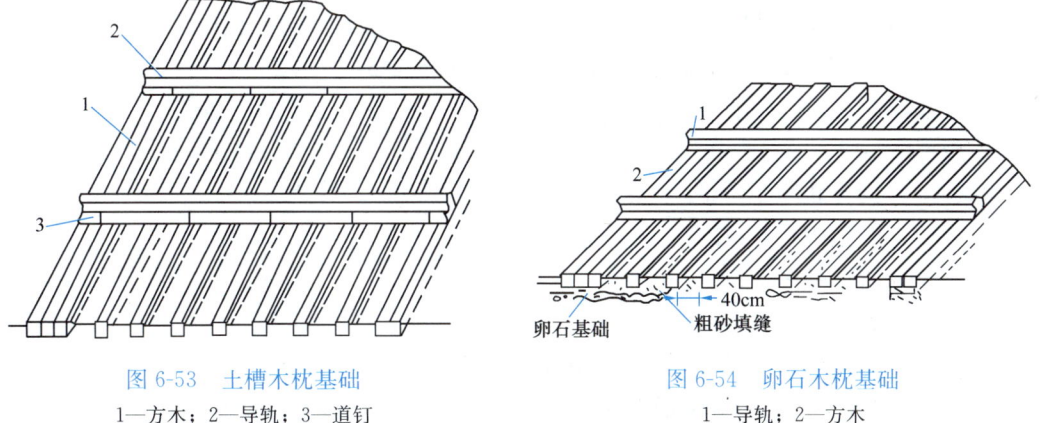

图 6-53 土槽木枕基础
1—方木；2—导轨；3—道钉

图 6-54 卵石木枕基础
1—导轨；2—方木

3）混凝土木枕基础。适用于工作坑土质松软、有地下水、管径大的情况。基础采用不低于 C10 的混凝土，如图 6-55 所示。

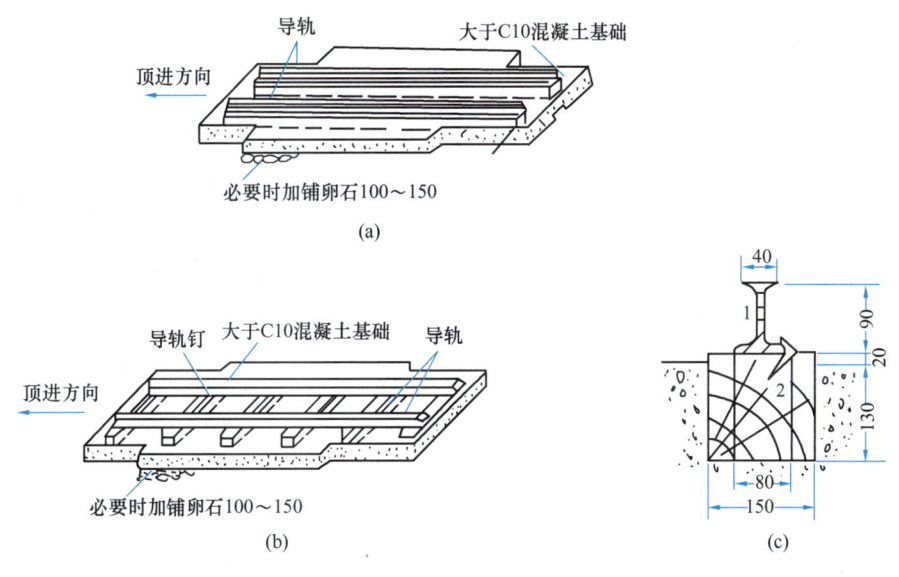

图 6-55 混凝土木枕基础
(a) 纵铺混凝土木枕基础；(b) 横铺混凝土木枕基础；
(c) 木轨枕卧入混凝土的深度
1—导轨；2—方木

该基础宽度应比管外径大 400mm，厚度为 200~300mm，长度至少为单节管长的 1.2~1.3 倍。轨枕应埋设在混凝土中，一般采用 150mm×150mm 的方木，长度为 2~4m，间距为 400~800mm。

导轨的作用是保证管道在将要入土时的位置正确。安装时应满足如下要求：

1）宜采用钢导轨。钢导轨有轻轨和重轨之分，管径大时采用重轨。轻便钢导轨的安装如图 6-56 所示。

2）导轨用道钉固定于基础的轨枕上，两导轨应平行、等高，其高程应略高于该处管道的设计高程，坡度与管道坡度一致。

3) 安装应牢固，不得在使用过程中产生位移，并应经常检查校核。

4) 两导轨间的净距 A 可按式（6-11）计算，如图 6-57 所示。

$$A = 2\sqrt{(d+2t)(h-c)-(h-c)^2} \qquad (6-11)$$

式中　A——两导轨净距，m；

　　　d——管道内径，m；

　　　t——管道壁厚，m；

　　　h——钢导轨高度，m；

　　　c——管道外壁与基础顶面的空隙，一般为 0.01~0.03m。

在顶管施工中，导轨一般都固定安装，但有时也可采用滚轮式导轨，如图 6-58 所示。这种滚轮式导轨的两导轨间距可以调节，以适应不同管径的管道。同时，管道与导轨间的摩擦力小，一般用于大口径的混凝土管道的顶管施工。

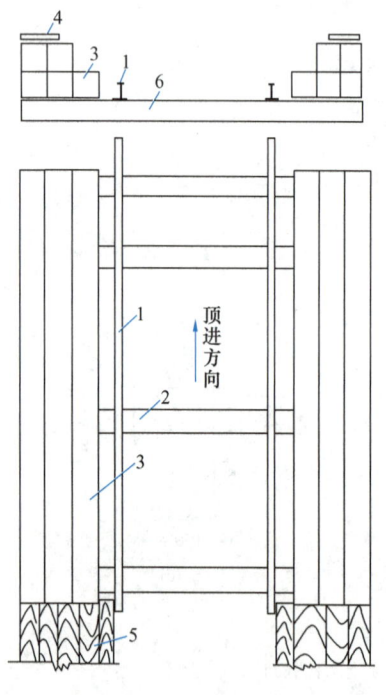

图 6-56　轻便钢导轨图

1—钢轨导轨；2—方木轨枕；3—护木；
4—铺板；5—平板；6—混凝土基础

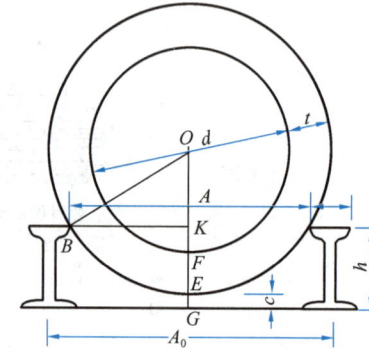

图 6-57　导轨间距计算图

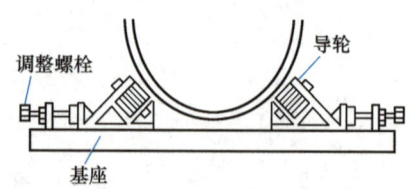

图 6-58　滚轮式导轨

导轨安装好后，应按设计检查轨面高程和坡度。首节管道在导轨上稳定后，应测量导轨承受荷载后的变化，并加以纠正，确保管道在导轨上不产生偏差。

(5) 后座墙与后背

后座墙与后背是千斤顶的支承结构，在顶进过程中始终承受千斤顶顶力的反作用力，该反作用力称为后坐力。顶进时，千斤顶的后坐力通过后背传递给后座墙。因此，后背和后座墙要有足够的强度和刚度，以承受此荷载，保证顶进工作顺利进行。

后背是紧靠后座墙设置的受力结构，一般由横排方木、立铁和横铁构成，如图6-59所示，其作用是减少对后座墙单位面积的压力。

后背设置时应满足下列要求：

1）后座墙土壁应铲修平整，并使土壁墙面与管道顶进方向相垂直。

2）在平直的土壁前，横排150mm×150mm的方木，方木前设置立铁，立铁前再横向叠放横铁。当土质松软或顶力较大时，应在方木前加钢撑板，方木与土壁以及撑板与土壁间要接触紧密，必要时可在土壁与撑板间灌砂捣实。

3）方木应卧到工作坑底以下0.5～1.0m，使千斤顶的着力点高度不小于方木后背高度的 $\dfrac{1}{3}$。

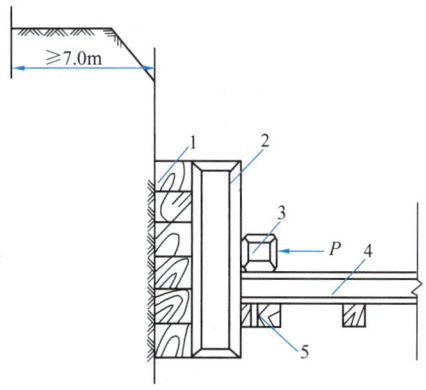

图6-59 原土后座墙与后背
1—方木；2—立铁；3—横铁；
4—导轨；5—导轨方木

4）方木前的立铁可用200mm×400mm的工字钢，横铁可用两根150mm×400mm的工字钢。

5）后背的高度和宽度，应根据后坐力大小及后座墙的允许承载力，经计算确定。一般高度可选2～4m，宽度可选1.2～3.0m。

后座墙有原土后座墙和人工后座墙两种，经常采用原土后座墙，如图6-59所示。原土后座墙修建方便，造价低。黏土、粉质黏土均可作原土后座墙。根据施工经验，管道覆土厚度为2～4m时，原土后座墙的长度一般需4～7m。选择工作坑位置时，应考虑有无原土后座墙可以利用。

当无法建立原土后座墙时，可修建人工后座墙。即用块石、混凝土、钢板桩填土等方法构筑后背，或加设支撑来提高后座墙的强度，如图6-60所示。

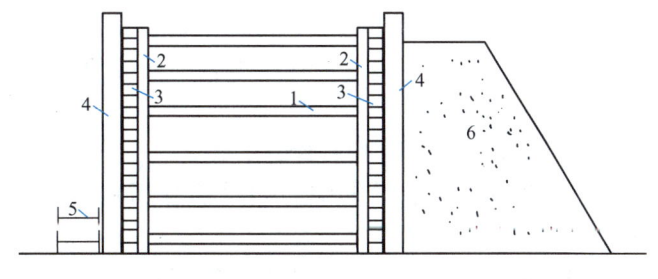

图6-60 人工后座墙
1—撑杠；2—立柱；3—后背方木；4—立铁；5—横铁；6—填土

（6）顶进设备

顶进设备主要包括千斤顶、高压油泵、顶铁、下管与运土设备等。

1）千斤顶。目前多采用液压千斤顶。液压千斤顶的构造形式分活塞式和柱塞式两种，作用方式有单作用液压千斤顶和双作用液压千斤顶，如图6-61所示。液压千斤顶按其驱动方式分为手压泵驱动、电泵驱动和引擎驱动三种方式。在顶管施工中一般采用双作用活塞式液压千斤顶，电泵驱动或手压泵驱动。

图 6-61 液压千斤顶
(a) 柱塞式单作用千斤顶；(b) 活塞式单作用千斤顶；
(c) 活塞式单杆千斤顶；(d) 活塞式双杆千斤顶

千斤顶在工作坑内的布置与采用的个数有关。如为 1 台千斤顶，其布置为单列式；如为 2 台千斤顶，其布置为并列式；如为多台千斤顶，宜采用环周式布置。使用 2 台以上的千斤顶时，应使顶力的合力作用点与管壁反作用力作用点在同一轴线上，以防止产生顶进力偶，造成顶进偏差。根据施工经验，采用人工挖土，管道上半部管壁与土壁有间隙时，千斤顶的着力点作用在管道垂直直径的 $\frac{1}{5} \sim \frac{1}{4}$ 处。

2）高压油泵。顶管施工中的高压油泵一般采用轴向柱塞泵，借助柱塞在缸体内的往复运动，造成封闭容器体积的变化，不断吸油和压油。施工时电动机带动油泵工作，把工作油加压到工作压力，由管路输送，经分配器和控制阀进入千斤顶。电能经高压油泵转换为压力能，千斤顶又把压力能转换为机械能，进而顶入管道。机械能输出后，工作油以一个大气压状态回到油箱，进行下一次顶进。

3）顶铁。顶铁的作用是延长短冲程千斤顶的顶程、传递顶力并扩大管节断面的承压面积。要求它能承受顶力而不变形，并且便于搬动。顶铁由各种型钢焊接而成。根据安放位置和传力作用的不同，可分为横铁、顺铁、立铁、弧铁和圆铁等。

横铁安放在千斤顶与顺铁之间，将千斤顶的顶力传递到两侧的顺铁上。

顺铁安放在横铁和被顶的管道之间，使用时与顶力方向平行，起柱的作用。在顶管过程中，顺铁还起调节间距的作用，因此顺铁的长度取决于千斤顶的顶程、管节长度和出口设备等。通常有 100mm、200mm、300mm、400mm、600mm 等几种长度，横截面为 250mm×300mm，两端面用厚 25mm 的钢板焊平。顺铁的两端面加工应平整且平行，防止作业时顶铁外弹。

立铁安放在后背与千斤顶之间，起保护后背的作用。

弧铁和圆铁，安放在管道端面，顺铁作用在其上。其作用是使顺铁传递的顶力较均匀地分布到被顶管端断面上，以免管端局部顶力过大压坏管口。其材料可用铸钢或用钢板焊接成型，内灌注 C30 混凝土，它的内外径尺寸都要与管道断面尺寸相适应。大口径管道采用圆形，小口径管道采用弧形。

4）刃脚。刃脚是装于首节管前端，先贯入土中以减少贯入阻力，并防止土方坍塌的设备。一般由外壳、内环和肋板三部分组成，如图 6-62 所示。外壳以内环为界分成两部分，前面为遮板，后面为尾板。遮板端部呈 20°～30°，尾部长度为 150～200mm。

对于半圆形的刃脚，则称为管檐，它是防止塌方的保护罩。檐长常为 600～700mm，外伸 500mm，顶进时至少贯入土中 200mm，以避免塌方。

5）其他设备。工作坑上设活动式工作平台，平台一般用 30 号槽钢或工字钢作梁，上铺 150mm×150mm 方木，中间留出下管和出土的方孔为平台口，在平台口上设活动盖

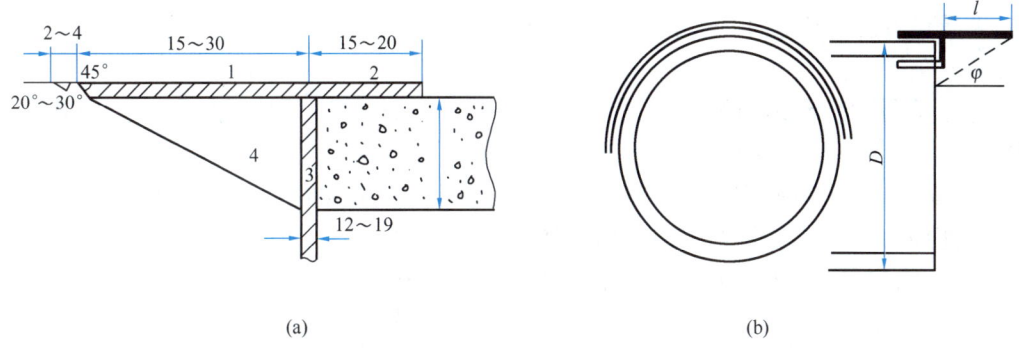

图 6-62 刃脚和管檐

(a) 刃脚（单位：cm）；(b) 管檐

1—遮板；2—尾板；3—环梁；4—肋板

板。平台口的平面尺寸与管道的外径和长度有关。一般平台口长度比单节管长大 0.8m，宽度比管道外径大 0.8m。在工作平台上架设起重架，上装电动捯链或其他起重设备，其起质量应大于管道质量。工作坑上应搭设工作棚，以防雨雪，保证施工顺利进行。

为保证顶管施工的顺利进行，还应备有内胀圈、硬木楔、水平尺和出土小车，以及水准仪、经纬仪等测量仪器。

2. 顶进施工

准备工作完毕，经检查各部位处于良好状态后，即可进行顶进施工。

(1) 下管就位

首先用起重设备将管道由地面下到工作坑内的导轨上，就位以后装好顶铁，校测管中心和管底标高是否符合设计要求，满足要求后即可挖土顶进。

(2) 管前挖土与运土

管前挖土是保证顶进质量和地上构筑物安全的关键，挖土的方向和开挖的形状，直接影响到顶进管位的准确性。因此应严格控制管前周围的超挖现象。对于密实土质，管端上方可有不超过 15mm 的间隙，以减少顶进阻力，管端下部 135° 范围内不得超挖，保持管壁与土基表面吻合，也可预留 10mm 厚土层，在管道顶进过程中切去，这样可防止管端下沉。在不允许上部土层下沉的地段顶进时，管周围一律不得超挖。

管前挖土深度，一般等于千斤顶冲程长度，如土质较好，可超越管端 300~500mm。超挖过大，不易控制土壁开挖形状，容易引起管位偏差和土方坍塌。在铁路道轨下顶管，不得超越管端以外 100mm，并随挖随顶，在道轨以外最大不得超过 300mm，同时应遵守管理单位的规定。

在松软土层或有流砂的地段顶管时，为了防止土方坍落、保证安全和便于挖土操作，应在首节管前端安装管檐，管檐伸出的长度取决于土质。施工时，将管檐伸入土中，工人便可在管檐下挖土。

管内人工挖土，工作条件差，劳动强度大，应组织专人轮流操作。

管前挖出的土，应及时外运，避免管端因堆土过多下沉而引起施工误差，并可改善工作环境。管径大于 800mm 时，可用四轮土车推运；管径大于 1500mm 时，采用双轮手推车推运；管径较小时，应采用双筒卷扬机牵引四轮小车出土。土运至管外，再用工作平台上的起重设备提升到地面，运至他处或堆积于地面上。

（3）顶进

顶进是利用千斤顶出镐，在后背不动的情况下，将被顶进的管道推向前进。其操作过程如下：

1) 安装好顶铁并挤牢，当管前端已挖掘出一定长度的坑道后，启动油泵，千斤顶进油，活塞伸出一个工作冲程，将管道向前推进一定距离；

2) 关闭油泵，打开控制阀，千斤顶回油，活塞缩回；

3) 添加顶铁，重复上述操作，直至安装下一整节管道为止；

4) 卸下顶铁，下管，在混凝土管接口处放一圈麻绳，以保证接口缝隙和受力均匀；

5) 管道接口；

6) 重新装好顶铁，重复上述操作。

顶进时应遵守"先挖后顶，随挖随顶"的原则，连续作业，避免中途停止，造成阻力增大，增加顶进的困难。

顶进开始时，应缓慢进行，待各接触部位密合后，再按正常顶进速度顶进。顶进过程中，要及时检查并校正首节管道的中线方向和管内底高程，确保顶进质量。如发现管前土方坍落、后背倾斜、偏差过大或油泵压力骤增等情况，应停止顶进，查明原因排除故障后，再继续顶进。

（4）顶管测量与偏差校正

顶管施工比开槽施工复杂，容易产生施工偏差，因此对管道中心线和顶管的起点、终点标高等都应精确地确定，并加强顶进过程中的测量与偏差校正。

（5）顶管接口

顶管施工中，一节管道顶完后，再将另一节管道下入工作坑，继续顶进。继续顶进前，相邻两管间要连接好，以提高管段的整体性和减少误差。

钢筋混凝土管的连接分临时连接和永久连接两种。顶进过程中，一般在工作坑内采用钢内胀圈进行临时连接。钢内胀圈是用6～8mm厚的钢板卷焊而成的圆环，宽度为260～380mm，环外径比钢筋混凝土管内径小30～40mm。接口时将钢内胀圈放在两个管节的中间，先用一组小方木插入钢内胀圈与管内壁的间隙内，将内胀圈固定。然后两个木楔为一组，反向交错地打入缝隙内，将内胀圈牢固地固定在接口处。该法安装方便，但刚性较差。为了提高刚性，可用肋板加固。为可靠地传递顶力，减小局部应力，防止管端压裂，并补偿管道端面的不平整度，应在两管的接口处加衬垫。衬垫一般采用麻辫或3～4层油毡，企口管垫于外榫处，平口管应偏于管缝外侧放置，使顶紧后的管内缝有10～20mm的深度，便于顶进完成后填缝。

顶进完毕，检查无误后，拆除内胀圈进行永久性内接口。常用的内接口有以下几种。

1) 平口管。先清理接缝，用清水湿润，然后填打石棉水泥或填塞膨胀水泥砂浆，填缝完毕及时养护，如图6-63所示。

2) 企口管。先清理接缝，填打$\frac{1}{3}$深度的油麻，然后用清水湿润缝隙，再填打石棉水泥或塞捣膨胀水泥砂浆；也可填打聚氯乙烯胶泥代替油毡，如图6-64所示。

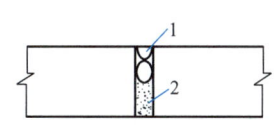

图 6-63 平口钢筋混凝土
管油麻石棉水泥内接口
1—麻辫或塑料圈或绑扎绳；
2—石棉水泥

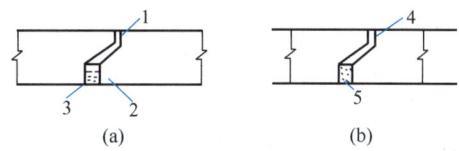

图 6-64 企口钢筋混凝土管内接口
1—油毡；2—油麻；3—石棉水泥或膨胀水泥砂浆；
4—聚氯乙烯胶泥；5—膨胀水泥砂浆

目前，可用弹性密封胶代替石棉水泥或膨胀水泥砂浆。弹性密封胶应采用聚氨酯类密封胶，要求既防水又和混凝土有较强的黏着力，且寿命长。

钢筋混凝土管采用传统的临时连接和永久连接，施工操作麻烦，工期长。随着管道加工技术的不断改进，钢筋混凝土管也可在工作坑内进行一次接口。常用的接口方法主要有以下几种：

对钢筋混凝土企口管采用橡胶圈接口，其施工做法与开槽施工相同，一般用于较短距离的顶管。

对钢筋混凝土平口管采用"T"形接口，其施工做法与开槽施工相同。这种接口在小管径的直线管道的顶进中效果较好，但在顶进出现偏差或在曲线地段施工时，横向力的出现，两管端间可能发生相对错动使钢套管倾斜，导致顶力迅速增加，最终撕裂钢套管，停止施工。

对大中管径的钢筋混凝土管和曲线地段顶管，现在偏向于采用"F"形接口，其施工做法与开槽施工相同。

6.3.3 机械取土掘进顶管法

管前人工挖土劳动强度大、效率低、劳动环境恶劣，管径小时工人无法进入挖土。采用机械取土掘进顶管法就可避免上述缺点。

机械取土掘进与人工取土掘进除掘进和管内运土方法不同外，其余基本相同。机械取土掘进顶管法是在被顶进管道前端安装机械钻进的挖土设备，配以机械运土，从而代替人工挖土和运土的顶管方法。

机械取土掘进一般分为切削掘进、水平钻进、纵向切削挖掘和水力掘进等方法。

1. 切削掘进

该方法的钻进设备主要由切削轮和刀齿组成。切削轮用于支承或安装切削臂，固定于主轮上，并通过主轮旋转而转动。切削轮有盘式和刀架式两种。盘式切削轮的盘面上安装刀齿，刀架式是在切削轮上安装悬臂式切削臂，刀架做成锥形。

切削掘进设备有两种安装方式，一种是将机械固定在工具管内，把工具管安装在被顶进的管道前端。工具管是壳体较长的刃脚，称为套筒式装置。工作时刃脚起切土作用并保护钢筋混凝土管，同时还起导向作用。

另一种是将机械直接固定在被顶进的首节管内，顶进时安装，竣工后拆卸，称为装配式装置。

套筒式钻机构造简单，现场安装方便，但一机只适用于一种管径，顶进过程中遇到障碍物，只能开槽取出，否则无法顶进。

装配式钻机自重大，适用于土质较好的土层。在弱土层中顶进时，容易产生顶进偏差；在含水土层内顶进，土方不易从刀架上卸下，使顶进工作发生困难。

切削掘进一般采用输送带连续运土或车辆往复循环运土。

2. 纵向切削挖掘

纵向切削挖掘设备的掘进机构为球形框架或刀架，刀架上安装刀臂，切齿装于刀臂上。切削旋转的轴线垂直于管中心线，刀架纵向掘进，切削面呈半球状。这种装置的电动机装在工具管内顶上，增大了工作空间。该设备构造简单，拆装维修方便，挖掘效率高，便于调向，适用于在粉质黏土和黏土中掘进。

3. 水力掘进

水力掘进是利用高压水枪射流将切入工具管管口的土冲碎，水和土混合成泥浆状态输送至工作坑。

水力掘进的主要设备是在首节管前端安装一个三段双铰型工具管，工具管内包括封板、喷射管、真空室、高压水枪和排泥系统等。

三段双铰型工具管的前段为冲泥舱，冲泥舱的后面是操作室。操作人员在操作室内操纵水枪冲泥，通过观察窗和各种仪表直接掌握冲泥和排泥情况。中段是校正环，在校正环内安装校正千斤顶和校正铰，从而调整掘进方向。后段是控制室，根据设置在控制室的仪表可以了解工具管的纠偏和受力纠偏状态以及偏差、出泥、顶力和压浆等情况，从而发出纠偏、顶进和停止顶进等指令。

水力掘进法适用于在高地下水位的流砂层和弱土层中掘进。该法生产效率高，冲土和排泥连续进行；设备简单，成本低廉；改善了劳动条件，减轻了劳动强度。但需耗用大量的水，并需充足的储泥场地；顶进时，方向不易控制，易发生偏差。

机械取土掘进顶管改善了工作条件，减轻了劳动强度，但操作技术水平要求高，其应用受到了一定限制。

6.3.4 长距离顶管技术简介

顶管施工的一次顶进长度取决于顶力大小、管材强度、后背强度和顶进操作技术水平等因素。一般情况下，一次顶进长度不超过60～100m。在排水管道施工中，有时管道要穿越大型的建筑群或较宽的道路，此时顶进距离可能超过一次顶进长度。因此，需要了解长距离顶管技术，提高在一个工作坑内的顶进长度，从而减少工作坑的个数。长距离顶管一般有中继间顶进、泥浆套顶进和覆蜡顶进等方法。

1. 中继间顶进

中继间是一种在顶进管段中设置的可前移的顶进装置，它的外径与被顶进管道的外径相同，环管周等距或对称非等距布置中继间千斤顶，如图6-65所示。

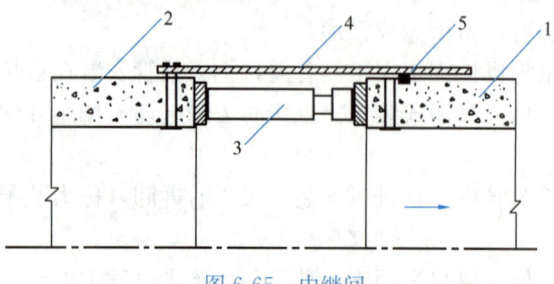

图6-65 中继间

1—中继间前管；2—中继间后管；3—中继间千斤顶；
4—中继间外套；5—密封环

采用中继间施工时，在工作坑内顶进一定长度后，即可安设中继间。中继间前面的管道用中继间千斤顶顶进，而中继间及其后面的管道由工作坑内千斤顶顶进，如此循环操作，即可增加顶进长度，如图6-66所示。顶进结束后，拆除中继间千斤顶，而中继间钢外套则留在坑道内。

2. 泥浆套顶进

该法又称为触变泥浆法，是在管壁与坑壁间注入触变泥浆，形成泥浆套，以减小管壁与坑壁间的摩擦阻力，从而增加顶进长度。一般情况下，可比普通顶管法的顶进长度增加2~3倍。长距离顶管时，也可采用中继间—泥浆套联合顶进。

3. 覆蜡顶进

覆蜡顶进是用喷灯在管道外表面熔蜡覆盖，从而提高管道表面平整度，减少顶进摩擦力，增加顶进长度。

根据施工经验，管道表面覆蜡可减少20%的顶力。但当熔蜡分布不均时，会导致新的"粗糙"，增加顶进阻力。

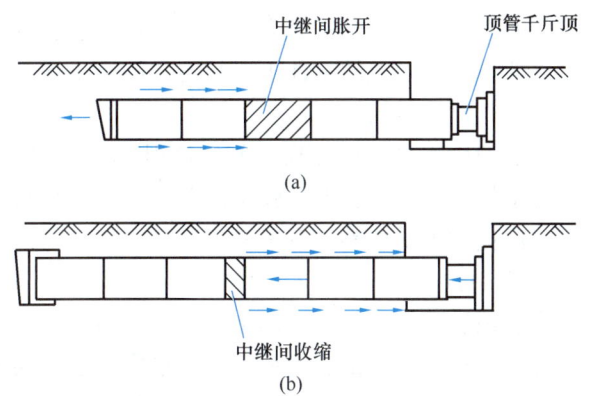

图 6-66　中继间顶进

（a）开动中继间千斤顶，关闭顶管千斤顶；
（b）关闭中继间千斤顶，开动顶管千斤顶

6.3.5　管道牵引不开槽铺设

1. 普通牵引法

该法是在管前端用牵引设备将管道逐节拉入土中的施工方法。施工时，先在欲铺设管线地段的两端开挖工作坑，在两工作坑间用水平钻机钻成通孔，孔径略大于穿过的钢丝绳直径，在孔内安放钢丝绳。在后方工作坑内进行安管、挖土、出土、运土等工作，操作与顶管法相同，但不需要设置后背设施。在前方工作坑内安装张拉千斤顶，用千斤顶牵引钢丝绳把管道拉向前方，不断地下管、锚固、牵引，直到将全部管道牵引入土为止，如图6-67所示。

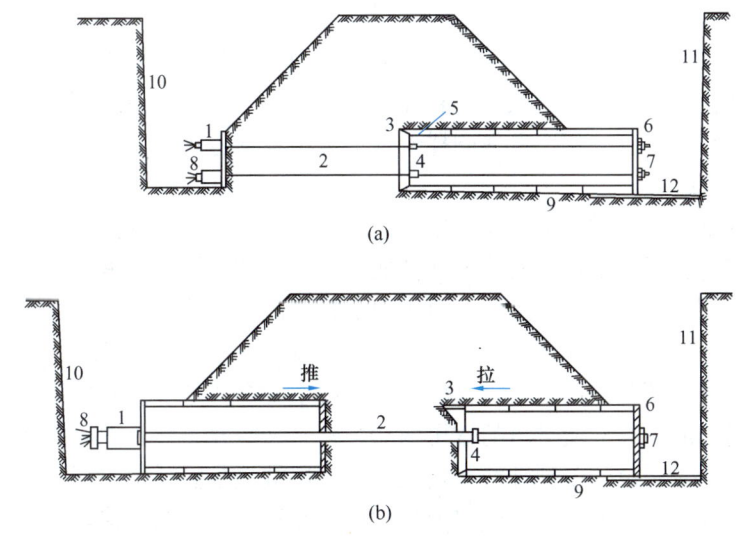

图 6-67　管道牵引铺设

（a）单向牵引；（b）相互牵引

1—张拉千斤顶；2—钢丝绳；3—刃角；4—锚具；5—牵引板；6—紧固板；
7—锥形锚；8—张拉锚；9—牵引管节；10—前工作坑；11—后工作坑；12—导轨

普通牵引法适用于直径大于800mm的钢筋混凝土管、短距离穿越障碍物的钢管的敷设。在地下水位以上的黏性土、粉土、砂土中均可采用，施工误差小、质量高，是其他顶进方法所难以比拟的。

该法把后方顶进管道改为前方牵引管道，因此不需要设置后背和顶进设备，施工简便，可增加一次顶进长度，施工偏差小；但钻孔精度要求严格，钢丝绳强度及锚具质量要求高，以免发生安全和质量事故。

2. 牵引顶进法

牵引顶进法是在前方工作坑内牵引导向的盾头，而在后方工作坑内顶入管道的施工方法。在施工过程中，由盾头承担顶进过程中的迎面阻力，而顶进千斤顶只承担由土压及管重产生的摩擦阻力，从而减轻了顶进千斤顶的负担，在同样条件下，可比管道牵引及顶管法的顶进距离增大。牵引顶进用的盾头，一般由刃脚、工具管、防护板及环梁组成，如图6-68所示。

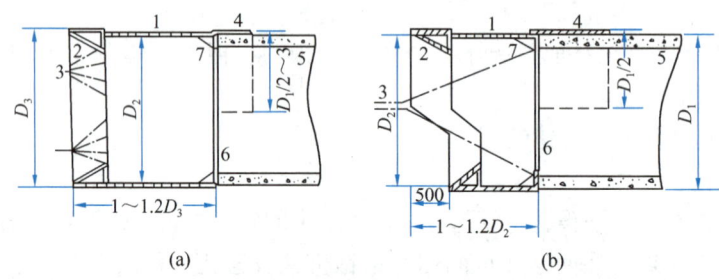

图6-68 牵引盾头

(a) 平刃式刃脚；(b) 半刃式刃脚

1—工具管；2—刃脚；3—钢索；4—防护板；5—首节管；6—环梁；7—肋板

D_1—顶入管节的内径；D_2—工具管的内径；D_3—盾头的贯入直径

牵引顶进法吸取了牵引和顶进技术的优点，适用于在黏土、砂土，尤其是较硬的土质中，进行钢筋混凝土排水管道的敷设，管径一般不小于800mm。由于千斤顶负担的减轻，与普通牵引法和普通顶管法相比，在同样条件下可延长顶进距离。

6.3.6 盾构法

盾构是集地下掘进和衬砌为一体的施工设备，广泛用于地下管沟、地下隧道、水底隧道、城市地下综合管廊等工程。盾构分敞开式掘进施工和封闭式机械掘进施工两大类。当土质稳定，无地下水，可用敞开式；而对松散的粉细砂、液化土等不稳定土层，应采用封闭式盾构；当需要对工作面支撑，可采用气压平衡盾构、土压平衡盾构或泥水平衡盾构，这时在切削环与支撑环之间设密封隔板分开。本段主要介绍敞开式盾构施工。

盾构施工时，应先在某段管段的首尾两端各建一个竖井，然后把盾构从始端竖井的开口处推入土层，沿着管道的设计轴线，在地层中向尾端接收竖井中不断推进。盾构借助支撑环内设置的千斤顶提供的推力不断向前移动。千斤顶推动盾构前移，千斤顶的反力由千斤顶传至盾构尾部已拼装好的预制管道的管壁上，继而再传至竖井的后背上。当砌完一环砌块后，以已砌好的砌块作后背，由千斤顶顶进盾构本身，开始下一循环的挖土和衬砌。

盾构法施工的主要优点是：

(1) 盾构施工时所需要顶进的是盾构本身，故在同一土层中所需顶力为一常数，因此盾构法施工不受顶进长度限制。

（2）盾构断面形状可以任意选择，而且可以成曲线走向顶进。

（3）操作安全，可在盾构结构的支撑下挖土和衬砌。

（4）可严格控制正面开挖，加强衬砌背面空隙的填充，可控制地表的沉降。

1. 盾构构造

盾构是一个钢质的筒状壳体，共分三部分，前部为切削环，中部为支撑环，尾部为衬砌环，如图 6-69 所示。

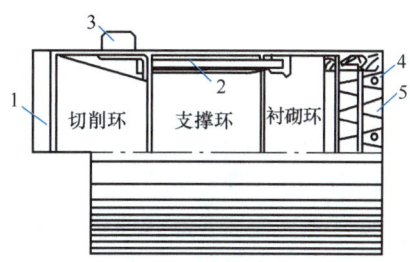

图 6-69　盾构构造

1—刀刃；2—千斤顶；3—导向板；
4—灌浆口；5—砌块

（1）切削环

切削环位于盾构的最前端，其前面为挖土工作面，对工作面具有支撑作用。同时切削环也可作为一种保护罩，是容纳作业人员挖土或安装挖掘设备的部位。为了便于切土及减少对地层的扰动，在它的前端通常做成刃口型。

（2）支撑环

支撑环位于切削环之后，处于盾构中间部位，是盾构结构的主体，承受着作用在盾构壳上的大部分土压力，在它的内部，沿壳壁均匀地布置千斤顶。大型盾构还将液压、动力设备、操作系统、衬砌机等集中布置在支撑环中。在中小型盾构中，也可把部分设备放在盾构后面的车架上。

（3）衬砌环

衬砌环位于盾构结构的最后，它的主要作用是掩护衬砌块的拼装，并防止水、土及注浆材料从盾尾与衬砌块之间进入盾构内。衬砌环应具有较强的密封性，其密封材料应耐磨损、耐撕裂并富有弹性。常用的密封形式有单纯橡胶型、橡胶加弹簧钢板型、充气型和毛刷型，但效果均不理想，故在实际工程中可采用多道密封或可更换的密封装置。

2. 盾构法施工

（1）盾构工作坑

盾构施工也应设置工作坑。用于盾构开始顶进的工作坑叫起点井。施工完毕后，需将盾构从地下取出，这种用于取出盾构设备的工作坑叫作终点井。如果顶距过长，为了减少土方及材料的地下运输距离或中间需要设置检查井等构筑物时，需设中间井。

盾构工作坑宜设在管道检查井等构筑物的位置，工作坑的形式及尺寸的确定方法与顶管工作坑相同，应根据具体情况选择沉井、钢板桩等方法修建。后背及后座墙应坚实平整，能有效地传递顶力。

（2）盾构顶进

盾构设置在工作坑的导轨上顶进。盾构自起点井开始至其完全进入土中的这一段距离是借另外的液压千斤顶顶进的，如图 6-70（a）所示。

盾构正常顶进时，千斤顶是以砌好的砌块为后背推进的。只有当砌块达到一定长度后，才足以支撑千斤顶。在此之前，应用临时支撑进行顶进。为此，在起点井后背前与盾构衬砌环内，各设置一个直径与衬砌环相等的圆形木环，两个木环之间用圆木支撑，如图 6-70（b）所示。第一圈衬砌材料紧贴木环砌筑。当衬砌环的长度达到 30～50m 时，才

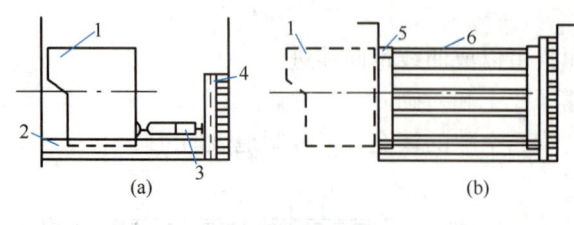

图 6-70 始顶工作坑
(a) 盾构在工作坑始顶；(b) 始顶段支撑结构
1—盾构；2—导轨；3—千斤顶；4—后背；5—木环；6—撑木

能起到后背作用，方可拆除圆木。

盾构机械进入土层后，即可起用盾构本身千斤顶，将切削环的刃口切入土中，在切削环掩护下挖土。当土质较密实，不易坍塌，也可以先挖 0.6～1.0m 的坑道，而后再顶进。挖出的土可由小车运到起始井，最终运至地面。在运土的同时，将盾构块运至盾构内，千斤顶回镐后的空出部分，用砌块拼装砌筑。再以衬砌环为后背，启动千斤顶，重复上述操作，盾构便不断前进。

(3) 衬砌和灌浆

盾构砌块一般由钢筋混凝土或预应力钢筋混凝土制成，其形状有矩形、梯形和中缺形等，如图 6-71 所示。

矩形砌块形状简单，容易砌筑，产生误差时易纠正，但整体性差；梯形砌块整体性比矩形砌块好。为了提高砌块环的整体性，也可采用中缺形砌块，但安装技术水平要求较高，且产生误差后不易调整。砌块的边缘

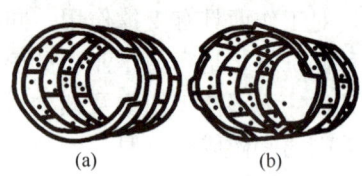

图 6-71 盾构砌块
(a) 矩形砌块；(b) 中缺砌块

有平口和企口两种，连接方式有用胶粘剂粘结及螺栓连接。常用的胶粘剂有沥青玛琋脂、环氧胶泥等。

衬砌时，先由操作人员砌筑下部两侧砌块，然后用圆弧形衬砌托架砌筑上部砌块，最后用砌块封圆。各砌块间的粘结材料应厚度均匀，以免各千斤顶的顶程不一，造成盾构位置误差。对于砌块接缝应进行表面防水处理。螺栓和螺栓孔之间应加防水垫圈，并拧紧螺栓。

衬砌完毕后应进行注浆。注浆的目的在于使土层压力均匀分布在砌块环上，提高砌块的整体性和防水性，减少变形，防止管道上方土层沉降，以保证建筑物和路面的稳定。常用的注浆材料有水泥砂浆、细石混凝土等。

为了在衬砌后便于注浆，有一部分砌块带有注浆孔，通常每隔 3～5 个环有一注浆孔环，该环上设有 4～10 个注浆孔，注浆孔直径应不小于 36mm。注浆应多点同时进行，按要求注入相应的注浆量，使孔隙全部填实。

(4) 二次衬砌

在一次衬砌质量完全合格的情况下，可进行二次衬砌，二次衬砌随使用要求而定，一般浇筑细石混凝土或喷射混凝土，对在砌块上留有螺栓孔的螺栓连接砌块，也应进行二次衬砌。

第 4 篇 城市轨道交通工程

第 7 章 城市轨道交通构造

7.1 城市轨道交通的特点、分类与组成

7.1.1 城市轨道交通的特点

(1) 运量大。一辆公共汽车的载客量只有 40～80 人，轻轨一节车厢载客量为 60～150 人，地铁一节车厢载客量为 150～200 人；轻轨一般 2～6 辆编为一组，地铁为 4～10 辆一组；每小时单向输送能力公共汽车为 2000～5000 人，轻轨为 5000～40000 人，地铁达 30000～70000 人，轨道交通输送能力是公共汽车的 2.5～14 倍。

(2) 速度快。一般情况下，公共汽车时速为 10～20km/h，轻轨时速为 20～40km/h，地铁时速为 40～50km/h，最高达 70～80km/h，轻轨和地铁的速度是公共汽车速度的 2～4 倍。

(3) 污染少。轨道交通以电力作为动力，是一种清洁、绿色的运输方式。

(4) 能耗少。轨道交通每千米能耗为道路交通的 15%～40%。

(5) 占地省。按每小时输送 5 万人计算所需道路宽度是：小汽车 180m，公共汽车 9m，轨道交通综合占地仅为道路交通方式的 1/3 左右，而地铁和高架式轻轨几乎不占土地。

(6) 安全与环保。轨道交通工具的事故率大大低于道路交通工具，噪声和空气污染等环境保护方面也优于道路交通。所以，城市轨道交通是在满足城市居民交通需求的条件下全社会总付出最少的方式，也是满足人文和城市可持续发展要求的最佳方式。

7.1.2 城市轨道交通的分类

城市轨道交通依据不同的指标有不同的分类。

1. 按交通容量分类

交通容量即运送能力，指单方向每小时的断面乘客通过量。按照不同的交通容量范围，轨道交通可分为特大、大、中、小容量四种系统，见表 7-1 所列。

按照交通容量划分的轨道交通类型　　　　表 7-1

分类	特大	大	中	小
交通容量（万人/h）	>5	3～6	1～4	<0.5
交通形式	市郊铁路	地铁	轻轨、单轨小型地铁、新交通系统	有轨电车

2. 按敷设方式分类

按敷设方式可分为隧道（包括地下、山岭、水下）、高架和地面三种形式。特大、大容量轨道交通在交通较为繁忙的地区多采用隧道和高架形式，在市郊则可采用全封闭的地面形式；中容量也可兼有三种敷设形式，且通常不与机动车混行；小容量轨道交通系统一般采用地面形式。

3. 按导向方式分类

按导向方式可分为轮轨导向及导向轮导向，一般钢轨钢轮系统（地铁、轻轨、有轨电车）属轻轨导向类型，启动较快；单轨及新交通系统等胶轮车辆属导向轮导向类型。

4. 按轮轨支撑形式分类

轮轨支撑形式，可分为钢轮钢轨系统、胶轮混凝土轨系统以及特殊系统。钢轮钢轨系统是目前地铁与轻轨的主流形式，胶轮混凝土轨系统主要指单轨及新交通系统，而特殊系统则包括支撑面置于车辆之上的悬挂式单轨系统、磁悬浮式轨道系统等。

7.1.3 城市轨道交通的组成

城市轨道交通主要由地铁、轻轨、有轨电车、城际轨道、磁悬浮列车、新交通系统和车站等组成。

1. 地铁

地下铁道是由电气牵引、轮轨导向、车辆编组运行在全封闭的地下隧道内，或根据城市的具体条件运行在地面、高架线路上的大容量快速轨道交通系统，简称地铁。

2. 轻轨

轻轨铁路是一种使用电力牵引、介于标准有轨电车和快运交通系统（包括地铁和城市铁路）中间，用于城市旅客运输的轨道交通系统。

3. 单轨

单轨系统是指通过单一轨道梁支撑车厢并提供引导作用而运行的轨道交通系统，其最大特点是车体比承载轨道要宽。根据支撑方式的不同，单轨一般包括跨座式单轨和悬挂式单轨两种类型。

4. 有轨电车

有轨电车是使用电力牵引、轮轨导向、单辆或两辆编组运行在城市路面线路上的低运量轨道交通系统。

5. 城际轨道

城市铁路是由电气或者内燃机车牵引、轮轨导向、车辆编组运行在城市及卫星城之间，以地面专用线路为主的大运量快速轨道交通系统。

6. 磁悬浮列车

磁悬浮列车是一种运用"同性相斥、异性相吸"的电磁原理，依靠电磁力来使列车悬浮并走行的轨道运输方式。它是一种新型的没有车轮、采用无接触行进的轨道交通系统。

7. 线性电机车辆系统

线性电机车辆轨道交通系统是由线性电机牵引、轮轨导向、车辆编组运行在小断面隧道、地面和高架专用线路上的中运量轨道交通系统。之所以将线性电机牵引的轨道交通系统列为独立的系统，是因为该系统与地下铁道、城际轨道、轻轨等有明显区别。

8. 新交通系统

新交通系统由电力牵引、具有特殊导向、操纵和转折方式的胶轮车辆，单车或数辆编组运行在专用轨道梁上的中小运量轨道运输系统。

9. 车站

7.2 地铁车站分类、组成与结构形式

7.2.1 地铁轨道交通车站的分类

地铁车站与区间可以根据其所处位置、运营性质、站台形式、结构横断面和施工方法等进行不同分类。

1. 按相对地面的位置分类

按相对地面的位置，可将地铁车站与区间分为以下几种情况，如图 7-1 所示。

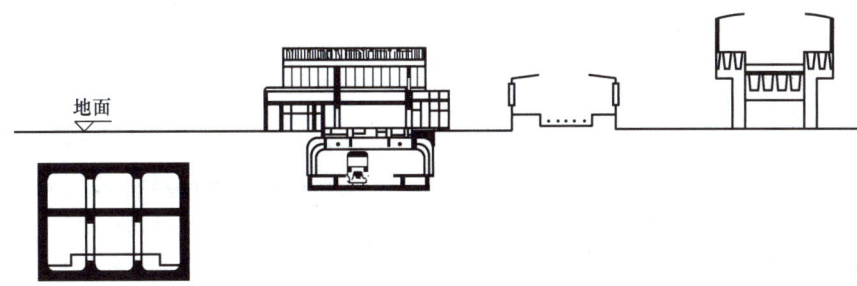

图 7-1　车站与地面相对位置示意图

（1）地下车站或区间——车站或区间结构位于地面以下。这种情况下轨顶至地表距离一般大于 10～15m。

（2）浅埋车站或区间——车站或区间结构大部分位于地面以下，顶层结构位于地面以上，或即使在地面以下，但埋深很浅，轨顶至地表距离一般小于 10～15m。

（3）地面车站或区间——车站或区间位于地面。

（4）高架车站或区间——车站或区间位于地面高架桥上。

2. 按车站运营性质分类

按车站运营性质主要有以下 6 种，如图 7-2 所示。

（1）中间站（即一般站）　　中间站仅供乘客上、下车之用，功能单一，是地铁路网中数量最多的车站。

（2）区域站（即折返站）——区域站是设在两种不同行车密度交界处的车站。站内设有折返线和设备。区域站兼有中间站的功能。

（3）换乘站——换乘站是位于两条及两条以上线路交叉点上的车站。除具有中间站的功能外，更主要的是它还可以从一条线上的车站通过换乘

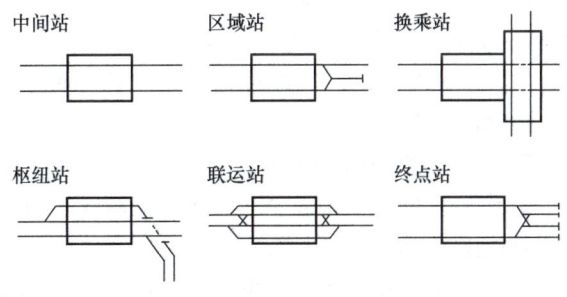

图 7-2　按车站运营性质分类示意

设施转换到另一条线路上。

（4）枢纽站——枢纽站是由该站可分出另一条线路的车站。该站可接、送两条线路上的乘客。

（5）联运站——联运站是指车站内设有两种不同性质的列车线路进行联运及客流换乘。联运站具有中间站及换乘站的双重功能。

（6）终点站——终点站是设在线路两端的车站。就列车上、下行而言，终点站也是起点站（或称始发站），终点站设有可供列车全部折返的折返线和设备，也可供列车临时停留检修。如线路延长后，则此终点站即变为中间站。

3. 按车站站台形式分类

车站站台形式主要有以下三种，如图 7-3 所示。

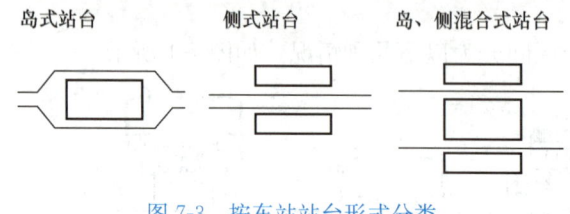

图 7-3 按车站站台形式分类

（1）岛式站台——站台位于上、下行行车线路之间。具有岛式站台的车站称为岛式站台车站（简称岛式车站），是常用的一种车站形式。岛式车站具有站台面积利用率高、能灵活调剂客流、乘客使用方便等优点，因此，一般常用于客流量较大的车站。

（2）侧式站台——站台位于上、下行行车线路的两侧。具有侧式站台的车站称为侧式站台车站（简称侧式车站），也是常用的一种车站形式。侧式车站站台面积利用率、调剂客流、站台之间联系等方面不及岛式车站，因此，侧式车站多用于客流量不大的车站及高架车站。

（3）岛、侧混合式站台——岛、侧混合式站台是将岛式站台及侧式站台同设在一个车站内。岛、侧混合式车站可同时在两侧的站台上、下车，也可适应列车中途折返的要求。岛、侧混合式站台可布置成一岛一侧式或一岛两侧式。

4. 按结构横断面分类

（1）矩形——矩形断面是车站中常选用的形式。一般用于浅埋、明挖车站。车站可设计成单层、双层或多层；跨度可选用单跨、双跨、三跨及多跨形式。

（2）拱形——拱形断面多用于深埋或浅埋暗挖车站，有单拱和多跨连拱等形式。单拱断面由于中部起拱较高，而两侧拱脚相对较低，中间无柱，因此建筑空间显得高大宽阔。如建筑处理得当，常会得到理想的建筑艺术效果。明挖车站采用单跨结构时也有采用拱形断面的。

（3）圆形——为盾构法施工时常见的形式。

（4）其他——如马蹄形、椭圆形等。

5. 按设计施工方法进行的结构分类

地铁区间与车站按照设计施工方法进行的分类有：明（盖）挖法、锚喷暗挖法、盾构法、顶管法和沉管法。

7.2.2 地铁车站的组成

地铁车站通常由车站主体（站台、站厅、设备用房、生活用房）、出入口及通道、通风道及地面通风亭等三大部分组成。

（1）车站主体是列车在线路上的停车点，其作用既是供乘客集散、候车、换车及上、下车，又是地铁运营设备设置的中心和办理运营业务的地方。

(2) 出入口及通道（包括人行天桥）是供乘客进、出车站的建筑设施。

(3) 通风道及地面通风亭的作用是保证地下车站具有一个舒适的地下环境。

7.2.3 地铁车站的结构形式

地铁车站除提供列车通行外，还要具有集散旅客的功能。地铁车站结构一般应具有较大的跨度以提供站台、疏散、通风和其他服务空间。车站结构形式的选择应在满足功能要求的前提下，兼顾经济和美观，力图创造出与交通建筑相协调的气氛。

1. 明挖法施工的车站结构形式

明挖法和盖挖法在施工方法和顺序上有所不同，相应地在结构设计上也可以有所区别，但与之相适应的最合理的结构形式均为框架结构或拱形结构。常见施工方法有整体现浇、全装配、内墙与围护墙组合现浇以及部分装配等。

(1) 框架结构

明挖车站中采用最多的一种形式就是框架结构。根据功能要求，可以将框架设计成单层、双层、单跨、双跨、多层多跨（图7-4）等形式。侧式车站一般采用双跨结构；岛式车站多采用三跨结构，站台宽度不大于10m时站台区宜采用双跨结构，有时也采用单跨结构；在道路狭窄的地段修建地铁车站，也可采用上、下行线重叠的结构。

随着现代城市的发展，在很多情况下地铁车站不再是一个单纯的交通性建筑物，它与其他构筑物或建筑物合建的例子越来越多。此时的地铁车站成了这些结构物的基础或基础的一部分，或者成为集交通、餐饮娱乐、购物于一体的地下综合体。如果做到了统一规划、统一设计、统一施工，不仅可节约建设资金，而且也可以减少施工对城市产生的负面效应。

明挖地铁车站框架结构由围护结构和内部构件所组成。围护结构包括底板、侧墙及顶板等；内部构件包括楼板、梁、柱、内墙及电梯等。它们共同承受施工和运营期间的内、中、外部荷载，提供地铁必需的各种使用空间。构件的形式和尺寸将直接影响车站内部的

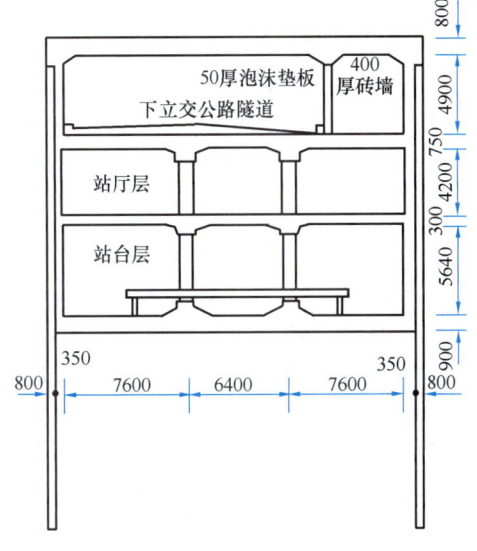

图7-4 明挖框架结构车站（单位：mm）

使用空间和管线布置等，同时也是车站建筑造型的有机组成部分。

(2) 拱形结构

拱形结构一般用于站台宽度较窄的单跨单层或单跨双层车站。结构由拱形刚架和平底板组成，墙脚与底板之间采用铰接，并在其外侧设有与底板整体浇筑的挡墙，用以抵抗刚架的水平推力。图7-5所示的是其中的一种，顶盖为变截面的无铰拱，地下连续墙直接作为主体结构的侧墙，变截面的底板与墙体铰接。

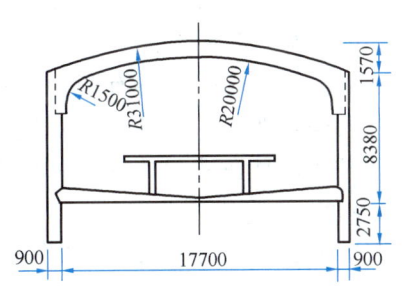

图7-5 拱形结构地铁车站（单位：mm）

2. 盖挖法施工的车站结构形式

(1) 结构形式

在城镇交通要道区域采用盖挖法施工的地铁车站多采用矩形框架结构。

软土地区地铁车站一般采用地下墙或钻孔灌注桩作为施工阶段的围护结构。地下墙可作侧墙结构的一部分，与内部现浇钢筋混凝土组成双层衬砌结构；也可将单层地下墙作为主体结构侧墙结构。单、双层墙应经工程造价、进度、结构整体性、防水堵漏、施工处理等综合比较后，根据不同地质、周围环境等选用。

(2) 侧墙

单层侧墙即地下墙在施工阶段作为基坑围护结构，建成后使用阶段又是主体结构的侧墙，内部结构的板直接与单层墙相接。在地下墙中可采用预埋"直螺纹钢筋连接器"将板的钢筋与地下墙的钢筋相接，确保单层侧墙与板的连接强度及刚度。砂性地层中不宜采用单层侧墙。

双层侧墙即地下墙在施工阶段作为围护结构，回筑时在地下墙内侧现浇钢筋混凝土内衬侧墙，与先施工的地下墙组成叠合结构，共同承受使用阶段的水土侧压力，板与双层墙组成现浇钢筋混凝土框架结构。

(3) 中间竖向临时支撑系统

中间竖向临时支撑系统由临时立柱及其基础组成，系统的设置方法有三种：

1) 在永久柱的两侧单独设置临时柱；

2) 临时柱与永久柱合一；

3) 临时柱与永久柱合一，同时增设临时柱。

3. 锚喷暗挖法施工的车站结构形式

锚喷暗挖法隧道的结构断面形式，宜采用连接圆顺的马蹄形断面。围岩条件较好时，采用拱形与直墙或曲墙组合的形状。软岩及砂土地层中应设仰拱或受力平底板。硬岩中设200mm厚的铺底，作为整体道床的基础。特殊困难条件下也可采用平顶式结构。

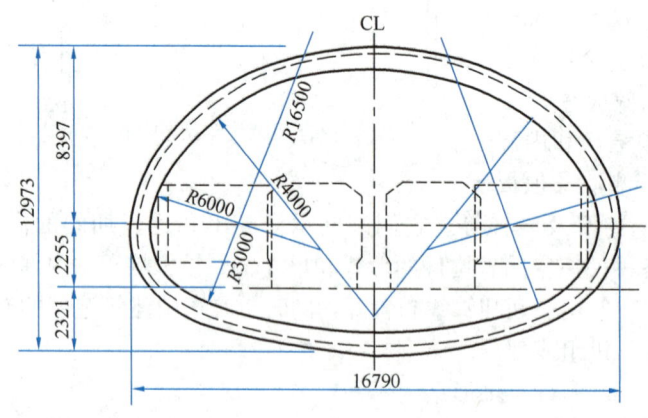

图 7-6 日本横滨地铁三泽下街车站（单位：mm）

锚喷暗挖法施工的地铁车站可采用单拱式车站、双拱式车站或三拱式车站，根据需要可做成单层或双层。

(1) 单拱车站隧道可获得宽敞的空间和宏伟的建筑效果，在岩石地层中采用较多，但施工难度大、技术措施复杂，造价也高（图 7-6）。

(2) 双拱车站有两种基本形式，即双拱塔柱式和双拱立柱式，是在并列的双拱中央设立柱或中隔墙，如图 7-7 所示双层车站还可在其中布置楼梯间。

(3) 三拱车站亦有塔柱式和立柱式两种基本形式，其中大多数采用三拱立柱式车站。三拱车站还允许在两个主隧道之间间隔一定距离开有横向联络通道（图 7-8），两个主隧道的净距一般不小于一倍主隧道的开挖宽度。

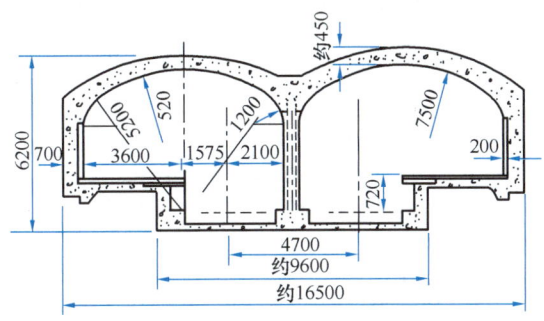
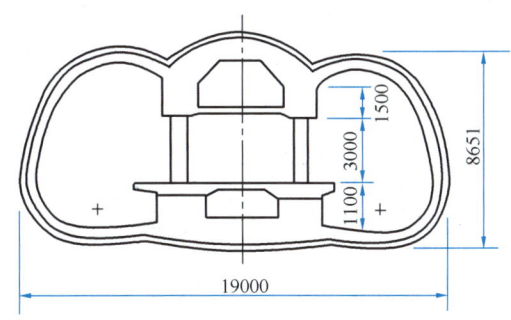

图 7-7 双拱立柱式车站实例（单位：mm）　　　图 7-8 三拱立柱式车站实例（单位：mm）

4. 盾构法施工的车站结构形式

盾构车站的结构形式与所采用的盾构类型、施工方法和站台形式等关系密切。传统的盾构车站是采用单圆盾构或单圆盾构与半盾构结合或单圆盾构与锚喷暗挖法结合修建的，近年开发的多圆盾构、异形盾构等新型盾构，进一步丰富了盾构车站的形式。盾构车站的站台有侧式、岛式及侧式与岛式混用（称为复合型）的三种基本类型。盾构车站的结构形式可大致分类如下：

（1）双圆形独立并列盾构车站

在每个圆形盾构隧道内都设有一组轨道和一个站台，两隧道的相对位置主要取决于场地条件和车站的使用要求，多设于同一水平，乘客从车站两端或车站中部两圆形隧道之间的自动扶梯进入站台；在两个并列隧道之间可以用横向通道连通，两隧道之间的净距应保证并列隧道施工的安全并满足中间竖井（或斜隧道）的净空要求，如图 7-9 所示。

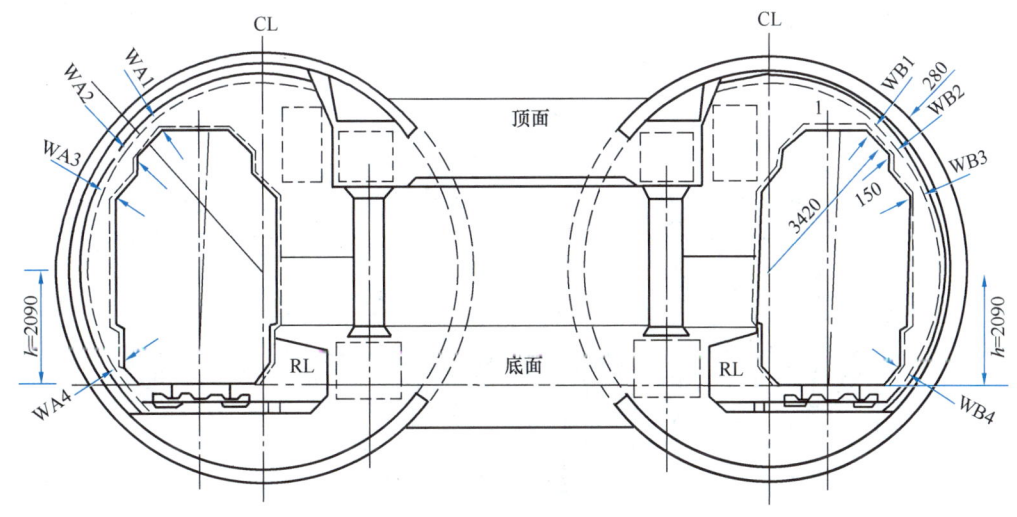

图 7-9 双圆形并列盾构车站（单位：mm）

车站隧道的内径主要取决于侧站台宽度、车辆限界及列车牵引受电方式。双圆形独立并列盾构车站的总宽度较窄，可设置在较窄的道路之下，适用于客流量较小的车站。

（2）三拱塔柱式盾构车站

三拱塔柱式盾构车站两侧为行车隧道，并在其内设置站台，中间隧道为集散厅，用横向隧道将三个隧道连成一个整体,乘客从中间竖井或斜隧道进入集散厅。其总宽度较大,一般为28～30m,故在较宽的路段内方可使用,适用于中等客流量的车站,如图7-10所示。

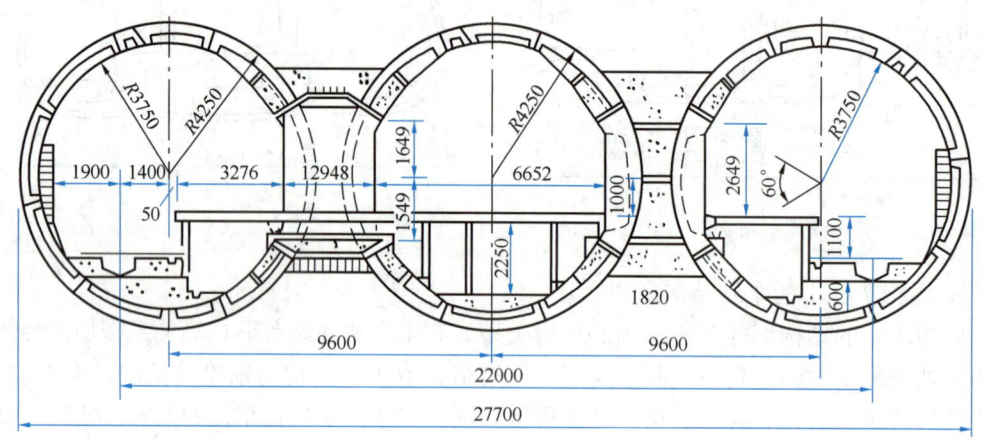

图7-10 三拱塔柱式盾构车站(单位:mm)

(3) 三拱立柱式盾构车站

三拱立柱式盾构车站为三跨结构,选用单圆盾构机开挖两旁隧道,然后施工中间站厅部分,将它们连成一体。中部站厅根据施工方法的不同,可以为拱形或平顶。两旁隧道的拱券及中间隧道的拱券(或平顶)支承在纵梁及立柱上。这种形式的车站也称为眼镜形车站,是一种典型的岛式车站(图7-11),乘客从车站两端的斜隧道或竖井进入站台。站台宽度应满足客流集散要求,一般不小于10m,站台边至立柱外侧的距离不小于2m。

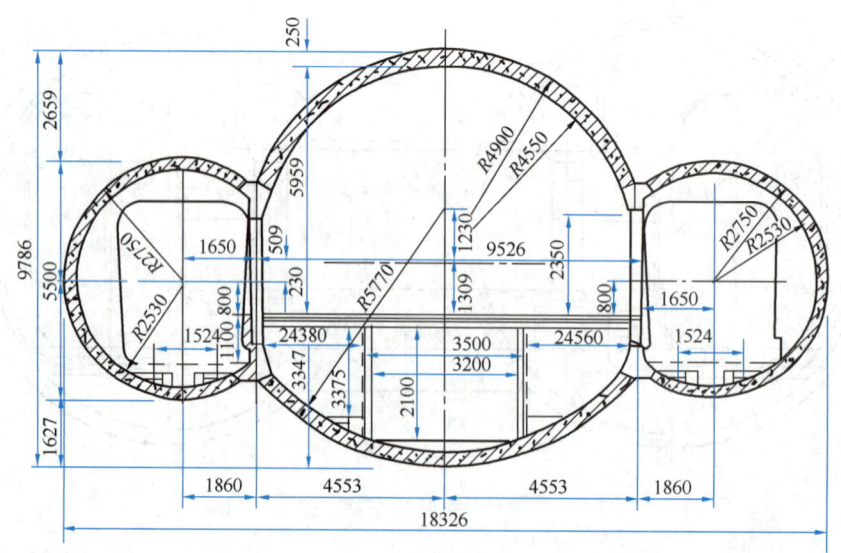

图7-11 三拱立柱式盾构车站(单位:mm)

立柱车站施工工序多,工程难度大,造价高。但它具有总宽度较大、能满足大客流量需求的优点,总宽度一般可以控制在20m左右。

盾构车站存在的问题，日本开发了"多圆形盾构机"。这种新型盾构机经组装或拆卸后，既可用于地铁区间隧道，也可用于车站隧道的施工，车站断面一次开挖成型。

适用盾构法施工的部分，其承载结构以往均采用由球墨铸铁管片组成的装配式衬砌。隧道管片生产工艺的提高及高强度混凝土的采用，一些埋置于稳定地层中的深埋车站的衬砌已为钢筋混凝土管片所代替。但在受力复杂的部位或结构受力较大时，仍多采用铸铁管片或钢板与钢筋混凝土的复合管片。

7.2.4 地铁区间隧道的结构形式

地铁车站与区间截面形式比较见表7-2。

地铁车站与区间的常见截面形式与施工方法　　　　　表7-2

地点	明挖法/盖挖法	喷锚暗挖法	盾构法
车站			
区间			

1. 明挖法施工隧道结构

在场地开阔、建筑物稀少、交通及环境允许的地区，应优先采用施工速度快、造价较低的明挖法施工。明挖法施工的地铁区间隧道结构通常采用矩形断面，一般为整体浇筑或装配式结构，其优点是其内轮廓与地下铁道建筑限界接近，内部净空可以得到充分利用，结构受力合理，顶板上便于敷设城市地下管网和设施。

明挖法施工隧道可采用整体式衬砌和预制装配式衬砌。整体式衬砌由于结构整体性好，防水性能容易得到保证，可适用于各种工程地质和水文地质条件；但是，施工工序较多，速度较慢。预制装配式衬砌整体性较差，对于有特殊要求（如防护、抗震等）的地段要慎重选用。

2. 喷锚暗挖（矿山）法施工隧道结构

在城市区域、交通要道及地上地下构筑物复杂地区进行隧道施工，喷锚暗挖法常是一种较好的选择。隧道施工时，一般采用拱形结构，其基本断面形式为单拱、双拱和多跨连拱。前者多用于单线或双线的区间隧道或联络通道，后两者多用在停车线、折返线或喇叭口岔线上。采用喷锚暗挖法隧道衬砌又称为支护结构，其作用是加固围岩并与围岩一起组成一个有足够安全度的隧道结构体系，共同承受可能出现的各种荷载，保持隧道断面的使用净空，防止地表下沉，提供空气流通的光滑表面，堵截或引排地下水。根据对隧道衬砌结构的基本要求以及隧道所处的围岩条件、地下水状况、地表下沉的控制、断面大小和施工方法等，可以采用基本结构类型及其变化方案。

喷锚暗挖（矿山）法施工隧道的衬砌主要为复合式衬砌。这种衬砌结构是由初期支护、防水隔离层和二次衬砌所组成。复合式衬砌外层为初期支护，其作用是加固围岩，控制围岩变形，防止围岩松动失稳，是衬砌结构中的主要承载单元。一般应在开挖后立即施工，并应与围岩密贴。所以，最适宜采用锚喷支护，根据具体情况，选用锚杆、喷混凝土、钢筋网和钢支撑等单一或并用而成。

在干燥无水的坚硬围岩中，区间隧道衬砌亦可采用单层的喷锚支护，不做防水隔离层和二次衬砌，但此种衬砌对喷混凝土的施工工艺和抗风化性能都应有较高的要求，衬砌表面要平整，不允许出现大量的裂缝。

在防水要求不高，围岩有一定的自稳能力时，区间隧道也采用单层的模筑混凝土衬砌，不做初期支护和防水隔离层。施工时如有需要可设置用木料、钢材或喷锚做成的临时支撑，不同于受力单元，一般情况下，在浇筑混凝土时需将临时支撑拆除，以供下次使用。单层模筑衬砌又称为整体式衬砌，为适应不同的围岩条件，整体式衬砌可做成等截面直墙式和等截面或变截面曲墙式，前者适用于坚硬围岩，后者适用于软弱围岩。

3. 盾构法施工隧道结构

在松软含水地层、地面构筑物不允许拆迁、施工条件困难地段，采用盾构法施工隧道能显示其优越性：振动小、噪声低、施工速度快、安全可靠，对沿线居民生活、地下和地面构筑物及建筑物影响小等。盾构法修建的区间隧道衬砌有预制装配式衬砌、预制装配式衬砌和模筑钢筋混凝土整体式衬砌相结合的双层衬砌以及挤压混凝土整体式衬砌三大类（图 7-12）。

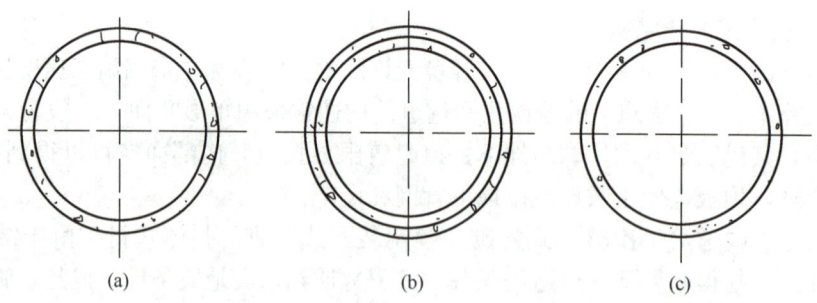

图 7-12　盾构法隧道衬砌横断面示意图
(a) 单层装配式衬砌；(b) 双层复合式衬砌；(c) 挤压混凝土整体式衬砌

预制装配式衬砌是用工厂预制的构件，称为管片，在盾构尾部拼装而成。管片是城市轨道交通隧道最常见的初砌形式，按材料可分为钢筋混凝土、钢、铸铁以及由几种材料组合而成的复合管片，这几种管片刚度大，组成的衬砌防水性能有保证。

钢筋混凝土管片的耐压性和耐久性都比较好，目前已可生产抗压强度达 60MPa、渗透系数小于 10^{-11}m/s 的管片。钢管片的强度高，具有良好的可焊接性，便于加工和维修，质量轻也便于施工，与混凝土管片相比，其刚度小、易变形，但钢管片的抗锈性差，在不做二次衬砌时，必须有抗腐、抗锈措施。铸铁管片强度高，防水和防锈蚀性能好，易加工，和钢管片相比，刚度亦较大，故在早期的地下铁道区间隧道中得到广泛的应用。钢和铸铁管片价格较贵，现在除了在需要开口的初砌环或预计将承受特殊荷载的地段采用外，一般都采用钢筋混凝土管片。

为了防止隧道渗水和衬砌腐蚀，修正隧道施工误差，减少噪声和振动以及作为内部装饰，可以在装配式衬砌内部再做一层整体式混凝土或钢筋混凝土内衬，形成双层衬砌结构。根据需要还可以在装配式衬砌与内层之间铺设防水隔离层。双层衬砌主要用在会有腐蚀性地下水的地层中。

7.3 地铁轨道结构及部件

7.3.1 地铁轨道组成及作用

1. 地铁轨道的组成

地铁轨道由钢轨、轨枕（扣件、接头连接）、道床、道岔、路基等组成，如图 7-13 所示。地铁轨道部件包括钢轨、轨枕、扣件、连接零件、道床、道岔等。

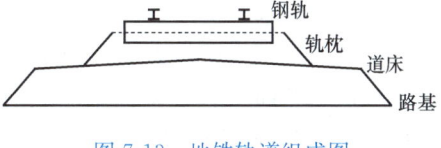

图 7-13　地铁轨道组成图

地铁轨道加强设备主要有防爬设备、轨距杆、轨撑等。防爬（爬行一般指钢轨相对轨枕的爬行）设备设置在轨枕间，是当钢轨相对于轨枕爬行时阻止轨爬行的设备。在线路曲线上安装轨撑和轨距杆可提高钢轨横向稳定性，防止轨距扩大。

2. 地铁轨道结构种类

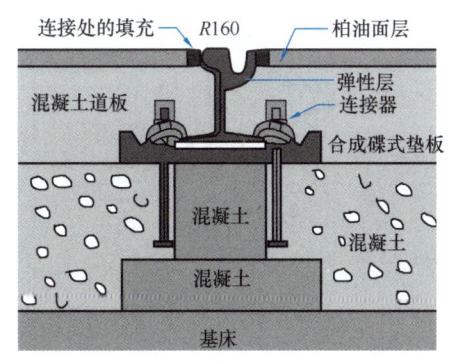

图 7-14　无砟轨道结构

目前，地铁轨道结构大致可分为有砟轨道和无砟轨道（图 7-14）二类。有砟轨道的特点是弹性好、维修方便，但易变形。无砟轨道的特点是造价高、维修难、弹性差、噪声大。无砟轨道用在路基上效果差些，用在隧道或桥上效果好些。我国的城市轨道交通宜采用无砟轨道，无砟轨道美观、污染少、结构轻便、维修率低等。

3. 地铁轨道结构的作用

地铁轨道结构应保证机车车辆在规定的最大载重和最高速度运行时具有足够的强度、稳定性、平顺性和合理的维修周期。地铁轨道结构的作用有四个方面。

（1）承受列车荷载。

（2）"承上补下"作用（即向下传递荷载）。当路基、桥梁性能不足时需要轨道来补足，具有维修经常性和周期性的特点。

（3）吸收或减缓列车荷载，为下部结构提供一个平和的荷载条件。

（4）引导、支撑列车。要求轨道有精确的几何尺寸（比如焊接接头不平顺要求）。

7.3.2 钢轨

钢轨是轨道结构的主要组成部分,由轨头、轨腰、轨底三部分组成。

1. 钢轨功用

钢轨为车轮提供连续、平顺和阻力最小的滚动表面,引导列车运行方向;直接承受车轮的巨大压力,并分散传递到轨枕;在电气化铁道或自动闭塞区段还兼作轨道电路用。

2. 钢轨质量要求

对钢轨质量、断面、材质三个关键要素有如下要求:

(1) 足够的强度和耐磨性;

(2) 较高的抗疲劳强度和韧性;

(3) 一定的弹性;

(4) 足够光滑的顶面;

(5) 良好的可焊性;

(6) 高平直度。

3. 钢轨几何尺寸

(1) 钢轨长度

我国钢轨标准长度为 12.5m 和 25m 两种,对于 75kg/m 钢轨只有 25m 长一种。

(2) 钢轨断面

钢轨断面形状主要为工字形。钢轨型号依质量 38kg/m、43kg/m、50kg/m、60kg/m、75kg/m 标准的不同,断面尺寸也有所不同。CHN60 钢轨断面与 UIC60E1 钢轨断面如图 7-15 所示。

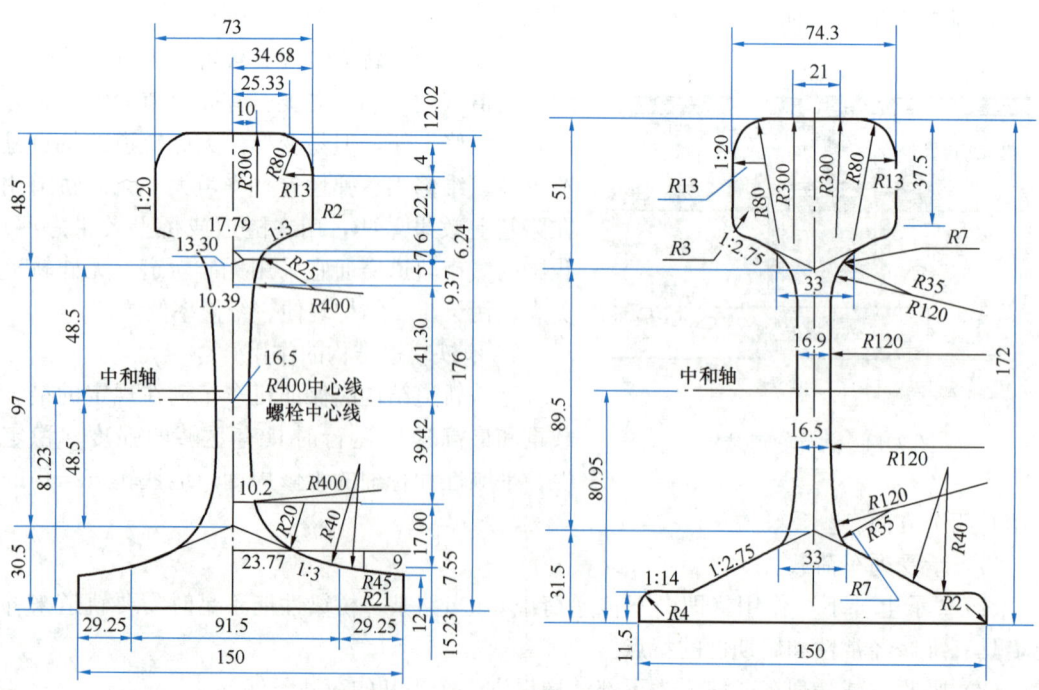

图 7-15 CHN60 钢轨断面与 UIC60E1 钢轨断面(单位:mm)

4. 钢轨接头和轨缝

轨道上钢轨与钢轨间用夹板和螺栓连接称为钢轨接头。接头处轮轨动力作用大、养护维修工作量大，接头是轨道结构的薄弱环节之一。

钢轨接头的连接形式按其相对于轨枕的位置可分为悬空式和承垫式两种；按两股钢轨接头相互位置可分为相对式和相错式两种。我国一般采用相对悬空式，即两股钢轨接头左右对齐，同时位于两接头轨枕间，这样可抗冲击，提高支撑刚度。

钢轨接头按其性能又可分为普通接头、异形接头、绝缘接头、焊接接头、导电接头、伸缩接头、冻结接头等。另有过桥鱼尾板代替鼓包的新夹板。

为适应钢轨热胀冷缩需要，在钢轨接头处要预留轨缝。预留轨缝应满足以下二个条件：

（1）当轨温达到当地最高轨温时轨缝应不小于零，使轨端不受挤压力，以防温度压力太大而胀轨跑道。

（2）当轨温达到当地最低轨温时，轨缝应不大于构造轨缝，使接头螺栓不受剪力，仅有摩阻力，以防止接头螺栓拉弯或拉断。构造轨缝是指受钢轨、接头夹板及螺栓尺寸限制，在构造上能实现的轨端最大缝隙值。

5. 钢轨焊接

钢轨焊接的主要方法有闪光接触焊、气压焊、铝热焊三种。

三种焊接方法中，闪光接触焊焊接速度快、焊接质量稳定，但焊机投资大、所需电源功率也较大。气压焊一次性投资小、无需大功率电源、焊接时间短、焊接质量好，缺点是在焊接时对接头断面的处理要求十分严格，并且在焊接时需要钢轨有一定的纵向移动，因此对超长钢轨的焊接有一定难度，特别是无法进行跨区间无缝线路的线上焊接。铝热焊焊接方法较为简单，对操作人员的要求相对较低，焊接时间短，可在钢轨固定情况下进行焊接，但焊接质量不如接触焊和气压焊。

7.3.3 轨枕

轨枕是轨下基础的部件之一。它的功能是支承钢轨，保持轨距和方向，并将钢轨对它的各向压力传递到道床上。因此，轨枕必须具有坚固性、弹性和耐久性。

轨枕按材质可分为木枕、混凝土枕、钢枕等。木枕优点是弹性好、可减缓冲击，易加工维修、与钢轨连接简单、绝缘性能好，缺点是耗木材、易腐蚀、磨损大、寿命短、易形成不平顺。混凝土枕包括普通钢筋混凝土轨枕和预应力钢筋混凝土轨枕二类，特点是刚度大、平顺性好、轨道稳定性好。钢枕主要用于提速道岔，便于大机作业，可保护转辙机械。

轨枕按使用部位的不同分为普通枕、桥枕、岔枕等。按结构形式可分为整体式、组合式、半枕、宽轨枕（图 7-16）、弹性轨枕（图 7-17）等。

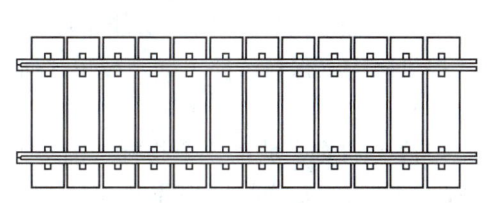

图 7-16　宽轨枕线路

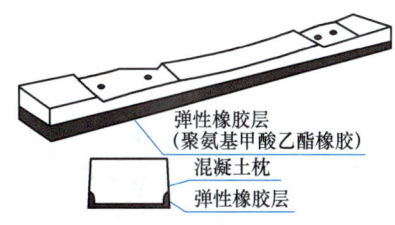

图 7-17　弹性轨枕

弹性轨枕轨道是指在轨枕底部设置弹性垫层以提高轨道弹性的轨枕,有些在轨枕侧面也设置弹性垫层,根据使用目的不同,分有砟道床用弹性轨枕和无砟轨道用弹性轨枕。

混凝土枕包括Ⅰ型、Ⅱ型、Ⅲ型等几种主要形式（图7-18）,随型号的增大强度逐渐加强。Ⅰ型、Ⅱ型长度为2.5m,Ⅲ型为2.6m(分有挡肩、无挡肩两种)。

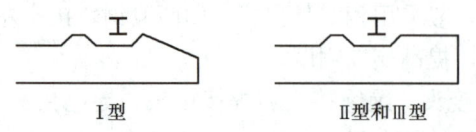

图7-18 混凝土枕型号

7.3.4 扣件

扣件是钢轨与轨枕或其他轨下基础连接的重要连接件,它的作用是固定钢轨,防止钢轨纵向和横向位移,防止钢轨倾斜,并能提供适当的弹性,将钢轨承受的力传递给轨枕或道床承轨台。扣件由钢轨扣压件和轨下垫层两部分组成。

扣件包括木枕扣件、混合式扣件、混凝土枕扣件等。木枕扣件多为分开式,分开式是将钢轨与垫板、垫板与木枕分别连接起来(两道钉与一地脚螺栓构成K形)。

混合式除了通过道钉将钢轨、轨枕、垫板一起扣紧外,还另用道钉将板与枕单独扣紧,优点是零件少、方便,缺点是易挠曲、会拔起钉,混合式应用较广泛。

混凝土枕扣件具有足够的扣压力、适当的弹性、一定的轨距及水平调整量,有扣板式扣件(刚性)、弹条式扣件等。弹条扣件其扣压力大、弹性好,特别是取消了混凝土枕挡肩,从而消除了轨底在横向力作用下发生横移导致轨距扩大的可能性,因此保持轨距的能力很强。另外,由于弹条扣件取消了螺栓连接的方式,大大减少了扣件的养护维修量,但是反复打入扣压力会减小。弹条Ⅲ型扣件结构如图7-19所示。

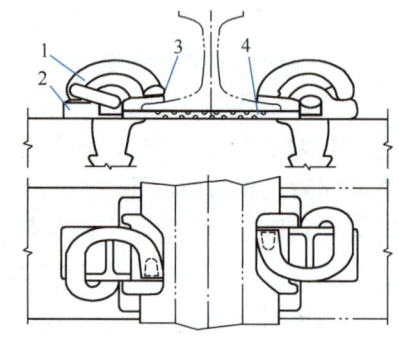

图7-19 弹条Ⅲ型扣件
1—弹条; 2—预埋铁座;
3—绝缘轨距块; 4—橡胶垫板

扣件要求具有良好的材质和优良的结构形式。另外还有各种其他扣件,比如桥上小阻力扣件、地铁与轻轨专用扣件、无砟轨道降噪型扣件、地铁扣件等。地铁无砟轨道扣件系统的合理弹性指标是最高速度350km/h的地铁20~30kN/mm、最高速度250km/h的地铁30~50kN/mm,地铁有砟轨道扣件系统的弹性指标为50~75kN/mm。

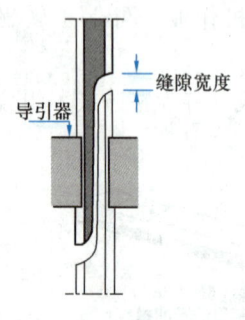

图7-20 接头连接

7.3.5 接头连接

接头连接(图7-20)的要求是夹板(鱼尾板)孔应大于螺栓直径(不受剪)。构造轨缝是指因孔、螺栓径构造上能拉开的轨缝,一般仅考虑其摩阻力。接头夹板和螺栓应交错使用。

7.3.6 道床

道床铺设在路基之上,轨枕以下。道床的功能是提供线路弹性、排水、分布荷载、提供阻力(保持线路方向,校正几何形位)、减振降噪(有砟好于无砟)。

道床几何尺寸包括厚度、肩宽、坡度3个指标(图7-21)。道床厚度一般为30~50cm,道床肩宽一般为25~30cm,无缝线路应不小于45cm(增高15cm可增大阻力、提高稳定性)。道床坡度一般为1:1.5或1:1.75。

我国规定道床肩宽不小于45cm，非渗水土路基的道床厚度不小于30cm，底砟厚度不小于20cm，岩石、渗水土路基的道砟厚度不小于35cm。

沥青道床按其使用材料和施工方法，可分为铺装式沥青道床和填充式沥青道床两类。沥青道床是用沥青或其他聚合材料将散粒道砟固化成整体或用沥青混凝土代替碎石道床的一种新型轨下基础（图7-22），其主要特点可概括为以下四点：

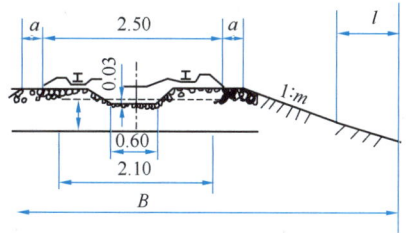

图7-21 道床几何尺寸（单位：m）

(1) 道床下沉量和永久变形的积累比碎石道床小得多；
(2) 道床稳定性好、支撑均匀，纵、横向位移阻力大，轨道几何形位易于保持；
(3) 具有较好的弹性，可减缓机车车辆的动力冲击作用，道床压力和振动明显降低；
(4) 可大大减少维修工作量，达到"少维修"目的。

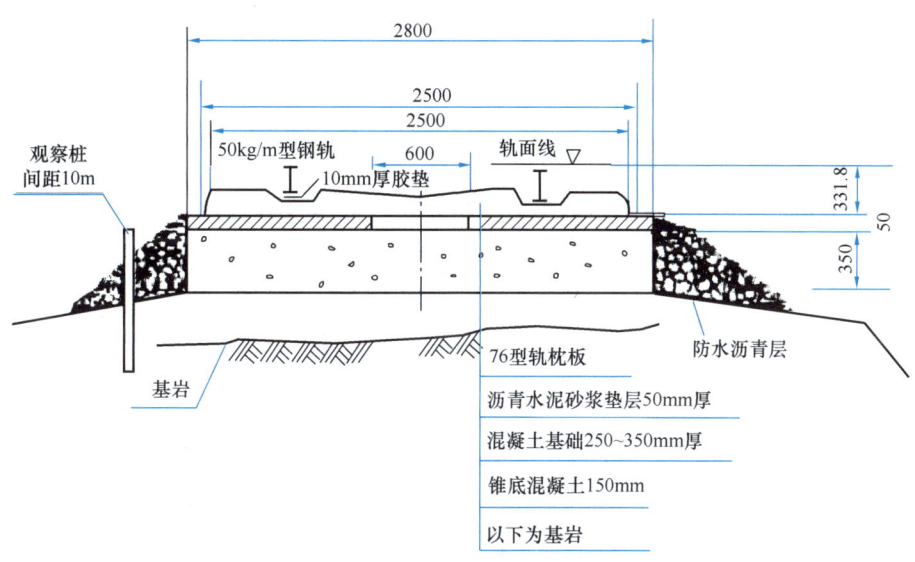

图7-22 双层铺装式沥青道床（单位：mm）

整体道床是目前地铁的主要道床形式。混凝土整体道床也称无砟轨道，是一种在坚实基底上直接浇筑混凝土以取代传统道砟层的轨下基础，常用于铁路隧道、地铁、无砟桥梁以及有特殊需要、基础又经过适当处理的土质路基上（比如城市轨道交通系统）。我国的地铁大量采用无砟轨道技术（桥上、隧道、路基上）。

整体道床的优点是整体性强、稳定性好；轨道几何形位易于保持；有利于铺设无缝线路及高速行车（其轨道变形很小，发展较慢，从而可减少养护维修工作量，改善劳动工作条件，这对于运量大、行车速度和密度均较高的线路，以及通风照明条件差的长大隧道，效果尤其显著）；可减少隧道开挖面积，增加隧道或桥梁净空（减轻质量）；外观整洁美观，坚固耐久。

整体道床的缺点是整体道床工程投资费用高；要求较高的施工精度和特殊的施工方

法；对扣件和垫层有特殊要求；运营过程中一旦出现病害，整治非常困难；振动噪声大。

7.3.7 道岔

道岔是机车车辆从一股轨道转入或越过另一股轨道时必不可少的线路设备，是地铁轨道的一个重要组成部分。由于道岔具有数量多、构造复杂、使用寿命短、限制列车速度、行车安全性低、养护维修投入大等特点，与曲线、接头并称为轨道的三大薄弱环节。道岔的基本形式有三种，即线路的连接、交叉、连接与交叉的组合。常用的线路连接有各种类型的单开道岔和复式道岔。单开道岔结构简单，占全部道岔总数的95%以上。

单开道岔由引导列车的轮对沿原线行进或转入另一条线路运行的转辙部分、为使轮对能顺利地通过两线钢轨的连接点而形成的辙叉部分、使转辙部分和辙叉连接的连接部分以及岔枕和连接零件等组成（如图7-23所示）。以下就单开普通道岔的结构进行分析介绍。

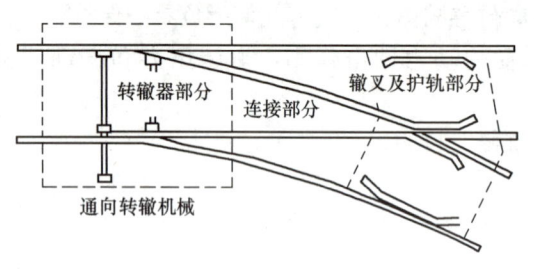

图7-23 单开道岔的组成

1. 转辙部分

单开道岔的转辙器由两根基本轨、两根尖轨、各种连接零件和道岔转辙机构组成，如图7-23所示。尖轨是转辙器的主要部分，车辆进出道岔由它引导。尖轨在平面上可分为直线型和曲线型。单开道岔与电动转辙机如图7-24所示。

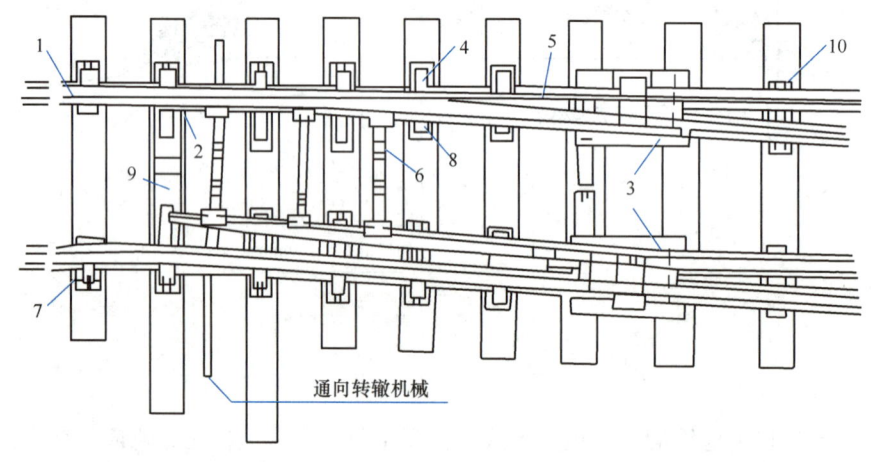

图7-24 单开道岔的转辙器
1—基本轨；2—尖轨；3—跟部结构；4—轨撑；5—顶铁；6—连接杆；
7—辙前垫板；8—滑床板；9—通长垫板；10—辙后顺坡垫板

2. 辙叉及护轨

辙叉设置于道岔侧线钢轨与道岔主线钢轨相交处，是使车轮从一股钢轨越过另一股钢轨的设备。辙叉由心轨、翼轨、护轨及连接零件组成。按平面形式分，辙叉有直线辙叉和曲线辙叉两类；按构造分，辙叉又有固定式辙叉和可动式辙叉两类。在单开道岔上以直线式固定辙叉为常用。

3. 连接部分

连接转辙器和辙叉的轨道称为道岔的连接部分,它包括直股连接线和曲股连接线。直股连接线与区间直线线路的构造基本相同。曲股连接线又称导曲线,目前线路上铺设的道岔导曲线均为圆曲线,当尖轨为曲线型时,尖轨本身就是导曲线的一部分。导曲线由于长度及界限的限制,一般不设超高和轨底坡。为防止导曲线钢轨在动荷载作用下的外倾和轨距扩张,可设置一定数量的轨撑和轨距拉杆;也可在导曲线范围内设置一定数量的防爬器及防爬木撑,以减少钢轨的爬行。

第 8 章　城市轨道交通工程施工

城市轨道交通工程一般都位于城市繁华区，沿城市主要街区等主要交通廊道位置，在主城区内一般都埋设在地下，工程所处环境极其复杂，决定了其自身具有投资大、涉及面广、涉及区域大、涉及部厅多、安全风险源少等特点。这些工程特点决定了组织工程施工时其有以下特点：

(1) 交通疏散、管线改迁。
(2) 工程水文地质复杂多变。
(3) 施工场地周边、隧道穿越建（构）筑物的保护。
(4) 施工场地狭小，施工组织困难。
(5) 技术复杂，施工难度大。
(6) 施工安全风险源少。
(7) 安全文明施工管理标准高、要求严。

8.1 地铁车站施工

8.1.1 明挖法施工

明挖法施工流程是先从地表面向下开挖基坑至设计高程，然后在基坑内的预定位置由下而上地建造主体结构及其防水措施，最后回填土并恢复路面。

明挖法是修建地铁车站的常用施工方法，具有施工作业面多、速度快、工期短、易保证工程质量、工程造价低等优点，因此，在地面交通和环境条件允许的地方，应尽可能采用。

明挖法施工基坑可以分为敞口放坡基坑和有围护结构的基坑两类，如图 8-1 所示。

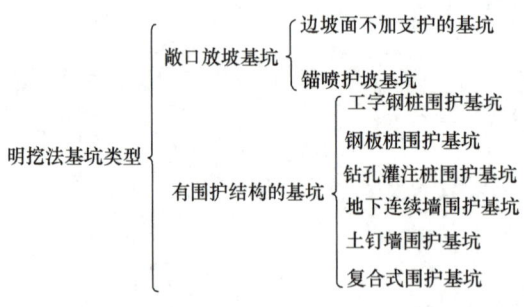

图 8-1　明挖法基坑类型

若基坑所处地面空旷，周围无建筑物或建筑物距离基坑边很远，地面有足够空地能满足施工需要又不影响周围环境，基坑深度不大时，则可采用敞口放坡基坑施工。这种基坑施工简单、速度快、噪声小，无须做围护结构。如果基坑很深，地质条件差，地下水位高，特别是又处于繁华市区，地面建筑物密集，交通繁忙，无足够空地满足施工需要，没有条件采用敞口放坡基坑时，则可采用有围护结构的基坑。其中，敞口放坡基坑分为边坡面不加支护的基坑以及锚喷护坡基坑两类。

1. 深基坑支护结构

基坑工程是由地面向下开挖一个地下空间，深基坑四周一般设置垂直的挡土围护结构，围护结构一般是在开挖面基底下有一定插入深度的板（桩）墙结构；板（桩）墙有悬臂式、单撑式、多撑式。支护结构是为了减小围护结构的变形，控制墙体的弯矩，分为内撑和外锚两种。

(1) 围护结构

基坑围护结构体系包括板（桩）墙、围檩（冠梁）及其他附属构件。板（桩）墙主要承受基坑开挖卸荷所产生的土压力和水压力，并将此压力传递到支撑，是稳定基坑的一种施工临时挡墙结构。

深基坑围护结构类型有板柱式、柱列式、重力式挡墙、组合式以及土层锚杆、逆筑法、沉井等。

不同类型围护结构的特点见表8-1，常见围护结构有以下几种。

不同类型围护结构的特点　　　　　　　　　表8-1

类型	特点
桩板式、墙板式桩	(1) H型钢的间距在1.2~1.5m； (2) 造价低，施工简单，有障碍物时可改变间距； (3) 止水性差，地下水位高的地方不适用，坑壁不稳的地方不适用
钢板桩	(1) 成品制作，可反复使用； (2) 施工简便，但施工有噪声； (3) 刚度小，变形大，与多道支撑结合，在软弱土层中也可采用； (4) 新的时候止水性尚好，如有漏水现象，需增加防水措施
板式钢管桩	(1) 截面刚度大于钢板桩，在软弱土层中开挖深度可大，在日本开挖深度达30m； (2) 需有防水措施相配合
预制混凝土板桩	(1) 施工简便，但施工有噪声； (2) 需辅以止水措施； (3) 自重大，受起吊设备限制，不适合大深度基坑；国内用于10m以内的基坑，法国用于15m以内深基坑
灌注桩	(1) 刚度大，可用在深大基坑； (2) 施工对周边地层、环境影响小； (3) 需降水或与能止水的搅拌桩、旋喷桩等配合使用
地下连续墙	(1) 刚度大，开挖深度大，可适用于所有地层； (2) 强度大，变位小，隔水性好，同时可兼作主体结构的一部分； (3) 可邻近建筑物、构筑物使用，环境影响小； (4) 造价高
SMW工法桩	(1) 强度大，止水性好； (2) 内插的型钢可拔出反复使用，经济性好； (3) 开挖深度8.65m
自立式水泥土挡墙、水泥土搅拌桩挡墙	(1) 无支撑，墙体止水性好，造价低； (2) 墙体变位大

1) 工字钢桩围护结构

作为基坑围护结构主体的工字钢，一般采用I50号、I55号和I60号大型工字钢。基坑开挖前，在地面用冲击式打桩机沿基坑设计边线打入地下，桩间距一般为1.0~1.2m。若地层为饱和淤泥等松软地层也可采用静力压桩机和振动打桩机进行沉桩。基坑开挖时，随挖土方随在桩间插入50mm厚的水平木板，以挡住桩间土体。基坑开挖至一定深度后，需要设置腰梁和横撑或锚杆（索），腰梁多采用大型槽钢、工字钢制成，横撑则可采用钢管或组合钢梁。

工字钢桩围护结构适用于黏性土、砂性土和粒径不大于100mm的砂卵石地层。当地下水位较高时，必须配合人工降水措施。打桩时，施工噪声一般都在100dB以上，大大超过环境保护法规定的限值。因此，这种围护结构一般宜用于郊区距居民点较远的基坑施工中。当基坑范围不大时，例如地铁车站的出入口，临时施工竖井可以考虑采用工字钢做围护结构。

2) 钢板桩围护结构

钢板桩强度高，桩与桩之间的连接紧密，隔水效果好，可重复使用，在地下水位较高的基坑中采用较多。

钢板桩常用断面形式，多为"U"形或"Z"形。我国地下铁道施工中多用"U"形钢板桩，其沉放和拔除方法、使用的机械均与工字钢桩相同，但其构成方法则可分为单层钢板桩围堰、双层钢板桩围堰等。由于地铁施工时基坑较深，为保证其垂直度且方便施工，并使其能封闭合龙，多采用帷幕式构造。

3) 钻孔灌注桩围护结构

钻孔灌注桩一般采用机械成孔。地铁明挖基坑中多采用螺旋钻机、冲击式钻机和正反循环钻机等。对正反循环钻机，由于其采用泥浆护壁成孔，故成孔时噪声低，适士城区施工，在地铁基坑和高层建筑深基坑施工中得到广泛应用。排桩宜采取间隔成桩的施工顺序。对混凝土灌注桩，应在混凝土终凝后，再进行相邻桩的成孔施工。

钻孔灌注桩围护结构经常与止水帷幕联合使用，止水帷幕一般采用深层搅拌桩。如果基坑上部受环境条件限制时，也可采用高压旋喷桩止水帷幕，但应采取措施保证止水帷幕施工质量。

4) 深层搅拌桩挡土结构

深层搅拌桩是用搅拌机械将水泥、石灰等和地基土相拌合，从而达到加固地基的目的。作为挡土结构的搅拌桩一般布置成格栅形，深层搅拌桩也可连续搭接布置形成止水帷幕。施工工艺流程如图 8-2 所示。

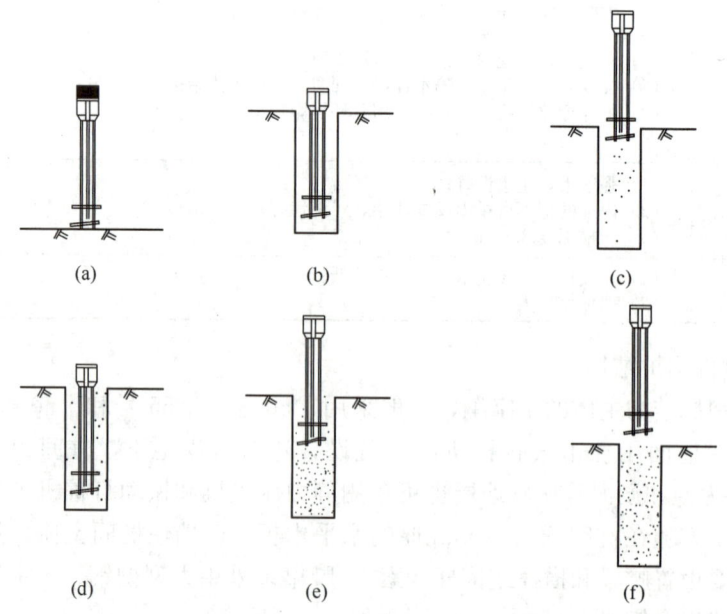

图 8-2　深层搅拌桩施工工艺流程

(a) 搅拌机定位；(b) 第一次搅拌下沉；(c) 提升搅拌机，边搅拌，边喷浆；(d) 第二次搅拌下沉；(e) 重新提升搅拌机，边搅拌，边喷浆；(f) 搅拌成桩

5）SMW 桩

SMW 桩挡土墙是利用搅拌设备就地切削土体，然后注入水泥类混合液搅拌形成均匀的挡墙，最后，在墙中插入型钢，即形成一种劲性复合围护结构。

这种围护结构的特点主要表现在止水性好，构造简单，型钢插入深度一般小于搅拌桩深度，施工速度快，型钢可以部分回收、重复利用。

6）地下连续墙

地下连续墙的成墙过程及施工工艺流程如图 8-3、图 8-4 所示。

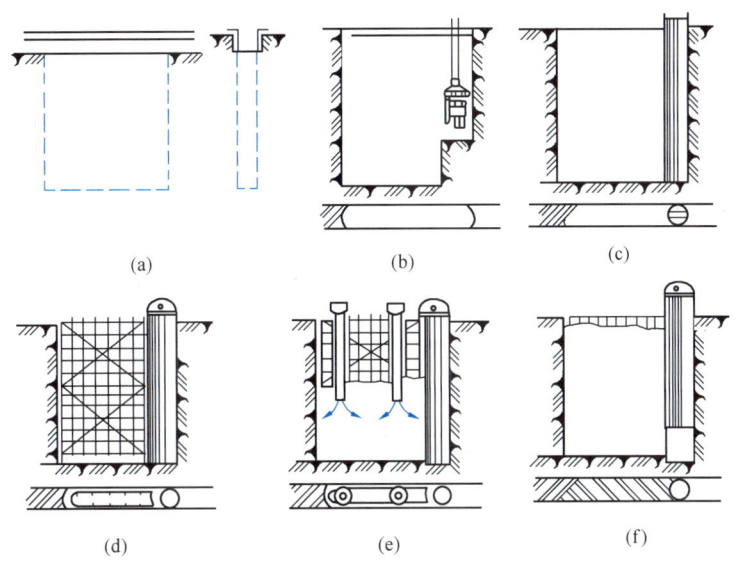

图 8-3 地下连续墙单元成墙过程
（a）挖导沟、筑导墙；（b）挖槽；（c）吊放接头管；（d）吊放钢筋笼；
（e）灌注水下混凝土；（f）拔出接头管成墙

① 导墙构筑

A. 导墙的作用

a. 挡土作用：在挖掘地下连续墙沟槽时，地表土松软容易坍陷，因此在单元槽段挖完之前，导墙起挡土墙作用。

b. 测量基准作用：导墙规定了沟槽位置，划分单元槽段的地段，作为测量挖槽标高、垂直度和精度的基准。

c. 承重作用：导墙既是挖槽机械轨道的支承，又是钢筋笼、接头管等搁置的支点，有时还承受其他施工设备的荷载。

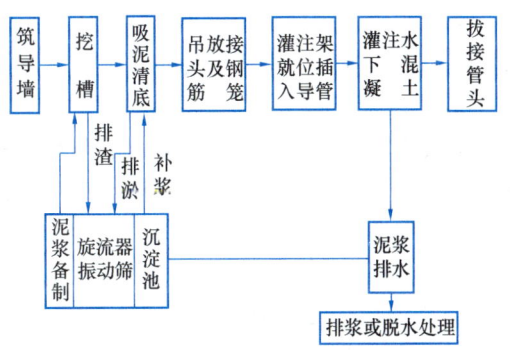

图 8-4 地下连续墙施工工艺流程

d. 存蓄泥浆作用：导墙可存蓄泥浆，稳定槽内泥浆液面。泥浆液面始终保持在导墙面以下 20cm，并高出地下水位 1m，以稳定槽壁。

e. 其他作用：导墙还可防止泥浆漏失，阻止雨水等地面水流入槽内；地下连续墙距现有建（构）筑物很近时，在施工时还起到一定的补强作用。

B. 导墙施工顺序

平整场地→测量定位→挖槽→绑钢筋→支模板→浇筑混凝土→拆模板加横撑→整理两侧土方。

C. 导墙施工要点

导墙基底应和底面密贴，墙侧回填土用黏性土夯实；导墙中心位置即地下连续墙的中心，在平面上必须按测量位置施工，在竖向必须保证垂直；导墙内水平钢筋必须相互连接成整体。

② 泥浆护壁

A. 泥浆作用

a. 泥浆护壁。

b. 泥浆携渣。

c. 泥浆冷却和润滑。

B. 泥浆的配制及贮存

泥浆搅拌用高速回转式搅拌机，拌好的泥浆在贮浆池内，一般静止 24h 以上，以便膨润土颗粒充分水化膨胀。

③ 挖槽

A. 单元槽段划分

单元槽段越长，接头越少，可提高墙体的整体性和截水、防渗功能，并提高工作效率。

B. 槽段开挖

槽段开挖可用钻抓式挖槽机或回转式多头钻成槽机开挖。

C. 清槽

为了给下道工序提供良好条件，确保墙体质量，应对残留在槽底的土渣、杂物进行清除。

清除方法一般采用吸水泵、空气压缩机和潜水泥浆泵等排渣方法，当下钢筋笼后清槽可用混凝土导管压清水或稀泥浆清槽。

④ 槽段接头施工

槽段之间有接头，为保证墙体的防渗性和整体性，接头避免设在转角处以及墙内部结构的连接处。常见的接头施工方法有接头管接头和接头箱接头。

(2) 支撑结构

1) 支撑结构体系

① 内支撑一般有钢支撑和钢筋混凝土支撑，也可采用钢和钢筋混凝土混合支撑；外拉锚有土锚和拉锚两种形式。

② 在软弱地层的基坑工程中，支撑结构承受围护墙所传递的土压力、水压力。支撑结构挡土的应力传递路径是围护（桩）墙→围檩（冠梁）→支撑；在地质条件较好的有锚固力的地层中，基坑支撑可采用土锚和拉锚等外拉锚形式。

③ 在深基坑的施工支护结构中，常用的内支撑系统按其材料可分为现浇钢筋混凝土支撑体系和钢支撑体系两大类，其形式和特点见表 8-2。

两类内支撑体系的形式和特点 表 8-2

材料	截面形式	布置形式	特点
现浇钢筋混凝土	可根据断面要求确定断面形状和尺寸	有对撑、边桁架、环梁结合边桁架等,形式灵活多样	混凝土硬化后刚度大、变形小、强度的安全可靠性强、施工方便,但支撑浇制和养护时间长、围护结构处于无支撑的暴露状态的时间长、软土中被动区土体位移大,如对控制变形有较高要求时,需对被动区软土加固。施工工期长,拆除困难,爆破拆除对周围环境有影响
钢结构	单钢管、双钢管、单工字钢、双工字钢、H型钢、槽钢及以上钢材的组合	竖向布置有水平撑、斜撑;平面布置形式一般为对撑、井字撑、角撑,也有与钢筋混凝土支撑结合使用的情况,但要谨慎处理变形协调问题	安装、拆除施工方便,可周转使用,支撑中可加预应力,可调整轴力而有效控制围护墙变形;施工工艺要求较高,如节点和支撑结构处理不当,或施工支撑不及时不准确,会造成失稳

现浇钢筋混凝土支撑体系由围檩(冠梁)、支撑及角撑、立柱和围檩托架或吊筋、立柱、托架锚固件等其他附属构件组成。

钢结构支撑(钢管、型钢支撑)体系通常为装配式的,由围檩、角撑、支撑、预应力设备(包括千斤顶自动调压或人工调压装置)、轴力传感器、支撑体系监测监控装置、立柱桩及其他附属装配式构件组成。

2)支撑体系的结构选型与布置

① 内支撑结构选型应符合下列原则:

A. 宜采用受力明确、连接可靠、施工方便的结构形式;

B. 宜采用对称平衡性、整体性强的结构形式;

C. 应与主体地下结构的结构形式、施工顺序协调,以便于主体结构施工;

D. 应利于基坑土方开挖和运输;

E. 需要时,应考虑内支撑结构作为施工平台。

② 内支撑结构应综合考虑基坑平面的形状、尺寸、开挖深度、周边环境条件、主体结构的形式等因素,选用下列内支撑形式:

A. 水平对撑或斜撑,可采用单杆、桁架、八字形支撑;

B. 正交或斜交的平面杆系支撑;

C. 环形杆系或板系支撑;

D. 竖向斜撑。

2. 基(槽)坑土方开挖

(1)基本规定

1)基坑开挖应根据支护结构设计、降排水要求,确定开挖方案。

2)基坑周围地面应设排水沟,且应避免雨水、渗水等流入坑内,同时,基坑也应设置必要的排水设施,保证开挖时及时排出雨水;放坡开挖时,应对坡顶、坡面、坡脚采取降排水措施。

3)软土基坑必须分层、分块、均衡地开挖,分块开挖后必须及时施工支撑,对于有预应力要求的钢支撑或锚杆，还必须按设计要求施加预应力。

4）基坑开挖过程中，必须采取措施防止开挖机械等碰撞支护结构、格构柱、降水井点或扰动基底原状土。

（2）异常情况立即停止挖土

发生下列情况立即停止挖土，查清原因并及时采取措施：

1）围护结构变形明显加剧。

2）支撑轴力突然增大。

3）围护结构或止水帷幕出现渗漏。

4）开挖暴露出的基底出现明显异常（包括黏性土时强度明显偏低或砂性土层时水位过高造成开挖施工困难）。

5）围护结构发生异常声响。

6）边坡出现失稳征兆。

8.1.2 盖挖法施工

盖挖法施工也是明挖施工的一种形式，与常见的明挖法施工的主要区别在于施工方法和顺序不同：盖挖法是先盖后挖，即先以临时路面或结构顶板维持地面畅通再向下施工。施工基本流程：在现有道路上按所需宽度，以定型标准的预制棚盖结构（包括纵、横梁和路面板）或现浇混凝土顶（盖）板结构置于桩（或墙）柱结构上维持地面交通，在棚盖结构支护下进行开挖和施做主体结构、防水结构，然后回填土并恢复管、线、路或埋设新的管、线、路，最后恢复道路结构。

1. 盖挖法优缺点

（1）优点

1）围护结构变形小，能够有效控制周围土体的变形和地表沉降，有利于保护邻近建筑物和构筑物；

2）基坑底部土体稳定，隆起小，施工安全；

3）盖挖逆作法施工一般不设内部支撑或锚锭，施工空间大；

4）盖挖逆作法用于城市街区施工时，可尽快恢复路面，对道路交通影响较小。

（2）缺点

1）盖挖法施工时，混凝土结构的水平施工缝处理较为困难；

2）盖挖逆作法施工时，暗挖施工难度大、费用高。

2. 盖挖法分类

盖挖法可分为盖挖顺作法、盖挖逆作法及盖挖半逆作法。目前，城市中施工采用最多的是盖挖逆作法。

（1）盖挖顺作法

盖挖顺作法是自地表面下开挖一段后先浇筑顶板，在顶板的保护下，自上而下开挖、支撑，由下而上浇筑结构内衬，施工流程如图 8-5 所示。

盖挖顺作法主要依靠坚固的挡土结构，根据现场条件、地下水位高低、开挖深度以及周围建筑物的邻近程度可选择钢筋混凝土钻（挖）孔灌注桩或地下连续墙，对于饱和的软弱地层应以刚度大、止水性能好的地下连续墙为首选方案。目前，盖挖顺作法中的挡土结构常用来作为主体结构边墙体的一部分或全部。

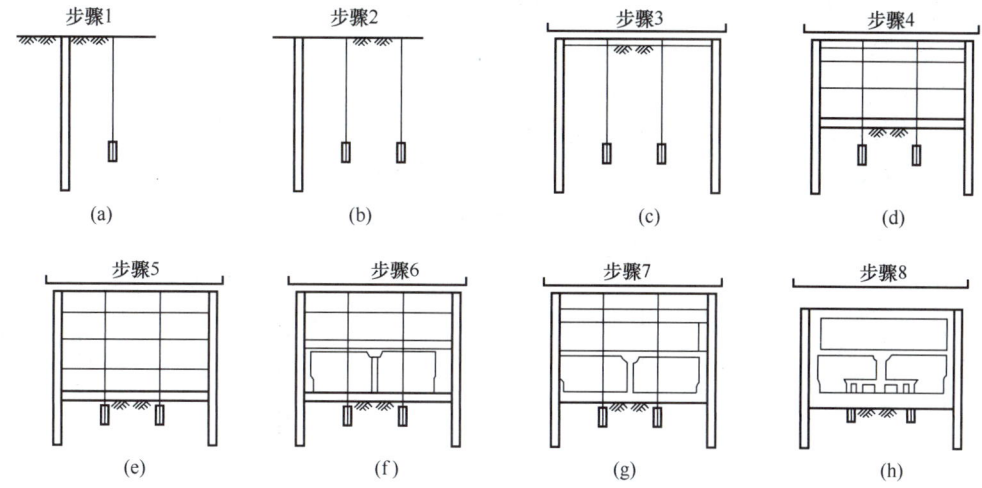

图 8-5 盖挖顺作法施工流程

(a) 构筑连续墙；(b) 构筑中间支承桩；(c) 构筑连续墙及覆盖板；
(d) 开挖及支撑安装；(e) 开挖及构筑底板；(f) 构筑侧墙、柱；
(g) 构筑侧墙及顶板；(h) 构筑内部结构及路面复旧

（2）盖挖逆作法

盖挖逆作法的具体施工流程如图 8-6 所示。盖挖逆作法施工时，先施作车站周边围护桩和结构主体桩柱，然后将结构盖板置于桩（围护桩）、柱（钢管柱或混凝土柱）上，自上而下完成土方开挖和边墙、中隔板及底板衬砌的施工。盖挖逆作法是在明挖内支撑基坑基础上发展起来的，施工过程中不需设置临时支撑，而是借助结构顶板、中板自身的水平刚度和抗压强度实现对基坑围护桩（墙）的支护作用。

其特点是：快速覆盖、缩短中断交通的时间；自上而下的顶板、中隔板及水平支撑体系刚度大，可营造一个相对安全的作业环境；占地少、回填量小、可分层施工，也可分左

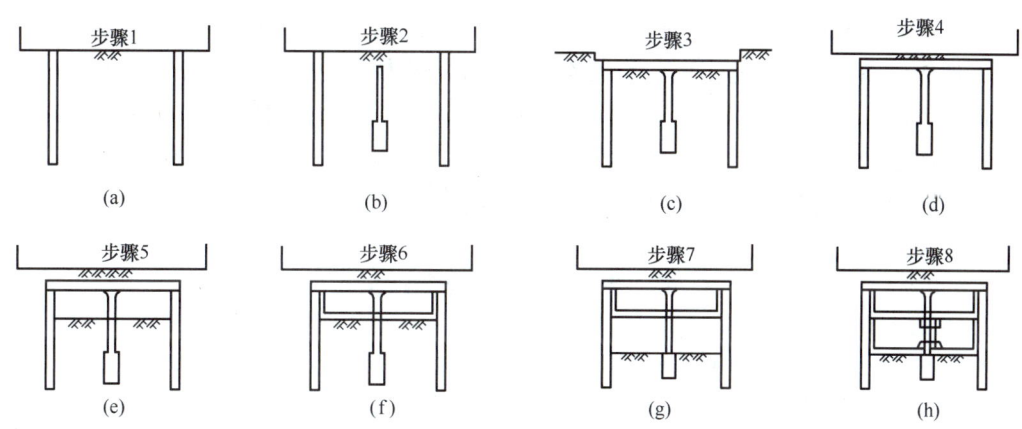

图 8-6 盖挖逆作法施工流程

(a) 构筑围护结构；(b) 构筑主体结构中间立柱；(c) 构筑顶板；
(d) 回填土、恢复路面；(e) 开挖中层土；(f) 构筑上层
主体结构；(g) 开挖下层土；(h) 构筑下层主体结构

右两幅施工，交通导改灵活；不受季节影响、无冬期施工要求，低噪声、扰民少；设备简单、不需大型设备，操作空间大、操作环境相对较好。

（3）盖挖半逆作法

类似逆作法，其区别仅在于顶板完成及恢复路面过程，盖挖半逆作法的施工步骤如图8-7所示。在半逆作法施工中，一般都必须设置横撑并施加预应力。

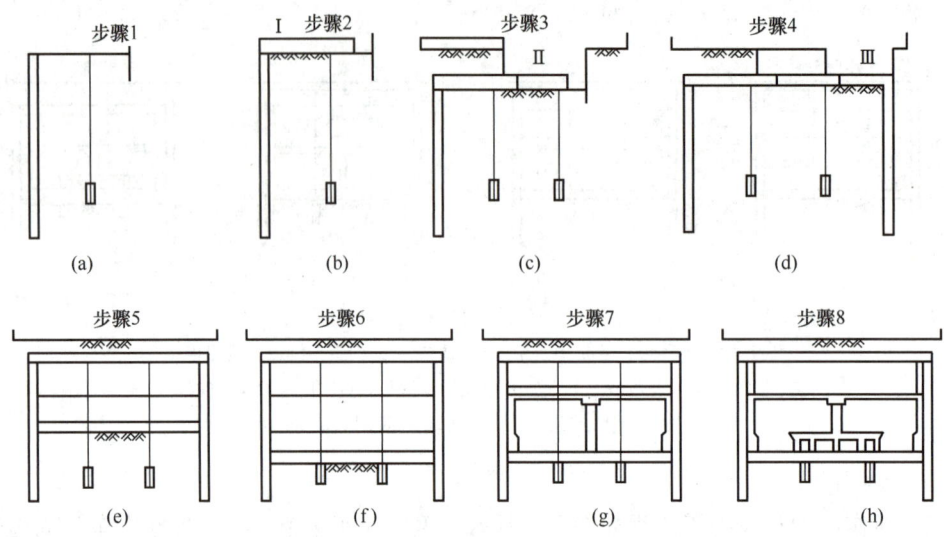

图 8-7 盖挖半逆作法施工流程

(a) 构筑连续墙中间支承桩及临时性挡土设备；(b) 构筑顶板Ⅰ；(c) 打设中间桩、临时性挡土及构筑顶板Ⅱ；(d) 构筑连续墙及顶板Ⅲ；(e) 依序向下开挖及逐层安装水平支撑；(f) 向下开挖、构筑底板；(g) 构筑侧墙、柱及楼板；(h) 构筑侧墙及内部其余结构物

采用逆作法或半逆作法施工时都要注意混凝土施工缝的处理问题，由于它是在上部混凝土达到设计强度后再接着往下浇筑的，受混凝土的收缩及析水影响，施工缝处不可避免地要出现 3~10mm 宽的缝隙，而这将对结构强度、耐久性和防水性产生不良影响。

在逆作法和半逆作法施工中，如主体结构的中间立柱为钢管混凝土柱，而柱下基础为钢筋混凝土灌注桩时，需要解决好两者之间的连接问题。一般是将钢管柱直接插入灌注桩的混凝土内 1.0m 左右，并在钢管柱底部均匀设置几个孔，以利混凝土流动，同时也可加强桩、柱间连接。有时也可在钢管柱和灌注桩之间插入 H 型钢加以连接。

8.2 地铁区间隧道施工

8.2.1 喷锚暗挖（矿山）法施工

1. 喷锚暗挖法的掘进方法

市政公用地下工程，因地下障碍物和周围环境限制通常采用浅埋暗桩法为主的喷锚暗挖（矿山）法施工。

（1）浅埋暗挖法与掘进方法

浅埋暗挖法施工可分为全断面法、台阶法、环形开挖预留核心土法、单侧壁导坑法、双侧壁导坑法、中隔壁法、交叉中隔壁法、中洞法、侧洞法、柱洞法、洞桩法等。

1) 全断面开挖法

① 全断面开挖法适用于土质稳定、断面较小的隧道施工，适宜人工开挖或小型机械作业。

② 全断面开挖法采取自上而下一次开挖成型，沿着轮廓开挖，按施工方案一次进尺并及时进行初期支护。

③ 全断面开挖法的优点是可以减少开挖对围岩的扰动次数，有利于围岩天然承载拱的形成，工序简便；缺点是对地质条件要求严格，围岩必须有足够的自稳能力。

④ 施工顺序：钻眼前引爆炸药后开挖断面轮廓→安装拱部锚杆和喷射第一层混凝土→安装边墙锚杆和喷射第一层混凝土→拱坪喷射第二层混凝土→灌筑底部混凝土。

2) 台阶开挖法

① 台阶开挖法适用于土质较好的隧道施工，软弱围岩、第四纪沉积地层隧道。

② 台阶开挖法将结构断面分成两个以上部分，即分成上下两个工作面或几个工作面，分步开挖。根据地层条件和机械配套情况，台阶法又可分为正台阶法和中隔壁台阶法等。正台阶法能较早使支护闭合，有利于控制其结构变形及由此引起的地面沉降。

③ 台阶开挖法优点是具有足够的作业空间和较快的施工速度，灵活多变，适用性强。

④ 施工流程：开挖环形拱部→架立钢支撑→喷混凝土。

⑤ 台阶开挖法注意事项。

A. 台阶数不宜过多，台阶长度要适当，对城市第四纪地层，台阶长度一般以控制在 $1D$ 内（D 一般指隧道跨度）为宜。

B. 对岩石地层，针对破碎地段可配合挂网喷锚支护施工，以防止落石和崩塌。

3) 环形开挖预留核心土法

① 环形开挖预留核心土法适用于一般土质或易坍塌的软弱围岩、断面较大的隧道施工。

② 一般情况下，将断面分成环形拱部（表 8-3 示意图中的 1、2、3 号所示部位）、上部核心土、下部台阶等三部分（表 8-3 示意图中 4、5 号所示部位）。根据断面的大小，环形拱部又可分成几块交替开挖。环形开挖进尺为 0.5～1.0m，不宜过长。台阶长度一般以控制在 $1D$ 内为宜。

③ 施工作业流程：用人工或单臂掘进机开挖环形拱部→架立钢支撑→喷混凝土。在拱部初次支护保护下，为加快进度，宜采用挖掘机或单臂掘进机开挖核心土和下台阶，随时接长钢支撑和喷混凝土、封底。视初次支护的变形情况或施工步序，安排施工二次衬砌作业。

④ 主要优点：

A. 因为开挖过程中上部留有核心土支承着开挖面，能迅速及时地建造拱部初次支护，所以开挖工作面稳定性好。

B. 和台阶法一样，核心土和下部开挖都是在拱部初次支护保护下进行的，施工安全性好。与超短台阶法相比，台阶长度可以适度加长，以减少上、下台阶施工干扰。与下述的侧壁法相比，施工机械化程度可相对提高，施工速度可加快。

⑤ 注意事项:

A. 虽然核心土增强了开挖面的稳定，但开挖中围岩要经受多次扰动，而且断面分块多，支护结构形成全断面封闭的时间长，这些都有可能使围岩变形增大。因此，常要结合辅助施工措施对开挖工作面及其前方岩体进行预支护或预加固。

B. 由于拱形开挖高度较小，或地层松软锚杆不易成型，所以对城市第四纪地层，施工中一般不设或少设锚杆。

4) 单侧壁导坑法

① 单侧壁导坑法适用于断面跨度大，地表沉陷难于控制的软弱松散围岩中隧道施工。

② 单侧壁导坑法是将断面横向分成3块或4块：侧壁导坑1、上台阶2、下台阶3（表8-3中单侧壁导坑法的示意图），侧壁导坑尺寸应本着充分利用台阶的支撑作用，并考虑机械设备和施工条件而定。

③ 一般情况下，侧壁导坑宽度不宜超过一半洞宽，高度以到起拱线为宜，这样导坑可分二次开挖和支护，不需要架设工作平台，人工架立钢支撑也较方便。

④ 导坑与台阶的距离没有硬性规定，但一般应以导坑施工和台阶施工不发生干扰为原则。上、下台阶的距离则视围岩情况参照短台阶法或超短台阶法拟订。

⑤ 单侧壁导坑法每步开挖的宽度较小，而且封闭型的导坑初次支护承载能力大，因而变形较大。

5) 双侧壁导坑法

① 双侧壁导坑法又称眼镜工法。当隧道跨度很大，地表沉陷要求严格，围岩条件特别差，单侧壁导坑法难以控制围岩变形时，可采用双侧壁导坑法。

② 双侧壁导坑法一般是将断面分成四块：左、右侧壁导坑1，上部核心土2，下台阶3（表8-3）。导坑尺寸拟订的原则同前，但宽度不宜超过断面最大跨度的1/3。左、右侧导坑错开的距离，应根据开挖一侧导坑所引起的围岩应力重分布的影响不致波及另一侧已成导坑的原则确定。

③ 施工顺序：开挖一侧导坑，并及时地将其初次支护闭合→相隔适当距离后开挖另一侧导坑，并建造初次支护→开挖上部核心土，建造拱部初次支护，拱脚支承在两侧壁导坑的初次支护上→开挖下台阶，建造底部的初次支护，使初次支护全断面闭合→拆除导坑临空部分的初次支护→施作内层衬砌。

④ 优缺点：

A. 双侧壁导坑法虽然开挖断面分块多，扰动大，初次支护全断面闭合的时间长，但每个分块都是在开挖后立即各自闭合的，所以在施工中间变形几乎不发展。现场实测结果表明，双侧壁导坑法所引起的地表沉陷仅为短台阶法的1/2。

B. 双侧壁导坑法施工较为安全，但速度较慢，成本较高。

6) 中隔壁法和交叉中隔壁法

① 中隔壁法也称CD工法，主要适用于地层较差、岩体不稳定且地面沉降要求严格的地下工程施工。

② 当CD工法不能满足要求时，可在CD工法基础上加设临时仰拱，即所谓的交叉中隔壁法（CRD工法）。

③ CD工法和CRD工法在大跨度隧道中应用普遍，在施工中应严格遵守正台阶法的

施工要点，尤其要考虑时空效应，每一步开挖必须快速，必须及时步步成环，工作面留核心土或喷混凝土封闭，消除由于工作面应力松弛而沉降值增大的现象。

7) 中洞法、侧洞法、柱洞法、洞桩法

当地层条件差、断面特大时，一般设计成多跨结构，跨与跨之间有梁、柱连接，一般采用中洞法、侧洞法、柱洞法及洞桩法等施工，其核心思想是变大断面为中小断面，提高施工安全度。

① 中洞法施工就是先开挖中间部分（中洞），在中洞内施作梁、柱结构，然后再开挖两侧部分（侧洞），并逐渐将侧洞顶部荷载通过中洞初期支护转移到梁、柱结构上。由于中洞的跨度较大，施工中一般采用CD、CRD或双侧壁导坑法进行施工。中洞法施工工序复杂，但两侧洞对称施工，比较容易解决侧压力从中洞初期支护转移到梁柱上时的不平衡侧压力问题，施工引起的地面沉降较易控制。中洞法的特点是初期支护自上而下，每一步封闭成环，环环相扣，二次衬砌自下而上施工，施工质量容易得到保证。

② 侧洞法施工就是先开挖两侧部分（侧洞），在侧洞内做梁、柱结构，然后再开挖中间部分（中洞），并逐渐将中洞顶部荷载通过初期支护转移到梁、柱上，这种施工方法在处理中洞顶部荷载转移时，相对于中洞法要困难一些。两侧洞施工时，中洞上方土体经受多次扰动，形成危及中洞的上小下大的梯形、三角形或楔形土体，该土体直接压在中洞上，中洞施工若不够谨慎就可能发生坍塌。

③ 柱洞法施工是先在立柱位置施作一个小导洞，当小导洞做好后，在洞内再做底梁，形成一个细而高的纵向结构，柱洞法施工的关键是如何确保两侧开挖后初期支护同步作用在顶纵梁上，而且柱子左右水平力要同时加上且保持相等。

④ 洞桩法就是先挖洞，在洞内制作挖孔桩，梁柱完成后，再施作顶部结构，然后在其保护下施工，实际上就是将盖挖法施工的挖孔桩梁柱等转入地下进行施工。

（2）掘进方式与选择条件

上述不同掘进（开挖）方式与选择考虑主要条件如表 8-3 所示。

喷锚暗挖（矿山）法开挖方式与选择条件　　　　表 8-3

施工方法	示意图	选择条件比较					
		结构与适用地层	沉降	工期	防水	初期支护拆除量	造价
全断面法	○	地层好，跨度不大于8m	一般	最短	好	无	低
正台阶法	⊖	地层较差，跨度不大于10m	一般	短	好	无	低
环形开挖预留核心土法	(1,2,3,4,5分区图)	地层差，跨度不大于12m	一般	短	好	无	低

续表

施工方法	示意图	选择条件比较					
		结构与适用地层	沉降	工期	防水	初期支护拆除量	造价
单侧壁导坑法	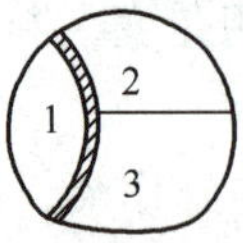	地层差，跨度不大于14m	较大	较短	好	小	低
双侧壁导坑法	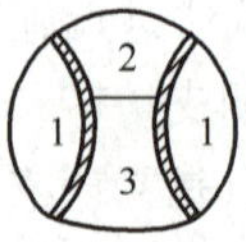	小跨度，连续使用可扩大跨度	大	长	效果差	大	高
中隔壁法（CD工法）	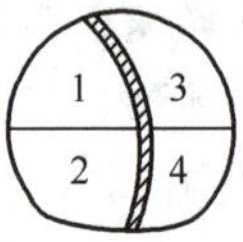	地层差，跨度不大于18m	较大	较短	好	小	偏高
交叉中隔壁法（CRD工法）		地层差，跨度不大于20m	较小	长	好	大	高
中洞法	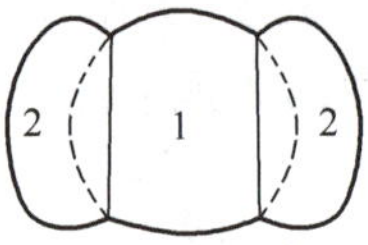	小跨度，连续使用可扩成大跨度	小	长	效果差	大	较高
侧洞法	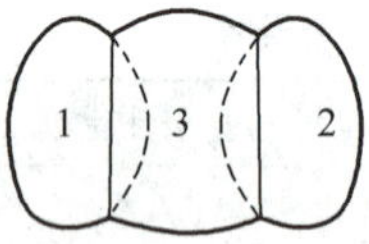	小跨度，连续使用可扩成大跨度	大	长	效果差	大	高
柱洞法		多层多跨	大	长	效果差	大	高

2．喷锚加固支护施工

（1）喷锚暗挖与初期支护

1）喷锚暗挖与支护加固

① 浅埋暗挖法施工地下结构需采用喷锚初期支护，主要包括钢筋网喷射混凝土、锚杆—钢筋网喷射混凝土、钢拱架—钢筋网喷射混凝土等支护结构形式；可根据围岩的稳定状况，采用一种或几种结构组合。

② 在浅埋软岩地段、自稳性差的软弱破碎围岩、断层破碎带、砂土层等不良地质条件下施工时，若围岩自稳时间短、不能保证安全地完成初次支护，为确保施工安全，加快施工进度，应采用各种辅助技术进行加固处理，使开挖作业面围岩保持稳定。

2）支护与加固技术措施

① 暗挖隧道内常用的技术措施

A. 超前锚杆或超前小导管支护；

B. 小导管周边注浆或围岩深孔注浆；

C. 设置临时仰拱。

② 暗挖隧道外常用的技术措施

A. 管棚超前支护；

B. 地表锚杆或地表注浆加固；

C. 冻结法固结地层；

D. 降低地下水位法。

(2) 暗挖隧道内加固支护技术

1）主要材料

① 喷射混凝土应采用早强混凝土，其强度必须符合设计要求。严禁选用碱活性骨料。可根据工程需要掺用外加剂，速凝剂应根据水泥品种、水灰比等，通过不同掺量的混凝土试验选择最佳掺量，使用前应做凝结时间试验，要求初凝时间不应大于 5min，终凝不应大于 10min。

② 钢筋网材料宜采用 Q235 钢，钢筋直径宜为 6～12mm，网格尺寸宜采用 150～300mm，搭接长度应符合规范。钢筋网应与锚杆或其他固定装置连接牢固。

③ 钢拱架宜选用钢筋、型钢、钢轨等制成，采用钢筋加工而成格栅的主筋直径不宜小于 18mm。

2）喷射混凝土前准备工作

① 喷射混凝土前，应检查开挖断面尺寸，清除开挖面、拱脚或墙脚处的土块等杂物，设置控制喷层厚度的标志。对基面有滴水、淌水、集中出水点的情况，采用埋管等方法进行引导疏干。

② 应根据工程地质及水文地质、喷射量等条件选择喷射方式，宜采用湿喷方式；喷射厚度宜为 50～100mm。

③ 钢架应在开挖或喷射混凝土后及时架设；超前锚杆、小导管支护宜与钢拱架、钢筋网配合使用；长度宜为 3.0～3.5m，并应大于循环进尺的 2 倍。

④ 超前锚杆、小导管支护是沿开挖轮廓线，以一定的外插角，向开挖面前方安装锚杆、导管，形成对前方围岩的预加固。

3）喷射混凝土

① 喷射混凝土应紧跟开挖工作面，应分段、分片、分层，由下而上顺序进行，当岩面有较大凹洼时，应先填平。分层喷射时，一次喷射厚度可根据喷射部位和设计厚度确定。

② 钢架应与喷射混凝土形成一体，钢架与围岩间的间隙必须用喷射混凝土充填密实，钢架应全部被喷射混凝土覆盖，保护层厚度不得小于 40mm。

③ 临时仰拱应根据围岩情况及量测数据确定设置区段，可采用型钢或格栅并喷混凝土修筑。

4）隧道内锚杆注浆加固

锚杆施工应保证孔位的精度在允许偏差范围内，钻孔不宜平行于岩层层面，宜沿隧道周边径向钻孔。锚杆必须安装垫板，垫板应与喷射混凝土面密贴。钻孔安设锚杆前应先进行喷射混凝土施工，孔位、孔径、孔深要符合设计要求，锚杆露出岩面长不大于喷射混凝土的厚度，锚杆施工应符合质量要求。

(3) 暗挖隧道外的超前加固技术

1）降低地下水位法

① 当浅埋暗挖施工地下结构处于富水地层中，且地层的渗透性较好时，应首选降低地下水位法达到稳定围岩，提高喷锚支护安全的目的。含水的松散破碎地层宜采用降低地下水位法，不宜采用集中宣泄排水的方法。

② 在城市地下工程中采用降低地下水位法时，最重要的决策因素是确保降水引起的沉降不会对已存在构筑物或拟建构筑物的结构安全构成危害。

③ 降低地下水位通常采用地面降水方法或隧道内辅助降水方法。

④ 当采用降水方案不能满足要求时，应在开挖前进行帷幕预注浆、加固地层等堵水处理。根据水文、地质钻孔和调查资料，预计有大量涌水或涌水量虽不大，但开挖后可能引起大规模塌方时，应在开挖前进行注浆堵水，加固围岩。

2）地表锚杆（管）

① 地表锚杆（管）是一种地表预加固地层的措施，适用于浅埋暗挖、进出工作井地段和岩体松软破碎地段。

② 地面锚杆（管）按矩形或梅花形布置，先钻孔→吹净钻孔→用灌浆管灌浆→垂直插入锚杆杆体→在孔口将杆体固定。地面锚杆（管）支护，是由普通水泥砂浆和全粘结型锚杆构成地表预加固地层或围岩深孔注浆加固地层。

③ 锚杆类型应根据地质条件、使用要求及锚固特性进行选择，可选用中空注浆锚杆、树脂锚杆、自钻式锚杆、砂浆锚杆和摩擦型锚杆。

3）冻结法固结地层

① 冻结法是利用人工制冷技术，在富水软弱地层的暗挖施工时固结地层。通常，当土体的含水量大于2.5%、地下水含盐量不大于3%、地下水流速不大于40m/d时，均可适用常规冻结法，当土层含水量大于10%和地下水流速不大于7~9m/d时，冻土扩展速度和冻结体形成的效果最佳。

② 在地下结构开挖断面周围需加固的含水软弱地层中钻孔敷管，安装冻结器，通过人工制冷作用将天然岩土变成冻土，形成完整性好、强度高、不透水的临时加固体，从而达到加固地层、隔绝地下水与拟建构筑物联系的目的。

③ 在冻结体的保护下进行竖井或隧道等地下工程的开挖施工，待衬砌支护完成后，冻结地层逐步解冻，最终恢复到原始状态。

④ 冻结法主要优缺点：

A. 主要优点。冻结加固的地层强度高；地下水封闭效果好；地层整体固结性好；对工程环境污染小。

B. 主要缺点。成本较高；有一定的技术难度。

3. 衬砌及防水施工

喷锚暗挖（矿山）法施工隧道通常采用衬砌及防水结构，以便保证隧道使用功能和运行安全。

（1）防水结构施工原则

1）一般规定

① 防水施工应遵循"防、排、截、堵相结合，刚柔相济，因地制宜，综合治理"的原则。

② 施工方法应遵循"以防为主，刚柔结合，多道防线，因地制宜，综合治理"的原则，采取与其相适应的防水措施。

2）复合式衬砌与防水体系

① 喷锚暗挖（矿山）法施工，衬砌结构是由初期（一次）支护、防水层和二次衬砌所组成。

② 喷锚暗挖（矿山）法施工隧道的复合式衬砌，以结构自防水为根本，辅加防水层组成防水体系，以变形缝、施工缝、后浇带、穿墙洞、预埋件、桩头等接缝部位混凝土及防水层施工为防水控制的重点。

3）施工方案选择

① 施工期间的防水措施主要是排和堵两类。施工前，根据资料预计可能出现的地下水情况，估计水量，选择防水方案。

② 在衬砌背后设置排水盲管（沟）或暗沟和在隧底设置中心排水盲沟时，应根据隧道的渗漏水情况，配合衬砌一次施工。施工中应防止衬砌混凝土或压浆浆液侵入盲沟内堵塞水路，盲管（沟）或暗沟应有足够的数量和过水能力断面。

③ 衬砌背后可采用注浆或喷涂防水层等方法止水。

（2）复合式衬砌防水施工

1）复合式衬砌防水层施工应优先选用射钉铺设，结构组成如图 8-8 所示。

2）防水层施工时喷射混凝土表面应平顺，不得留有锚杆头或钢筋断头，表面漏水应及时引排，防水层接头应擦净。防水层可在拱部和边墙按环状铺设，开挖和衬砌作业不得损坏防水层，铺设防水层地段距开挖面不应小于爆破安全距离，防水层纵横向铺设长度应根据开挖方法和设计断面确定。

3）衬砌施工缝和沉降缝的止水带不得有割伤、破裂，固定应牢固，防

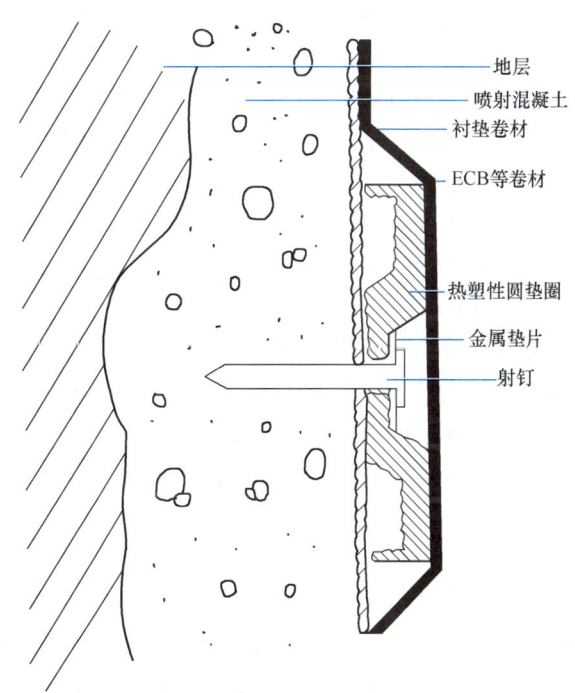

图 8-8　复合式衬砌防水层结构示意图

止偏移,提高止水带部位混凝土浇筑的质量。

4)二衬混凝土施工要求如下:

① 二衬采用的补偿收缩混凝土,应具有良好的抗裂性能,主体结构防水混凝土在工程结构中不但承担防水作用,还要和钢筋一起承担结构受力作用。

② 二衬混凝土浇筑应采用组合钢模板和模板台车两种模板体系。对模板及支撑结构进行验算,以保证其具有足够的强度、刚度和稳定性,防止发生变形和下沉。模板接缝要拼贴平整、严密,避免漏浆。

③ 混凝土浇筑采用泵送、模筑,两侧边墙采用插入式振动棒振捣,底部采用附着式振动器振捣。混凝土浇筑应连续进行,两侧对称,水平浇筑,不得出现水平和倾斜接缝;如混凝土浇筑因故中断,则必须采取措施对两次浇筑混凝土界面进行处理,以满足防水要求。

4. 小导管注浆加固施工

小导管注浆是浅埋暗挖隧道的常规施工工序。

(1) 适用条件与基本规定

1)适用条件

① 小导管注浆支护加固技术可作为暗挖隧道常用的支护措施和超前加固措施,能配套使用多种注浆材料,施工速度快,施工机械简单,工序交换容易。

② 在软弱、破碎地层中成孔困难或易塌孔,且施作超前锚杆比较困难或者结构断面较大时,宜采取超前小导管注浆和超前预加固处理方法。

2)基本规定

① 小导管支护和超前加固必须配合钢拱架使用。用作小导管的钢管钻有注浆孔,以便向土体进行注浆加固,也有利于提高小导管自身刚度和强度。

② 采用小导管加固时,为保证工作面稳定和掘进安全,应确保小导管安装位置正确并具备足够的有效长度,严格控制好小导管的钻设角度。

③ 在条件允许时,应配合地面超前注浆加固;有导洞时,可在导洞内对隧道周边进行径向注浆加固。

(2) 技术要点

1)小导管布设

① 常用设计参数:钢管直径 30~50mm,钢管长 3~5m,采用焊接钢管或无缝钢管;钢管钻设注浆孔间距为 100~150mm,钢管沿拱的环向布置间距为 300~500mm,钢管沿拱的环向外插角为 5°~15°,小导管是受力杆件,因此两排小导管在纵向应有一定搭接长度,钢管沿隧道纵向的搭接长度一般不小于 1m。

② 导管安装前应将工作面封闭严密、牢固,清理干净,并测放出钻设位置后方可施工。

2)注浆材料

① 应具备良好的可注性,固结后应有一定强度、抗渗性、稳定性、耐久性和收缩小的特点,浆液应无毒。注浆材料可采用改性水玻璃浆、普通水泥单液浆、水泥—水玻璃双液浆、超细水泥四种注浆材料。一般情况下,改性水玻璃浆适用于砂类土,水泥浆和水泥砂浆适用于卵石地层。

② 水泥浆或水泥砂浆主要成分为 P.O42.5 级及以上的硅酸盐水泥、普通水泥砂浆；水玻璃浓度应为 40～45°Bé，外加剂应视不同地层和注浆法工艺进行选择。

③ 注浆材料的选用和配合比的确定，应根据工程条件，经试验确定。

3) 注浆工艺

① 注浆工艺应简单、方便、安全，应根据土质条件选择注浆工艺（法）。

② 在砂卵石地层中宜采用渗入注浆法；在砂层中宜采用劈裂注浆法；在黏土层中宜采用劈裂或电动硅化注浆法；在淤泥质软土层中宜采用高压喷射注浆法。

(3) 施工控制要点

1) 控制加固范围

① 按设计要求，严格控制小导管的长度、开孔率、安设角度和方向。

② 小导管的尾部必须设置封堵孔，防止漏浆。

2) 保证注浆效果

① 浆液必须配合比准确，符合设计要求。

② 注浆时间和注浆压力应由试验确定，应严格控制注浆压力。一般条件下，改性水玻璃浆、水泥浆初压宜为 0.1～0.3MPa，砂质土终压一般应不大于 0.5MPa，黏质土终压不应大于 0.7MPa。水玻璃—水泥浆初压宜为 0.3～1.0MPa，终压宜为 1.2～1.5MPa。

③ 注浆施工期应进行监测，监测项目通常有地（路）面隆起、地下水污染等，特别是要采取必要措施防止注浆浆液溢出地面或超出注浆范围。超前小导管注浆施工示意图如图 8-9 所示。

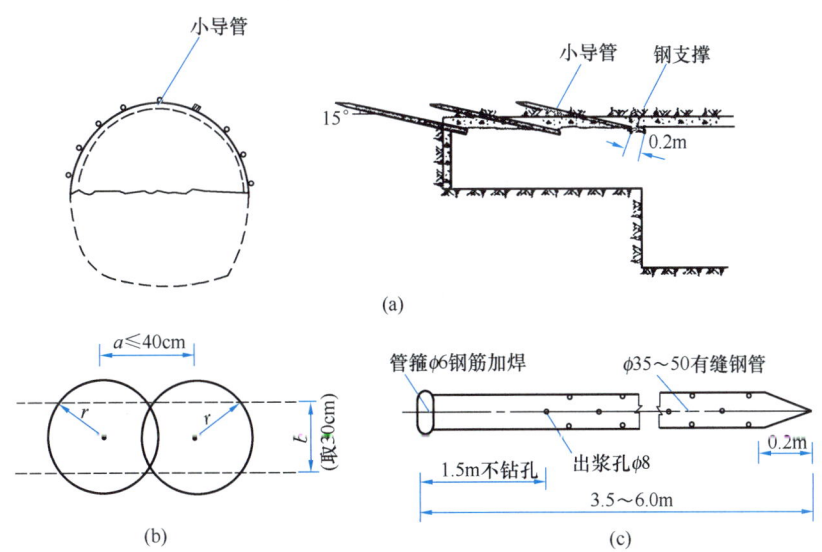

图 8-9 超前小导管注浆施工示意图
(a) 超前小导管布置；(b) 注浆半径及孔距选择；(c) 小导管全图

8.2.2 盾构法施工

1. 盾构法施工原理

盾构法是用盾构壳体防止围岩的土砂坍塌，进行开挖、推进，并在盾尾进行衬砌作业从而修建隧道的方法，如图 8-10 所示。

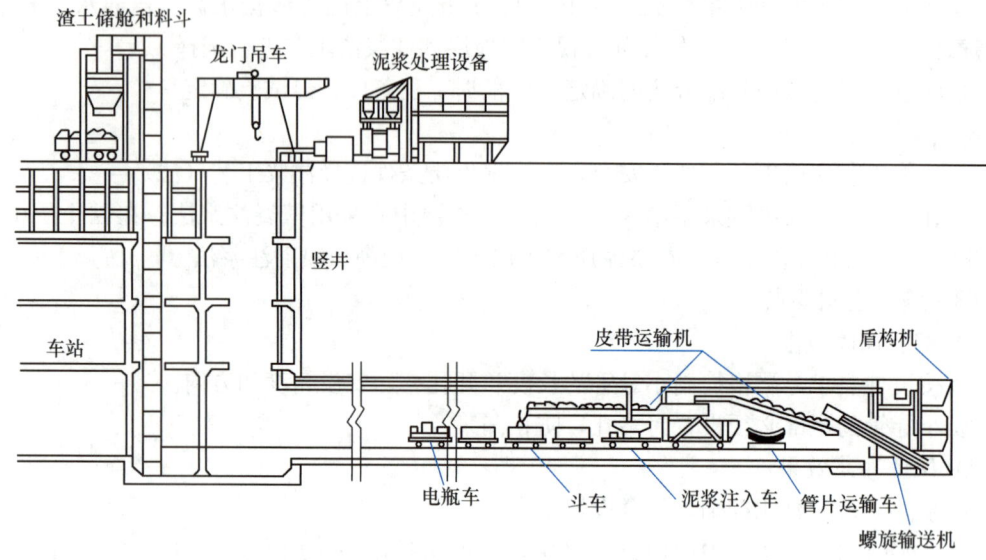

图 8-10 盾构法施工示意图

盾构法的主要内容是：先在隧道某段的一端建造竖井或基坑，以供盾构安装就位。盾构从竖井或基坑的端壁预留孔出发，在地层中沿着设计隧道轴线，向另一竖井或基坑的设计预留孔洞推进。在钢筒中段周围内安装顶进所需的千斤顶，细筒尾部内安置数环拼成的隧道衬砌环。盾构每推进一环距离，就在盾尾支尾下拼装一环衬砌，并及时向盾尾后面的衬砌环外周的空隙中压注浆体，盾构在推进过程中不断从开挖面排除适量的土方。

2. 盾构法施工隧道优点

（1）地面作业很少，除竖井施工外，施工作业均在地下进行，隐蔽性好，噪声和振动等既不影响地面交通，又可减少对附近居民的噪声和振动影响。

（2）盾构推进、出土、拼装衬砌等主要工序循环进行，施工易于管理，施工人员也较少。

（3）隧道的施工费用不受覆土量多少影响，工程造价低，适宜于建造覆土较深的隧道和各种土层。

（4）施工不受风雨等气候条件影响。

（5）当隧道穿过河底或海底时，不影响通航，不受气候影响，也不影响施工。

（6）穿越地面建筑群和地下管线密集的区域时，对周围环境影响小。

（7）只要设法使盾构的开挖面稳定，则隧道越深、地基越差、土中影响施工的埋设物等越多，与明挖法相比，经济上、施工进度上越有利。

（8）盾构施工机械化程度高，其对地层的适应性好。

（9）能够承受围岩压力，施工安全。

（10）施工工期短。

3. 盾构法的适用条件

（1）在松软含水地层，相对均质的地质条件下。

（2）盾构法施工隧道应有足够的埋深，覆土深度宜不小于 6m。

(3) 地面上必须有修建用于盾构进出洞和出土进料的工作井位置。

(4) 隧道之间或隧道与其他建（构）筑物之间所夹土（岩）体加固处理的最小厚度为水平方向 1.0m，竖直方向 1.5m。

(5) 工程造价低，从经济角度讲，连续的盾构施工长度不宜小于 300m。

4. 盾构法施工设备

盾构是用来开挖土砂类围岩的隧道机械，由切口环、支撑环及盾尾三部分组成，也称盾构机械。不同的地质条件应采用不同形式的盾构设备，盾构设备的正确选型是决定盾构法隧道施工成败的关键。

盾构机的种类繁多，按开挖面是否封闭划分有密闭式和敞开式两类；按平衡开挖面的土压与水压的原理不同，密闭式盾构机分为土压式（常用泥土压式）和泥水式两种。土压式盾构，以土压和塑流性改良控制为主，辅以排土量、盾构参数控制。泥水式盾构，以泥水压和泥浆性能控制为主，辅以排土量控制。

5. 盾构施工准备

(1) 盾构施工前的准备工作

1) 技术准备

① 图纸会审和技术交底。

② 现场及周围环境调查，包括：自然条件的检查、技术经济条件的调查和现场的调查。

③ 补充勘察查明岩土物理力学性质，尤其是岩石的抗压强度。

④ 沿线建筑物、构筑物、管线调查及保护。

⑤ 拟订施工方案，主要包括施工方法的确定、施工机具的选择和施工顺序的确定。

⑥ 编制施工组织设计。

⑦ 建立健全各项管理制度。

2) 组织准备

① 项目部组织机构。

② 文明施工管理机构。

③ 安全施工管理机构。

④ 技术及质量管理机构。

3) 物资准备

① 材料的准备。

② 构件的准备。

③ 施工机械的准备。

4) 现场准备

① 施工控制测量。

② 搞好"四通一平"。

③ 建造临时设施。

④ 安装调试施工机具。

⑤ 材料的试验和物资的堆放。

⑥ 冬期、雨期、高温期施工安排。

⑦ 建立消防、保卫措施。
⑧ 建立健全施工现场管理制度。
⑨ 新技术项目的试制和试验。
⑩ 办理同意施工的手续。
⑪ 施工现场准备盾构工作井、盾构基座、反力架（后座）、人行楼梯和井内工作平分措施和盾构施工地面辅助设施等。

(2) 施工现场平面布置
1) 施工现场平面图布置的内容

施工现场平面图的编制需根据市政工程的特点，充分考虑施工各阶段的变化，必要时，可编制阶段性的平面图，便于施工管理。施工现场平面图应包括以下内容。

① 临时设施的位置和平面轮廓。
② 周边隐患的位置和安全距离。
③ 道路和主要交通道口。
④ 施工围护和主要交通警示标志。
⑤ 大型设备、机具的位置和安全作业半径。
⑥ 材料、土方堆置和运输的线路。
⑦ 施工临时供电线路和变配电设施的位置。
⑧ 安全消防、给水排水、排污设施。
⑨ 应急避险场所的位置。
⑩ 绿化区域的设置。

2) 施工现场平面布置（图 8-11）

(3) 端头加固施工

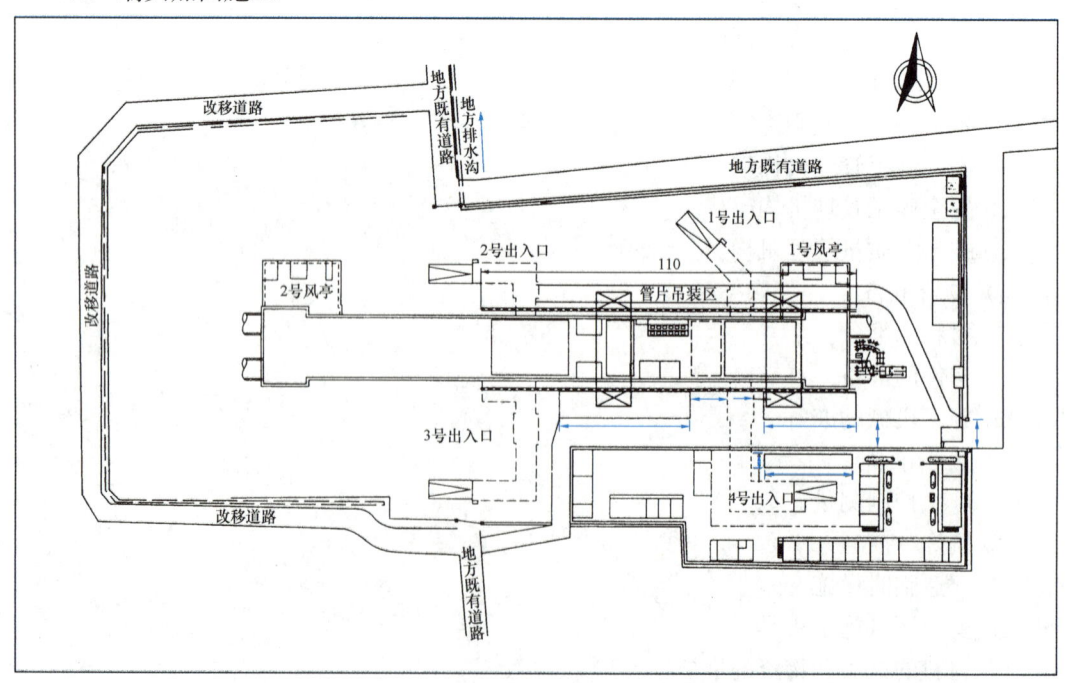

图 8-11　施工现场平面布置图

1) 深层搅拌加固
① 深层搅拌桩施工程序如图 8-12 所示。

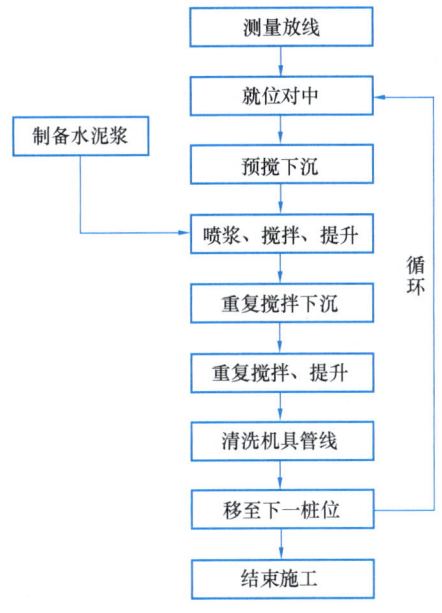

图 8-12 搅拌桩施工程序图

② 深层搅拌桩施工工艺流程。
深层搅拌桩施工工艺流程如图 8-13 所示。

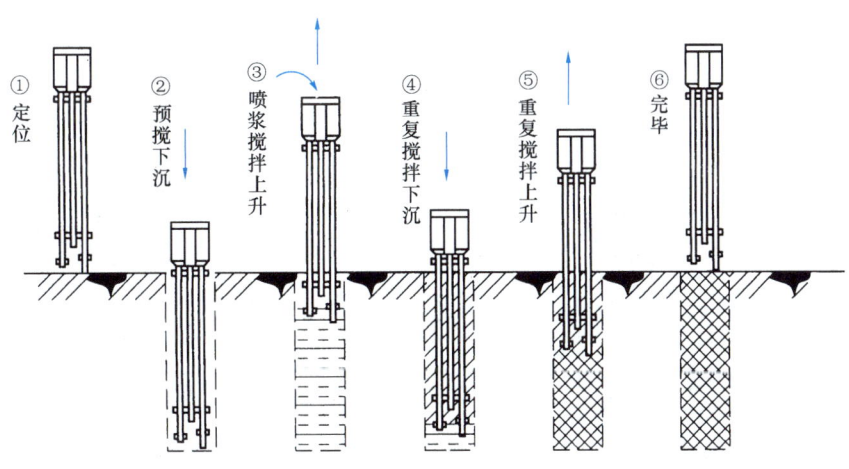

图 8-13 搅拌桩施工工艺流程图

2) 旋喷桩加固
① 高压旋喷桩施工工艺流程如图 8-14 所示。
② 高压旋喷桩施工工艺。
A. 平整场地，清除地下障碍物，对地下管线迁移或保护，测定旋喷桩桩位。
B. 采用 XY-100 型钻机，钻孔至设计孔底标高以下 0.3m 处，成孔检验合格后钻机移至下一桩位。

C. 旋喷机就位，调试水、水泥浆压力和流量满足设计要求。

D. 下管旋喷，提升速度为 0.15cm/min，注浆压力大于 1MPa，流量大于 60L/min，水压 28MPa，气压 0.6MPa，浆液配方试验确定。

E. 旋喷至设计顶标高以上 0.3～0.8m 处停机，将旋喷管提出地面。

3）冷冻法加固

冷冻法是将自然状态下不均匀的地层通过冻结变成具有均匀力学性质的冻土。其优点是加固效果好，且冻土墙还能用温度来控制，可以确保长期处于稳定状态，加固范围与高压注浆法一样，按一般临时建筑物来计算。

（4）盾构始发准备

盾构始发是引用反力架和负环管片，将始发基座上的盾构机由始发竖井推入地层，开始沿设计线路掘进的一系列作业。

1）始发流程

盾构机始发流程如图 8-15 所示。

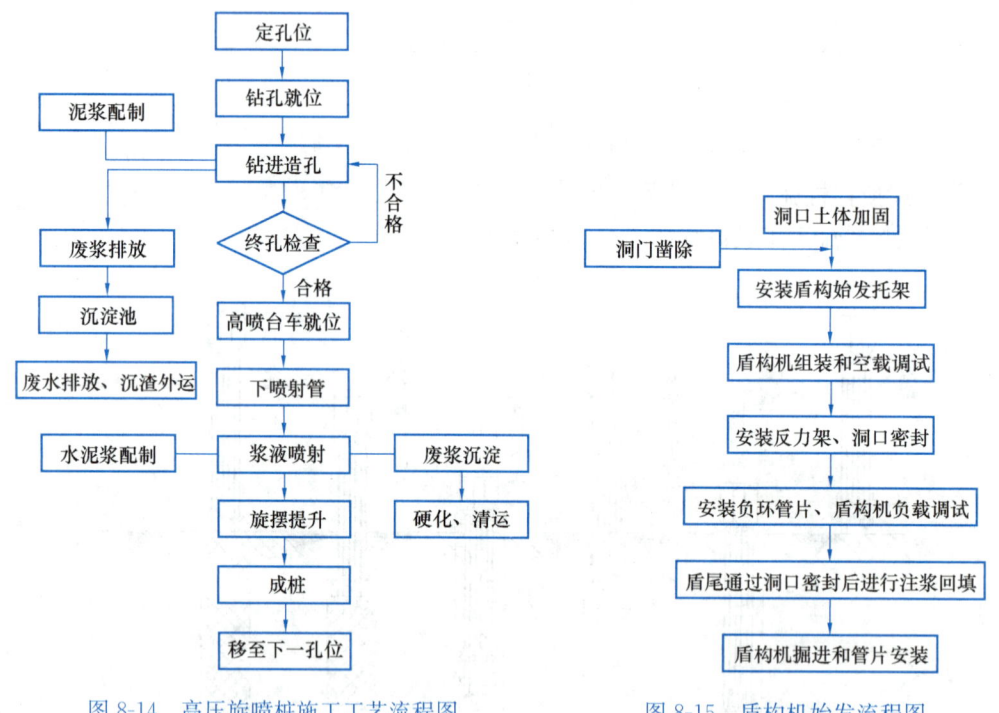

图 8-14　高压旋喷桩施工工艺流程图　　图 8-15　盾构机始发流程图

2）洞门的凿除

由于盾构机对硬岩的破碎能力有限，为了保护盾构刀盘和电动机，始发或到达前需要将洞门端头围护结构进行凿除。

3）始发设施的安装

① 始发托架安装。

② 洞门密封。

③ 始发设施加固预埋件安装。

④ 反力架安装。

(5) 盾构组装与调试

1) 盾构组装顺序（表 8-4）

盾构组装顺序　　　　　　　　　　表 8-4

序号	步骤	施工顺序	说明
1	组装始发台、托架	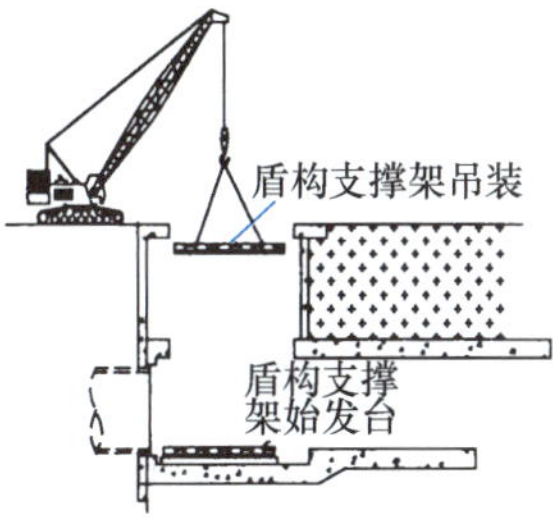	1. 盾构运输到施工场地； 2. 组装盾尾、焊接盾尾及盾尾密封刷； 3. 组装第五号台车，临时托架吊入井内； 4. 洞内铺设轨道
2	组装五节台车	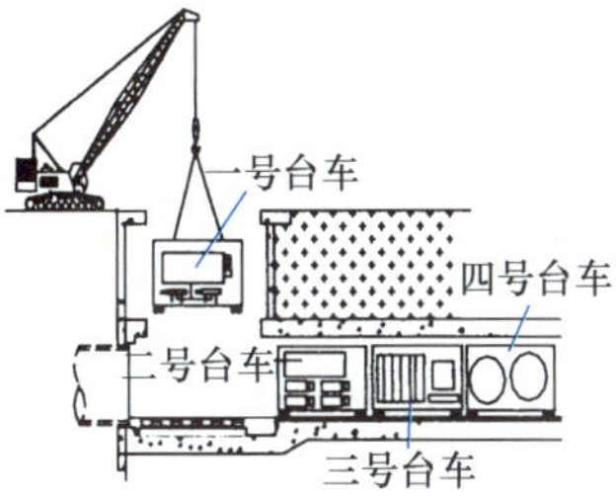	1. 第四号台车吊入井内，同时组装第三号台车并送到井口； 2. 将第三号台车吊入井内，同时完成第二号台车的组装及井内第三、第四号台车的连接； 3. 依此类推，完成四节台车的组装下井及连接；其中，各个环节吊入井内台车的后移配合进行
3	组装桥架	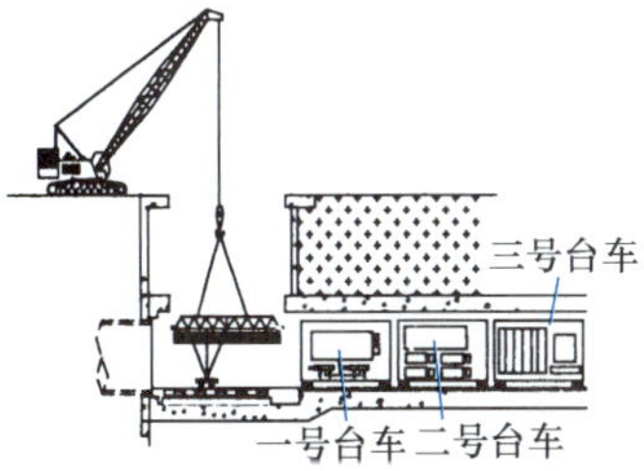	1. 第四号台车吊入井内的同时对桥架进行组装； 2. 桥架吊入井内
4	吊装螺旋输送机	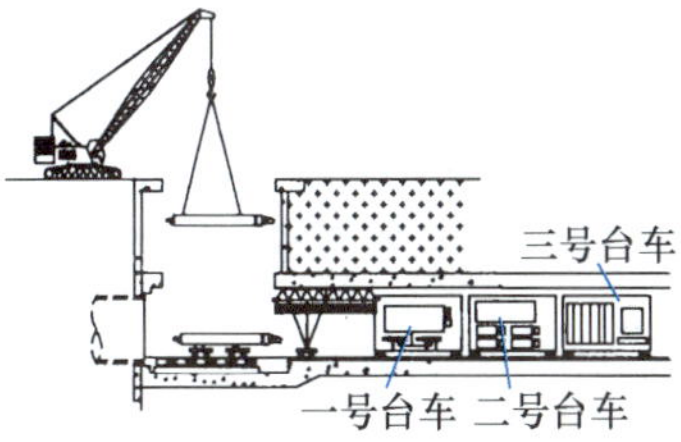	1. 完成桥架与后配台车的连接； 2. 螺旋输送机吊入井内

续表

序号	步骤	施工顺序	说明
5	吊装中盾		1. 螺旋输送机后移; 2. 中盾吊入井内
6	组装前盾与中盾		1. 中盾后移; 2. 前盾吊入井内
7	组装刀盘		1. 前盾与中盾的连接及后移; 2. 刀盘吊入井内
8	组装管片拼装机、盾尾		1. 主机连接及前移; 2. 管片拼装机及盾尾的吊入井内及拼装
9	组装螺旋输送机		1. 螺旋输送机前移; 2. 螺旋输送机吊起及组装

续表

序号	步骤	施工顺序	说明
10	设备连接、安装反力架	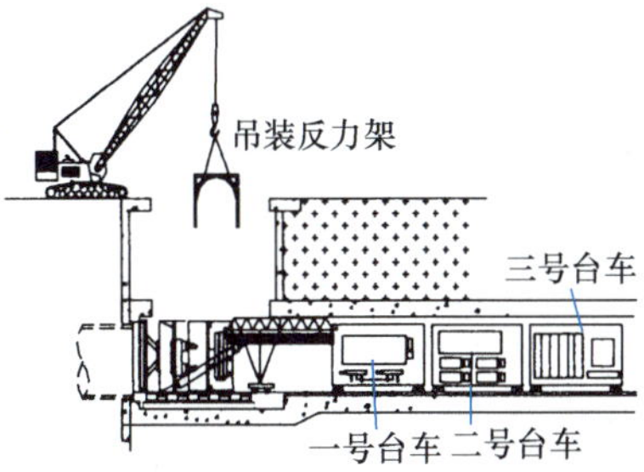	1. 反力架吊入井内； 2. 安装反力架； 3. 盾构机设备的连接
11	完成组装、准备始发	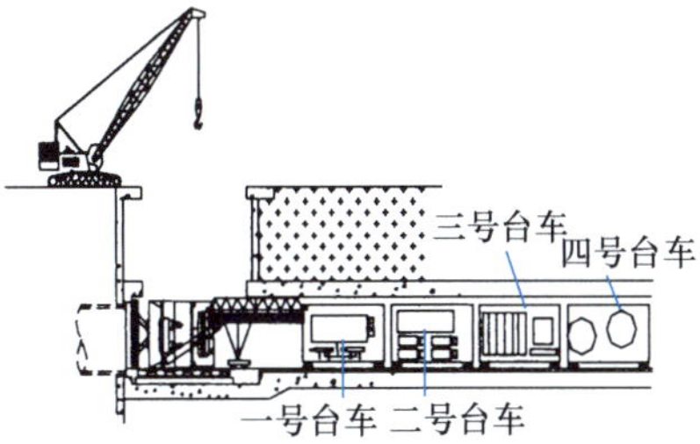	1. 完成组装； 2. 盾构机调试，准备始发

2）盾构调试

① 空载调试。

② 负载调试。

6. 盾构法施工方法

(1) 盾构法施工程序

1) 在盾构法隧道的始发端和接收端各建一个工作（竖）井；

2) 盾构在始发端工作井内安装就位；

3) 依靠盾构千斤顶推力（作用在已拼装好的衬砌环和工作井后壁上）将盾构从始发工作井的墙壁开孔处推出；

4) 盾构在地层中沿着设计轴线推进，在推进的同时不断出土和安装衬砌管片；

5) 及时地向衬砌背后的空隙注浆，防止地层移动和固定衬砌环位置；

6) 盾构进入接收工作井并被拆除，如施工需要，也可穿越工作井再向前推进。

(2) 盾构法施工方法

1) 盾构机的出发与到达

盾构机出发前，首先要正确地安装就位，使之贯入围岩并沿着规定的路线，周密地进行推进。进出洞时，均要保证不能给竖井的挡土结构背面、周围路面、埋设物等带来不良形影响。

出发是指使用安装在竖井内临时组装的管片、反力架等设备，把盾构机在座架上推进，从出发口处贯入到围岩，沿着规定的路线开始推进的一系列作业。

盾构机出发作业的安装施工要点如下：

① 盾构机的安装。安装是把盾构机组装在竖井内设置的座架上，进入设定的位置。设定位置是以设计的中心位置及高度为主，进行若干修正而求出的。

② 反力架设备。该设备主要是以临时组装的管片和型钢为主材,为保证其能承受必需的推力需具有充足的强度和不发生有害变形的刚度。临时组装的管片,需要确保临时安装的形状,以免给其后组装的正式管片的组装精度带来不良影响。

③ 出发口。出发口的开口作业引起围岩坍塌的危险较大,所以,必须按小分片拆除临时挡土墙体,在盾构机前面及时支护,施工要迅速而慎重地进行。通常,在靠近出发口处设置入口密封圈或浇筑洞口混凝土,以确保施工的可靠性和安全性。在设置入口密封圈时,需要充分注意其材质、形状和尺寸等。

④ 出发方法。必须根据安全法、经济性、工程进度等,同时考虑土质、地下水、盾构机形式、覆土厚度、作业环境等条件来决定出发方法。

到达是指把盾构机推进到竖井的到达面为止,而后,从事先准备的井口把盾构机拉出到竖井内,或者推进到到达面位置。

2) 土体开挖与推进

开挖与推进过程中应注意:

① 正确选择推进千斤顶的个数与配置,以确保所需的推力。

盾构机是在千斤顶的推力作用下前进的。推进方法是由采用的推力、施加的位置来决定的,必须事先考虑曲线、坡度等来选择千斤顶的个数和位置。也有时,在曲线、坡度、蛇行修正等场所,只用单侧的千斤顶推进。考虑这些因素决定千斤顶的单体推力、个数、配置及一定的富余量。

② 不得破坏开挖面的稳定。

闭胸式盾构机同时进行开挖和推进。要确保开挖面的稳定,避免发生过量取土和压力舱内堵塞,应使开挖和推进速度相协调。另一方面,敞胸式盾构机要根据围岩的情况,开挖后立即推进或与开挖同时推进,以免开挖面发生破坏。管片组装完后,要尽快地进行开挖、推进,而且要尽量减少开挖面的暴露时间。

③ 不能损坏管片等后方结构物。

推进时,最好在考虑了管片强度的基础上,尽量减小每台千斤顶推力。为了减小每台千斤顶的推力,尽量使用更多的千斤顶来产生所需的推力。在曲线部分、坡度变化部分、蛇行修正部分等不得不使用部分千斤顶时,也要注意尽量使用多个千斤顶。

当需要采用的推力可能损伤管片等后方结构物时,必须对管片进行加固。不得已时,闭胸式盾构机可使用全面外扩式或部分外扩式超挖刀进行超挖;而敞胸式盾构机在确保开挖面稳定的基础上进行超前开挖。

④ 防止横向、纵向和转动偏差的发生。

在盾构机推进时,要正确掌握盾构机的位置和方向,同时,使推力作用在适当的位置。为使盾构机中心线和管片面尽量正交,在推进时可采用锥形管片或者锥形管片环。

盾构机的横向偏差、纵向偏差、转动偏差,往往是由于围岩阻力、千斤顶操作误差、盾构机的机构特性、土质变化、管片钢管、测量误差等综合因素引起的。要根据通过测量取得的数据,提前进行修正。

由于软弱地基或管片的结构等原因,使盾构机发生前端低头时,对闭胸式盾构机来说,一般是对下侧的千斤顶加朝上的力矩同时一边向前推进;而对于敞胸式盾构机来说,一般采用在盾构机前端底部浇筑混凝土、进行化学加固等方法进行地基改良,或在盾构机前面底部加上抗力板等方法来推进。

另外，敞胸式盾构机在方向急剧变化时，对于可进行超前开挖的土质，也有时采用先进行超前开挖再进行推进的方法。对长径比大的盾构机，因为难以弯曲，可借用反力板辅助。

横向、纵向和转动偏差要用测锤、倾斜仪、回转罗盘、经纬仪等来检测并适当选定千斤顶来进行修正。对于闭胸式盾构机，转动偏差多通过改变刀盘的旋转方向，施加反向的旋转力矩进行修正，转动偏差的发生会引起施工效率的下降。

3) 衬砌拼装与防水

软土层盾构法施工的隧道，多采用预制拼装衬砌形式；少数采用复合式衬砌或挤压混凝土整体式衬砌。

预制拼装衬砌通常由称作"管片"的多块弧形预制构件拼装而成，为闭合拼装方便，通常将管片分成 A、B 和 K 三种类型，K 型管片又有半径方向插入与轴向插入之分（图 8-16）。衬砌环的拼装程序有"先纵后环"和"先环后纵"两种。先环后纵法是拼装前缩回所有千斤顶，将管片拼成圆环，然后用千斤顶使拼好的圆环沿纵向已安好的衬砌靠拢连接成洞。此法拼装，环面平整纵缝质量好，但可能形成盾构机后退。先纵后环因拼装时只缩回该管片部分的千斤顶，其他千斤顶则轴对称地支撑或升压，所以可有效地防止盾构机后退。

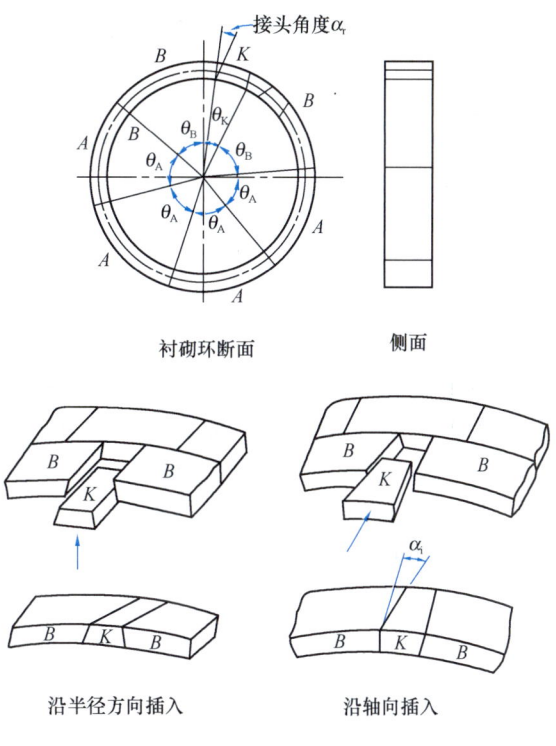

图 8-16 预制管片拼装方式

含水土层中盾构法施工，其钢筋混凝土管片支护除应满足强度要求外，还应解决防水问题。管片拼接缝是防水的关键部位，目前多采用纵缝、环缝设防水密封垫的方式。防水材料应具备抗老化性能，在承受各种外力而产生往复变形的情况下，应有良好的黏着力、弹性复原力和防水性能。特种合成橡胶比较理想，实际应用较多。

衬砌完成后，盾尾与衬砌间的建筑空隙需及时充填，通常采用壁后压浆，以防止地表沉降，改善衬砌受力状态，提高防水能力。

4) 刀具的更换

刀具在掘进过程中，刀刃因磨损超限或脱落、缺损、偏磨时，必须进行及时更换。刀具可分为切刀、刮刀、撕裂刀和滚刀等，分别适用于不同的地质条件。刀具的更换有常压换刀和带压换刀。

5) 洞内出渣、运输及弃土外运

① 洞内水平运输。

洞内运输一般采用重载编组列车，配备两列。每列车由变频电机车牵引渣车、砂浆车和管片车组成，列车编组如图8-17所示。盾构掘进每循环的出渣进料运输任务可由一列编组列车完成。

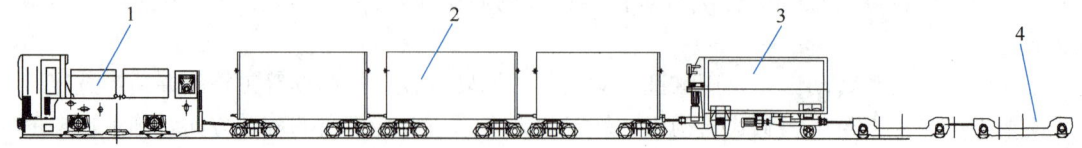

图8-17 重载列车编组示意图

1—电机车；2—渣车；3—砂浆车；4—管片车

② 垂直运输。

垂直运输分为施工材料与渣土垂直运输，由门吊进行装卸和垂直起吊。

③ 渣土外运。

6）隧道通风、循环供水和照明

① 隧道通风。

根据盾构施工的特点，在施工中采用压口入式通风来解决防尘、降温及人员、设备所需要的新鲜空气。

② 隧道给水排水。

盾尾里的积水，用排污泵加装钢管排水管把水直接抽至洞外沉淀池。为防止富水区涌水，在盾构机下部一侧设两台备用排水泵。为满足供水要求，洞内设置供水管。

③ 隧道照明。

7）盾构机到达、解体和退场

① 盾构机到达。

盾构机到达是指从盾构机到达下一站（掉头井）之前50m到盾构机贯通区间隧道进入车站盾构机被推上接受基座的整个施工过程。

② 盾构机解体。

A. 先清除刀盘泥渣。

B. 断开盾构机风、水、电供应系统。

C. 管线与小型组件拆除。

D. 盾构主机吊出工作井，运往指定地点再组装或拆卸、解体、检修、包装。

E. 后配套系统分节吊出。

F. 零部件清理、喷漆、包装、储存。

③ 盾构机退场。

7. 盾构法施工控制

（1）盾构进出洞控制

地铁盾构施工中，盾构进出洞是盾构法施工的重要环节之一。进出洞口外侧的土体一般要进行改良，使土体的抗剪、抗压强度提高，透水性降低，自身具有保持短期稳定的能力。

盾构到达段必须做好盾构轴线的方向传递测量和接收盾构的准备工作，推进轴线应控制在到达要求的偏差范围内，洞口封门必须严格按照工艺要求拆除。

(2) 盾构隧道的线形控制

线形控制的主要任务是通过控制盾构姿态，使构建的衬砌结构几何中心线线形顺滑，且偏离设计中心线的距离在容许误差范围内。

1) 掘进控制测量

随着盾构掘进，对盾构及衬砌的位置进行测量，以把握其偏离设计中心线的程度。测量项目包括：盾构的横向偏差、竖向偏差、俯仰角、方位角、滚转角和切口行程；盾尾间隙和衬砌环中心坐标、底部高程、水平直径、垂直直径、前端面里程等。

2) 方向控制

掘进过程中，主要对盾构姿态以及拼装管片的位置进行控制。

盾构方向修正依靠调整盾构千斤顶使用数量和设定刀盘回转力矩进行。

(3) 开挖控制

开挖控制的目的是确保开挖面稳定。

土压平衡盾构通过前端刀盘切削开挖面土层，切削下来的土体流入土仓，由于推进作用，使切削土体对开挖面加压，以平衡开挖面土水压力。盾构的实际排土量应与推进时切削下来的土量相等。要想保持盾构正常推进，土体应该具有一定的流塑性和抗渗性。

泥水平衡盾构是在机械式盾构刀盘的后方设置一道封闭隔板，隔板与刀盘间的空间称为泥水舱。前端刀盘切削下来的土砂进入泥水舱，经搅拌装置搅拌后形成高浓度泥水，经泥浆泵泵送到地表的泥水分离系统，待土、水分离后，再把滤除掘削土砂后的泥水经适当处理后重新送回泥水舱。同时，通过推进力把泥水舱内泥水压力传递到开挖面，以维持开挖面稳定。

(4) 土压（泥水压）控制

开挖面的土压（泥水压）控制值，按地下水压（间隙水压）＋土压＋预备压设定。

计算土压（泥水压）控制值时，一般沿隧道轴线取适当间隔（例如20m），按各断面的土质条件，计算出上限值与下限值，并根据施工条件在其范围内设定。土体稳定性好的场合取低值，地层变形要求小的场合取高值。

（上限值）P_{max}＝地下水压＋静止土压＋预备压

（下限值）P_{max}＝地下水压（＋主动土压或松弛土压）＋预备压

为使开挖面稳定，土压（泥水压）变动要小；变动大的情况下，一般开挖面不稳定。

(5) 泥浆性能控制

泥水平衡式盾构掘进时，泥浆起着两方面的重要作用：一是依靠泥浆压力在开挖面形成泥膜或渗透区域，开挖面土体强度提高，同时泥浆压力平衡了开挖面土压和水压，达到了开挖面稳定的目的；二是泥浆作为输送介质，担负着将所有挖出土砂运送到工作井外的任务。因此，泥浆性能控制是泥水平衡式盾构施工的最重要因素之一。

泥浆性能包括：物理稳定性、化学稳定性、相对密度、黏度、pH、含砂率。

(6) 排土量控制

1) 开挖土量计算

单位掘进循环（一般按一环管片宽度为一个掘进循环）开挖土量当使用仿形刀或超挖刀时，应计算开挖土体积增加量。

2) 土压平衡式盾构出土运输方法与排土量控制

土压平衡式盾构的出土运输（二次运输）一般采用轨道运输方式。

土压平衡式盾构排土量控制方法分为质量控制与容积控制两种。质量控制有检测运土车质量、用计量漏斗检测排土量等控制方法。容积控制一般采用比较单位掘进距离开挖土砂运土车台数的方法和根据螺旋输送机转数推算的方法。我国目前多采用容积控制方法。

3）泥水平衡式盾构排土量控制

泥水平衡式盾构排土量控制方法分为容积控制与干砂量（干土量）控制。

(7) 管片拼装控制

1）拼装方法

① 拼装成环方式。

盾构推进结束后，迅速拼装管片成环。除特殊场合外，大都采取错缝拼装。在纠偏或在曲线施工的情况下，有时采用通缝拼装。

② 拼装顺序。

一般从下部的标准（A型）管片开始，依次左右两侧交替安装标准管片，然后拼装（B型）管片，最后安装楔形（K型）管片。

③ 盾构千斤顶操作。

拼装时，若盾构千斤顶同时全部缩回，则在开挖面土压的作用下盾构会后退，开挖面不稳定，管片拼装空间也将难以保证。因此，随管片拼装顺序分别缩回盾构千斤顶非常重要。

④ 紧固连接螺栓。

先紧固环向（管片之间）连接螺栓，后紧固轴向（环与环之间）连接螺栓。采用扭矩扳手紧固，紧固力取决于螺栓的直径与强度。

⑤ 楔形管片安装方法。

楔形管片安装在邻接管片之间，为了不发生管片损伤、密封条剥离，必须充分注意正确地插入楔形管片。为方便插入楔形管片，可装备能将邻接管片沿径向向外顶出的千斤顶，以增大插入空间。

拼装径向插入型楔形管片时，楔形管片有向内的趋势，在盾构千斤顶推力作用下，其向内的趋势加剧。拼装轴向插入型楔形管片时，管片后端有向内的趋势，而前端有向外的趋势。

⑥ 连接螺栓再紧固。

一环管片拼装后，利用全部盾构千斤顶均匀施加压力，充分紧固轴向连接螺栓。

盾构继续掘进后，在盾构千斤顶推力、脱出盾尾后土（水）压力的作用下，衬砌产生变形，拼装时紧固的连接螺栓会松弛。为此，待推进到千斤顶推力影响不到的位置后，用扭矩扳手等，再一次紧固连接螺栓。

2）真圆保持

管片拼装呈真圆，并保持真圆状态，对于确保隧道尺寸精度、提高施工速度与止水性及减少地层沉降非常重要。

管片环从盾尾脱出后，到注浆浆体硬化到某种程度的过程中，多采用真圆保持装置。

3）管片拼装误差及其控制

管片拼装时，若管片间连接面不平行，导致环间连接面不平，则拼装中的管片与已拼管片的角部呈点接触或线接触，在盾构千斤顶推力作用下，发生破损（图8-18）。为此，拼装管片时，各管片连接面要拼接整齐，连接螺栓要充分紧固。

另外，盾构掘进方向与管片环方向不一致时，盾构与管片产生干涉，将导致管片损伤或变形。为防止管片损伤，预先要根据曲线半径与管片宽度对适宜的盾构方向进行控制。

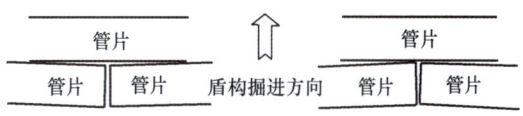

图 8-18 管片环间连接面不平状况示意图

盾构纠偏应及时连续，过大的偏斜量不能采取一次纠偏的方法，纠偏时不得损坏管片，并保证后一环管片的顺利拼装。

4）楔形环的使用

在盾构工程中，除曲线施工外，为进行蛇行修正，也可使用楔形环管片。

5）管片上浮的控制

① 采用快凝浆液注浆，尽快封闭管片与地层的间隙，防止隧道上浮。

② 同步注浆注意注浆的同步性和均匀性，根据总的方量计算，每 100mm 需注入33～40 个冲程量，注浆时均等注入空隙，同时做到上部的两个注浆管的注浆量要为总的注浆量的 3/4。

③ 在同步注浆的基础上，结合聚氨酯注浆在隧道周围形成环箍，每隔 10m 打一道环箍，使隧道纵向形成间隔的止水隔离带，以减缓、制约隧道上浮。

④ 加强测量和监测的频率，并及时调整盾构姿态，适当将轴线降低掘进。

(8) 注浆控制

注浆是向管片与围岩之间的空隙注入填充浆液，向管片外压浆的工艺，应根据所建工程对隧道变形及地层沉降的控制要求选择同步注浆或壁后注浆，一次压浆或多次压浆。

1）注浆目的

管片拼装完成后，随着盾构的推进，管片与洞体之间出现空隙，如不及时充填，地层因应力释放而产生变形，其结果发生地面沉降，邻近建（构）筑物沉降、变形或破坏等。注浆的主要目的：

① 抑制隧道周边地层松弛，防止地层变形。

② 使管片环及早安定，千斤顶推力能平滑地向地层传递，作用于管片的土压力平均。减小作用于管片的应力和管片变形，盾构的方向容易控制。

③ 形成有效的防水层。

2）注浆材料的性能

一般对注浆材料的性能有如下要求：

① 流动性好；

② 注入时不离析；

③ 注浆材料结石率高、结石体强度高、耐久性好，具有均匀的高于地层土压的早期强度；

④ 良好的充填性；

⑤ 注入后体积收缩小；

⑥ 阻水性和耐腐蚀性强；

⑦ 适当的黏性，以防止从盾尾密封处漏浆或向开挖面回流；

⑧ 不污染环境。

3）一次注浆

一次注浆分为同步注浆、即时注浆和后方注浆三种方式。

① 同步注浆。

同步注浆是在空隙出现的同时进行注浆、填充空隙的方式，分为从设在盾构的注浆管注入和从管片注浆孔注入两种方式。前者，其注浆管安装在盾构外侧；后者，管片从盾尾脱出后才能注浆。

② 即时注浆。

一环掘进结束后从管片注浆孔注入的方式。

③ 后方注浆。

掘进数环后从管片注浆孔注入的方式。

一般盾构直径大，或在冲积黏性土和砂质土中掘进，多采用同步注浆；而在自稳性好的软岩中，多采取后方注浆方式。

4）二次注浆

二次注浆是以弥补一次注浆缺陷为目的进行的注浆。具体作用如下：

① 补足一次注浆未充填的部分；

② 填充由浆体收缩引起的空隙；

③ 以防止周围地层松弛范围扩大为目的的补充。

以上述①与②为目的的二次注浆，多采用与一次注浆相同的浆液；若以③为目的，多采用化学浆液。

5）注浆量与注浆压力

注浆控制分为压力控制与注浆量控制两种。压力控制是保持设定压力不变，注浆量变化的方法。注浆量控制是注浆量一定，压力变化的方法。一般仅采用一种控制方法。

① 注浆量。

注浆量除受浆液向地层渗透和泄漏影响外，还受曲线掘进、超挖和浆液种类等因素影响，不能准确确定。

② 注浆压力。

注浆压力应根据土压、水压、管片强度、盾构形式与浆液特性综合判断决定，但施工中通常基于施工经验确定。

从管片注浆孔注浆，注浆压力一般取 $100\sim300kN/m^2$（$1\sim3kg/cm^2$），或间隙水压＋$200kN/m^2$ 左右。

注浆量与注浆压力要经过一定的反复试验后确认。

(9) 当遇到以下几种情况时，应及时处理：

1）盾构前方地层发生坍塌或遇有障碍；

2）盾构本体滚动角不小于 3°；

3）盾构轴线偏离隧道轴线不小于 50mm；

4）盾构推力与预计值相差较大；

5）管片严重开裂或严重错台；

6）壁后注浆系统发生故障无法注浆；

7) 盾构掘进扭矩发生异常波动；

8) 动力系统、密封系统、控制系统等发生故障。

8. 盾构法施工存在的问题

(1) 当隧道曲线半径过小时，施工较为困难。

(2) 在陆地建造隧道时，如隧道覆土太浅，则盾构法施工困难很大，而在水下时，如覆土太浅，则盾构法施工不够安全。

(3) 盾构施工中采用全气压方法以疏干和稳定地层时，对劳动保护要求较高，施工条件差。

(4) 盾构法隧道上方一定范围内的地表沉陷尚难完全防止，特别在饱和含水松软的土层中，要采取严密的技术措施才能把沉陷限制在很小的限度内。

(5) 在饱和含水地层中，盾构法施工所用的拼装衬砌，对达到整体结构防水的技术要求较高。

8.3 高架轨道交通施工

8.3.1 高架桥施工

高架桥施工主要包括基础施工、承台、立柱、盖梁施工和附属结构施工等部分。

1. 高架桥基础施工

高架桥的基础工程结构形式和施工方法大致可以归纳为扩大基础、桩基础和管桩（柱）基础几种，一般采用桩基础。表8-5列出常用的高架桥基础施工方法及其优缺点。

高架桥基础施工方法一览表　　　　表8-5

序号	施工方法		环境、场地、技术要求	优点	缺点	发展方向
1	明挖扩大基础		施工场地开阔、持力地层较浅，中小型桥涵基础，地层软弱时，辅以降水、围堰、支撑、水下浇筑混凝土	施工速度快，大面积施工，便于机械化施工，造价低	污染环境，阻断交通航运	① 有效井点或深层深井泵降水系统；② 钢板桩、预制桩、SMW法支护
2	桩基础	打入桩	市郊，远离居民，软黏土、粉砂、砂砾，承载基岩较深	施工速度快，质量有保证，承载力较高	振动、挤土影响大，噪声大，桩截面有限	① 发展轻型、易于拆卸安装、效率高的沉桩机；② 发展振动、射水等对土体、环境干扰小的机械；③ 大口径钻机、无泥浆成孔、适应各类土层施工
		静压桩	市区，房屋建筑相对远离，软黏土、粉质黏土，承载基岩较深	施工速度较快，单桩的承载力较高	挤土明显，单桩承载力有限制	
		钻孔灌注桩（挖孔桩）	市区，黏土、软岩、砂土、砾石各类地层，挖孔桩相对较浅，如广州、南京；钻孔灌注桩可以较深，如上海	适应各种土层中的施工，桩径可大可小，单桩的承载力大，挖孔桩施工灵活	泥浆污染，施工质量有时难以保证	

续表

序号	施工方法	环境、场地、技术要求	优点	缺点	发展方向
3	管桩（柱）基础	地质条件复杂、深水、岩面不平	适于复杂地质条件，预制分节下沉接高，便于机械化施工，效率高	工艺较复杂，水中施工需要有船队配合	预制大型混凝土管桩、钢管桩施工工艺研究

用于高架结构的桩基础施工主要采用灌注桩。

灌注桩是在施工现场的桩位上采用机械或人工成孔，然后在孔内浇筑混凝土（或钢筋混凝土）。根据成孔方法的不同可分为：钻孔、挖孔和冲孔灌注桩，套管成孔灌注桩，爆扩成孔灌注桩等。其施工过程如图 8-19～图 8-22 所示。

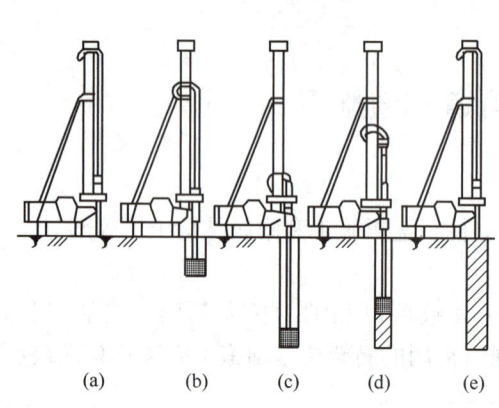

图 8-19 粉体喷射深层搅拌桩施工示意图
(a) 对准桩位；(b) 正转下降；(c) 钻至设计深度；
(d) 反转喷灰搅拌提升；(e) 桩柱制成

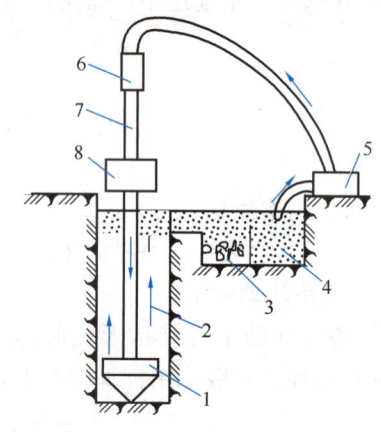

图 8-20 正循环钻机成孔施工示意图
1—钻头；2—泥浆循环方向；3—沉淀池及沉渣；
4—泥浆池及泥浆；5—泥浆泵；6—水龙头；
7—钻杆；8—钻孔固转装置

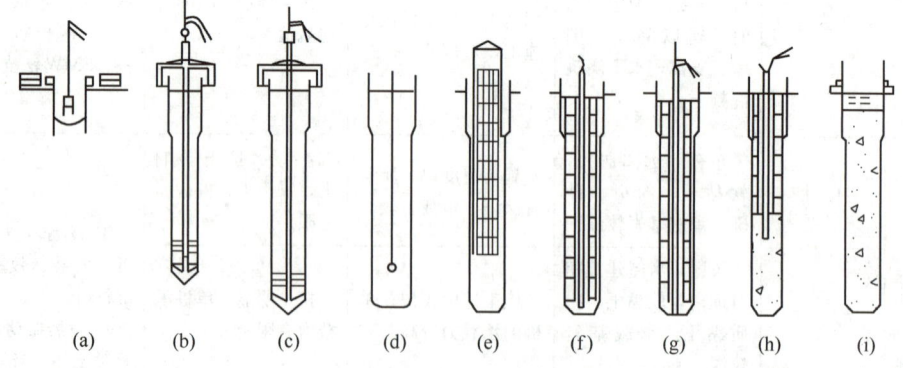

图 8-21 反循环钻孔灌注桩施工示意图
(a) 设置护筒；(b) 安装钻机、钻挖；(c) 钻挖终了，处理虚土；(d) 孔壁测定；(e) 插入钢筋笼；
(f) 插入导管；(g) 第二次处理虚土；(h) 灌注混凝土；(i) 拔出导管；(i) 拔出护筒

钻孔灌注桩一般采用 C25 级混凝土，成孔时采用原土造浆正循环方法。对于 $\phi1500mm$ 桩，在钻进到孔的设计深度后使用反循环泵进行清洗。当桩尖持力层为粉细砂

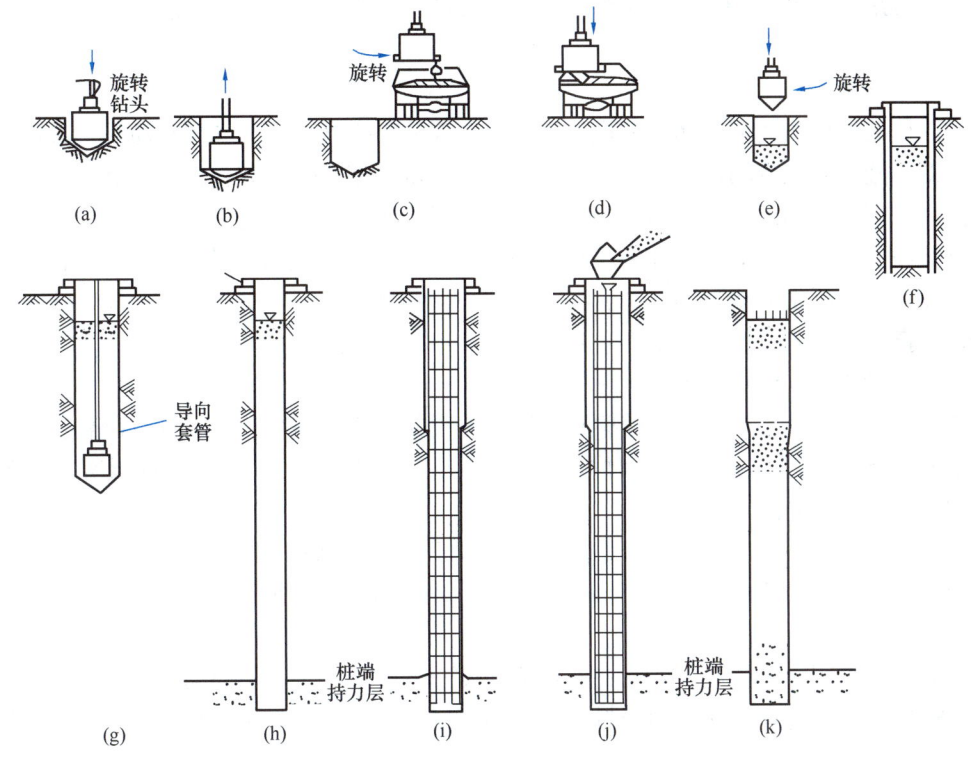

图 8-22　钻斗钻机灌注桩施工示意图

(a) 开孔；(b) 卷起钻头，开始灌水；(c) 卸土；(d) 关闭钻头；(e) 钻头下降；(f) 埋设导向护筒，灌入泥浆；(g) 钻进开始；(h) 钻进完成，第一次清渣测定深度和孔径；(i) 插入钢筋笼；(j) 插入导管，灌注混凝土；(k) 混凝土灌注完成，拔出导管，拔出护筒，桩完成

层且孔径较大时，为保持孔壁稳定，防止孔底坍塌，钻进时采用较浓的泥浆。特别是在孔深 30m 以后进入粉细砂层时，泥浆相对密度应在 1.25～1.35，待灌注混凝土前的二次清孔时再将相对密度调整至规范允许值。当钻进到设计高程后，利用钻机反循环系统的泥浆泵持续吸渣，使孔底沉渣基本清除，并同步灌入相对密度较小的泥浆。

钻孔灌注桩的施工，因其所选护壁形式的不同，有泥浆护壁方式和全套管施工方式两种。

① 泥浆护壁施工。冲击钻孔、冲抓钻孔和回转钻削成孔等均可采用泥浆护壁施工，施工的过程是：平整场地→泥浆制备→埋设护筒→铺设工作平台→安装钻机并定位→钻进成孔→清孔并检查成孔质量→下放钢筋笼→灌注水下混凝土→拔出护筒→检查质量。

② 全套管施工。全套管施工的施工过程是：整平场地→铺设工作平台→安装钻机→压套管→钻进成孔→安放钢筋笼→放导管→浇筑混凝土→拉拔套管→检查成桩质量。

2. 承台、立柱及盖梁施工

(1) 承台施工

承台土方开挖到桩顶标高时，要改为人工挖土，避免抓斗破坏桩头。为防止土方塌陷，应采取放坡、加木支撑等支护方式。当承台位于边滩范围内、承台底标高高于边滩底标高时，挖除剩余淤泥，填充碎石，清理积水后再浇筑混凝土。

承台可采用大型木模板，拆装时采用拉条螺栓，拆模后凿除外露螺栓，并用砂浆修补。

(2) 立柱施工

采用拆装方便的大型整体式钢模，既能保证立柱外观光滑平整和内在质量，又能加快施工进度。施工时在现场预拼装，符合要求后，再由吊车整体吊装就位。吊装前，对拼缝进行嵌密处理，钢模内表面涂两次隔离剂。立柱混凝土浇筑保证适当速度供料，防止间隔时间过长而产生冷缝。对于双柱有连系梁的立柱，由于立柱模板的模数不可能相当精确，为了保证立柱混凝土外观质量，采用立柱一次成型再做连系梁的施工方法。横梁内预留 16mm 钢筋，采用预埋钢筋接驳器施工。

(3) 盖梁施工

盖梁分为预应力钢筋混凝土盖梁和普通钢筋混凝土盖梁两种。盖梁自重荷载较大，其支架下的地基进行预先处理。先对原状土进行压实，铺设 30mm 砾石砂压实，再铺设 15cm 厚 C25 素混凝土。

盖梁脚手架采用钢管脚手，脚手架层高不大于 1.7m，剪力管布置密度一般不小于立杆总数的 1/4。脚手架的顶部水平管控制高程层，必须严格按换算高程布置，并且该管的连接扣件需加强。

盖梁模板采用大模板形式。九夹板直接铺设于下层木板之上。铺设前预先计算好夹板尺寸，使拼缝对称合理，并牢固密封。盖梁侧模也可为木模，木模外侧设围檩，采用对拉方式固定。

张拉分两阶段进行：第一阶段混凝土强度达 90% 后进行张拉；第二阶段待板梁吊装完毕后再进行张拉。

3. 墩（台）施工

(1) 墩（台）身施工

现场浇筑混凝土墩（台）施工有两个主要工序，即制作与安装墩（台）模板和混凝土浇筑。现场浇筑混凝土墩（台）施工有三种基本方法：

1) 分节立模，间歇灌注法。将墩（台）沿高度分成若干节，分别制作各节模板。自底节开始，立一节模板，灌注一节混凝土，待混凝土强度达 1200kPa 后，再立第二节模板，灌注第二节混凝土，这样逐节升高，直至墩（台）灌注完毕。此法的优点是需要的设备简单，其缺点是施工速度较慢，适用于一般高度的墩（台）。施工接缝处应安插接头短钢筋或埋接缝石，以提高墩（台）的整体性。

2) 分节立模，连续灌注法。在灌注第一节墩（台）混凝土时，同时在地面将第二节模板拼组好，待第一节混凝土灌注完后，立即将第二节模板整体吊装，并在混凝土允许间歇时间（一般为 2h）内安装完毕，继续灌注第二节混凝土，如此循环直至墩台灌注完毕。此法施工速度快，墩（台）整体性好，但应有相应的起吊设备。

3) 滑动模板施工。滑动模板施工是用一节模板连同工作脚手架以整体形式安装在基础顶面，依靠自身的支撑部分和提升系统，在灌筑混凝土的同时，模板也慢慢向上滑升，这样可连续不断地灌注混凝土。墩（台）整体性好，施工速度快，高空施工安全。

(2) 墩（台）帽施工

在施工时，要注意墩（台）帽混凝土浇筑前，必须对墩（台）中线、标高及各部位尺寸进行复核,并准确放样,标出预留孔道、预埋件位置,并对基面进行凿毛清理干净。钢板预埋件应设排气孔,混凝土应加强振捣防止空鼓,振捣时不得碰撞预埋件。

墩帽多用强度等级为 C20 及以上的混凝土,并加配构造钢筋或采用钢筋混凝土(采用钢筋混凝土时,混凝土强度等级不低于 C25)做成。

4. 桥跨施工

桥跨结构施工方法常用的有现场就地浇筑施工和预制装配式施工,下面介绍梁式桥跨结构的施工。

(1) 梁式桥的就地浇筑施工

其工序为:搭设支架、安装模板、绑扎钢筋、浇筑混凝土、养护、拆卸模板与支架。

1) 支架。支架按其构造分为立柱式、梁式及梁柱式三种。

① 立柱式支架。

立柱式支架构造简单,可用于陆地或不通航河道以及桥墩不高的小跨径桥梁施工。支架通常由排架和纵梁等构件组成。排架由枕木或桩、立柱和盖梁组成。

② 梁式支架。

根据跨径不同,可采用工字钢梁、钢板梁或钢桁架梁。一般情况下工字钢用于跨径小于 10m,钢板梁用于跨径小于 20m,钢桁梁用于跨径大于 20m 的情况。梁可以支承在墩旁支柱上,也可支承在桥墩预留的托架上或支承在桥墩处的横梁上。

③ 梁柱式支架。

当桥梁必须在支架下设置孔道通行时可采用梁柱式支架。梁支承在桥墩台及临时支柱或临时墩上,形成多跨的梁柱式支架。

2) 模板。

就地浇筑桥梁的模板常用木模和钢模。当建造单跨或多跨不同桥跨结构时,一般采用木模;当有多跨同样的桥跨结构时,可采用大型模板块件或用钢模。

3) 混凝土的浇筑。

① 简支梁桥混凝土的浇筑,如图 8-23(a)、(b) 所示。

A. 分层浇筑:

对于跨径不大的简支梁桥,可在一跨全长范围内分层浇筑,在跨中合龙。分层的厚度由振捣器的能力而定,一般选用 15~30cm;当采用人工捣实时,可选 15~20cm。

B. 斜层浇筑:

简支梁桥的混凝土浇筑应从主梁的两端用斜层浇筑法向跨中浇筑,在跨中合龙;T 形梁和箱梁采用斜层浇筑的顺序如图 8-23(a) 所示。

当采用梁式支架,支点不设在跨

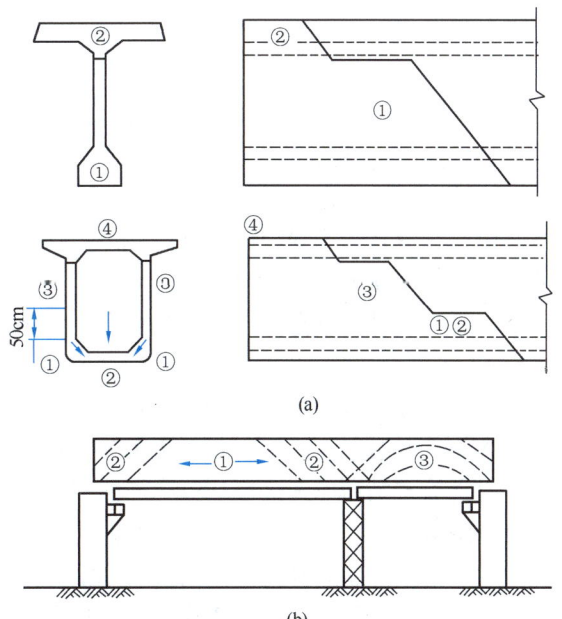

图 8-23 简支梁桥在支架上的浇筑顺序

中时，则应在支架下沉量大的位置先浇混凝土，使应该发生的支架变形尽早完成，其浇筑顺序如图8-23(b)所示。采用斜层浇筑时，混凝土的倾斜角与混凝土的稠度有关，一般可用20°～25°。

当桥梁跨径较大时，可先浇筑纵横梁，待纵横梁完成浇筑后，再沿桥的全宽浇筑桥面混凝土，在桥面与纵横梁间应设置工作缝。对于中大跨径预应力简支箱梁，可分两次浇筑，第一次浇腹板顶部，第二次浇筑顶板及翼缘板，这样施工便于布索及绑扎钢筋。

C. 单元浇筑法：

当桥面较宽且混凝土数量较大时，可分成若干纵向单元分别浇筑。每个单元可沿其长度分层浇筑，在纵梁间的横梁上设置连接缝，并在纵横浇筑完成后填缝连接。

② 悬臂梁和连续梁混凝土的浇筑。

悬臂梁和连续梁桥的桥跨结构在支架上浇筑时，由于桥墩为刚性支点，桥跨下的支架为弹性支撑，在浇筑时支架会产生不均匀沉降，因此在桥墩处应设置接缝，待支架沉降稳定后，再浇筑墩顶处梁的接缝混凝土。大跨径梁桥，除在桥墩处设置接缝外，还可在支架的硬支点附近设置接缝。

梁段间的接缝一般宽0.8～1.0m，两端用模板间隔，并留出分布加强钢筋通过的孔洞。浇筑接缝混凝土时先将两端面浮浆除掉、凿毛，用清水冲洗后，再绑扎接缝分布钢筋，浇筑接缝混凝土。当悬臂梁设有挂梁时，需待悬臂梁混凝土强度达到设计强度的70%以上时方可进行挂梁施工。

③ 混凝土养护、预应力筋张拉及模板拆除。

A. 混凝土养护：

混凝土浇筑完成后进行养护能促使混凝土硬化，并在获得规定强度的同时，防止混凝土干缩引起的裂缝。防止混凝土受雨淋、日晒、受冻及受荷载的振动、冲击。由于混凝土在硬化过程中发热，在夏季和干燥的气候下应进行湿润养护，而冬季则主要保护其不受冻，采用加温养护。

B. 预应力筋张拉：

后张法预应力混凝土梁，需待混凝土强度达到设计要求后（强度达到设计强度的70%以上）才能进行张拉。

C. 模板拆除及卸架：

一般要在混凝土达到设计强度的25%以后，拆除侧模，当混凝土强度不小于设计强度的70%以后，方可拆除梁的其他模板。

对于预应力梁，应在预应力筋张拉完毕或张拉到一定数量后再拆除模板，以免梁体混凝土受拉。

梁的落架程序应从梁挠度最大处的支架节点开始，逐步卸落相邻两侧的节点，并要求对称、均匀、有顺序地进行；同时要求各节点应分多次进行卸落，以使梁的沉落曲线逐步加大。通常简支梁和连续梁可从跨中向两端进行；悬臂梁则应先卸落挂梁及悬臂部分，然后卸落主跨部分。

(2) 装配式钢筋混凝土梁桥的桥跨施工

装配式钢筋混凝土梁桥的桥跨施工包括分片或分段构件的预制、运输、安装三阶段。桥梁的预制构件一般在预制场或预制工厂内制作，再由运输工具运至桥位安装。横向分片预制件可采用吊机或架桥机架设；纵向分段在桥头串联张拉后，用吊机或架桥机架设。

8.3.2 高架车站施工

高架车站可以采用现浇钢筋混凝土框架结构和钢结构等，顶盖为轻型钢网架，上覆彩钢板，轻轨车站框架结构施工同地面框架结构房屋施工。本节以钢结构高架车站为例介绍钢结构高架车站的安装施工技术。

1. 主刚架拼装

依据吊装方案，大部分构件在工厂内分段制作，现场拼装。为了保证吊装精度，现场依据工厂制作工艺图进行放样，并将其放样在刚性平台上，下面采用路基板作为拼装基础，在路基板上吊装台架，保证刚架拼装时的精度，同时对焊接变形起到控制作用。拼装如图 8-24 所示。

2. 吊装工艺

（1）刚架分段

刚架分段基本以高低跨刚架分别作为一个吊装段，中间腹杆为散件吊装。每段达 18t，分段如图 8-25 所示。分段吊装难度大，但此分段既减少临时支撑数量，又可减少空中对接焊缝数量，有利于保证焊接质量，同时可节省机械台班费用。

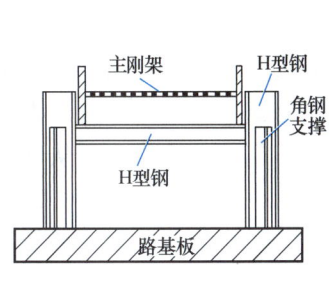

图 8-24 主刚架拼装示意图

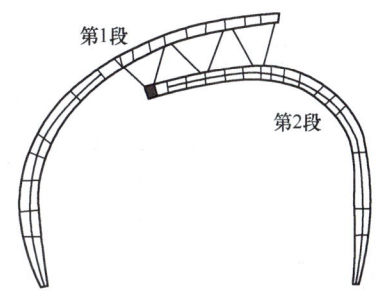

图 8-25 刚架分段示意图

（2）索具的确定

为了准确确定吊点位置及索具的长度，利用 CAD 实体求出构件的重心，由于主刚架截面大，其吊装点位置间距不宜过大，而间距越小，索具受力越有利。在实际施工中，为确保构件在吊装中不产生变形，起吊时配合 1 台 25t 汽车吊进行翻身。

（3）吊装步骤

基座→临时支撑→低跨主刚架吊装→腹杆吊装→高跨主刚架吊装→次刚架、连梁、中间檩条吊装。

1）支座吊装。

支座标高调整可通过螺母进行调节，待整个支座调整好后，再进行复测，复测无误后焊接限位挡板，然后进行高强无收缩料灌浆。达到强度后再进行刚架吊装。

2）临时支撑吊装。

主刚架吊装前先吊装临时支撑，临时支撑高度较低，一般 8m 左右，在吊装过程中相当于主要受力柱，其不仅要求吊装位置准确，而且必须达到受力要求。临时支撑采用 L100×6 角钢制作成 2000mm×2000mm 的格构式柱，部分采用 φ273mm×8mm 无缝钢管作为立柱。

临时支撑采用 50t 汽车吊在站台下面两侧进行吊装，吊装后采用 4 根缆风绳从四个方向加以固定，吊装时必须采用全站仪跟踪测量，保证主刚架准确落在临时支撑上，而且需达到轴心受压。临时支撑下面的底座可直接落在轨行区中间道床板上，但下面需利用木板或橡胶板进行保护，防止道床板破坏。

3）主刚架吊装。

当临时支撑就位固定后，进行主刚架吊装，主刚架吊装首先要进行翻身。吊装时采用 2 台吊车，其中 1 台主吊机械，1 台配合机械。主吊机械在翻身后直接起吊，配合机械在翻身后配合主吊机械进行起吊，当主吊机械起吊至一定位置，且主刚架离开地面时，配合机械缓慢松钩。当主吊机械转动主臂，配合机械吊索不再受力时，将配合机械移走，由主吊机械完成主刚架的就位。

在主刚架吊装时，首先吊装低跨主刚架，低跨主刚架吊装就位并进行测量校正后，进行低跨主刚架之间连梁的吊装，同时进行顶部两端腹杆的吊装。腹杆吊装后即可吊装高跨主刚架，高跨主刚架吊装同低跨基本相同。但高跨主刚架吊装直接就位于高低跨之间的腹杆上，校正准确后再进行其他腹腔杆的安装。

4）主刚架校正。

当主刚架吊装就位后，利用全站仪定位测量。测量准确后，在临时支架上焊接支托板，将刚架直接落在临时支架托板上，如图 8-26 所示。

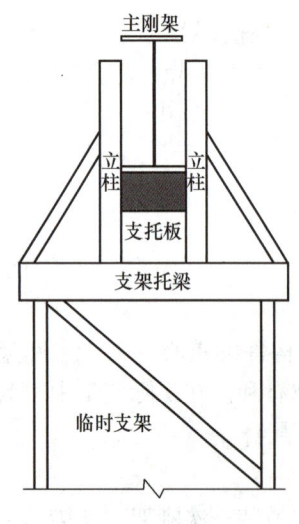

图 8-26 主刚架校正

为避免卸载后桁架标高低于设计高程，在吊装时采用预起拱的方案，将主刚架的顶标高调高 30mm 左右，以保证刚架卸载后标高基本与设计相近。校正主要从两个方面加以控制，即轴线和标高。

校正轴线主要是利用刚架上的两根缆风绳加以控制，标高控制以千斤顶作为主要调节工具。当标高与轴线全部准确后，将刚架与临时支撑挡板加以点焊固定，同时将下面铰支座与预埋件固定。

5）次刚架、连梁、檩条吊装。

主刚架吊装校正后，进行次刚架及檩条的吊装，基本吊装原则是从中间向两端吊装。中间部分次刚架及檩条主要采用轨行区上面的 25t 轮胎吊，其移动方便，基本不受轨行区道轨的影响。

6）焊接施工。

所有车站结构的对接焊缝均为一级焊缝，其他焊缝多为二级焊缝，檩条为三级焊缝，焊接工程量大。钢材材质全部为 Q345B 低合金钢，焊材选用 E5015 系列焊材。高空焊接多采用手工电弧焊，施工中均实行三检制度，以保证焊接质量。

参 考 文 献

[1] 楼丽风. 道路工程施工[M]. 北京：中国建筑工业出版社，2006.
[2] 王云江，邢鸿燕. 桥梁施工技术[M]. 北京：中国建筑工业出版社，2003.
[3] 白建国. 给水排水管道工程[M]. 4版. 北京：中国建筑工业出版社，2023.
[4] 边喜龙. 给排水工程施工技术[M]. 5版. 北京：中国建筑工业出版社，2024.
[5] 孙连溪. 实用给水排水工程施工手册[M]. 北京：中国建筑工业出版社，1998.
[6] 刘钊，佘稿，周振强. 地铁工程设计与施工[M]. 北京：人民交通出版社，2004.
[7] 姜晨光. 地铁工程建造技术[M]. 北京：化学工业出版社，2010.
[8] 王云江，曾益平. 城市轨道交通工程盾构施工与管理[M]. 北京：化学工业出版社，2013.
[9] 王云江. 市政工程概论[M]. 4版. 北京：中国建筑工业出版社，2020.